U0126110

井上義彥教授退官記念論集

東西文化會通

臺灣學生書局印行

井上義彥教授退官記念論集 東西文化會通

編輯委員會

井上義彦教授略年譜及び研究業績目録

井上義彦教授　略年譜

本籍地　長崎県
現住所　長崎県西彼杵郡長与町嬉里郷 1197−2

昭和 39 年 3 月　九州大学文学部哲学科卒業
昭和 39 年 4 月　西日本哲学会会員
昭和 40 年 5 月　九州大学哲学会会員
昭和 41 年 3 月　九州大学大学院文学研究科修士課程西洋哲学史専攻修了　文学修士
昭和 42 年 3 月　九州大学大学院文学研究科博士課程西洋哲学史専攻中途退学
昭和 42 年 4 月　東海大学福岡教養部講師
昭和 42 年 5 月　日本哲学会会員
昭和 44 年 4 月　長崎大学教養部講師
昭和 47 年 8 月　長崎大学教養部助教授
昭和 50 年 10 月　文部省在外長期研究員(ドイツ連邦共和国ミュンスター大学哲学部，昭和 51 年 9 月まで)
昭和 51 年 10 月　日本カント協会会員
昭和 55 年 4 月　長崎大学教養部教授
平成 2 年 6 月　長崎大学評議員(平成 6 年 3 月まで)
平成 4 年 4 月　日本倫理学会会員
平成 4 年 6 月　文学博士の学位授与(九州大学)
平成 6 年 4 月　長崎大学教養部長(平成 9 年 9 月まで)
平成 9 年 10 月　長崎大学環境科学部教授

平成9年10月　長崎大学環境科学部長(平成11年9月まで)
平成12年3月　海外研修(ドイツ連邦共和国アウクスブルク大学哲学部, 平成 12 年10月まで)
平成13年8月　長崎大学大学院環境科学研究科環境共生政策学専攻(修士課程)教授
平成14年4月　長崎大学環境科学部長・同研究科長(平成16年3月まで)
平成15年6月　西田哲学会会員
平成16年4月　長崎大学大学院生産科学研究科環境科学専攻(博士課程)教授
平成16年4月　長崎大学教育研究評議員(平成18年3月まで)

井上義彦教授　研究業績目録

一、著書

カント哲学の人間学的地平　理想社　平成2年7月

共編著

1　カントー道徳形而上学の基礎づけ概説　(『実践の哲学ースピノザからフロムまでー』所収)　法律文化社　昭和57年2月
2　第一部　カントと自由の問題　(『知の地平ーカントとウィトゲンシュタイン』所収)　法律文化社　昭和59年4月
3　生と死の哲学ーバイオエシックスー　(『長崎から“いのち”を考える”』所収)　長崎大学公開講座叢書　平成2年6月　大蔵省印刷局復刊　平成4年10月
4　時間を哲学する　(『転換期の社会に向かって』所収)　長崎大学公開講座叢書(大蔵省印刷局)　平成4年3月
5　哲学から見た生命論　(『現代の生命像』所収)　九州大学出版会　平成5年4月
6　カント倫理学と生命倫理ー尊厳死は許容できるかー　(『カントと生命倫理』所収)　晃洋書房　平成8年4月
7　身体の哲学的考察ー哲学的身体論序説ー　(『身体論の現在』所収)　長崎大学公開講座叢書(大蔵省印刷局)　平成8年6月
8　人間存在論ー心身二元論と独我論の超克のためにー　(『人間　何処からどこへ』

所収） ナカニシヤ出版 平成 10 年 3 月

9 大学教育における文理融合の必要性―環境科学部の試みに関連してー （『選ぶ前に知る』所収） 大学入試センター 平成 11 年 5 月

10 三浦梅園とカントに見る自然観―思考法の比較思想的考察― （『環境と文化―〈文化環境〉の諸相』所収） 九州大学出版会 平成 12 年 3 月

11 環境哲学と環境倫理学 （『環境科学へのアプローチ～人間社会系』所収） 九州大学出版会 平成 13 年 3 月

12 環境学の基礎学としての環境哲学―文理融合と複眼的思考法の形成 （『環境と人間』所収） 九州大学出版会 平成 16 年 3 月

作為環境學之基礎學的環境哲學――文理融合和複眼式思考的形成 淡江大學中文學報第十期 平成 16 年 6 月

13 図式論･原則論―ものの存在(Dasein)との関わりー （『カントを学ぶ人のために』所収） 世界思想社 平成 18 年刊行予定

二、論文

1 カテゴリーの先験的演繹についてーカント『純粋理性批判』におけるー 西日本哲学会会報第 14 号 昭和 41 年 6 月

2 ハイデッガーのカント解釈について 西日本哲学会会報第 17 号 昭和 42 年 7 月

3 純粋理性批判における内感のアポリア 九州大学哲学会哲学論文集第 4 輯 昭和 43 年 9 月

4 デカルト哲学における“cogito, ergo sum”と神の問題 長崎大学教養部紀要人文科学編第 10 巻 昭和 44 年 12 月

5 カントの「観念論論駁」について 長崎大学教養部紀要人文科学編第 11 巻 昭和 45 年 12 月

6 カントの経験の第二類推 日本哲学会哲学第 21 号 昭和 46 年 5 月

7 カントにおける人格性と自由性に関する一考察 九州大学哲学会哲学論文集第 7 輯 昭和 46 年 9 月

8 Über die Persönlichkeit und die Freiheit bei Kant 長崎大学教養部紀要人文科学編第 13 巻 昭和 47 年 12 月

9 カントの『判断力批判』における美的判断の構造についての覚え書き 長崎大学教養部紀要人文科学編第15巻 昭和50年1月

10 カントにおける遊び(Spiel)の概念と構想力について 長崎大学教養部紀要人文科学編第18巻 昭和53年1月

11 カントの認識批判における図式と象徴 長崎大学教養部紀要人文科学編第19巻 昭和54年1月

12 カントの「観念論の論駁」考 長崎大学教養部紀要人文科学編第20巻 昭和55年1月

13 スピノザにおける自由と決定論について 長崎大学教養部紀要人文科学編第23巻 昭和57年7月

14 カントにおける自由と決定論 西日本哲学会会報第30号 昭和57年10月

15 ライプニッツにおける予定調和と個体的実体の自由について 長崎大学教養部紀要人文科学編第24巻 昭和58年7月

16 カントにおける自己関係性と物自体のアポリア－二重触発の問題－ 長崎大学教養部紀要人文科学編第30巻 平成元年7月

17 カント「定言命法」の二重規制的構造 九州大学哲学会哲学論文集第25輯 平成元年12月

18 スピノザにおける「精神の幾何学」について－感情と自由の問題－ 長崎大学教養部紀要人文科学編第32巻第1号 平成3年7月

19 カントと内感の問題－経験判断と知覚判断－ 長崎大学教養部紀要人文科学編第32巻第2号 平成4年1月

20 時間の哲学 長崎大学研究報告書 平成4年3月

21 哲学的な智慧の構造－不知の知と無知の知との差異－ 長崎大学教養部紀要人文科学編第34巻第2号 平成6年1月

22 自然観における機械論と目的論,及びその調停的な両立性－環境問題を考察する視座 長崎大学教養部創立30周年記念論文集 平成7年3月

23 人間存在に関する哲学的考察 長崎大学教養部紀要人文科学編第35巻第1号 平成8年9月

24　地球環境問題とカントの目的論の意義－近代自然観における機械論と目的論との相剋　西日本哲学会西日本哲学年報第6号　平成10年10月

25　環境問題における分離融合的な教育・研究の必要性について　長崎大学環境科学部総合研究第2巻第1号　平成11年9月

26　西田哲学の「場所」の論理とカント　長崎大学環境総合研究第6巻第1号　平成15年10月

27　西田哲学的特色－西田幾多郎與迪卡爾　淡江中文学報第十二期(淡江大学)　平成17年6月

三、翻訳

1　アーペル・ガーダマー他著『言語と認識』(共訳)　法律文化社　昭和55年10月

2　マッキンタイアー著『西洋倫理思想史』(下巻)(共訳)　九州大学出版会　昭和61年4月

3　カント著『論理学』(共訳)(カント全集第17巻)　岩波書店　平成13年6月

私の履歴書ー出会い

井上義彦

私は長崎市松山町に生まれた。戦時中、福岡の田舎に疎開した。直後に、原爆が投下された。今見ると、生家は爆心地辺りになる。我家以外の縁者は殆んど全滅した。運命の疎開だった。そのまま福岡に居着いたので、長崎には郷愁を感じた。長ずるにつれて、長崎への帰郷の念が高じてきた。すると、不思議にも長崎大学に赴任することになった。この時は、何か運命じみたものを感じた。西洋文学などによく出てくる、「地霊」の概念が初めて実感了解できた気がした。

長大に来て、早いものではや満二十年になる。最初の頃は私も若かったので、講義途中のエスケイプは我慢できなかった。何度学生と廊下をかけっこしたことか。トイレに逃げ込む者、別の授業中の教室にまぎれ込む者、逃走しとげた者、捕まって頭をかきながら弁解する者……彼等も今頃何処かの空の下で、社会人として生きていることだろう。

着任した頃は教養ゼミはなかった。学生との接触がなくて、あまりに淋しいので、五年ほどして、放課後自主ゼミ(単位なし)を始めた。当時はゼミ室もなかったので、学生が交代で毎週予約した学生会館で行った。この頃の学生たちとは今も交流が続いている。そのうちに教養ゼミができて、単位が取れるゼミになると、熱意ある個性的な学生が減った。しかし十数年の間には、今でも忘れがたい学生達がいる。「私の履歴書」としては異例で型破りかも知れないが、こうした学生群像との交流の履歴をここにいくつか紹介してみたい。

ゼミでは毎回読書のレジュメを提出させるのだが、意欲ある学生ほどその証しに頑張って長文の力作を書いてくる。数年前の医学部生A君は、毎週四百字詰め二十枚以上のレポートを提出した。夏休みが明けると宿題でもないのに、五十枚を超える論文を持ってきた。彼は、かつて数週おきに二十枚のレポートを五回ほど提出し、夏休み明けに、自主的にプラトンの政治哲学について五十枚の論文を出した教育学部生B君の話を聞いて、その記録を破ろうとしたのである。(伝説の B 君は今対馬で教師をしている)。A 君の快挙を破る学生は多分もう二度と出てこないと確信している。

留年や除籍をする学生は不真面目な落伍者と捉えるのが一般である。工学部生 C 君はその通念を打ち砕き、私の蒙を啓いてくれた。C 君は皆勤でレジュメもきちんと出し、自分の意見も内に秘めた闘志をほの見せて物静かに語ったものである。抑制した態度には人を引きつけ説得させる真情の強さがあった。私は彼を優秀な学生と思い敬意を払った。それだけに、学生末の判定会議で除籍者の中に彼の名前を見出した時は、真実我が眼を疑った。初めは信じられなかった。彼はインドの哲人レジィニーシを尊敬し、いつも彼の書物を大事に持ち歩いていた。彼の考えにはその哲人の影が色濃かった。C 君の最後の年は哲学ゼミしか受講せず、他は空白だった。成績表の A は彼から私への贈り物のように思えた。「僕は進路を間違えました」と言って、彼は大分に帰っていった。今も私の胸にはその勲章が燦然と輝いている。教育学部生 D 君は、在学中に立派な詩集を二冊出した詩人である。(一冊の詩集出版費は安いヨーロッパ旅行を可能にする額であった)。僕たちは名詞的でなく動詞的に考えるべきですというのが、彼の持論だった。ある年の五月、四年生になった彼と研究室で話していると、新入生の E さんが付き添いに支えられて、部屋に訊ねてきた。ゼミに二度ほど出て以後姿を見せなくなった美しい女子学生である。カフカの「変身」について、一途に異常なほどのこだわりと情熱を見せて論じた彼女の様子を思い出した。身体の変調で、心残りですが、ゼミはやめますと愁い顔で告げた。復学してもゼミは取りません、哲学の議論が身につまされて恐ろしいからです。お許し下さいと謝る清らかな顔は悲しげだった。でも二回のゼミのことは決して忘れません、お礼に何もできませんので、今自分にできる心ばかりのプレゼントですが、大好きな歌を歌ってお返しをしたいと言う。こうして話している間も、彼女の華奢な身体はぐらぐらと揺れ、眼は時々瞳が消えて白眼になり、今にも失神しそうな緊迫した気配なのである。崩れそうな身体を懸命に支えながら必死に懇願する容姿は哀切心打つものがあった。病因は家庭の不幸、両親の不和、離婚らしかった。可哀想な妹は、私が守り抜きますと、健気に言い切る彼女のまぶたは濡れていた。(付き添いの若者が、好きなようにさせて下さいと助言した)。やがて時ならず、立ち上って歌う歌姫の声が研究室に流れて行った。初めて聴く歌だった。少年がパパと拾った木の実をいつも大切に持ち歩き、それを見ては幸せだった頃の亡きパパとパパの励ましを思い出しながら、秋の草原を駆けてゆく、と言った歌詞だった。上手とは言えないが情感に満ちた思いが胸に突き刺さる、冴えざえとした歌声だった。家庭崩壊の危機に懸命に耐えようとして、遂に敗れた彼女。しかし今持ちこたえて必死に歌い続ける彼女。その可憐な姿は眩しく神々しかった。彼女を看護人と二人で両脇を支えて、四階から玄関まで抱え降ろした。彼女は疲労の中に、安らかな満足感を漂わせていた。春の陽光に溢れた光の中をゆらゆらと影を引き摺って、清楚な乙女は去っていった。まるで、傷ついた天使がしばし疲れた翼を休めて飛び去るかのように—。私と詩人は無言のまま立ち尽くしていた。(E 君は今福岡で教師をしている)。—その曲名は分からず、永く謎だった。ところが去年の梅雨時だった。自宅にいると、五年の末娘がピアノで弾き語りをしていた。それが何年振りかに聴くあの曲なのだ。「小さな木の実」が曲名である。興奮してアンコールする父親に少し照れながらも、娘はもう一度歌ってくれた。歌い終わった娘は問うた。「お父さん、パパイヤ、好き」。物思いに耽ける私は「ああ、好きだよ」と何気なく答えた。エジプトのルクソールで食べたパパイヤの味を思い出していた。ナイル河畔に建つホテルのテラスを見つめていた、貧しい現地の人々の食い入るような眼差しが痛かった……。「変ね、嫌いなはずよ。だって、パパ・イヤだよ」。娘は澄して、してやったりと笑っていた。そこだけが奇妙に明るく眩しかった。ガラス戸の外には、庭の紫陽花の赤紫の大輪の花がいくつか風に揺れながら、異様に鮮やかに眼に映じていた。——世の中には、色々な学生達がいる。無関心で無感動な大群の中にまじって、ほんの一握りの学生達との出会いに、私は本当に心から感謝している。真の出会いとは、その出会う相手を通して、自分自身を見つめ直すことであり、言い換えると、自分を見つめ直す機会を与えられ、新たな自己を発見することである、と思う。私は、この言葉を心ある学生諸君に送りたい。

季節は巡り、また春が来た。桜吹雪の中に、新たな出会いはあるのだろうか。……

長崎大学「学園だより」(平成元年 4 月 10 日付)より

序に代えて

齋藤　寛

先日、本学環境科学部・若木太一教授が来室された。井上義彦教授が平成 18 年 3 月末日をもって定年退官となること、ついては、その記念として一書を編むので序文を書いてほしい、これは井上教授の希望でもある、とのことであった。

その書は『井上義彦教授退官記念論集—東西文化會通』といい、執筆者には台湾の学者もおられること、執筆者は 30 人を超えるだろうという。

さすが、井上教授と思った。

私の縁戚の人文社会学研究者に有賀喜左衛門(社会学、慶応義塾大学)、小尾郊一(中国文学、広島大学)がいて、その退官記念論集を私は大切に架蔵している。退官記念論集というものがそう簡単にできるものではないことをよく知っているだけに、私は「井上義彦教授には国際的な顔ぶれによる記念論集ができるのですか、井上教授のこれまでの業績とお人柄からすれば当然かもしれませんが、それにしてもすごいことですね、井上さんとは永いおつきあいでもあるし、喜んで書きます、光栄です」と申し上げた。

さて、それからが大変である。何を書けばよいのか。なにしろ相手は剛直を持って鳴る井上教授であり、『井上義彦教授退官記念論集—東西文化會通』という大舞台。悶々として日を過ごしていたところ、今度は若木太一教授が連清吉助教授とご本人の井上義彦教授を伴って来訪され序文はどうなっているかとの催促である。

私は井上教授とは長崎大学で 20 年近いおつきあいである。彼は文学部卒業で、専門は「哲学」、とくに永年にわたりカントに力を傾注してきた。一方、私は医学部卒業で、環境医学、とくに重金属中毒専攻である。したがって、彼と私の間には学問上の付き合いはないが、学内各種委員会、評議会などで一緒になっているし、またそれから生じた個人的なつきあいも浅くはない。

私は彼に遠慮なく物を言えることを私の仕合わせの一つと思っているので、ここでは、私から見た井上義彦教授の紹介をもって序文に代えたい。

私が井上さん(日頃から、そう呼んでいるので、以下は井上さんと記す)にはじめて会ったのは平成元年 1 月に発足した「自己評価検討委員会」である。この会は土山秀夫学長(当時)が昭和 63 年 11 月の学長就任に際して掲げた「自己点検・評価制度の導入」と「大学改革」の具体化のために設置された委員会であり、学内各部局各 2 名の委員によって構成された。

当時、この自己評価を導入していたのは筑波大学だけであり、委員会は導入の可否をめぐって侃々諤々の議論を繰り広げたのである。導入賛成の最先鋒は医学部の宮本勉教授と私であった。反対の最右翼は教養部(当時)であった。井上さんは教養部選出の委員の一人であった。「この委員会は学部の利益を代表するものではない、長崎大学が将来どうあるべきかを論ずる賢人会議のはず」とする私の意見をもっとも早く理解し、支持してくれたのが井上さんであった。この委員会(宮本委員長、井上副委員長)は「導入する」との結論を出すのに 3 年かかった。しかし、このように十分に時間をかけたことこそが、現在、長崎大学が教員の個人評価、学生による授業評価などの取り組みにおいて全国の国立大学法人から注目され、高く評価されていることに繋がっていると言えよう。

さて、ところが、である、井上さんは宮本さんや私が、たまには一緒に飲もうと誘ってもあまりいい返事をしてくれないのである。

いろいろ話してみると、「医学部の先生は俺たちよりも遙かに高い給料を貰ってるんだろう?2 倍以上だって?」と、例の大きな声で言う。

「大学の教官は医学部も、文学部も、教養部も身分は文部教官で同じ、給与表は教育職(一)でみな同じ」と説明しても信用しない。さらには、「医学部の教授たちは高い給料もらっているから、毎日、高級料亭で飲んでいるそうだね」とか、「もっとも、宮本さんや齋藤さんを見て、医学部は傲慢無礼の教授ばかりではないことは分かったけどよ」とも言う。「どうしてそんなこと言うの?」と聞くと、「俺が教養部に来たときから先輩の教授たちにずっと聞かされてきたのよ」と言うのだった。

私は井上さんに私の給料明細書を見せた。「あれっ、ほんとだ、俺と同じだ」、「給料が高いのは国立病院の医師のこと、彼らは本俸はわれわれとほとんど変わらないけれど、医師手当が付くから。大学病院の教員(医師)だって、当直はあるし、手術はするし、患者が悪くなれば真夜中だって出てくるけど、給料は文部教官だから、臨床の教授でも給料は井上さんと同じだよ」、「ふ〜ん、そうかあ、俺たちと医学部は同じかあ」。

ある日、委員会のあと、井上、宮本、私の 3 人で医学部近くの焼鳥屋「二本一」で飲んだ。「ここの店の名だけど、〈日本一〉ではなくて〈二本一〉なんだよね」と私、「どういう意味？」と井上さん。「二本で一本の値段だからさ」、「ふーん、そうかあ、あんたたちも普段は居酒屋なんだ、そうか、これからは友達になろうよ、いいだろう？」。

こんな風に私が井上さんにいろいろ話しかけたのは、実は彼が書いた文章「私の履歴書」(学園だより,平成元年 4 月 10 日号、教員が回り持ちで自己紹介するもの)を読んで、大いに感銘したからである。彼は「私の履歴書」では異例で型破りかもかも知れぬが、と断って、彼が長崎大学教養部 20 年間に出会った何人かの学生のことを述べ、「真の出会いとは、その出会う相手を通じて、自分自身を見つめ直すことであり、(中略)、私は、この言葉を心ある学生諸君に送りたい」と結んでいる。本論集に彼のこの文章が収められるそうなので、これ以上は触れないが、私の心に深く響いた。だから私は井上さんといろいろ話をしたかった。

井上さんのことをもう一つ。ある年の「現代の生命像」年度末打ち上げ会のあと、銅座に繰り出した。昭和 24 年の長崎大学開学以来、教養部の講義は教養部教員のみの担当だったが、土山秀夫医学部長(当時)らによってオーガナイズされ、昭和 62 年に教養部、医学部、歯学部の教員がチームを作り、初めての総合講義「現代の生命像」が教養部に誕生した。学生の人気抜群で、毎年抽選で受講者を決めていた。

この打ち上げ会のとき、学生に人気もあるし、去年の市民公開講座「現代の生命像」の受講者が「出版してほしい」と言ってくれた。一般の人にも読んでもらえる教科書を作ろうと提案し、井上さんと私が編集することになった。その勢いで街へ繰り出したのである。

このとき、はじめて井上さんのカラオケを聴いた。音吐朗々、井上義彦そのものだった。しばらく後に、彼に「あなたの歌、とてもいいけれど、もう少し、高低つけて歌ったら、すごく良くなると思うよ」といらぬお節介を焼いた。「そうか、どうも、どうも」といって頷いた。この辺の素直さが彼のいいところである。

それと彼は笑顔がいい。私が平成 10 年に医学部長となり、はじめての評議会に出席する途中の廊下で彼と出会った。かれはすでに評議員(教養部長)だった。「やあ、齋藤さん、久しぶりだねえ、昔からの知り合いが評議員になって、とても嬉しいのよ」とあの笑顔で声をかけてくれた。大学にはこういう人はなかなかいない。

彼の良いところと言えば、先ほど述べた「現代の生命像」は井上さんの口利きで平成 5 年に九大出版会から出たが、その「序」を彼が、「あとがき」を私が書いた。井上さんが「女房から、あなたの文章は難しくて駄目、齋藤先生のような文章が親しみやすくていい」だってよ、と言う。こういうことをさらりと言える人も少ない。

さて、井上さんのカラオケお得意を 7 曲と言われたら、私は「奥入瀬」、「北の旅人」、「北へ」、「北帰行」、「惜別の歌」、「恋人よ(五輪真弓)」、「道づれ」を挙げる。

スナックで彼と 2 人で 45 曲歌い(もちろんほかに客は居なかったが)、ママから「私は商売だから嬉しいけれど、でも、よく歌われますね」と言われたこともあり、この選択には自信がある。ところが、「奥入瀬」、「恋人よ(五輪真弓)」を除く 5 曲は実は、私の唱いたい歌とバッテイングする。そんな時は、一番を井上、二番を齋藤というように歌う。私が 7 曲を挙げたら、彼は「その通りだけど、そうか、俺って北指向なんだ」と言った。

この辺で彼の学問の話をすべきであろうが、最初に述べたように私と井上さんの間には学問上の繋がりはない。しかし、彼の学問は本物だろう(井上さん、失礼)と思っている。それは哲学者の浜田義文法政大学教授(故人)に聞いているからである。浜田教授には私がオーガナイザーで平成 3 年、4 年と 2 年連続で開催した長崎大学公開講座「現代の生命像」の講師をお願いした。なお、講師メンバーは土山秀夫学長、宮本勉教授(ビールス学、故人)、浜田教授、井上さん、そして私の 5 人だった。また、昨年秋に法政大学の牧野英二教授が環境科学部主催のアジア国際環境会議のため来崎下さったが、牧野教授も「井上教授はすごいです」と申された。

井上さんの学問あるいは大学に関して私が忘れられない発言を 2 つ紹介する。

彼は平成 4 年に文学博士の学位を取得したが、友人たちが企画して祝賀会を長崎プリンスホテル(当時)で開いた。30 人くらい集まっただろうか、会費制の良い会だった。参加者は教養部の人が多かったが、医学部などの総合講義「現代の生命像」担当教員も参加した。謝辞のなかで「私のような者でも学位を取ることができた、もちろん苦労はしたけれど。これからの時代は教員の業績が評価される時代になる。文系の教員の皆さん、頑張って学位を取ろうではないか」と話した。大学には仲間内にこういうことは言えない(言わない)雰囲気がある。だからこそ国立大学は、今、改革を求められている。彼は時代を見通していた。

長崎大学環境科学部は教養部を母体として平成 9 年に設置されたが、この時、井上さんは教養部長として、また平成 16 年 4 月の環境科学専攻ドクターコースの開設に際しては環境科学部長として指揮の先頭に立った。その時のことを書き留めておきたい。彼が「環境科学部は教養部の教員のために作るのではない、学生のために作るのだ」と繰り返し強調していたことを、である。

平成 16 年 4 月に国立大学法人長崎大学が発足した。この時、井上さんを私は学長指名の評議員に委嘱した。彼に評議員を委嘱したのは「学部長経験者だからではない」。「もちろん古い知り合いだから、カラオケ仲間だからでもない」。法人化に際して、大学の理念として「学生顧客主義」を掲げたわが長崎大学は彼を必要としたからである。

井上さんは小説を書く。一度読ませろと言ったら、同人誌「信天翁」をくれた。井上さんは筑紫龍彦の名前で「走らない少年」を書いていた。その 13 章は「少年は夢を見ていた一少年は走っていた」というフレーズで始まる。井上義彦は「少年は夢を見ていた一少年は走っていた」人間そのものと私は考える。

長崎大学の教職員に、今、もっとも求められているのは「夢を見る少年、走る少年」である。このような教職員こそが「真の出会いとは、その出会う相手(学生)を通じて、自分自身を見つめ直すこと」を具現化でき、学生も「真の出会いとは、その出会う相手(教職員)を通じて、自分自身を見つめ直すこと」が出来る。

長崎大学の「学生顧客主義」とはまさにこのことを言う。

平成 18 年 1 月 5 日

折しもわが誕生日に、井上義彦教授の今後の発展と健勝を願って記す

長崎大学長　　　齋藤　寛

序

高　柏園

孟子云：東海有聖人焉　，此心同，此理同；西海有聖人焉，此心同，此理同。其實，聖人之心同理同並非遙不可及的玄妙境界，而僅是當下呈現的一點真誠而止！我想，我與井上義彥教授的相識、相知，正是此義之寫照。

猶記 2002 年暑假，我以淡江大學文學院院長的身分率團訪問長崎外國語大學，商討二校學術合作事宜。其間，好友連清吉教授由於任教於國立長崎大學環境科學部，便提議同時參訪該校，蒙當時的學部長井上義彥教授的應允，我與井上教授的交誼也正式展開。井上部長氣宇軒昂，精神充沛，謙和有禮又不失親切的接待，令人印象深刻。席間，除了介紹兩校之外，也期盼彼此能有實質的學術交流活動，於是我提議以環境與文化為主題，以學術研討會的方式展開交流，獲得井上教授的熱情支持，兩校的交流也就隨著我與井上教授的情誼一起成長、茁壯！2003 年首屆的環境與文化國際學術研討會在淡江召開，井上教授率團與會。2005 年則在長崎大學召開第二屆大會，同時，雙方亦同意以二年一次的方式，持續在兩校輪流召開。每思及此，總不忘井上教授當年的熱心推動，子曰：君子成人之美。井上教授正可謂謙謙君子也。

雖是在環境科學部擔任部長，井上教授卻不是一位科學家，而是一位傑出的哲學家，尤其以治康德學著稱。曾參與日本康德全集的寫作工程，可說是日本治康德學的權威學者之一。有鑑於此，筆者特別邀請井上教授至淡江大學擔任講座，並以康德與環境思想發表三篇精采的演講，深獲本校師生之肯定與敬佩。尤有進者，井上教授更將宏文投稿至《淡江大學中文學報》，為學報增光甚多。凡此，皆看出井上教授不止是一位治學嚴謹的權威學者，更是一位有情有義的儒俠，其能深獲學界的敬仰豈是偶然！

2005 年 11 月在長崎參加第二屆環境與文化國際學術研討會，期間與老友連清吉、若木太一、佐久間正教授會面，談及井上教授將於 2006 年 3 月榮退一事，大夥也商量如何表示。我建議除了出論文集之外，亦邀請井上教授與諸好友於五月再訪淡江，淡江方面將以學術會議方式，對井上教授在康德哲學及中日文化交流上的貢獻表示最崇高的敬意。此意一出，獲全場友人的支持，我負責淡江部分，連清吉教授負責日本長崎部分，年度盛事可謂大致底定。回想我與井上教授交談機會並不算多，然而卻有「相視而笑，莫逆於心」之感，每次相見都有老友相會的快慰與喜悅，應是前世宿緣深厚，加上清吉兄的玉成使然。

此本論文集的在台出版，要感謝連清吉教授的督促，也要歸功陳仕華教授的熱心推動以及學生書局的慷慨相助。論文集的每一篇文章都不僅是學術成果的展現，更是對井上教授的景仰與祝福，可謂一篇篇誠意，一頁頁深情。人間盛事，曷過於此？在此，謹代表淡江大學對井上教授的榮退表示祝福，並誠摯邀請井上教隨時來淡江講學，此一方面固然是傳道授業，一方面也是再續諸君子風流雅韻，示人間「極高明而道中庸」的第一義諦。此所謂不亦悅乎，不亦樂乎，不亦君子乎！是為序。

記念論集の出版に寄せて

井上義彦

間もなく2006年3月になると、まる37年勤務した長崎大学を定年退職する。随分長かったが短くも感じられる歳月が、様々な想念となって走馬燈のように心中を去来する今日この頃である。こうした折りに、台湾の淡江大学副学長の高柏園先生と長崎大学の連清吉先生とにより、私の退官記念論集『東西文化會通』を台湾側のご好意によって出版させて頂けるという誠に有り難いお申し出があった。これは、人情の薄くて軽きこと紙風船の如し、といわれているせちがらい御時世に、にわかには信じ難いお話であった。勿論ご好意に甘えて、ご提案を有り難くお受け致すことにした。

想い起こせば、淡江大学と長崎大学環境科学部との国際学術交流は、両者に強力な接点を持つ連先生の存在なしには成立しなかった。高先生をはじめ、台湾の先生方との出会いもなかったであろう。初めは一衣帯水といいながら何かと遠い台湾と日本との間の異文化交流に若干の不安があったが、実際に交流してみると、それは全くの杞憂にすぎなかった。それだけに、形だけの国際交流に終わるものが多い中で、実質的に有効な交流と対話の実績を築いて、真の友好的な交流が実現できたことは本当に素晴らしいことであった。交流が成功したのは、台湾側の中心におられた高先生の誠実な協力のお陰であった。その時、高先生の信義に厚いお人柄を知った。私の胸中に浮かんだのは、『論語』の一説である。「学而時習之、不亦説乎。有朋自遠方来、不亦楽乎。人不知而不慍、不亦君子乎。」。人に知られぬ私の論集を高先生は出版してくれるという、貴君はまた君子ならずや、我はまた嬉しからずやである。

高先生とは梟(owl, Eule)を愛好する共通の趣味を持っている。梟はギリシア神話の知恵の女神である。我々両人は共に哲学を志向する者である。因縁は深い。近代以降、哲学は科学の後追いをしている。だから、科学は学理を発見し、哲学は哲理を再発見するといわれる。科学は昼間に活動し、哲学は日の沈む夕方に活動を開始する。「ミネルヴァの梟は、黄昏時に初めて飛翔を始める。」(die Eule der Minerva beginnt erst mit der einbrechenden Dämmerung ihren Flug.)と、ヘーゲルが記す所以であり、また我ら両人が夜を愛す所以である。高先生とは、語るほどに酒を飲み、酔うほどに歌う。まさに 10年来の知己の如く、「両人対酌すれば山花開き、一盃一盃復た一盃」(李白)。そして台湾式で対酌すれば心花開き、一曲一曲復た一曲。両人のカラオケの合唱である。高先生の熱い思いやりの心情と深い信義ある友情が、じーんとこちらに伝わる楽しい嬉しい至福の瞬間である。

また、台湾大学の周志文先生も哲学者であり、共にヨーロッパの古き良き伝統を今に残す東欧、特にチェコのプラハを愛する同好の士である。私が先生の篤実なお人柄に強い親しみを実感したのは、私が先年淡江大学の集中講義の折りのことであった。私が講義後に聴講者との質疑応答で立ち往生した時に、西洋哲学と中国哲学の両方に精通した周先生と高先生が、毎回間に入って有効な助け船を出してくれた。周先生とは、それまでも面識のある間柄であったが、これ以後物静かな中に芯の強さを秘めた周先生は、高先生とともに、私にとって掛け替えのない親友である。

ここまで書いて、淡江大学の美しい学園を思い浮かべて詩想を得た。拙い古詩風の詩曲だが、私の感謝の気持ちを込めて淡江大学と高先生に捧げたい。

淡江大学に寄す。

学院の庭園に佇み、遙か対岸に観音山を眺望す。
山頂に白雲棚引き、山姿薄紫にうち煙る。
淡水縹渺と流れ、川風は蕭々と吹き渡る。
淡水は天空を映じ、人そこに楽園を観る。
淡江に白堊の学舎林立し、学林に道を尋ねる学人は集う。
学灯の点る処に、不屈の究理の精神は常に宿りて憩う。
されど、時に想え、今を生きる幸福の意味を。

最後に、この記念論集にご参集頂いた先生方、淡江大学副学長の高先生はじめ台湾の先生方、そして長崎大学長の齋藤先生、長崎外国語大学長の池田先生はじめ日本の先生方、特に環境科学部の同僚の先生方、編集の労をとって下さった若木先生、本当に心より感謝申し上げます。皆様方の心暖かいご協力と優れた論文のご寄稿なしには、この記念論集の出版はあり得ませんでした。長い間のご厚情とご交誼にあらためてお礼申し上げます。また末筆ながら、出版をお引き受け頂いた台湾学生書局には深く感謝申し上げます。

最後に今一度、この記念論集出版の機会を与えて頂いた高先生、そして面倒な仲介と編集の労をとって頂いた連先生、お二人の真情溢れるご友情に対して心より深甚なる感謝と衷心よりのお礼の言葉を申し上げます。ご厚情は決して忘れません。本当に有り難うございました。

この記念論集が、台湾と日本との間の架け橋となり、両国の国際的文化交流にとって今後益々の友好的発展と信頼の絆との確かな礎となり、証しとなることを祈念しながら、筆を擱きます。

井上義彦教授退官記念論集 東西文化會通

目次

デカルトとカント―自我、自己、そしてペルソナを巡る哲学的考察―

井上義彦

1, 序 (1)実存と本質

「汝自身を知れ」。哲学はソクラテスのこの問いかけと共に始まる。では人間とは何か。我々人間にとって、これほど難解な謎もない。まさに、アウグスティヌスが「時間」について述べたように、「人間」に関しても、「誰も私に訊ねないとき、私は知っている。訊ねられて説明しようと思うと、私は知らない」(『告白』❶)と言い得よう。

我々人間は、なぜ今、ここに存在するのか。パスカルはかつて問うたー「私があそこではなく、ここにいることに恐れと驚きを感じる。なぜなら、あそこでなくてここに、かの時でなく現在の時に、なぜいなくではならないのかという理由は全くないからである。誰が私をこの点に置いたのだろうか。誰の命令と誰の処置とによって、この所とこの時とが私にあてがわれたのだろうか」(『パンセ』❷)と。

人は誰しも、自己存在の現実に驚く。そして自己存在の理由を考えようとする。この時、人は自己の存在を可能にした自分の両親の存在あるいは生物学的な出生理由に驚いている訳ではない。人が驚いているのは、まずは一回限りの自己存在の「かけがえのなさ」である。独り一人のかけがえのない「実存」の現実に気付いた者は哲学的な想念に捕らわれる。それは、人間存在の本質的理由ではなくて、人間存在の実存的理由に対してであ

❶ アウグスティヌス,『告白』(山田晶訳),XI,§14,414 頁,中央公論社。

❷ Pascal, Pensées, §88,p1113, Oeuvres complètes, Pléiade, Gallimard.『パンセ』(前田・由木訳),§205,115 頁,中央公論社。

る。

「私は、なぜ、今、ここにいるのか」。自己の事実存在に気付いた者は、人間の本質存在(essentia)でなく、人間の実存(existentia)に覚醒したのである。自己存在の一回限りのかけがえなさに気付いた者は、やがて直ちに自己存在の儚い有限性に気付くに違いない。人間が自己存在の自己原因ではなかったように、自己存続の確実な根拠ではない。人間は自己存続に対して「無力」なのである。人間は、両親という他者によって出生させられた偶然存在である。そして人間は、両親、友人その他の社会共同体の人々と共に生きている。しかし、彼らは「我々と同じに無力(impuissants)なのである。彼らは我々を助けてはくれないだろう。人は独りで死ぬ(on mourra seul)のだ。」(『パンセ』❸)。

人間存在の一回限りのかけがえのなさに覚醒した者は、己れの「生と死」に限界づけられた自己存在の有限性を「実存」として了解している。サルトルは、実存主義の根本テーゼとして、人間を「実存が本質に先立つところの存在」(un être chez qui l'existence précède l'essence)❹と宣告するのであるが、パスカルが、こうした実存主義的思潮の源流の一人と目されるのは、これまでの論述からも妥当な面を有することは明らかである。しかし反面、サルトルが「神なしの実存」を説く無神論的実存主義の立場に立つのに対して、パスカルは神を見失った人間の悲惨と神に巡り会う人間の救いという「神ありの実存」を説く宗教的立場であり、両者はある面では決定的な相違と対立を有すると言うことができる。いずれの場合でも、実存と本質が問題の両面を成す点は動かない。

だがしかし実存主義的な解釈を離れても、人間にとって実存と本質、事実存在と理想存在あるいは個別存在と普遍存在という在り方は、ヘーゲルの「具体的普遍」というイデーに見られるように、常に完全な人間存在を構成する不可欠の両面と考えうるであろう。

かくて、我々は自分の事実存在に定位しつつ、常にあるべき本来的な自己の実存を問うことになる。「汝自身を知る」ために、次に問われるべきことは、「私とは何か」である。

---

❸ Pascal, op.cit.,§351,p1181,邦訳§211,157頁。

❹ Sartre, L'EXISTENTIALISME est un humanisme. p21, Nagel.『実存主義とは何か』(伊吹訳),18頁,人文書院。

1, 序 (2)自我と自己

私とは、自我とも自己ともいう。だから、この自我と自己に関して注意すべきことは、両語は一般的にも日常的にもほぼ同じような意味で使用されていることである。たとえば、岩波国語辞典では「自我」は「自己、自分」とあり、「自己」は「自分自身、おのれ」とある。平凡社の哲学辞典では、「自我」の項目で、「哲学の対象となる自我は、日常の、自然な心身合一体としての自己を反省し真に自分の自由にゆだねられた自己、自分が一切の責任をになういうる自己のことである」としており、また「自己」の項目はない。岩波広辞苑(第四版)では、「自我」は哲学用語として、「認識・感情・意志・行為の主体を外界や他人と区別していう語」とあり、「自己」は「われ。おのれ。自分。その人自身」とある。岩波哲学・思想辞典では、「自我」の項目で、「自我は、西洋古代や中世には殆んど存在せず、すぐれて近代哲学的な概念である」として、デカルトの「自我」やカントの「超越論的自我」などの自我論が、西洋近代哲学の展開の基軸としてやや詳しく論述されているが、自我と自己との関係や区別については一切触れられていない。また「自己/他者」の項目では、「認識や行為の主体が自己,自己に対峙しうるもう一つの主体が他者である。主体としての自己をそれ自身客体化したときに、その客体としての自己を「(狭義の)自己」、客体化する主体を「自我」と分ける場合もある」とある。なおもう一つ三省堂大辞林を念のために挙げると、「自我」は、「自分。自己。個体の意識や行為をつかさどる主体としての私」とあり、「自己」は「おのれ。自分自身。何等かの同一性・統一性をもった存在自身。(心理学用語として)客体としてとらえられた自分自身」とある。

いずれにせよ、上記の幾つかの引用からさしあたり「私」について推察できることは、「自我」と「自己」は認識や行為の作用主体として、共通な性格を有するために、ほぼ同じ意味で使用されており、作用主体に関する両語の使用においても、自我意識と自己意識、自我本能と自己本能など共通な使用例から見て両者の間に目立った区別や差異は見当たらない。しかし、自己反省・自己観察といっても、自我反省・自我観察とはいわない。自己認識・自己分析といっても、自我認識・自我分析とはいわない。このように、自己に関する四字熟語は数多く見受けられるのに比し、自我に関する四字熟語は精神分析学の特殊例以外には殆んど見当たらないことである。これは、一体何を意味しているのか。実は、ここに我々がこの小論で探究したいと思う問題が、立ち現れているのである。自我と自己に関して、作用主体としての私の立場は、両者において第一人称的な主体内在的視点であり、同じ作用主体の働きとして両者の区別は見えず、同一の機能にとどまる。しかし私が、作用主体としての私で有りつつ、同時に第三人称的な外在的視点、即ち自分の主体を超越しつつ自己を対象化するような視点に立つ時に、この私の立場は第一人称的かつ第三人称的な複眼的な視点を有することになる。この時、主体としての私は、自己を対象化する「主体我」として働き、同時に対象化された私を「客体我」として成立せしめるのである。ここに、「自我の二重化」が成立することになり、この「客体我」が狭義の自己といわれるものである。主体としての自我の立場に立つ限り、自我の二重化はなかなか見えてこないのである。自己に比べて、自我の熟語が少なかったのはそのためである。

このことを、次にデカルトの「自我」に即して実地に考察することにする。

2, デカルトの「考える我」

デカルトは、哲学の岐路に立っていた。彼は、彼が学んできた伝統的な諸学問の前途に絶望していた。では、何故デカルトは絶望したのであろうか。それは従来の学問の曖昧さにあった。その曖昧さの理由は、諸学問の根拠の不確実さにあると考えた。つまり、「それらの諸学問の原理はすべて哲学に由来するもののはずである」(DM.p140)❺のに、肝心の哲学それ自身の根拠、即ち哲学の原理が曖昧で不確実なものであった。周知のように長い中世時代を通して、スコラ哲学は「神学の奴婢」の地位に甘んじることを習性としてきた。哲学の探求が神学の壁にぶつかると、哲学は立ち止まり、沈黙し、引き返すのが習性となった。だがしかし、哲学は本来諸学の原理の学として、何処までも納得のゆくまで探究すべきである。また哲学の原理は無批判な暗黙の前提に依存せずに、批判的に吟味された確実な根拠でなければならないはずである。だから、哲学の原理は如何なる学の前提や原理をも、たとえそれらが従来どれほど信頼され、権威づけられてきたにせよ、批判的な吟味検討なしには許容されるべきではないのである。これがデカルトの哲学を特徴

❺ Descartes, Discours de la Méthode, p140, Oeuvers et Lettres, Pléiade, Gallimard.『方法序説』(落合太郎訳),33頁,岩波文庫。引用はDMと略す。

づけ、新しい哲学の方途を切り開いた無前提主義の立場である。これはまた、後にこのデカルト的方法を継承しようとして苦闘したフッサールも、「哲学は、かかる省察からのみ根源的に誕生できる」(CM.S44)❻と共感する哲学的姿勢なのである。

しかるに、根本を問えない従来の哲学は、枝葉末節に囚われて、本来探究すべき根本的な原理探求に従事していなかった。そこでは、「深く探り下げて、岩石と粘土を見出す代わりに、この砂の上に楼閣を築いた」(RV.p890)❼のである。こうした軟弱な土台の上に築かれた諸学問は当然堅固なものではなかった。「諸学問が原理を哲学から借りている限り、かくも堅実性に乏しい基礎の上には、堅固な学問を何一つ築くことができない」(DM.p130－131)とデカルトは考えた。

そこで、デカルトはもはや従来の学問や他人を当てにせず、自ら新たに哲学の土台を切り開くことにする。「私の計画はもともと、私自身に確証を与えることである。岩石や粘土を見出すために、泥や砂をさらいとることである」(DM.p145)。そして彼は新たな哲学を構築しようとする。「私の計画は、私自身のものである基礎の上に私自身の思想を構築する」(DM.p135)ことである。

そのためには、哲学の確実な根拠としての哲学の第一原理を探し出す方法として、「方法的懐疑」(doute méthodique)が提案されるのである。デカルトは、確実な原理を探究して、方法論的にすべてを疑っていく。少しでも疑わしいものは不確実なもの虚偽なものとして排除していく。

「されば、何時か私が諸々の学問においてある確固不易なものを確立しようと欲するならば、一生に一度は断じて、すべてを根底から覆し、そして最初の土台から新たに始めなくてはならないのである」(Med.p17)❽。

デカルトの懐疑の方法は、「全般的転覆」(eversio generalis)を通して原理を見出そうとする「誇張的な懐疑」(hyperbolicae dubitationes, Med.p89)である。それは、デカル

---

❻ Husserl, Cartesianische Meditationen, S44, Husserliana Bd, I, Nijhoff.『デカルト的省察』(浜渦辰二訳),19頁,岩波文庫。引用はCMと略す。

❼ Descartes, La Recherche de la Vérité, p890, Pléiade. 引用はRVと略す。

❽ Descartes, Meditationen de Prima Philosophia. p17, Oeuvres de Descartes, (Adam et Tannery),VII.『省察』(三木清訳),29頁,岩波文庫。引用はMed.と略す。

トによれば、「確固不動の点から出発するように、この普遍的懐疑から出発して、私は神の認識、汝自身の認識(la connaissance de vous-même)、世の中にあるすべての事物の認識をもたらそうと思う」(RV.p891)ものである。ここでデカルトの挙示した三つの認識は、指摘するまでもなく形而上学の三つの課題、即ち神、霊魂、世界に対応しており、その意味でデカルトは哲学の伝統をわきまえており、また霊魂の問題を「汝自身の認識」と捉えるときに、古来哲学発生の問いとされるソクラテスの「汝自身を知れ」を踏まえていることを窺わせる。そして「汝自身の認識」を「私自身の認識」に捉え換えて、この「自己認識」たる「我思う、故に我在り」を基にして、主著『省察』において神の存在証明を介しての神の認識、外界の存在証明を通して世界の認識を行うときに、デカルトはまぎれもなく古来の哲学の系統を継承しており、「コギト」(cogito)という「私の原理」により新たな哲学の再興を告示しているといえる。

デカルトは、方法的懐疑の戦略、即ち「全般的懐疑の効用」(tantae dubitationis utilitas)を自ら三点挙示して解説している(Med.p12)。それは、第一に「あらゆる先入見から我々を解放する」こと、つまりこれまで無批判に受け容れてきた既得・既成の知識をすべて排除し、我々の精神をいわば白紙還元し、無前提主義の立場に立つことである。第二に、それは「精神を感覚から引き離す最も容易な道を用意する」こと、つまり精神を方法論的に純粋思惟(理性)の境地に高めて、心身分離、従って物心二元論の立場に到達することである。第三には、それは「我々が真と理解したことについて、もはや疑い得ないようにする」こと、つまり真理規準を確立することである。この内で、我々の小論にとって第二の論点が重要であり、それは後にまた触れる。

いずれにしても、方法的懐疑は、こうした意図を秘めつつ遂行される。少しでも疑わしく思われるものはすべて絶対的に虚偽なものとして排除してゆき、結局において不可疑なものが何か私の確信の内に残らぬかを考えた。かくして、感覚(的知識)、数学的知識、そして夢と覚醒の区別の確実な標識のないことから、「一切のものは夢に見る幻影と等しく真ではない」(DM.p147)と決心した。『省察』では、この上に更に欺く悪霊という「欺瞞者」(deceptor)を追加想定した。もはや、すべては疑わしい。すると、「確実なものは何もない」ということが、確実になるのか。これは、周知の「懐疑論のパラドックス」である。デカルトは、確かにこのパラドックスに逢着している。「しからば真であるのは何か。多分この一つのこと、即ち確実なものは何もない(nihil esse certi)ということであろう」(Med.p24)。デカルトはパラドックスを自覚しつつ、それが確実な所以を更に追求する。それが確実であるということ(知識)を確信する時、まさしく欺瞞者に「確かだと思うように」欺かれてはいないのか。だが、私がそう思い欺かれている限り、たとえパラドックスが不確かになろうとも、少なくともそう思い欺かれている私がまた確かに存在していることだけは絶対に確実である。

「しからば、彼〔欺瞞者〕が私を欺くのならば、疑いなく私はまた(etiam)存在する」(Med.p25)。

『方法序説』では、デカルトは一切を虚偽と仮定しようと決心した。「私がそのように一切を虚偽であると考えようと欲する限り、そのように考えている私(moi)は必然的に何ものか(quelque chose)であらねばならぬことに気付いた。そして「我思う、故に我在り」(Je pense, donc je suis)というこの真理が極めて堅固で極めて確実であって、懐疑論者らのどのような途方もない想定をもってしても、この真理を覆すことができないのを見て、私はこれを私の探究しつつあった哲学の第一原理として、ためらうことなく受け取ることができると判断した」(DM.p147－148)とある。

デカルトは、『序説』の後に懐疑論のパラドックスに気付いたのだと思う。このパラドックスを乗り越えるために、欺瞞者の想定を思い付いたのだと論者は推察している❾。だから『省察』では、「彼[欺瞞者」はできる限り多く私を欺くがよい」、しかし私が考える或るもの(aliquid)である限りは、「彼は決して私を無(nihil)にはできない」からして、「私は有る、私は存在する(Ego sum, ego existo)、という命題は、必然的に真である」(Med.p25)とデカルトは断言するのである。『序説』(1637)の「我思う、故に我在り」の命題が、『省察』

❾ デカルトは、「懐疑論のパラドックス」を欺瞞者の想定によって克服できると考えた。しかし、絶対の完全な懐疑の可能性については、周知のヴイトゲンシュタインの疑義がある。彼は、『確実性』において、こう言う―「すべてを疑おうとする者は、疑うところまで行き着くこともできないであろう。疑いのゲームは、既に確実性を前提にしている」(§115)。なぜならば、「いかなる事実をも確実とみなさない者にとっては、自分の用いる言葉の意味もまた確実ではありえない」(§114)からである。まさしく、「疑うことが可能であるためには、少なくとも、疑うという語の意味については、確実でなくてはならない」(山本・黒崎編『ウイトゲンシュタイン小事典』,140 頁,大修館書店)。そうすると、果たして懐疑論のパラドックスは克服できると考えることができるのであろうか。疑問は残る。黒田亘編『ウイトゲンシュタイン』,234－247 頁参照,平凡社。

(1641)で「私は有る、私は存在する」という命題に変わったのは、そのためであると論者は推理する。それ故に『哲学原理』(1644)では最終的に、「思考するものが思考しているそのときに存在しないことは不合理であるから」して、「我思う、故に我在り」(ego cogito, ergo sum)というこの認識は、一切の認識のうち、誰でも順序正しく哲学する人が出会う最初の最も確実なものなのである」(PP.p7)⑩と確信できたのである。

デカルトは、ここにいかなる懐疑によっても不可疑な確実な原理を「我思う、故に我在り」として確立した。それは、まさにアルキメデスの「確固不動の点」にも喩えられる哲学の第一原理である。デカルトは、この原理において「必然的に存在する私」を確立したのである。では、この私とは何か。『省察』によれば、「私は真のもの、そして真に存在するものである」(Med.p27)。だがそれは如何なるものか。「私は思考するもの(res cogitans)、即ち精神、霊魂、悟性、理性である」(Med.p27)。これは何を意味するのか。この思考するものとは、「疑い、理解し、肯定し、否定し、欲し、欲さぬ、なおまた想像し、感覚するものである」(Med.p28)。

デカルトは、「私」(moi)を「考える我」(ego cogitans)として「思考するもの」(res cogitans)と捉えている。デカルトにとって、「私」(moi)は、「自我」(moi)であり、「考える我」(ego cogitans)として「我思う」(ego cogito)である。「思考するもの」(res cogitans)としての「私」は、精神(mens)、霊魂(animus)、悟性(intellectus)、理性(ratio)である。私は精神(理性)であり、実体であり、精神実体の本質(属性)は思考(cogitatio)である。この思考には、知性や意志の働き以外に、想像力や感覚の働きをも含意されていることに我々は注目せねばならない。前に方法的懐疑の第二戦略のところで注意したように、「精神を感覚から引き離す」(ad mentem a sensibus abducendam)ことが懐疑の狙いであった。ところが、精神は感覚や想像を排除するどころが、明らかに含意にしているのである。

これは、如何に解すべきであろうか。まず留意すべきことは、「精神を感覚から引き離す」ことの狙いが、「心身分離」にあったことである。デカルトにとって、感覚作用(働き)は精神に所属するにしても、感覚作用を引き起こす感覚器官本体は肉体(身体)に所属す

⑩ Descartes, Prinicipia Philosophiae. §7, p7, Descartes, VIII, Vrin,『哲学原理』(桂寿一訳),38頁,岩波文庫。

るものである。目に見えない精神(心)は、感覚器官のような目に見える「もの」ではない。従って、精神が感覚から引き離されることになる。ここに一般的には人間における精神(心)と身体(肉体)との間に「実在的区別」あるいは「実体的区別」が主張されることになる。そこにまた、心身分離、物心分離の二元論(dualism)が成立することになる。

心身存在についてデカルトは、「私をして私であらしめる精神は、身体と全く別個のものである」(DM.p148)こと、「私がこの身体なしに存在しうることは、確かである」(Med.p78)ことをはっきり明言している。

次に検討すべきことは、心身の関係についてである。心身分離(物心分離)の二元論は、人間存在においてそのまま主観(精神、心)と客観(身体、物体)の二元的図式として把握されるのが常である。だがしかし、本来は、物心二元論は存在論的なテーゼであり、主観―客観の二元論は認識論的なテーゼである。それ故に、両者の見方は明確に区別されるべきである。ところが、心身問題を考える時に、両者の見方が交錯し、無用の混乱が生起しているといえる。自我と自己の問題に限っても、心身分離では物心二元論の下に、心は自我(自己)としての私であり、精神実体である。これに対して身体は肉体としての物体であり、物質実体である。従って、両者は「実体的区別」(distinctio substantialis)によって明確に差異化されるのである。しかるに他方、認識の主客二元論の下では、同一の私が認識する主観としての主体我であり、かつ同時に認識される客観としての客体我となる。すると、この場合直ちに喚起される問題は、「客体我」の意味内容と存在論的な身分である。つまり、同一の私において、認識する主観としての主体我(私)が「心」とすると、認識される客観としての客体我は対象化され「もの化」された私としての「身体」(肉体)であるのか、ということである。客体我は、主体我(心)が何らかの形で形象化・構像化・物化されない限り、認識の客観たりえない。その限りで、客体我は心の形象化された物的な拡がりとしての身体(我)になるというほかはない。なぜなら、「事物の帰せられるべきは、一方には認識の能力をもつ我々(nos)であり、他方には認識される事物自身(res ipsa)である」(Reg.p398)⓫とデカルト自身が明言するように、彼は主観―客観の二元論(主客二分

⓫ Descartes, Regulae ad Directionem Ingenii, AT. X, p398. 『精神指導の規則』(野田又夫訳),53頁,岩波文庫。

法)に立っており、主客の中間的な存在(在り方)を是認していないからである。

だがしかし、果たして客体我は身体(我)たりうるであろうか。もしこのように立言すると、直ちに様々な矛盾が露呈されることになる。まず、客体我が身体(我)だとすると、身体は一方では肉体としての物体であり、物質実体でありながら、非精神的な物質実体としての身体が他方で、同時に精神的実体存在としての客体我たりうることは論理矛盾であり、ありえないことである。整合的であろうとすると、身体(我)としての客体我は肉体としての物体であり、精神(自我)ではないことになる。次に、主客二元論(二分法)によって、主体我が主観として、客体我が客観として、両者が対等で同格の存在身分を存するものと考えると、両者が対等で同格の存在である限り、主体我と客体我が同一の自我(自己)であることは主張できない。なぜなら、同一のものが相異なる二つの存在を持つことはありえないからである。これは、まさにライプニッツの「不可識別者同一の原理」に反することである。従って、主体我と客体我が同じ精神実体として、存在論的な差異を有さぬ以上は、両者が対等で同格の存在を持つことはありえないのである。

以上のことから分かることは、デカルトにおいては客体我を設定することが哲学的に困難であることを告知している。たとえ認識論的に主体我と客体我を想定できても、存在論的に両者の存在を同時に設定できないからである。デカルトは、私を想像力などによって対象化し構像化することによる把握の仕方が、誤りである所以を次のように説明する一「私が想像力によって構像する何物にも依繫しないということは、極めて確かである。この構像する(effingo)という語が私の誤謬を私に告げている。なぜなら、もし私が何かであると私が想像したならば、私は実際に構像したことになろうから。というのは、想像するとは物体的なものの形体あるいは像を観ることにほかならないから」(Med.p28)と。

かくして、デカルトにおいては客体我が成立する場はない。「コギト」としての主体我を対象化して形象化することは、精神の「もの化」として精神を否定することと考えられている。では、精神に想像や感覚が含意されていたことは、如何に釈明されるのか。「実は私はまた想像する私と同じ私(ego idem)である」(Med.p29)。この想像する私は客体我ではないのか。実は違うとデカルトは答える。「想像されたものが全く何一つ真でないにせよ、想像する力(vis)そのものは実際に存在し、私の思考の部分をなしているから」(Med.p29)と。また、「私は感覚する私と同じ私(idem ego)である」(Med.p29)と言う。この感覚する私は客体我ではないのか。やはり違うと言う。「私は見、聴き、暖かくなると私には思われる(videor)ということは確実である。…これが本来、私において感覚すると称せられることなのである。そしてこれは、厳密な意味において、思考すること(cogitare)以外の何物でもないのである」(Med.p29)と。感覚することは、私に思われることであり、従って思考することなのである。

それ故に、精神に想像や感覚が含意されていたのは、想像や感覚が思考の一部を形成するからである。従ってまた、デカルトにおいて客体我は、結局思考の在り方と理解されて、主体我としての精神のうちに収斂されてしまい、独自には存立することができないのである。

フッサールは、晩年の主著の一つである『デカルト的省察』において、「デカルトの省察は哲学的自己反省の原型である」と見て、「現象学が超越論的哲学という新しい形態をとることになったのは、デカルトの省察の研究の直接的結果である」として、「我々は超越論的現象学を、新デカルト主義と呼ぶことができる」⓬とも言っている。フッサールは、デカルトの方法的懐疑を彼の現象学的還元の先駆と見なし、この懐疑の方法によって、コギトへの帰還が果たされ、哲学が超越論的主観主義へと方向転換したと解釈している。

フッサールは、その著作の末尾で、デカルト的な自己省察、即ち普遍的な自己認識の道こそが哲学的認識への必然的な道であると結論づけて、こう締め括る。「こうして、「汝自身を知れ」というデルフォイの神殿の言葉は、新しい意味をえたことになる。実証的な学問は、世界を喪失した学問である。世界を普遍的な自己省察において取り戻すために、まず世界を判断停止(エポケー)によって失わねばならない。アウグスティヌスはこう言う。「外に行こうとせず、汝の中に帰れ。真理は内面的人間の中に宿るのだ」(Noli foras ire,inte redi,in interiore homine habitat veritas.)」⓭と。

実を言えば、フッサールが引用した言葉は、アウグスティヌスの言葉の前半部分のみであって、実際にはその後半部分に、「そして、もし汝の本性が可変的であることを見出す

⓬ Husserl, Cartesianische Meditationen, S43.

⓭ Husserl, op. cit. S183.『デカルト的省察』(浜渦辰二訳),279−280 頁,岩波文庫。浜渦のこの部分の訳注参照,343 頁。

ならば、汝自身をも超越せよ」という重要な言葉があったのである。従って、こうしたフッサールの引用の仕方から推測できることは、この時代のフッサールが意識の志向性を意識内在主義的に捉える立場に留まっており、生活世界の問題性に気付いた最晩年の『危機』書のフッサールなら、間違いなく最後まで全文を引用したであろうということである。『危機』書において、フッサールは、生活世界がカントの暗黙の前提であることを是認している。⓮生活世界はカントにとって物自体に当たる。それ故に、真理は自己意識の内部のみでは不充分なのである。我々は真理のために、常に自己外へと自己超越を遂行せねばならないのである。

生活世界までも研究射程に入れたメルロ＝ポンティは、現象学的「還元の最も偉大な教訓は、完全な還元は不可能だということである。…我々は世界の内に存在しているのであるから、…我々の一切の思惟を包摂するような思惟などは存在しない」⓯と断言している。これは、生活世界の問題を考えれば首肯できる断言である。「世界というものは、それについて私のなし得る一切の分析に先立ってすでにそこに在るもの」であり、「世界とは、その構成の法則を私が自分の手中に握ってしまっているような一対象ではない」⓰のである。だから、「真理は単に「内面的人間」の中だけに「宿る」のではない、むしろ、内面的人間というものは存在しないのであって、人間はいつも世界内に在り、世界の中でこそ人間は己れを知るのである。常識のもつ独断論や科学のもつ独断論から離れて私が己れ自身に帰るとき、私がそこに見出すものは、内在的真理の奥房ではなく、世界へと身を挺している主体なのである」⓱。

メルロ＝ポンティは、ここで明らかに、生活世界の正確な理解の上に立っており、人間存在とはハイデガーの言う世界内存在であり、決して内面的人間ではないこと、そして真理

⓮ Husserl, Die Krisis der Europäischen Wissenschaften und die Transzendentale Phänomenologie, S77. Husserliana VI.『ヨーロッパ諸学の危機と超越論的現象学』(細谷・木田訳), 185 頁, 中央公論社。

⓯ Merleau-Ponty, Phénoménology de la Perception. VIII, Gallimard.『知覚の現象学』(竹内・小木訳), 13 頁, みすず書房。

⓰ Merleau-Ponty, op, cit. IV, 邦訳 6 頁及び V, 邦訳 7 頁。

⓱ Merleau-Ponty, op, cit. V, 邦訳 7－8 頁。

は内面的人間の中にのみ宿るのではないことを確信しているのである。従って、彼はこれによって、『デカルト的省察』時代のフッサールをも批判的に乗り越えようとしているのである。そして同時に、メルロ＝ポンティの断言は、そのままフッサール哲学の原型であるデカルトの人間観に対しても同じように妥当するものである。

3, カントの「経験的自我」と「超越論的自我」

カントは、『純粋理性批判』(初版 1781, 第二版 1787)において、「如何にして思考する私が、自己自身を直観する私と異なりながら、しかもこの後者の私と同じ主観として同一であるのか」(Wie das Ich,der ich denke, von dem Ich, das sich selbst anschaut, unterschieden und doch mit letzteren als dasselbe Subjekt einerlei sei. B155)⑱という問題を、「パラドックス」(B152)と捉えて注意を喚起している。そして興味深いことは、この問題に答えることが、「如何にして私が私自身に対して一般に一個の客観たりうるのか、しかも私自身の直観と内的知覚の客観たりうるのか」(B156)という問題に答えるのと同じことと指摘していることである。

後者の問題の方が解明し易い問題構造になっている。従って我々は、この解明を基に前者のパラドックスを解く鍵にすることにしたい。後者の問題の前半は、言い換えるとこうなる。認識主観としての私は、私自身に対して一般に認識(主観)の客観になりうるのか。平たく言えば、認識主観が同一の主観でありつつ、同時に認識主観の客観たりうるのか。

これは、主観と客観が同じ存在のレベルに立つ限り、論理的に成立できない。このことは、デカルトにおいてはっきり証示されたことである。ではカントは、デカルトの轍を再び踏もうとしているのか。そうではない。カントは、デカルトの「cogito」(我思う)をやはり自分の哲学の原理として、すなわち「Ich denke」(我思う)として継承するが、デカルトの「コギト」の限界を弁まえていた。デカルトでは、主体我と客体我は同じ存在のレベルに立つために、同一の「コギト」にならざるをえず、両者は結局は同一のものであり、客体我は主体我とは別個の存在を勝ち取ることはできなかった。仮に客体我らしきものを想定しようとしても、客体我の意識内容はすべて主体我の思考内の意識に吸収されてしまい、独自の存在

---

⑱ Kant, Kritik der reinen Vernunft, 慣例により、初版をA, 第二版をBとして引用する。

が残らないのである。デカルトの場合、「コギト」の一人舞台、一人天下であり、精々コギトの影が遙れ動くだけである。

では、どう考えればよいのか。主体我（主観）と客体我（客観）を同じ存在のレベルにあると考えることが論理的に失敗であったから、両者が同じ存在のレベルにはないこと、即ち両者の間に存在論的な差異を考えることが必要なのである。前述したカントの後者の問題の後半は、まさしくその点を指摘しているのである。「如何にして私が私自身に対して一般に一個の客観たりうるのか」（B156）。つまり、客観となった私（客体我）は、「私自身の直観と内的知覚の客観」、換言すると、私自身を直観し内的に知覚したものである。従ってカントの場合には、主体我と客体我との間の存在の位相が明らかに異なること、すなわち両者の間に存在論的差異が設定されていることである。カントの客体我は、主体我（「Ich denke」）が時間と空間という経験の枠組み（場）のうちに立ち現れた自己現象を自ら直観し内的に知覚したものである。カントの主体我は、内外の経験を成立させ、それを一つの経験として可能ならしめるものとしての「超越論的自我」（das transzendentale Ich）であり、客体我は、この超越論的自我が時間と空間において対象的に与えられ経験された限りでの現象のことで、「経験的自我」（das empirische Ich）と称される。換言すれば、カントにおいては、経験的自我が時間と空間における経験内の現象存在であるのに対して、超越論的自我はそのような時空間的な経験世界の成立を可能にする存在なのである。従って、超越論的自我は、かかる自我の経験的所与としての経験的自我より深く根源的であるという意味では、存在論的差異を有しており、また経験的自我に先立ってそれの存立を可能にするという意味では、超越論的な在り方を有すると言うことができる。

もはや、パラドックスの問題構造は明らかである。主体我が自己を対象化・客観化する時に、換言すると、自己意識や自己認識が問題になる時に、このパラドックスが生起するのである。そしてパラドックスを解く鍵は、主体我と客体我との間の存在論的差異である。

カント自身は、内感において発生する「自己意識のパラドックス」を次のように捉えている。「内感は我々自身をさえ、単に我々が我々に現れるがまま（nur wie wir uns erscheinen）を意識せしめるにすぎず、我々が我々自身においてあるがまま（wie wir an uns selbst sind）を意識せしめるのではない」（B152－153）と。我々は自己内反省（内省)において自己を意識する時、意識する我々は当然能動的な主体(我)として働いているはずなのに、意識された我々は対象的に現れ意識された限りでの受動的(leidend)な我々(客体我)にすぎず、つまり「我々が内的に触発されるがまま(wie wir innerlich affiziert werden)の自分を直観するにすぎないことになる」(B153)ので、そこに矛盾を感じ、パラドックスが生ずるのである。この小論にとって重要なことは、これに関連するカントの次の指摘である。矛盾を感じる「そのために、内感と統覚の能力とが(この両者を我々は慎重に区別するのに)、心理学の体系において、好んで同じものと言いふらされるのが常である」(B153)と。

この適切な指摘が、カントとデカルト及びデカルト派心理学との立場の相違をはっきりと明示している。カントの用語法では、内感(innerer Sinn)とは自己を対象として捉える感官であるが、独立の感覚器官ではなく、自己に関係する五感(外官)を意識する内的感覚のことであり、経験的自己意識、経験的統覚とも解されている。統覚(Apperzeption)とは、内感によって可能となる内的経験と外官によって可能となる外的経験とを、唯一の可能な経験として構成する根源的で超越論的な統覚のことである。従って、カントの立場では、統覚と内感との間には明確に存在論的差異があったが、デカルト派心理学では既述したように、能動的な主体我が同一の主観でありながら、受動的な客体我になるのは矛盾であるとして、何処までも両者の同一性にこだわるために、両者は「好んで同じものと言いふらされるのが常になる」のだった。そのために、デカルト派の立場では、自己体験や自己経験について経験的な自己を正当に問題にする有効な場を設定することが困難になり、両者の同一視と混同により、学説上無用の混乱と誤解に陥入るか、または無用の循環論と独断に陥入っていったのである⑲。

「私とは何か」の自己認識に関して、デカルト派では自分のことは自分が一番良く分かると言うであろう。表層意識に関する限りではそう言える面があることは否定できない。しかし深層意識にまで自己意識を広げて考えると、直ちにそう主張できないことは明らかである。一番分かっていないのはご本人である、という教訓がそれを教示している。

デカルトは考える自我(コギト)の存在をそのまま直覚し認識できると考えた。しかしカン

---

⑲　梶田叡一,『自己意識の心理学』,52頁,東京大学出版会。

トは考える自我をそのまま認識できず、自己認識できるのは経験的に与えられた現象的自己に限るとした。では、カントの「我思う」(Ich denke)の存在身分とはどういうものか。カントによると、「Ich denke という命題が意味しているのは、現象としてでなく、物自体としてでもなく、思考一般に対してのみ与えられた何か実在的なもの(etwas Reales)にすぎない」(B423)。従って統覚我、即ち「Ich denke」の Ich に関しても、「私(Ich)が自分自身を意識するのは、私が自分に現象するがままでもなく、私が自分自身においてあるがままでもなく、ただ私が存在するということだけ(nur daß ich bin)である」(B157)ということになる。だから「自己意識はまだとうてい自己認識ではない」(B158)のである。

デカルトは、たとえ世界がないとしても、たとえ私の身体が存在しないとしても、そう考える私の存在が実在するのは疑えず、確実である(DM.p148)と論証した。カントは、こうしたデカルトやバークリーの観念論を批判して自己の立場を明示して、彼等と同じ類の観念論ではないかという誤解を防ぐために、『純粋理性批判』の第二版で有名な「観念論の論駁」の節を新たに追加補説したのである。それによると、デカルト的観念論の論駁に「必要な証明は、我々が外物に関して単なる空想に止まらずに、経験を持ちうるということを証示する」(B275)ことであり、「このことは、デカルトが確実であると考える内的経験でさえも、外的経験を前提にしてのみ可能であることを証明しうるときにのみ、成し遂げられうる」(B275)とされる。ここには、カントのデカルト的コギトに対する「論駁」の明確な要点が提示されている。

カントは、論駁のための論拠として、有名な「定理」、即ち「私自身の定在の単なる、しかし経験的に規定された意識は、私の外なる空間中の諸対象の定在を証明する」(Das bloße, aber empirisch bestimmte, Bewußtsein meines eigenen Daseins beweist das Dasein der Gegenstände im Raum außer mir.)というテーゼを定立した(B275)。この定理は、自己意識と自己認識との区別に立ち、前者から後者への移行の論点を辿りつつ、解明される。要するに、デカルトのコギト(我思う)は、それのみで自己認識を産出できたが、カントは、「Ich denke」(我思う)は、それのみでは自己の定在を規定する自己意識を何か実在的なものとして思考にもたらすだけで、これを更に内感(時間)において与えられる自己直観と外官(空間)において与えられる何か持続的なものとの媒介の下に、総合的に統一して自己認識を成立させるのである。ここに、両者の決定的な相違とカントによる新たな発展がある。

カウルバッハが正当に論ずるように、カントの「論証の核心は、次の命題即ち、私は何らかの自己意識を持つ為には、その中に私の身体性(Leiblichkeit)の実在意識と(私の身体性がそれに属する)物体的な世界の実在意識とを包含せねばならないということの内に見出されうる)」[20]のである。

定理を要約すると、経験的に規定された自己存在の意識とは、何か実在的なものとして存する「Ich denke」の自己意識が自己認識しようとするとき、自己を内感において対象化すること、即ち時間において自己直観することを意味する。時間規定は自らを知る為には空間的な持続的なものを必要とする。従って、内的自己直観、即ち「内的経験は、私の内に存しない何か持続的なものに依存している」(B277)。私の内に存しない何か持続的なものは、「空間における私の外なる物」である。「私の外なる他の物には、私の身体も属する」(B409)。よってこうなる。時間における私の定在の意識は、それの自己認識のためには、一つの時間規定として、空間における持続的なものを必要とする。このために、自己定在の意識は空間においても、即ち外官においても対象化されることが必要になる。空間における私とは、外官の対象としての客体我、即ち身体存在である。内的経験は、このように外物や身体という外的経験を介在させることによって、はじめて確実な客観的経験として成立可能になるのである。それ故、私の定在の経験的自己意識の成立は、とりも直さずそのために必要な条件としての私の外なる空間中の外物の定在を証明することになるのである。だから、デカルトのように、世界の中の外物や私の身体なしに、私の存在認識がそれだけで成立できるとすることは、カントの場合にはありえないことなのである。これはそのまま、カントのデカルトに対する論駁となっていることが了解できよう。

人間理解のために視座を変更して、人間の社交性と非社交性に関するカントの論説を簡単に考察する。「経験的には、美は社会においてのみ関心を生ぜしめる。それ故社会に対する本能(Trieb)が人間にとって自然なものであることを認めると同時に、社会に対す

---

[20] Kaulbach, Kants Beweis des “Daseins der Gegenstände im Raum außer mir”, Kant-Studien Bd. 50, 1958/9, S346.

る適用性と社会への性向、即ち社交性(Geselligkeit)が、社会を作るように定められている被造物としての人間の要件であり、従ってまた人間性に属する特性であることを認容するならば、趣味(Geschmack)もまた、人がそれによって己れの感情をすらあらゆる他の人々に伝達しうるすべてのものの判定能力と、従ってまた各人の自然的傾向の欲するものを促進する手段と見なさざるをえないことになる」(KdU.S148)[21]。人間の社会への適用と共同社会を形成しようとする性向が、「社交性」として捉えられて、美と趣味に関連して把握されているが、カントは、『人間学』において趣味に関してこう言う。「趣味は、自己の快・不快の感情を他者へ伝達することに関わるものであり、またかく伝達することによって自己自身が快に感触され、その満足を他者と共同的(社会的)に感じるような感受性を含む」[22]と。

趣味による美的満足は、社会的なものであり、その人の理想的な生き方に適合する理想的な趣味は、道徳性を外側に表出し外化する傾向を持つから、カントは「趣味を、外的現象における道徳性と呼びうる」[23]と考える。芸術や美は人間の社交性において存在可能であるから、人間の美的世界は、常に自己と他者との共生共存を前提にしているのである。「社会においてこそ、単に人間であるというだけでなしに、自分流儀にもせよ、洗練された人間になろうとする念が生じる(これが文明化の始まりである)」(KdU.S148)。

しかし、カントが巨大な哲学者である所以は、根本的にはかかる社交性も、人間の「非社交性」によってこそ相補的に充分なものになると考えるところにある。ここに、カントの有名な歴史哲学的な人間規定が現れる。人間の「非社交的社交性」[24]が、それである。人間は「社会を形成しようとする傾向」と同時に、「孤独になろうとする強い性癖」を具備している。この相対立し合う人間本性の敵対関係(Antagonism)においてこそ、人間歴史は形成されてきたのである。だから、「人間性を飾る文化や芸術、また極めて見事な社会的秩

[21] Kant, Kritik der Urteilskraft,(Ph.B),S148.『判断力批判』(篠田訳),237−238頁,岩波文庫。引用はKdUと略す。

[22] Kant, Anthropologie in pragmatischer Hinsicht. (Insel-Verlag), S569-570.

[23] Kant, op, cit. S570.

[24] Kant, Idee zu einer allgemeinen Geschichte in weltbürgerlicher Absicht in “Ausgewählte Kleine Schriften”,(Ph.B), S31.

序は、すべて非社交性(Ungeselligkeit)から生じた果実である」㉕。カントはルソーを尊重するが、ルソーが「人間を社交的(sociable)にすることによって邪悪な存在にした」㉖文明化を必ずしも評価せず啓蒙主義に批判的であったように、カントもそういう面がある。「自然の歴史は善から始まる、それは神の業だから。自由の歴史は悪から始まる、それは人間の業だから」㉗。

人間存在を「非社交的社交性」と捉えるカントの人間観には、人間の二重の存在性格が明らかに示されている。Ich denke は、基本的には内的に何処までも自己の主体性を貫き、自己の一貫性を図り自己の自立性にこだわる非社交的存在としての主体我である。だが同時にそれは、外的には他者・社会との関係を維持するために自己を客体化(客体我)して心身的存在となり、社会・他者と連帯する社交的存在としての人格的存在である。前者では内的な自己目的の実現に努める垂直方向の存在であり、後者では生活世界の中での自己の人格的な存在に適合する役割実現に努める水平方向の存在である。

デカルトは、人間の心身存在について、一方では心身分離を主張して、「私を私であらしめる精神は、身体と全く別個のものである」(DM.p148)、あるいは「私がこの身体なしに存在しうることは確実である」(Med.p78)と明言して、心身の「実体的区別」を主張した。ところが他方では、デカルトは、人間存在が「精神と身体の合成体であること」(Med.p82、p88)、また「精神が身体と密接に結合されている」(Med.p78、p81)ことを明言して、いわば心身の「実体的結合」を、従って心身結合を主張している。

一方では、心身分離を説き、他方では心身結合を説いている。これは、明らかに学説上の矛盾である。デカルト自身もこれを次のように是認する―「精神と身体の区別とその結合を、人間の知性が極めて判明かつ一時に把握できるとは考えられない。そのために

㉕ Kant, op, cit. S34.

㉖ Roussenau, Discours sur L'origine et les Fondemens de L'inegalite parmi les Hommes. p162, Oeuvres complètes, III、Pléiade.『人間不平等起源論』(本田・平岡訳),83頁,岩波文庫。

㉗ Kant, Mutmaßlicher Anfang der Menschengeschichte in "Ausgewählte Kleine Schriften", S79.

は、両者を一つのものとして捉えねばならず、それは矛盾です」㉘と。この問題に心身の相互作用の問題を絡めると、今日でも解決困難なアポリアとしての「心身問題」が発生する。

実を言えば、カントは心身問題を擬似問題と捉えていた。「身体の器官が思想と結合する仕方はどのようであるかという繊細ではあるが、私の眼には永遠にむなしい研究は全く排除される」㉙とある書簡に記すように、課題性の自覚は見られないが、前述の定理の考え方は、心身存在の把握に資するところがある。定理の立言するところは、平明にはこうである。「Ich denke」は、思考上ただ存在するだけの純粋な自己意識であるが、これが自己を認識しようとすると、自己の経験が必要になる。「経験たるためには、何か実存するものの思想のほかに、なお自己直観が必要である」(B277)。そこで、Ich denke は自己を内感において捉えようとする、即ち時間において自己直観する。時間における私とは、Ich denke が内感の対象となった客体我(心)である。「考えるものとしての私は、内感の対象であって、心(Seele)と呼ばれ、外官の対象であるものは、物体(身体)(Körper)と呼ばれる」(A342.B400)。時間的存在は非形象的でかつ流動的であるために、そのままではそれの把握・認識は困難である。そこで、時間的存在の非形象性には形象化・空間化が必要になり、時間的存在の流動性には持続性が必要になるのである。それ故に、時間における自己意識は、それの自己認識のためには、「私の内にない何か持続的なもの」(BXL)、「空間における私の外なる物」(B275)を必要とするのである。つまり、時間における自己意識は、時間における私を更に空間的な拡がりとしての私、言いかえると外官の対象としての私、即ち身体我として自己認識することになる。

Ich denke としての Ich(我)は、この場合、内感の対象としての私(時間的な客体我としての心)を、同時に外官の対象としての私(時間と空間における客体我としての身体我)として、要するに心身的存在(心身結合体)として自己認識することになるのである。内的経験は、外的経験の前提の下で初めて可能であるということは、もはや明らかである。時間における私の自己意識は、一種の内的経験であるが、流動的で非形象的な意識現象の

㉘ デカルト,エリザベート宛書簡(1643 年 6 月 28 日),AT.III,p693.『書簡集』(デカルト著作集 3),296 頁,白水社。

㉙ カント,ヘルツ宛書簡(1773 年末),Briefwechsel.(Ph. B). Nr49, S115.『書簡集』(カント全集第 17 巻),I.25,116 頁,理想社。

ままでは自己経験として不充分であるので、そこで同時にそれを空間において、持続的形態の身体我として、従って外的経験として捉えるときに、はじめて充分な自己経験として自己認識が成立可能になるのである。だからデカルトのように、外界(外物)や身体無しに、ただ「我思う」(コギト)だけでは本当の自己認識は成立できないのである。つまり、正当な自己認識は、持続的な外物の定在を前提にして初めて成立可能なのであるから、自己認識が成立するときには、これを可能にする自己外の世界(生活世界)が常に予め存在していることになる。このことは、別言すると、人間存在とは一種の世界内存在であることを意味しているのである。

和辻哲郎は、カントの心身結合体としての自己認識を、次のように解明している一「ここに於て心身結合の現象はあらゆる現象の内の最も特異なものと見られなくてはならぬ。それは時間に於て表象せられた客体我と空間に於て表象せられた肉体とが、かく別々に表象せられた後に結合したものなのではない。二つの表象の結合は超越論的原因にもとづくのである。即ち表象せられるときに既に結合して表象せられるのである。という意味は、その表象が単に「時間における」でもなくまた単に「空間における」でもなくして、「時空間における表象」だということである。ここに我々は「時間に於ける自覚」が空間の表象と必然に結合せる特殊の場合を見出さねばならぬ。あらゆる物体のうち、「我の身体」と呼ばるる物体のみが、「我の」として我と特殊な関係に立っていること、即ち我の外なる他の物でありつつしかも我に属するものとしての二重の性格を持つことは、云わば「時空間に於ける自覚」としての自覚の二重性格に基づくのである」㉚。

カントの自己認識の成立が、「時空間に於ける自覚」としての自覚の二重性格に基づくという指摘は適切である。Ich denke は、時間における自己意識としては「私の内」に、同時に空間に於ける自己意識としては「私の外」に、そして時間と空間は「直観の形式」としては、Ich denke としての「私の内」にあるのである。「カントに於ては時間・空間に於ける表象のうち、特にそれが時間のみに於ける表象と密接に結合せるもの、即ち心霊と結合せる身体を問題とし、かかる意味の時空的表象が内的外的の両面を持ちつつ内面的に一つであることに着目するのである。そこで超越論的人格性は、かかる特殊の表象に於

㉚ 和辻哲郎,『人格と人類性』,38頁,岩波書店。

て己れを自覚するときに、その己れの中に身体を含ましめることになる。人格の中身となる物体はただ身体のみである。かくして心身の結合せる「人」に於いては、人格は単に客体我として己れを自覚せる超越論的人格性というのみではなく、肉体と結合せる客体我に於て己れを物化せる人格性でなくてはならぬ。このことは人を経験的及び可想的の二重性格に於て考えるカントとしては当然認めなくてはならないことである」㉛。

和辻は、かくして人間を「肉体と結合せる客体我」としての人格と捉えるが、卓越した解釈であるといえる。更に、カントの人間存在を「経験的及び可想的の二重性格」と捉えて、経験的な存在性格を人格として、可想的な存在性格を人格性として捉える和辻の解釈は、カントの定言命法、即ち「汝の意志の格律が、常に同時に普遍的な立法の原理として妥当しうるように、行為せよ(Handle so, daß die Maxime deines Willens jederzeit zugleich als Prinzip einer allgemeinen Gesetzgebung gelten könne.)」㉜にも一定の見通しを与えることになる。つまり、これは、個別的で具体的な人格存在(個体我)が、普遍的で本質的な人格性(普遍的な本来的自己)と道義的に適合して同一化・一体化するように行為せよ、ということになる。換言すると、これは、道徳的な行為においては、個我と普遍我との合致、実存と本質との結合、事実存在と理想存在との適合、個別存在と普遍存在との一致、いわばヘーゲルの「具体的普遍」としての「我々である我と我である我々」(Ich, das Wir, und Wir, das Ich ist.)㉝という理想的な人倫の成立を告示するものと解することができる。

4, ペルソナ

All the world's a stage ,

And all the men and women merely players ;

(全世界が一つの舞台、そこでは男女を問わぬ、人間はすべて役者にすぎない、それぞれ出があり、引込みあり、しかも一人一人が生涯に色々な役を演じ分けるのだ。)㉞

㉛ 和辻哲郎,前掲書,39－40 頁。

㉜ Kant, Kritik der praktischen Vernunft. (Ph. B). S36.

㉝ Hegel, Phänomenologie des Geistes.(Ph.B).S140.

㉞ シェイクスピア,『お気に召すまま』(福田恒存訳),61 頁,新潮文庫。

これは、言うまでもなくシェイクスピアの『お気に召すまま』(1632)の中の有名な台詞の一節である。これは誰しもが共通に心に抱く心情を見事に表現した言葉で、共感を禁じえない。

デカルトは、戯曲の公演されたその頃に「世界という大きな書物」(DM.p130)を学ぶために旅に出た。いわば世界劇場への登場である。『方法序説』には、「私は再び旅(voyager)に出る。それ以来まる 9 年の間、世間(le monde)をここかしこと巡り歩くだけで、そこで演ぜられるあらゆる芝居(comédies)において俳優(acteur)ではなく、観客(spectateur)になろうと努めながら、私は何もしなかった」(DM.p144－145)とある。1619年に記された『思索私記』の冒頭は、次の言葉で始まる。

「恥ずかしさが顔に表れないようにと言われて、喜劇役者が仮面(persona)をつけるように、私はこれまで観客(spectator)としていたこの世界という舞台(theatrum mundi)に上がろうとして、仮面をつけて(larvatus)登場する」㉟。

デカルトが本音を隠した「仮面の哲学者」と一部で皮肉られるのは、このためである。特に、それはキリスト教とローマ教会そしてガリレイの地動説裁判に関して言われる。デカルトが無用の混乱を避けるために、慎重に用心深く行動したのは事実である。しかし当局に迎合するために自分の意に反した言説を公表したのならいざ知らず、奥歯にもののはさかった歯切れの悪い言い方にせよ、あくまでも一貫した言説が展開される限り、その言説は彼の本音であり、用心深さの仮面の装いはいつしか肉付きの仮面となり、遂には素面、素顔のデカルトになっているのではないか。「デカルトは自分の人物像を、来るべき人間としても仮面をつけた哲学者としても形づくろうとはしなかった」㊱。

ホッブズが、やはりこの頃、『リヴァイアサン』(1651)において、人格(Person)がラテン語のペルソナに由来することを指摘して、このことの社会哲学的な意義と重要性にいち早く着目したことはさすがである。「ラテン語のペルソナ(Persona)が、舞台上でまねられる人間の仮装や外観をあらわし、時にはもっと特殊的に、仮面や瞼甲のように、それの一部分

㉟ Descartes, Cogitationes Privatae, p213, Descartes, X, Vrin. 伊藤勝彦『デカルトの人間像』, 48 頁, 勁草書房。

㊱ グイエ,『人間デカルト』(中村訳), 82－83 頁、白水社。

で顔を仮装するものをあらわすのと同じである。そして、それは舞台から劇場においてと同様に法廷においても、言説と行為を代表するすべてのものに転化した。それだから、人格とは、舞台でも日常の会話でも、役者(Actor)と同じであって、扮する(personate)とは、彼自身や他の人を演じる(act)こと、即ち代表する(represent)ことであり、そして他人を演じるものは、その人の人格を担うとか、彼の名において行為するとか言われる」[37]。

こうして、ペルソナが人格概念として思想的に定着していったことが推測できる。紙幅が尽きたので、箇条書き的な走り書きになるが、この人格概念を倫理学の中核概念としたのがカントであった。カントの倫理学を解釈して、人格が身体的存在であることを指摘した和辻は、カント解釈において就中次のカント自身の言説を重視した。「外的現象の根底に存する超越論的対象も、また同様に内的直観の根底に存するそれも、それ自身において自存する「質料」や「考える者」であるのではなく、かえって質料とか考える者とかの経験的概念を我々に与えるところの、現象の不知の根柢である」(A379－380)。引用文は和辻の訳文をそのまま用いた[38]。ここには、同一物(同一人)が現象と物自体という二重の存在構造を有するというカントの中心思想が明示されている。我々は、ある人(物)を、それが存在するがままの様子で、即ち物自体として認識できなくて、それが我々に現象するがままの様子で、即ち現象として認識できるだけなのである。我々は、あるがままの本当の自己(真の私)を直接にそのまま物自体として認識することはできなくて、自己を認識するためには、自己を時間と空間において経験すること、即ち現象として与えられることが必要であるから、我々が認識できるのは現象として我々に与えられた自己(現象我)だけなのである。このことは、既に自己認識のパラドックスのところで論究した。

我々は確かに現象我に尽きない。現象我を貫いてかかる現象我を成立させている大いなる我(真の私)が存することを、我々ははっきり自覚している。我々は物自体としての真の私を認識できないが、現象我の根底にかかるものの存在を必然的に思考せざるをえない。「我々がまさに同じ対象を、物自体としてもまた、たとえそれを認識できないにし

---

[37] Hobbes, Leviathan, §xvi, p83. Everyman's Library.『リヴァイアサン』(水田洋訳),(一),§16,260－261頁,岩波文庫。

[38] 和辻哲郎,前掲書,32頁。

ても、やはり少なくとも思考することができねばならないということが、ここに常に留保されている。なぜならば、さもないと、そこには現象するものが何もなくて現象が存する、などという不合理な命題がそこから生ずる結果となろうから」(B XXVI－XXVII)㊴。従ってこの時、物自体としての真の私を直接そのままに認識の対象にすることができないので、問題として哲学のテーブルに着かせるために、現象我の根底に存するこの自己を「超越論的対象」としての自己(超越論的自己)と措定するのである。超越論的対象とは、現象と物自体との間の「境界概念」(Grenzbegriff)であり、現象と物自体とを分ける「限界概念」である(A255.B311)。超越論的対象とは、まさに「現象の不知の根底」(ein uns unbekannter Grund der Erscheinungen)、即ち我々に未知なる諸現象の根拠なのである(A379－380)。カントの物自体は、しばしば不可知論として非難されるが、これはカントの真意の無理解に基づく誤解である㊵。カントの物自体の想定は、デカルトやライプニッツなどの理性の独断論に対する理性批判に基づくカントの知的謙抑さの表明なのである。デカルトやライプニッツは、真なる知(学理)は理性のみで成立可能と考えたが、カントは、それは内容空虚な理性の独断のまどろみ(dogmatischer Schlummer)であるとして否定して、確実な学問的認識は悟性(理論理性)と感性との、概念と直観との結合によって可能となるという認識批判の立場を確立したのである。そこで、学問的知識の確実性が、自然科学に典型的に見られるように、検証(実証)可能性に基づくが故に、人間の確実な知識の範囲は、どこまでも検証可能な経験の範囲内に限定されることになったのである。そこに、人間知性の限界として物自体が想定されることになった。そして物自体を認識の対象として問題とせざるをえない時に、それが超越論的対象として措定されるのである。それ故に、超越論的対象とは、物自体が思考の対象となったものであるから、例えば、それ自身超越論的対象であるところの、「Ich denke という命題が意味しているのは、現象としてでなく、物自体としてでもなく、思考一般に対してのみ与えられた何か実在的なものにすぎない」(B423)という言明の意味はもはや明らかであろう。

カントが、物自体としての真の私を道徳的な意味で「本来的自己」と呼んだのは注目に

㊴ Kant, Kritik der reinen Vernunft.

㊵ レーニン,『唯物論と経験批判論』(川内訳),河出書房。

値する。「その際彼[人間」は英知者としてのみ本来的自己であり、これに反して[単なる」人間としては本来的自己の現象にすぎないのである」(er daselbst nur als Intelligenz das eigentliche Selbst(als Mensch hingegen nur Erscheinung seiner selbst)ist.)㊶。

実を言えば、和辻もやはりこの命題に着目して、本来的自己の概念究明を通して彼のカント解釈を展開しているのである。そして人格と人格性との関係について、「ではこのやような「もの」としての人格と、それを人格たらしめる所以としての人格性人類性とを、カントは如何なる意味に於て区別したのであろうか。…ハイデガーはここに「存在するもの」とその「存在論的規定」との別を見出した。人格は「もの」であり、人格性はこの「もの」をこの「もの」たらしめる「こと」である。カントは人格性人類性に於て人格の存在論的構造を明らかにしたのである」㊷と記すように、日本語特有の「もの」と「こと」との意味的差異を「人格」と「人格性」との存在論的差異に転用して、それなりに鮮やかな解釈を提示している。しかし最終的にはカントにおいて本来的自己とは如何なるものになるのかについての論述不足に失望を隠さない。「本体としての人が何であるかはカントにとっても甚だ曖昧である、…しかしこの曖昧性はカントが主体的根柢と人格の個・多・全との関係を十分考えなかったことに基づくとも考えられる。そうしてそこに重要な残された問題があり、また種々の異解が起こる所以もあるのである」㊸。

和辻は、周知のように、日本語の「人間」を「人と人の間」と解して、人間存在を「間柄存在」と捉える独創的な倫理学を構築した。「人間は単に「人の間」であるのみならず、自、他、世人であるところの人の間なのである」㊹。人間は常に他者と共に社会を形成する。従って、自他の関係は相互否定的である。「人間の間柄的存在とはかかる相互否定において個人と社会とを成り立たしむる存在なのである」㊺。和辻は、倫理を「人々の間柄の道

㊶ Kant, Grundlegung zur Metaphysik der Sitten, (Ph.B).S84.『道徳形而上学原論』(篠田訳), 166 頁, 岩波文庫。

㊷ 和辻哲郎, 前掲書, 81 頁。

㊸ 和辻哲郎, 前掲書, 88 頁。

㊹ 和辻哲郎,『人間の学としての倫理学』, 14 頁, 岩波書店。

㊺ 和辻哲郎,『倫理学』(上巻), 107 頁, 岩波書店。

であり秩序」㊻と捉え、間柄を社会的役割とも解する目配りを示している。彼の秀れた知見の一端は、有名な論稿「面とペルソナ」の中に見出せる。「ここまで考えて来ると我々はおのずから persona を連想せざるを得ない。この語はもと劇に用いられる面を意味した。それが転じて劇におけるそれぞれの役割を意味し、従って劇中の人物をさす言葉になる。dramatis personae がそれである。しかるにこの用法は劇を離れて現実の生活にも通用する。人間生活に於けるそれぞれの役割がペルソナである。我れ、汝、彼と言うのも第一、第二、第三のペルソナであり、地位、身分、資格などもそれぞれ社会におけるペルソナである。そこでこの用法が神にまで押し広められて、父と子と聖霊が神の三つのペルソナだと言われる。しかるに人は社会においておのおの彼自身の役目を持っている。己れ自身のペルソナにおいて行動するのは彼が己れのなすべきことをなすのである。従って他の人のなすべきことを代理する場合には、他の人のペルソナをつとめるということになる。そうなるとペルソナは行為の主体、権利の主体として、「人格」の意味にならざるを得ない。かくして「面」が「人格」となったのである」㊼。そして面が人格となる「このような意味の転換が行われるための最も重大な急所は、最初に「面」が「役割」の意味になったと言うことである」㊽と結論づけている。「仮面」である「ペルソナ」は、まさしく「役割」の意味を担うことによって「面」から「人格」への意味の転換を果たしたのである。

これほど秀れた識見と的確な問題意識を有するにも拘わらず、不思議なことには、和辻の独創的な人格概念を構成する「人と人の間」、「間柄」、「役割」などの重要概念が彼の総決算的な主著『倫理学』において充分な役目と意義、そしてそれに相応しい論理展開を与えられていないのである。「和辻氏の『倫理学』を通覧し終わったところで、ふたたび批判すべき点を整理してみよう。その根本は、和辻氏が自我中心的な個人主義的倫理学を批判し、倫理は「人と人の間」である「人間」の問題であるとしながらも、それを真に人と人の「間」の問題として展開してはいないのではないか、ということにある」㊾。もし和辻のキーワードが、それに相応しい役割と論理展開を果たしていたならば、自我中心的で個

㊻ 和辻哲郎,『人間の学としての倫理学』,9 頁。
㊼ 和辻哲郎,「面とペルソナ」(『和辻哲郎随筆集』所収),27－28 頁,岩波文庫。
㊽ 和辻哲郎,前掲論文,38 頁。
㊾ 宇都宮芳明,『人間の間と倫理』,106 頁,以文社。

人主義的と批判するカント倫理学の「曖昧性は、カントが主体的根底と人格の個・多・全との関係を十分考えなかったことに基づく」と考えて、「そこに重要な残された問題」があるとしていただけに、和辻のキーワードがその課題に対して有意義な対処と方策を示すのではないかと期待されるからである。

だがしかし、実のところは、坂部が言うように、その課題は再び先送りされた。「「人間」についての周知の実り多く示唆するところの多い考察にもかかわらず、結局のところ、個と共同体全体との関係を排他的部分とその総合という人格的ないしより正確には間人格世界の表層でのみ妥当する論理ないし図式にしたがって考える傾向の強かった和辻は、まさしくほかならぬ主体的根柢と人格の個・多・全との関係について、あるいはまた人間と自然との関係について、さらに立ち入って考えることを後代のわれわれに課題として残さざるを得なかったのではないだろうか」㊿。

我々に課題として残された側面は当然あるにしても、やはり残念な結末である。カントの「本来的自己」について論じるべきことは、まだ多々あるが本当に紙幅が尽きた。

小論を閉じるにあたり、最後に「訳者」であり「役者」であるという二重基準の生き方をして、仮面をつけた翻訳者とも評される森鷗外の『妄想』の一節を提示する。

「生まれてから今日まで、自分は何をしているか。始終何物かに策うたれ駆られているように学問といふことにあくせくしている。これは自分に或る働きができるやうに、自分を為上げるのだと思っている。其目的は幾分かは達せられるかも知れない。しかし自分のしている事は、役者が舞台へ出て或る役を勤めているに過ぎないやうに感じられる。その勤めている役の背後に、別に何物かが存在していなくてはならないやうに感じられる。策うたれ駆られてばかりいる為に、その何物かが醒覚する暇がないやうに感ぜられる。勉強する子供から、勉強する学校生徒、勉強する官吏、勉強する留学生といふのが、皆その役である。赤く黒く塗られている顔をいつか洗って、一寸舞台から降りて、静かに自分といふものを考えて見たい、背後の何物かの面目を覗いて見たいと思ひ思ひしながら、舞台監督の鞭を背中に受けて、役から役を勤め続けている。此役が即ち生だとは考へられない。

㊿ 坂部恵,『ペルソナの詩学』,114 頁,岩波書店。『仮面の解釈学』,「仮面と人格」(77－99 頁),東京大学出版会。

背後にある或る物が真の生ではあるまいかと思はれる」51。

鷗外のこの文章の根底には、同一の存在物は現象と物自体という二重の存在構造を有するというカントの思想が流れている。ある役を演じて生きる現象の姿は現象(我)であり、その現象の背後に「我々に未知なる現象の根拠」としての物自体(本当の私)がある。そこに、真の生があるように思われる。この思想は、同じく『かのように』にも見出せる。この作品は言うまでもなく、同一物に現象と物自体を見るカント思想を受けて、『かのように[Als Ob]の哲学』を書いたファイヒンガーの思想を下敷きにしている。「小説は事実を本当とする[第一の]意味においては嘘だ」。しかし小説に描写された「人生の性命あり、価値あるものは、皆この意識した嘘だ。第二の意味の本当はこれより外には求められない。こう云う風に本当を二つに見ることは、カントが元祖」52なのだとある。そして、「人生のあらゆる価値のあるものは、かのようにを中心にしている」53と説かれている。

さて、ガリレオは、「真の哲学は、眼の前に絶えず開かれている世界というあの偉大な書物の中に書かれている」54と考えた。デカルトは、「世界という大きな書物」(DM.p130)を学ぶために旅に出た。そして私は、ヨーロッパという大きな書物を学ぶために、ドイツに二度遊学したことがある。その折、痛感したのはヨーロッパの都市の美しさである。都市美に魅せられて、ついつい 70 以上の都市を歴訪した経験がある。他人は自分を写す鏡であり、異国は日本を写す鏡である。65 年の永い人生の中で、様々の他人に出会い、そこで様々な役を演じる自分に立ち会ってきた。様々な異国を放浪して、見知らぬ街角に佇みながら想うは日本のことである。何故、日本の都市はどこも画一的でそれほど美しくないのか。創作物が創作者の精神の外化だとすれば、それは我々住民の精神的貧しさの反映的表現なのであろうか。だが、それではあまりにも淋しすぎるので、これ以上論じない。何故かというと、和辻も『風土』の中で、ヨーロッパの都市に比して、東京の町の雑然とした拡がりと家並み・町並みの無秩序を慨嘆していた。「ここに見いだされた不釣り合いが日本

---

51 森鷗外,『妄想』(森鷗外全集 3 所収),49－50 頁,ちくま文庫。「仮面をつけた翻訳者」については、長島要一『森鷗外』,125 頁以下参照,岩波新書。

52 森鷗外,『かのように』(前掲書所収),283－284 頁。

53 森鷗外,『かのように』,288 頁。

54 ガリレオ,『偽金鑑識官』(山田・谷訳),308 頁,中央公論社。

の町のまことのありさまであることは、我々がもう古くより感じていた日本現代文明の錯雑不統一ということの中にすでに含まれていたことには相違ない。しかしかほどにあらわに、露骨に、しかも滑稽なほど珍しい姿で、町々のすみにまで現れているということは、実は気づいていなかったのである」。[55]日本の都市は、今日では町並みや街路は隅々まで清掃も行き届き、世界のどの都市にも負けないほど清潔で小綺麗なのに、全体として纏まってぐいぐいと迫り訴えてくる魅力に乏しく、都市景観の全体的印象がこぢんまりとして希薄で弱い。これは、細部にばかりこだわって全体を描き切れない下手な絵画のようである。もし和辻の言う通りに、日本人が「人と人の間」の存在として、自己と他者との「間柄」を大事にするものならば、もっと自家のみならず隣家、さらには地域との「間」の関係構築に心配りをするはずである。ところが、現実には自家のみの造成には熱心だが、隣接の境界造成には無関心なのである。そこには自家中心の自我中心主義がはっきり現れ出ており、「和を以て貴しとする」という日本人の集団意識が本来「間」の存在意識として、共同体社会形成に有効に機能すれば、全体的調和の達成という風になるのではと観念的には納得できるのに、実状は、それの裏腹の有様が現実である。すると、日本人の倫理は、現実には自我中心主義的であり、とてもカント倫理学を自我中心主義的と非難できた筋合いではないのである。そして当の個人主義的なカント倫理観を体現したヨーロッパの都市景観は素晴らしいのである。これはどういうことか。和辻が倫理学の構築において、肝心のキーワードが日本の現実の前で機能不全に陥入る様を垣間見るようで、心底心寂しい限りである。これに対して人間を非社交的社交性と解するカントの場合には、既述のように藝術・文化は非社交的社交性からも十分に説明可能なのである。

[55] 和辻哲郎,『風土』,191頁,岩波文庫。

トーマス・マン『魔の山』における錬金術 ―ユング錬金術心理学との関連から見たその理念的・構造的意義―

池田紘一

トーマス・マンは自ら『魔の山』を錬金術的物語と呼び、主人公ハンス・カストルプの魔の山における魂の冒険と人間的成長を錬金術的「高揚」と称している。従来の研究ではこれは象徴的・比喩的な修辞としてさほど真剣には受けとめられなかった。しかしこれを C.G. ユングの錬金術心理学の知見に照らして見るとき、そこには深い意味が潜んでいるように思われる。トーマス・マンがユングの錬金術心理学に影響されたという事実はもちろんない。ユングが錬金術研究を本格的に開始するのは 1928 年頃のことで、『魔の山』が世に出たのは 1924 年である。けれども、マンとユングの間には、のちの『ヨゼフとその兄弟たち』のユング心理学との内的符合に見られるように、影響関係とは別に、その精神的傾向においてある種の親和性が存在する❶。このような親和性はユングの集合的無意識の観

❶ 『ヨゼフとその兄弟たち』をユング心理学の観点から解釈した例としては Schulze, Joachim: Traumdeutung und Mythos.In: Poetica 2 (1968), S.501-520;拙論「〈術〉と〈分析〉―トーマス・マンのヨゼフ小説とユング心理学との「偶然の一致」の意味―」、「ドイツ文学」73 (1984), 102-112 頁がある。M.ディールクスは、マンへのユングの直接の影響を否定し、マンのヨゼフ小説におけるユングとの親縁性は、ショーペンハウアーによって媒介されたものだとして、三者の関連性について言及している。(Dierks, Manfred: Studien zu Mythos und Psychologie bei Thomas Mann. An seinem Nachlaß orientierte Untersuchungen zum “Tod in Venedig”, zum “Zauberberg” und zur “Joseph”-Tetralogie. (Thomas-Mann-Studien 2.Bd.). Bern 1972, S.152-156/Auch in: Thomas-Mann-Handbuchauch, hrsg.von Helmut Koopmann, 2. Aufl., Stuttgart 1995, S. 295-299.)

点からいえば、何ら不思議ではない。影響関係が認められない符合こそ却って集合的無意識の実在性を裏づけるものだからである。

『魔の山』において、より正確にいえば主として登場人物たちの口を通じて「錬金術」が話題にされる箇所は、作品の構造と主題に関わる重要な位置を占めている。同時にその「語り」においても錬金術的と称しうる独特の様式を示している。しかし本稿では、語りの錬金術的特色については必要最小限の言及にとどめ、「錬金術」の作品構造上の重要性とその理念的・内容的意義とに限定して考察する。とはいえ、たとえば従来盛んに行われてきたフロイト的・精神分析的要素の指摘の場合のように、ユング的・分析心理学的な要素を拾い出そうとするのでもなければ、いわんや作品に心理学的解釈を加えようとするのでもない。錬金術の作品中における重要な位置と役割を指摘し、ユングの解釈する「錬金術」の観点からその意義に若干の裏付けを与えるにとどまる。

『魔の山』の錬金術的構造をごく概略的に示せばこうである。主人公ハンス・カストルプは「原物質」(プリマ・マテリア prima material)として「魔の山」(Zauberberg[魔法ないしは魔術の山])というレトルトに密封され、マダム・ショーシャをはじめとする諸元素ないしは諸金属との「分離」と「融合」を繰り返しながら「賢者の石」lapis philosophorum への道を辿る。しかしこの「精神」と「肉体」、ないしは「精神」と「自然」との錬金術的・エロス的結合の試みは失敗に帰する。しかしそれは錬金術の場合と同様、近代合理主義の精神万能と意識膨張の克服による新たな全一的な生、新たな人間愛の模索でもある。

他方、物語のこのプロセスは、マンの錬金術的な物語術、語りの様式と表裏一体をなしている。マンの語りは、諸元素ないしは金属をレトルトに密封して錬金炉の火にかけ、何十日ものあいだ昼夜を分かたず繰り返されるオプス(opus・錬金作業)、すなわち「分離」と「融合」の試みに等しい。諸々の偶然的出会いや偶然的出来事から必然の糸(真の融合可能性・結合の神秘)を紡ぎ出そうとするその「語り」は、まさに錬金術的物語術と呼ぶにふさわしい。それは作品の微細な表現から、場面構成、全体の構造にまで及び、周到を極めている。

けれども肝要なのは、いうまでもなく、このような構造的・形式的側面が錬金術的であるというばかりでなく、これと表裏一体をなして、作品の主題と理念の面からも錬金術がすこぶる重大な意義をおびており、そこにユングが錬金術に見て取った意義と根本的に同質の方向性が存在しているということである。以下、まず第一に作品中での「錬金術」の現れ方を具体的に辿り、しかるのちに、ユングの解釈する錬金術の特質に触れつつ、『魔の山』における錬金術の意義に若干の光を当てる。

一、『魔の山』における「錬金術」

『魔の山』では、いくつかの重要な箇所で「錬金術」が問題になっている。第六章の終わり近くで、ナフタはハンス・カストルプに対してフリーメーソン結社の改革における「規律の厳守」について語り、その精神が非合理的、神秘的、魔術的、錬金術的な性格のものであることを力説したあと、こういう(Ⅲ705-708,新下 276-278)❷。それは結社の歴史的根源を「中世の神秘的世界」、「中世の暗黒」の中に再発見することであって、この組織の中心にあったのは主として「神秘的自然認識の秘儀に通じていた偉大な錬金術師」であった。錬金術とは、

> 少し学問的にいえば、精錬、物質の変化と醇化、化体(Transsubstantiation・全質化)、しかもより高級なものへの化体、すなわち高揚(Steigerung)❸です。—賢者の石(lapis philosophorum)、硫黄と水銀とからなるこの両性的産物、両性的物質(res bina ふたなり)、両性的原物質(prima materia プリマ・マテリア)、こういった言葉によっていい表わされたものは、外的な影響力による高揚、精錬の原理にほかならないのです。—いわば魔術的教育(magische Pädagogik)というべきものです。

---

❷ マンからの引用は Thomas Mann: Gesammelte Werke in 13 Bdn, Frankfurt am Main 1974 に拠る。翻訳は「トーマス・マン全集」全 13 巻(新潮社)を借用し、論述の都合上部分的に改変した。『魔の山』の翻訳は全集版と基本的に同じ訳文である新潮文庫版二巻本(高橋義孝訳)に拠り、同じ理由で部分的に改変した。引用箇所の指示に際しては(　)内に、ドイツ語原典の巻数・ページ数、日本語版全集の巻数・ページ数の順で並列する。『魔の山』の翻訳の引用箇所の場合は、新潮社版の上、下巻を新上、新下で示し、そのあとにページ数を記す。

❸ Steigerung は錬金術における exaltatio の独訳であると思われる。錬金術の作業過程では一般には、sublimatio(昇華)のあとにくる最高段階の現象を意味するが、しばしば「昇華」と邦訳されている。Seigerung はたしかにその含意からは最高・究極の「昇華」であるともいえる。ゲーテがこの錬金術の概念をその自然観の要として特別の意味に用いたことは周知のとおりである。ゲーテの場合は一般に「高昇」と邦訳される場合が多い。

さらにナフタは錬金術的変成の象徴として「塚穴」、「墓穴」を挙げてこう説明する。

> 物が腐敗し、分解するところです。塚穴こそ密封錬金術（Hermetik）の精髄をなすものです。それは物質が最後の変化、醇化を強いられる容器、密封された水晶の蒸溜器（レトルト）にほかならないのです。

ナフタによれば、フリーメーソンへの入団のイニシエーションはこの意味における「塚穴」ないしは「墓穴」で執り行なわれる。「秘儀と醇化」への道は危険にとりまかれ、「死の不安と腐敗」の国の中を通っている。その眼目は「究極にして最後なるものの象徴」であり、「暴飲乱舞する荒々しい原始宗教性の要素」であり、「死滅と生成、死と変化と復活」とを祝う儀式であって、イシスの秘儀、エレウシスの秘儀もこれと同じである。

このナフタの教示は、セテンブリーニの精神万能の人文主義に対する批判、セテンブリーニの属するフリーメーソンの現時における堕落に対する批判を意味しており、ハンス・カストルプもまた、例の何事も経験、何事も人生勉強という「試験採用」の態度で、なるほどそれが「錬金術的教育」hermetische Pädagogik というやつですねと感心してみせるだけである。しかし、ここには錬金術の要諦がほぼ尽くされているというばかりでなく、それが『魔の山』の主題である「精神と肉体」、「生と死」に深く関わりを持つことは自明である。さらに、のちに触れるように、マン自身が『魔の山』をしきりに錬金術的「高揚」ないしは錬金術的「教育」の物語と称している事実に鑑みれば、セテンブリーニとナフタの無数の論戦に対する語り手ないしは主人公ハンスのイローニッシュなスタンスのとりかた、揶揄の態度にもかかわらず、この部分はいずれ判明するように他とは異なる特別の重要性を帯びているように思われる。

錬金術は第七章においても、極めて重大な箇所、すなわち「ふたつの不思議な会話」の一つ、マダム・ショーシャとの会話の中で話題にのぼる。ハンスの「寛大さ」を病気と深い関連を持つ「天才」の現われとしてある種の賛嘆をもって受けとめるショーシャに対して、ハンスはいう（Ⅲ827，新下 430）。

> ぼくは偶然にも[……]この天才的な世界へ高く押しあげられてきたんだ。要するに、君は知らないだろうが、錬金術的・密封的教育法（alchimistisch-hermetische Pädagogik）

ともいうべきものがある。つまり、化体(Transsubstatiation)、それも高次のものへの化体、わかり易くいえば、高揚(Steigerung)ともいうべきものがあって、ぼくはそういう世界へ押しあげられてきたんだ。だが外部の力で高められ押しあげられたのも、もともと内部にそういうものが多少あったからこそなんだ。それではその内部にあるものは何かというと、よく憶えているが、ぼくはもうずっと前から病気や死と馴染みが深かったし、ここで謝肉祭の晩にそうだったように、もう少年のころから分別を失って、君に鉛筆を借りたことがあるんだ。だが、分別を失わせる愛こそ天才的なんだ。なぜなら、死は天才的な原理、両性的なもの(res bina ふたなり)、賢者の石(lapis philosophorum)、また教育的な原理でもあるからだ。そして死への愛は生と人間への愛に通じているからだ。[……]生へ赴く道はふたつある。ひとつは普通の、まっすぐな、真面目な道、もうひとつは厄介な、よくない道、死を越えていく道で、これが天才的な道なんだ。(傍点は筆者)

この論理の下敷きはむろん、師の言葉を自らの言葉として繰り返す、あるいは真似るハンス一流の性癖に従って、先に引いたナフタの教示である。しかし傍点をほどこした部分に見られるように、それはハンスによって消化され、自分の体験によって変形され、いわば身についたものとなっている。しかも錬金術的教育のプロセスはより精神的な意味、作品の主題により深く関わるものへと高められている。「死への愛」は「生と人間への愛」に通ずるという認識、「生へ赴く天才的な道」は「死を越えていく道である」という認識がそれである。さらに「高揚」が可能なのは「もともと内部にそういうものがあったからだ」という言葉も無視できない重みを持っているように思われる。ここには「内なる何ものか」、心の内奥、敢えていえば「無意識」の奥に潜む何ものかについての自覚ないしは予感が語られているからである。

さらに本作品中、第六章の「雪」のスキーの場面における夢(幻視)と並んで、ハンスの「内面」を知る上で最も重要な場面と考えられる第七章の「妙音の饗宴」の『菩提樹』の箇所でも、「錬金術的高揚」が再び、しかも語り手の注釈の言葉として登場する。あるいは語り手がハンスの心に寄り添い、ハンスの心中を察するという形で語られる。ちなみに、『魔の山』の語り手の主人公に対するイローニッシュな距離は作品が終わりに近づくにつれて次第にその間隔を縮め、それによって「遊戯的」な語りがある種の「真剣さ」を帯びてくるが、ここでもその徴候が認められる。それはこうである。

> 私たちの単純な主人公ハンス・カストルプは、すでにもうかなり長い間、あの錬金術的・教育的高揚(hermetisch-pädagogische Steigerung)の経験を積んで、いまでは精神的な世界の中へ深く入りこみ、自分の愛とその愛の対象との「意味深さ」を十分に意識するまでに至っていた、と考えてもいいだろうか。私たちは彼がそこまでに至っていたのだと主張し、そのようにお話しするのである。(Ⅲ904, 新下 530、傍点は筆者)

ハンスの「愛の対象」である『菩提樹』の歌の背景をなす世界は「愛を禁ぜられた世界」、すなわち「死」である。この歌に精神的な共感を感ずることは「死への共感」Sympathie mit dem Tode を意味する。語り手はハンスのこの解釈に驚いたふりをする。

> 彼はまたなんということを考えているのだろう。しかし諸君がどんなに言って聞かせても、彼はこう信じて疑わないだろう。あの愛は死への共感という陰鬱な暗い結果(Ergebnisse der Finsternisse, Finstere Ergebnisse[直訳:闇のもたらす結果・闇に充ちた結果])を招来するのだと。皿形の襟飾りのあるスペイン風の黒服を着た拷問吏の心、その反人間性、そして愛ではなく情欲—これが一見誠実そのものに見える敬虔な歌の結果なのである。(Ⅲ906, 新下 532)

ちなみに「皿形の……情欲」の部分はナフタの言の繰り返しである。ところでセテンブリーニなら、こういうものに惹かれるのは「病気」として却けるであろう。この歌は「生命の果実ではあるが、死から生じ、死を孕んだ生命の果実である(eine Lebensfrucht, vom Tode gezeugt und todesträchtig)。これは魂の奇蹟(ein Wunder der Seele)であった」(Ⅲ906, 新下 533)。これはしかし、責任感ある人間愛、有機的なものへの愛、つまり良心の最後の判定に従えば、「自己克服の対象」にほかならない。「自己克服、—これこそこの歌への愛、この不吉な闇の結果を伴う魂の魔術(Seelenzauber)に打勝つということの真の意味であろう」(上掲箇所)。語り手はこのようにハンスの内面に聴き耳を立てながらこうつづける。

ハンス・カストルプの瞑想、もしくは予感に充ちた物思いは、夜ふけにひとり、ぽつねんとして、ずんぐりした音楽箱（Musiksarge〔音楽の棺〕）の前に坐っている間にぐんぐん高まっていった。―それは彼の知力を越えるまでに高まり、錬金術的に高揚された瞑想（alchimistisch gesteigerte Gedanken）となった。

そして「妙音の饗宴」の締め括りの含蓄に充ちた一節がくる。

しかし、この歌に帰依する者は、この歌の世界、その魔術を克服するために自らの生命を燃焼し、未だいい表わす術のない新たな愛の言葉（das Wort der Liebe, daser noch nicht zu sprechen wußte）を唇に浮かべて死んでゆく人であろう。[……]この歌のために死ぬ人は、実はこの歌のために死ぬのではなくて、愛と未来との新しい言葉を心に秘めながら、すでに新しい世界のために死ぬのであって、その人はそのゆえにこそ英雄ともいうべき人なのである。―／つまりこれがハンス・カストルプの愛したレコードであった。（Ⅲ907，新下533-534、傍点は筆者）

ここには、『魔の山』の根本思想のすべてが要約されているといって差支えない。ハンスが魂の錬金術的冒険の果てに辛うじて到達しえた地点が示されている。先に引いたショーシャとの会話におけるハンスの認識のヴァリエーションであるが、それがより精細に、繊細に語られ、そこに「新たな愛の言葉」という微かな希望が付け加わっている。『菩提樹』はいうまでもなく戦場の硝煙の中を行くハンスが切れぎれの息づかいでうたう歌であり、この希望は、作品全体の末尾で語り手が口にする希望でもある。

末尾に至る前にもう一箇所、「錬金術」という言葉が現われる箇所がある。第七章の「霹靂」の開戦によって「轟然と世界がどよめく」寸前、つまり「魔の山」でのハンスの魂の遍歴の描写の一番最後のくだりにおいてである。ハンスは壊れた懐中時計をそのままに放置し、カレンダーすら備えていない。無時間の世界に浸り、「自由」を享受するため、つまり

かの海辺の散歩、不断に繰り返される〈現在なる永遠〉Immer-und-Ewig を尊重するため」でもあり、あの錬金術的魔術を尊重するためでもあった。「この魔術は彼の魂の最も重大な冒険となり、この単純な物質（dieses schlichte Stoff ＝ ハンス・カストルプ）のあらゆる錬金術的冒険はこの魔術の中で行なわれたのであった。」（Ⅲ984，新下633）

そして、物語全体の末尾、戦場のハンスに向けられた語り手の別離の言葉、「さようなら、ハンス・カストルプ、人生の誠実な厄介息子。君の物語は終わった。私たちは君の物語を終えた。短くも長くもない、錬金術的な物語だった」に至り着く(傍点は筆者)。締め括りはこうである。

> 君が味わった肉体と精神の冒険は、君の単純さを高揚させ、君が肉体においてはおそらくこれほど生き永らえるべきではなかったろうに、君をなお精神の世界において生き延びさせてくれたのだ。君は「鬼ごっこ」によって、死と肉体の放縦との中から、予感に充ちて愛の夢が生まれてくる瞬間を経験した。この世界を覆う死の饗宴の中から(aus diesem Weltfest des Todes)、雨の夜空を焦がしているあの恐ろしい熱病のような業火の中から(aus der schlimmen Fieberbrunst)、そういうものの中から、いつかは愛が生まれ出てくるであろうか?(Ⅲ994,新下 646、傍点は筆者)

これはすでに言及したように、「妙音の饗宴」のハンスの省察の繰り返しである。その言葉をいま語り手自身がハンスに向かって別離の言葉として繰り返すのである。「死と肉体の放縦と」の中から「予感に充ちて愛の夢が生まれてくる瞬間」とは、雪の中の幻視、『菩提樹』に関する瞑想を指すのであろう。あるいは遡って、マダム・ショーシャとの愛の体験、謝肉祭の、ワルプルギスの夜の夢をも指すのであろうか。さらには、ペーペルコルンへのショーシャとの愛の同盟をも指すのであろうか。「死の饗宴」が戦争を指すのはいうまでもないが、それはハンスが悟った「死」の最も破壊的・破滅的な現象形態であり、「熱病のような業火」Fieberbrunst の Fieber は「熱」、Brunst は本来「情欲」の意であって、すなわち「肉体の放縦」の最も破壊的・破滅的な現象形態である。それはまた火と炎の中で執り行われる錬金術のイメージとも重なる。その中から、ハンスの予感のように愛が生まれてくるか、死を越えて生に至る道が開けてくるか、英雄の犠牲的な死から新たな愛の言葉が生まれてくるか—これがこの小説の究極的な問いであり、主題である。

以上のように、「錬金術」ないしは「錬金術的高揚」は、単に比喩的な意味と取るにはあまりにも重要な場面で用いられている。その文脈を含めて錬金術に関する箇所を長々と引用したのはすなわち、それが何らかの形で、より深く作品の理念と構造に関わっていることを示すためである。

トーマス・マンは作品中においてばかりでなく、『魔の山』に触れる際にはこれを繰り返し錬金術的高揚の物語、あるいは錬金術的教育の物語であると呼んではばからない。たとえば講演『自分のこと』(1940 年)では、『魔の山』が二重の意味での「時の小説」Zeitroman であり、「時代」のみならず純粋な「時間」をも対象とする作品であることを述べたくだりで、さらにこう言葉をついでいる。(XⅢ157, X394)。

> この作品は、同時に、この作品が語り伝えているところのものであります[時について語っていると同時に時そのものである]。換言すれば、無時間の世界へ年若い主人公を錬金術的(hermetisch)に魅惑してゆく経過を描写しながら、この作品そのものは、芸術的方法によって、すなわち作品が包括する音楽的理念的な全体世界に、一瞬も途絶えることなく完全無欠な現在性を付与して、ある魔術的な「停止せる現在」nunc stans を造り出すという試みによって、時間の止揚をも志向しているのです。

さらに、内容と形式、本質と現象との一致、すなわち、作品それ自体がつねに同時に「作品が取り扱い、語っているもの」でもあるというこの小説の野心は、「時」の問題に向けられているだけではない。

> ハンス・カストルプの物語は高揚(Steigerung)の物語なのです。単純な主人公が、魔の山の熱っぽい錬金術(Hermetik)を受けて、以前は夢想だにしなかったところの、道徳的な、精神的な、また官能的な、さまざまな冒険をさえもできるようになります。彼の高揚の物語は同時にまたそれ自体においても、つまり物語(Erzählung)そのものにおいても高揚になっています。

物語そのものにおいても高揚になっているとは、この小説が一見写実的な小説手法に拠っているように見ながら、実は「写実的なものを象徴的なものにまで高めて透明化することによって、絶えず写実的なものを凌駕してゆく」という事実を指している。つまり、登場人物はすべて外見以上のものを読者に印象づける。「いずれも、精神的な諸領域や原理や諸世界の典型であり、代表者であり、使者である」に他ならない。そしてハンス・カストルプはこれらの人物のあいだで自分の道を求めてゆく。マンは意識していないが、やや先回りをしていえば、これこそまさに錬金術的であるといって差支えない。登場人物は一方では写実的な人物であるが他方では典型的・象徴的人物であるとは、ユングの錬金術心理学の言葉に置き換えれば、水銀や硫黄や塩は一方では物質であるが他方では何かある精神的なものを意味しているということである。そしてこれらの物質のあいだをプリマ・マテリアとしてのハンス・カストルプが分離と融合を繰り返しながら変容してゆくということである。

この錬金術的過程でハンスはどういう変容をとげるか、いかなることを予感するか。マンはまさにこのような文脈で、「私の単純な主人公が何を会得するようになったかというと」と、作品の主題についてこう語る。

> 並はずれてすぐれた健康はすべて病気と死の深刻な経験を通り抜けきているにちがいないということです。ちょうど罪の知識が救済の前提条件であるように。知識と健康と生に至る必然的な経路として、病気と死を把握するという、この見解が『魔の山』をイニシエーションの物語にしているのです。(XⅢ158,X395)

これはすでに作品から引用したいくつかの重要箇所の内容を要約したものにすぎないが、これまた先回りをしていえば、魂の悪との融合、魂の肉体との、物質的・自然的なものとの融合、魂の肉体からの分離による肉体の腐敗と死、―これこそまさに錬金術的な治癒ないしは救済への、すなわち「賢者の石」ないしは「大宇宙の息子」filius macrocosmi、あるいは「王の息子」filius regisに至る必然的な道である。

しかもマンはこれにすぐつづけて、われわれの関心にとって極めて重要なことを語っている。『魔の山』をイニシエーション・ストーリーと称したハーヴァード大学の若い一学者の研究に触れて、彼がさらに『魔の山』を「探求者物語」The Quester Legendと名づけている事実をわが意を得たりとばかりに紹介し、研究の中身をこう要約している。

> こうした物語の最も有名なドイツ的現象形態は、申すまでもなく、ゲーテの『ファウスト』であります。しかし、永遠の探求者であるファウストの背後には、一群の聖杯文学が控えています。その主人公は、時にはガヴァインと呼ばれ、時にはガラハートとかパルツィファルと呼ばれようとも、すべてこのクェスター、すなわち探求者にほかなりません。彼は天国と地獄をさまよいながら、天国と地獄と戦って、秘密とか、病気、悪、死、別世界の神秘なものなどと契約を結び

ます。—これは『魔の山』では「いかがわしい」fragwürdig という語で特徴づけられている世界です。[……]聖杯探求者としてのハンス・カストルプ—これは私が作品執筆中に予想だにしなかったことです。[……]ハンス・カストルプが、たとい見つけはしなくても、死に近接した夢の中で予知する聖杯は、人間の理念にほかなりません。病気と死についてこの上なく深遠な知識を通り抜けた、未来の人間愛(Humanität)の思想なのです。(XⅢ158-159, X395-396、傍点は筆者、ただし最後の「人間愛」はマンによっても強調されている)

『ファウスト』の名が上がっていることはむろん興味を引くが、しかしここでは何よりも聖杯文学への言及が注目される。「天国と地獄をさまよいながら、天国と地獄と戦って、秘密とか、病気、悪、死、別世界の神秘なものなどと契約を結ぶ」—これはまた錬金術師が物質との対峙において辿る心理的プロセス、ユング心理学の言葉でいえば、善悪、明暗、あらゆる対立葛藤を通過して聖杯、すなわち「自己」へ向う「個性化過程」と同一のものといってよく、その意味では錬金術師たちもまさに「探求者」なのである。

『自分について』からの以上の引用は、すでにその前に『魔の山』からの引用中に見た「錬金術」への言及とその文脈の繰り返しである。それをわざわざ長々と引用したのは、トーマス・マンが『魔の山』の理念をどこに見ていたかを明確に知り、マンがどの程度自覚的であったかはともかく、それがいかに「錬金術」と、少なくともコンテクスの上では関わりを有しているかを確認しておくためである。

二、 ユングによる錬金術の解釈と『魔の山』

C.G.ユングの錬金術研究の成果が最も大規模に、しかも集約的に示さているのはいうまでもなく『心理学と錬金術』(1944年)と『結合の神秘』(1955/56年)においてである。特に『心理学と錬金術』はユングが錬金術に何を見たか、錬金術の根本的志向をどこに見たかを知る上で、極めて示唆に富む。そこには以上に見てきた『魔の山』における錬金術の位置と役割、さらにその理念的意義に関して多くの示唆を見出すことができる。すなわち、トーマス・マンの根本的志向、死と肉体と情欲との重視、その深い闇と危険を精神と肉体とを以て、全存在をかけて経験したのちに到達しうるやも知れぬ新たな生、新たな愛の可能性への希望—それが原理的にいかに錬金術の根本的志向、従ってまたユング自身の根本的志向に近接しているかを窺い知ることができるのである。少なくとも、肉体・病気・死との深刻な経験ののちに、いわばそれらとの抱擁合体ののちに得られる生という考えは、たとえばフロイト的ではまったくなく、またジョーペンハウアー的でもなく、極めてユング的・錬金術的であるといわざるをえない。ここで、『魔の山』との関連というごく狭い枠組みで、『心理学と錬金術』からの若干の引用を交えながら、ユングの錬金術心理学の重要な一側面を摘出してみよう。❹

錬金術は、オプス(opus 錬金作業)による物質の分離・結合を通じて、プリマ・マテリア(prima materia 原物質・第一質料)からラピス(lapis philosophorum 賢者の石)、あるいは「永遠の水」aqua permanens としての「チンキ液」tinctura、「万能薬」medicina catholica 等種々の名で呼ばれる秘密物質を変成し、その効力によって黄金を造る秘術である。しかし、錬金術師たちが化学的プロセスと信じていたものは実は彼らの無意識の心的プロセス、個性化過程の投影であった。彼らはいわば化学実験というスクリーンに映し出された自らの心のドラマを見て、それと意識しないままこれを物質の変容過程として、その謎めいた文書や図に書き記した。

ユングの錬金術心理学は、上述のように心的投影としての錬金術諸象徴の意義を解明したものであるが)、その最も重要な特色は、それがつねに宗教的問題性と表裏一体のものとして、特にキリスト教文化の孕む問題性、西洋近・現代の宗教性の喪失がもたらした心的危機との不可分の関係において見られている点である。

人間の心は意識と無意識との葛藤と補償の過程であり、善悪、明暗、ありとあらゆる対立の渦巻く場であり、同時に「影」や「アニマ」を伴いながら「個性化過程」Individuationsprozeß を通じて諸対立の一致に向かう不断の創造的・求心的プロセスである。「自己」Selbst に象徴されるこの心の全体性こそイエスやブッダをはじめとするあらゆる宗教上のな聖なる形姿に照応するものであり、心に本来そなわるこの神への関係可

❹ 『心理学と錬金術』(C.G. Jung: Psychologie und Alchemie. Rascher, Zürich 1944/池田紘一・鎌田道生訳『心理学と錬金術』全2巻,人文書院)は、ユングが錬金術研究の成果を初めて世に問うた記念すべき著作であり、序論にあたる第一部「錬金術に見られる宗教心理学的問題」と本論にあたる第二部「個性化過程の夢象徴」および第三部「錬金術における救済表象」とからなる。引用は全集 C.G. Jung: Gesammelte Werke, Bd.12, Zürich 1972 に拠り、そのパラグラフ番号を[GW 12, par...]のごとくに示す。

能性、神の本質への対応物(「神の像」の元型)こそ信仰の母体である。西洋ではしかし、キリスト教ないしは「キリストのまねび」の浅薄な理解あるいは誤解のゆえに心の全体性と神への関係性は次第に失われ、心は断片と化し、意識万能の合理主義が支配するようになった。「罪」は人間の心の外に置かれ、心の全体性の不可欠の一部をなす「悪」もまた実体性を奪われた。錬金術はキリスト教の奇数原理(三位一体)に女性的なもの・大地・下界・悪を意味する偶数原理を持ち込み、四要素構成(四位一体)こそ完全な原理であると見る。すなわち、意識の天上的男性原理に対する無意識の地上的女性原理の融和的な補償作用こそ全一性(「霊と物質」、「精神と肉体」の合一としての「賢者の石」、すなわち心の全体性)をもたらすものに他ならない。ユングは、錬金術における全一性への希求はキリスト教的原理のもたらす心的対立・葛藤を融和し、その裂目を埋めようとする無意識の補償作用の現われだと見るのである。

ユングの観点で特に注目されるのは、錬金術の心的投影としての性格と、物質の中に囚われた神的魂の救済としてのオプスの意義である。錬金術師にとって、彼らが取り扱う物質は、物質でもあり精神でもあり、物質と精神の中間領域としての「霊妙体」である。彼らは物質には霊(精神)が宿っており、この霊の救済こそオプスの課題であると見ていた。その前提には、一旦は物質の中に沈降し、しかるのちに魂を浄化・救済するために再び物質から解き放たれる神の息子(「宇宙の魂」anima mundi、「大宇宙の息子」filius macrocosmi)という異教的・グノーシス主義的観念があった。キリスト教では、神が自ら創造した不完全な、悩める被造物としての人間を救済することが問題であるのに対し、錬金術では、人間が自らの業によって不完全な物質から神を救済しようとする。これは人間の無意識における神の業の継続にも等しく、ユングはこれを、錬金術師の個性化過程における「自己」の救済、心の全体性の回復のドラマの投影であると見る。

> いにしえの錬金術師たちが霊を孕む奇蹟の石を求めたのは、あらゆる物質を貫き、その中に浸透する力を有するあの物質〔「賢者の石」等々〕を石の中から抽出し、この物質の力によってあらゆる卑俗な物質を染色し、それらを高貴な物質へと変成しようがためであった。[……]この「霊的物質」は、もろもろの鉱石中に隠れている不可視の水銀(メルクリウス)[……]のようなものであった。そしてもしこの刺し貫くメルクリウスを手に入れることが出来れば、

今度はこれを他のいろいろな物質の中に「投入」projectioして、これらの物資を不完全な状態から完全な状態へと移行させることができる。不完全な状態とは眠っている状態のようなもので、不完全な状態の諸物質はいわば「ハデス(冥府)に縛られハデスに眠るもの」なのである。それゆえこれらの眠れる物質は、霊を孕む奇蹟の石から獲得された神聖なチンキ液によって、ちょうど死から蘇生させられるように、新たな、より一層素晴らしい生へと目覚めさせられねばならない—すなわちこれが錬金術師たちの志向するところであった。(GW 12, par.405、傍点は筆者)。

ユングが錬金術の根本に見ていたこのような意義、物質の中に不完全な状態で、すなわち病気の状態で囚われて眠っている魂ないしは霊の錬金術的救済の意義に照らして、『魔の山』における「錬金術」の構造的位置と主人公ハンス・カストルプの内的遍歴を見るとき、それはまるで肉体に囚われ、肉体の病気と死の体験の中で眠っているハンスの魂ないしは霊の救済のことをいっているかに見える。そしてその背景にユングが見ているものは、単に錬金術の心理的側面というよりは、むしろ錬金術のうちに展開されたこのような投影のドラマ、錬金術の根柢を貫くこのようなヨーロッパの精神ないしは魂の葛藤の歴史、端的には近代における真のキリスト教精神の喪失と、意識膨張ないしは自我膨張と、科学的・合理的主義的精神の専横に対する「補償」のドラマであることが分かる。そして『魔の山』もまた単に一人の単純な青年の魂のドラマであるばかりでなく、第一次世界大戦となって現出する近代ヨーロッパの精神ないしは魂の葛藤のドラマであり、ここにもユングの志向とマンの志向の根本的類似性を窺うことができる。

さらに、錬金術が取り扱う物質の中で、特に注意を引くのは、メルクリウス(mercurius)である。メルクリウスは錬金術において「賢者の石」とならぶ最も重要な「奇蹟の物質」、「秘密物質」、もしくは象徴的形姿であって、変幻自在、その本質は極めて捉えがたい、メルクリウスは「啓示の神、思考の支配者、魂の導者」、すなわち「聖なるヘルメス」であり、液状の金属、すなわち「生ける銀」argentum vivumとして「輝きと内的生命力を付与するもの」である。それは「外的には水銀という具体物を意味するが、しかし内的には、物質の中に隠されている、もしくは閉じ込められている天地創造の霊」を意味し、錬金術のオプスの発端をなす混沌塊(massa confusa)、すなわちプリマ・マテリアであると同時に、オプスの過程で変容をとげながら、ウロボロス(われとわが尾を咬う龍ないしは蛇)として己れ自身を呑み込んで死に、オプスの終局においてラピス(賢者の石)となって蘇生する。メルクリウスは原初のヘルマプロディトス、両性具有であり、一旦は二つに分かれて兄－妹の一対の形をとるが、最後には「結合」coniunctio において再び合体をとげ、「新しき光」lumen novum、すなわち「賢者の石」という形をとって、光り輝く。「メルクリウスは金属であるが液体でもあり、物質であるが霊でもあり、冷たいが火と燃え、毒であるが妙薬でもあり、諸対立を一つに結びつける対立物の合一の象徴である」(GW 12, par.404、傍点は筆者)。メルクリウスはつまり錬金術の全過程につねに存在し、諸対立を一身に体現し、同時に諸対立を「分離」の「融合」によって結びつけ、いわば「錬金術的高揚」過程そのものであると称して差支えない。メルクリウスはすなわち錬金術の「魔の山」、錬金術の密封空間におけるハンス・カストルプなのである。

最後に、錬金術作業過程に現われる最も重大な局面の一つであるニグレド(黒化 nigredo)に触れておこう。これも個々の錬金術師によって多様な形態と意味をおびているが、ユングはおおよそこう説明している。黒、すなわちニグレドは作業当初の状態であって、プリマ・マテリアの、つまりカオス、ないし「混沌塊」の特性としてそもそもの初めから存在しているか、または四大の分解(「溶解」、「分離」、「腐敗」)を通じて現出せしめられるかのどちらかである。

> 後者の場合、つまり分解された状態が前提されている場合には[……]対立物の合一が、男性的なものと女性的なものとの合一という比喩(「結婚」coniugium/matrimonium、「結合」coniunctio、「交合」coitus)の形で成就され、そのあとで、このような合一の産物としての死(「死」mortificatio、「腐敗」putrefactio)が、死を示すニグレドという形をとって現われる。(Bd.12, par.334)

ニグレドにつづく状態には三つの場合がある。

> ニグレドが洗滌(「沐浴」ablutio、「洗礼」baptisma)によって直接アルベド(白化 albedo)の状態に達するか、死に際して肉体を脱け出た魂(anima)が再び死せる肉体に合一し、それを蘇生させるか、あるいは多くの色(「全色」omnes colores、「孔雀の尾」

cauda pavonis)を経て、あらゆる色を内包する一つの色、すなわち白色に変ずるかである。(ebd.,par.334)

しかし、真の最高段階はアルベドではなく、ルベド(rubedo 赤化)とされる。アルベドから火による高揚を経て、「王と女王の結婚」、「太陽と月の結婚」、「化学の結婚」nupitae chymicae に達する。しかし、錬金術師たちにとっては、アルベドの段階に達するのさえ容易でなく、まずレトルトにプリマ・マテリアを密封し終えたあとは、錬金炉を前に、日に夜をついで火加減と蒸溜に腐心し、まず「男性的なもの」と「女性的なもの」との、すなわち霊と物質との、精神と肉体との合一によって「死」の状態を醸成し、魂と物質(肉体)の合体抱擁による「死」の状態から魂を解き放ち、さらに魂を再び肉体に結びつけるという至難の業に取り組んだのである。

以上の錬金術のわずかな本質的側面を見るだけでも、『魔の山』が単にその根本的志向において錬金術的であるのみならず、その構造においても錬金術と極めて近しい関係にあることが窺えるであろう。特に諸々の物質を混合して、分離と結合を繰り返しながら進行するプロセス、メルクリウスとしてのハンス・カストルプ、「男性的なもの」と「女性的なもの」との合一の結果としての「死」、魂を失って腐敗堕落している肉体と魂を再び結びつけ、肉体を蘇生させようとする試み、すべては、少なくとも図式的には、『魔の山』にも当てはまるといえる。「ワルプルギスの夜」におけるハンス・カストルプとショーシャとの合一は錬金術的な「死」mortificatio、すなわちニグレドの局面である。その後のハンスの内面的省察と夢と予感は、いうまでもなく魂を再び肉体に結びつけようとする試みである。しかしこの試みは、錬金術師たちの試みがそうであったように、失敗に帰し、見果てぬ夢に終わる。この面でも『魔の山』とユングの見る錬金術には深い関連が存するが、これについては別に詳論を必要とする。

カントの理性主義とアリストテレスの自然主義

菅　豊彦

アリストテレスとカントとの間に17世紀の科学革命が横たわっている。

ガリレイによる科学革命は古代·中世を支配してきた「意味や目的」を宿す自然を根本的に書き改めることになった。自然は、ただ形、大きさ、時間、等の第一性質のみをもつ存在であり、この数量的に規定される、分子や原子の離合集散する「死物世界」が実在世界と見なされるようになる。

それゆえ、色、味、匂いは自然から追放され、また、美しい、正しいといった価値も自然世界の住人とは認められず、それは人間のこころのうちに位置づけられる。

ところで、ヒュームは科学革命の洗礼を受けた思想家であり、彼の「理性は情念の奴隷である」という言葉は近世の道徳思想のひとつの典型を示し、現代の経験論を支配している。理性は傍観的で、対象世界の知に関わり、他方、情念や感受性は「産出能力を有し、内的感情から借用した染料でもって自然的対象」を染色して、行為をうながす動機を形成する。われわれは難民に同情して義捐金に応募するが、政治家の不正を憤慨しリコール運動を開始する。このように、行為の動機を形成する価値把握は、道徳的感受性が

井上義彦君と私は1960年九州大学文学部に入学した。哲学科に進学し、井上君は主としてカントを中心とするドイツ哲学、私は英米の分析哲学を研究してきた。われわれが最初に著した著書は、君がカントを、私がウィトゲンシュタインについて書いた共著『知の地平——カントとウィトゲンシュタイン』(法律文化社、1984)である。

その後、それぞれ著書や翻訳を公刊してきたが、ともに、今年、無事停年を迎ええたことに安堵と喜びを感じている。

この論文は、井上君の勧めに従って、カントの道徳哲学についての私の解釈を示したものである。私は、自分の今後の課題はここに提示した考えを展開していくことであると考えている。

関わる性質と見なされる。

ヒュームの経験主義に対して、カントは情念ではなく、理性によって道徳的価値を基礎づけようとする理性の哲学者である。この理性主義は「徳とは知である」というソクラテス、アリストテレスの知性主義の伝統を受け継ぐものであると言うことができよう。

この考察で、われわれは、ヒューム的な情緒説あるいは功利主義に対して、カントがアリストテレスと共有する、道徳における理性主義がもつ意義を取り出したいと思う。

さて、カントの理性主義は、決定論的「現象界」と自由と道徳が成り立つ「物自体」の二元論を前提し、それを通して道徳を基礎づけようとするところに特色があるが、しかし、そこにカントの「理性」概念の大きな限界が存在している。

それゆえ、われわれはこのカントの理性主義を、「プロネーシス(実践的知識、賢慮)」の概念を通して成立するアリストテレスの理性主義と対比し、その視点からカントの「理性」概念を再解釈することをこころみたい。

理性的動物とは「言葉(ロゴス)をもつ動物」であり、概念能力とはロゴスの能力であるが、このアリストテレスの「理性(ロゴス)」概念を通して、カントが洞察した理性主義の意義を擁護したいと考える❶。

一　カントの理性主義

(一)義務の概念の分析——定言命法——

「世界の中のどこであろうと、それどころか世界の外でさえも、無制限に善いと見なされるものがあるとするならば、それは善意志よりほかにはまったく考えることができない❷。」

この『道徳の形而上学の基礎づけ』の冒頭の文章は、簡潔にして深い内容を含んでい

---

❶　2005 年の夏、私は円谷裕二氏の論文「カント倫理学における二元論の陥穽と〈理性の事実〉」(千田・久保・高山編『講座　近・現代ドイツ哲学Ⅰ——カントとドイツ観念論』理想社、2004)を詳しく検討する機会をもった。円谷氏の論文は、人間の責任の問題を中心に据え、カント倫理学を反二元論的に解釈する可能性を展開した斬新で独創的なこころみである。私の論文も、カント倫理学の二元論を克服しようとする点において、円谷氏の目指す方向と同じであるが、カント倫理学の評価や二元論克服の筋道は円谷氏と大きく異なっている。ともかく、私の論文は円谷氏から刺激を受けて成立したものであり、この場を借りて、氏に感謝の意を表したい。

❷　I. Kant, *Grundlegung zur Metaphysik der Sitten,* (1785) AK. Ⅳ、S.393.

る。機知や判断力のような精神能力、あるいは勇気、決断力、根気といった気質、さらに権力、財産、名誉、健康、等々、これらはいずれも善いものである。しかし、肝心の善意志を欠くならば、逆にきわめて悪いものになる恐れがある。それゆえ、カントは、無制限に善いと見なされるものは善意志のみであると主張する。

われわれが日常用いている「義務」という概念は、カントが求める「善意志」の概念を含んでいると考えられる。そこで、「善意志」は「義務」の概念を通して解明されるが、まず、カントは「義務に適う」という概念と「義務に基づく」という概念を具体的な事例を手がかりに区別していく。

たとえば、商人が知らない客や子供に対して法外な値段を吹っかけず、誰に対しても品物を同じ値段で売るとすれば、その行為はたしかに誠実な、義務に適う行為である。しかし、それだけでは、それを「義務に基づく」行為であると言うことはできない。その商人は、誰に対しても同じ値段で売ることが長い目でみれば自分の利益になると考えてそのように行為しているのかもしれず、その場合、それは打算からの行為であって、「義務に適う」とは言えても、「義務に基づく」行為とは言えないだろう。

ところで、カントの「義務に基づく」という概念の意味は次の事例によってより明確に規定される。われわれの周囲には真に慈愛心に満ちた人々、すなわち、困った人を助けることに心から満足を感じる人々が多数存在する。しかし、カントによれば、そのような慈愛心からの行為はどれほど「義務に適った」行為であったとしても、「義務に基づく」行為とは言えない。なぜなら、慈愛心からの行為は、自己愛からの行為と同様に、傾向性からの行為だからである。

ここに、カントの理性主義の重要な特徴が示されている。カントによれば、理性の浸透を欠いた本能や傾向性に基づく行為は、いかに優れた善い行為であっても、「義務に基づく」行為とは言えず、厳密な意味で、道徳的価値をもちえないことになる。

〔しかし、このカントの見解には大きな問題が含まれているように思われる。「慈愛心」や「勇気」といった傾向性(徳)ははたして理性の浸透を欠いているのだろうか?むしろ、そのように診断する、カントの「理性」概念の方が狭隘なものに陥っているのではなかろうか。われわれはこの問題をアリストテレスの場合と比較して、後半で、論じることにする。〕

では、理性はどのようなかたちで行為にかかわるのであろうか。行為が道徳的価値をもちうるためにはどのような条件を満たす必要があるのだろうか。カントによれば、行為の道徳的価値は、その結果のうちにはなく、「行為が決定される際に従う格率(Maxime,信条、行為指針)の中にある。」すなわち、道徳的価値は行為の規定根拠としての意志のうちにあるというのである。それでは、その「意志」はどのように捉えられるのだろうか。

以上において、われわれは「善意志」の概念を求め、それを行為結果や傾向性から切り離してきた。それゆえ、行為の規定根拠としての意志に残されるものは、行為者の意志の格率、つまり、行為指針がもつ法則性以外にはないことになる。カントはそれを「私の格率が普遍的法則となるべきことを、自分で意欲しうるという以外の仕方で、私は決して振る舞うべきではない」と表現する❸。これがカントの定言命法であり、「汝の意志の格率が常に同時に普遍的立法として妥当するように行為せよ」というかたちで定式化される。

このように、カントは意志の規定根拠として、傾向性や意志の対象のような経験的なものをすべて追放していき、定言命法を道徳法則として取り出してくる。ここに、道徳的価値を理性的原理のみから規定するカントの理性主義がきわめて明確に示されていると言えよう。

(二)定言命法と条件命法

カントの理性主義は「形式(形相)」と「実質(質料)」の二元論に基づいており、道徳的原理の追究において、経験的・質料的なものを徹底して追放し、形式的原理を通して道徳法則を捉えようとする。簡単に言えば、「あなたの行為の原則(指針)が誰にとっても普遍的に妥当するように行為せよ」という定言命法がそれであり、また、これが道徳的価値を価値一般から区別する基準でもあると捉えられる。

それに対して、「もし年をとって楽をしたいと思うならば、若いうちに働け」といった命法は条件命法であって、人類全体に普遍的に妥当するものではなく、この条件(前件)を欲しないひとにとっては成立しない命法である。

しかし、この条件命法は人間の行為の、ひとつの重要な特徴を示している。われわれは日ごろ、様々な目的をもって行動するが、それらの目的を実現するためには、どのような手段が必要であるかを教えるものが理性の仕事である。先に、「理性は情念の奴隷であ

---

❸ Kant, op.cit. S.402.

る」というヒュームの言葉を引用したが、ヒュームはこのように目的と手段の関係を把握するものとして理性を捉えている。他方、行為の目的を規定し、提示するものは、理性の仕事ではなく、感受性・情念が関わる仕事であるということになる。

それに対して、カントは理性の機能をより広く捉えている。理性は目的実現のための手段を洞察するだけではない。定言命法を道徳法則として把握する仕事はまさに理性の仕事なのである。道徳法則は誰に対しても妥当する普遍性をもっていなければならず、したがって、それは、絶対的な意味で行為を命じる定言命法でなければならないとカントは主張するが、この主張は理性の機能に基づいている。

(三)義務の概念の諸源泉——カントの理性主義の特色

どのような社会も、その社会が持続可能であるためには、あるいはまた、その構成員が善く生きていくためには、規範や義務を必要とする。しかし、その規範や義務の根拠は様々である。

たとえば、古来、ユダヤ教徒やキリスト教徒にとって律法の遵守がその生活を大きく規定していた。モーセの十戒として知られる、この律法は神から与えられたものと見なされており、「殺してはならない」「姦淫してはならない」「盗んではならない」といった定言命法から成っている。

さて、この十戒が絶対守るべき義務であるのは、それが全能なるヤーヴェの神によって与えられた命令だからである。すなわち、ユダヤ教徒にとって、「義務」の概念ならびにその根拠は絶対者である神への信仰において成り立っている。

しかし、神への信仰が衰退しつつある、近世以降の西欧社会において、あるいは、そのような絶対者への信仰がもともと希薄である日本社会において、道徳的「義務」の概念はどのようにして成り立つのであろうか。

それに対して、カントは「義務」の概念の基礎を、全能の神や社会的伝統等に求めるのではなく、人類各人が所有する理性の能力に基づけようとする。ある評者は「仮にカントがキリスト本人と直接対面することがあったとしても、彼はキリストの言葉に従うとるべきかどうかを決心するために、自己の理性の声に耳傾けようとするだろう」と述べているが❹、こ

❹ I. Murdoch, *The Sovereignty of Good*, p.30, Routledge & Kegan Paul, 1970.

の指摘はたしかにカントの道徳哲学の特徴を捉えている。

カントは道徳法則を「理性の事実」と呼んでいるが、通常、幸福の原理と見なされる具体的な経験的内容をすべて追放していき、「汝の意志の格率が常に同時に普遍的立法の原理として妥当しうるように行為せよ」という定言命法を導出するのである。そして、この定言命法が道徳法則であり、理性をもつ存在者の誰にとっても成立する普遍性をもっていると主張する。

このように、カントは道徳法則を定言命法として捉えることによって、道徳的価値を価値一般から区別するが、この見解は、西欧道徳史上きわめて重要な洞察であり、われわれはこのカントの見解を受け入れたい。しかしながら、カントのこの見解の背後にあって、それを導いているカントの思想を是とするわけではない。むしろ、そこに、われわれの視点から言えば、大きな偏見が存在している。

たとえば、「殺してはならない」「盗んではならない」は具体的内容をもつ定言命法であって、しかも普遍的命法である。したがって、カントが主張するように、道徳法則はまったく形式的な定言命法である必要はないと言える。では、カントはどうしてそのように考えたのであろうか。

そこに、カントの理性主義の問題点が存在している。先に指摘したように、カントは近世科学革命を経た思想家であり、この経験世界について機械論的決定論を取る哲学者である。しかし、他方、カントはわれわれ人間を単なる「機械」とは考えず、「自由と責任の主体」として認めていた。それゆえ、『道徳の形而上学の基礎づけ』において、「物自体と現象」「悟性界と感性界」といった二元論を通して、「決定論的世界」と「行為の主体としての人間」の関係を捉えようとしている。

> 理性的存在者は、叡智者としては自分を悟性界の一員に数え、そして、この悟性界に属する作用原因にすぎない自分の因果性を、意志と呼ぶ。それにもかかわらず他面では、自分が感性界の一断片であることも理性的存在者は意識している。感性界では彼の行為は、意志と呼ばれる因果性のたんなる現象として見いだされる。
>
> ……それゆえ、たんに悟性界の成員としては、私のすべての行為は純粋意志の自律という原理に完全に適合するであろう。だが、たんに感性界の断片としては、私のすべての行

為はまったく欲望や傾向性という自然法則に適合して、したがって自然の他律に適合して理解されなければならない。……❺

ここで、「物自体」である行為の主体と「現象世界」との関係が「悟性界」と「感性界」の関係に重ね合わされ、この両者がそれぞれ「意志の自律」と「意志の他律」、「自由の因果性」と「自然の因果性」に対応させられ、重層的な構造をもつものとして描かれている。

では、このような二元論のもとで、カントは道徳的価値の実在性、道徳判断の客観性をどのようにして確保しようとしているのだろうか。

一言で言えば、『純粋理性批判』で採用した超越論的方法を、実践理性においても取っているのである。周知のように、カントは、理論理性において、直感の形式とカテゴリーという認識の形式、つまり、主観性の形式を通して経験の客観性を基礎づけようとする。実践理性においても、感性界に属する欲望や傾向性をすべて追放することによって、「汝の意志の格率が常に同時に普遍的立法の原理として妥当しうるように行為せよ」という形式的な定言命法を取り出すのである。この定言命法は理性の形式であり、この「主観性の形式」を通して、道徳的価値の客観性を説明しようとする。

先の引用文で、カントは「たんに感性界の断片としては、私のすべての行為はまったく欲望や傾向性という自然法則に適合して、したがって自然の他律に適合して理解されなければならない」と述べているが、道徳的価値は因果的自然世界のうちには存在せず、それは理性(主観性)を介して、自然世界の外から超越論的に注入されることになる。

したがって、行為のうちに自己表現をもつロゴスは自然世界の一部ではなく、形式を通して規定される定言命法が道徳法則と同一視され、それが道徳的価値を形成すると捉えられている。

しかしながら、このように形式と質料をラディカルに分離し、前者に理性を、後者に感性や欲求を割り当て、まったく形式的な定言命法を道徳法則と主張するカントの理性主義・形式主義をわれわれは受け入れることはできない。それは、先の引用文における、カントの「物自体」と「現象世界」、「悟性界」と「感性界」の二元論から帰結するものであり、この

---

❺ Kant, op.cit.S.453.

二元論を解決しないかぎり、問題解決の方向性が示されたと言うことはできない。

(四)カント的二元論の克服の方向

近世科学革命以降、多くの思想家たちは、自然を科学的法則によって捉えられる世界と見なし、その前提に立って人間の行為や価値を捉えようとしてきた。その際、二つの基本的な態度に分けることができる。ひとつは一元論への還元主義であり、もうひとつは、カントのように、還元主義を拒否し、二元論を取る態度である。

まず、哲学者の多くは、因果的自然世界と道徳的世界との矛盾を、後者を前者へと還元するかたちで解決しようとしてきた。たとえば、「最大多数の最大幸福」を主張する功利主義者は、価値を快楽の量によって説明するが、その快楽は自然的概念を通して規定できると考えている。他方、ヒューム主義的な情緒説は科学的世界を唯一の実在世界と捉え、人間の価値判断を人々の「情緒的反応」「態度の表出」として捉えることによって、因果的自然世界と道徳的主体の関係を解釈しようとする。

それに対して、カントならびにカント主義者は、還元主義を取る功利主義に対しては、道徳的価値と価値一般の区別を強調し、情緒説に対しては、道徳的価値の実在性、認知可能性を強く主張する。その意味で、カントは還元主義を拒否し、因果的自然世界と道徳的主体との二元論的対立に正面から取り組んでいると言える。

では、道徳的価値と価値一般の区別を強調する、カントの理性主義の積極面を生かしながら、「形式」と「質料」の二元論、つまりカントの形式主義から脱却するにはどうすればよいであろうか。

主観性(知性)からまったく独立な「物自体」を求めることをやめることである。そうするならば、「現象」と「物自体」の二元論の根拠は失われ、道徳的価値は超越論的に把握されなければならないという偏見から解放されることになる。

われわれは、「彼の振る舞いは卑怯である」とか「彼女の発言は勇気ある発言である」と語るが、そこでの「卑怯」とか「勇気ある」といった表現は対象世界に届いており、道徳的価値はこの世界のうちに位置づけられていると考えることができるようになる。

しかし、そのためには、「科学的法則命題によって捉えられる因果的世界が実在世界であり、それが自然の世界である」という前提を取り下げておかなければならない。もちろん、これはカントのみならず、近世以降の多くの思想家が取っている前提である。したがって、きわめて多くの検討が必要となってくる。だが、ここで、われわれが目指しているのは、カントとアリストテレスの理性主義の意義を取り出すことであり、ごく簡単に、近世の科学的世界についてのわれわれの態度を記しておくことにする。

たしかに近世自然科学は大きな成功を収めてきたし、また、それは、われわれ人間の行為を、様々な仕方で有効に解明するものである。しかし、重要な点は、自然科学によって捉えられる世界は、われわれが直接生きて行為する世界ではないという点である。自然科学による世界把握は、いわば「側面から眺められた位相(sideways-on view)」であるとわれわれは考える❻。

では、われわれが行為する世界とはどのような世界であろうか。それは、古今東西を問わず、人々がごく素朴に前提している自然の世界である。われわれは視覚、聴覚、触覚、等々の感覚器官をもっており、それを通して捉えられる世界、「山は青く、花は紅である」といった世界が、われわれが生きて行為する世界であると言える。

もちろん、犬や猫といった動物とわれわれとでは知覚世界は異なっている。人間は言語の習得を通して「世界」に関わるようになってくるからである。

そこで、次節において、科学的な因果世界に対して、言語の習得を通して開かれてくる「行為の理由」が問題になってくる世界の特徴を考察し、そのような「理由の空間」において、カントの定言命法がどのように生かされるかを考えてみたい。

二　アリストテレスの「第二の自然」

(一)言葉をもつ動物

価値の還元主義を拒否するカントにとって、道徳的価値は自然世界のうちには存在せず、それは理性(主観性)を介して、つまり、内容を捨象した定言命法を通して、自然世界の外から超越論的に注入されることになる。

カントがこのような形式主義を取る原因は、科学法則によって捉えられる因果的世界が

---

❻　この「側面から眺められた位相」という表現は J.マクダウエルの術語であって、彼の著書 *Mind and World* (pp.34-6, 41-2, 82-3, 152-3, 168-9) に登場する。マクダウエルは「正面から」という表現は使わないが、それを仮に「自然言語による把握」とすれば、「側面から眺められた位相」とは「科学的法則命題によって捉えられる世界」である。

自然世界であるという彼の前提にある。

もちろん、現代の多くの哲学者たちはカントと同じ前提を取っているのであり、彼らの前提が間違いであると主張するつもりはない。しかし、ここで指摘したいのは、「決定論と自由」をめぐる問題はその真偽が決定できない形而上学的問題であって、カントのように、決定論的世界を前提して道徳的価値を論じる必然性はないという点である。

むしろ、現象界と物自体といった二元論を通して道徳的価値を論じるよりも、われわれは、人間の行為の自由や価値を受け入れる「自然」の世界、「自然」の概念を考察する道を選びたい。これがカントの重要な洞察を生かす方法であると考える。

ここで、取り上げたいのは、アリストテレスの「徳」の概念、あるいは、「第二の自然」の概念である。とくに、この後者は、後期ウィトゲンシュタインの「言語ゲーム」の思想に通じる見解であり、そこには多くの重要な洞察が含まれている。しかし、以下においては、カントの定言命法がもつ意義をどのように生かしていくかに議論を絞り、われわれの見解の概略を提示することにしたい。

デカルトの方法的懐疑からフッサールの現象学的還元に至るまで、近世哲学は、イギリス経験論の「観念の道」にせよ、カントの超越論的方法にせよ、知識の基礎づけという課題に定位して展開してきたと言える。しかも、その知識とは実践的知識ではなく、理論的知識、つまり、描写の知識である。

この近世哲学の特色は、言語の問題を考えてみるとき、明らかになってくる。たとえば、言語を体系的に考察したロックは、言語の機能を「コミュニケーションの手段」と捉え、言語を「思想を載せて運ぶ乗り物」として規定している。しかし、言語が思考の乗り物として捉えられるとき、では、言語を通して運ばれる「思考」は言語なしに成立するのかという素朴な疑問が生じてくる。

ロックはこの問題に対して、多様な観点から複雑な対応の仕方を取っており、そこにはいくつかの重要な洞察も含まれているが、しかし、「言葉の意味とは観念であり」、「言葉は観念の記号である」というのがロックの基本的見解であり、その見解には根本的な難点が存在している。たとえば、ウィトゲンシュタインの「私的言語」の議論はこの問題をめぐるものである。しかし、われわれはここで、ロックの批判ではなく、言語についてのより積極的・建設的な論点を提示したい。

言語はたしかにコミュニケーションの手段という重要な働きをもっている。しかし、言語にはそれ以上により基本的な機能がある。言語を習得するということは、環境のなかで本能的に反応している動物が対象世界を分節化するようになり、意図的行為の主体として、道徳的世界の住人になっていくということである。

デカルトの『省察』やカントの『道徳の形而上学の基礎づけ』には子供は登場しない。道徳の超越論的基礎づけを目指すカントにとって、環境のなかに埋没して生きる幼児がどのようにして自然言語を習得し、道徳世界の住人になっていくかという生成論的視点は問題になってこないが、われわれはそこにこそ道徳を解明する基盤があると考える。

人間は、犬や猫のような他の動物と異なり、言語を習得する能力をもって生まれてくる。またわれわれ人間は、日本語や英語、あるいは中国語といった、すでに成立している一定の自然言語の世界に、つまり、「ロゴスの空間」のなかに生まれてくるということも重要な事実としてここで確認しておきたい。

では、幼児は自分がそこへと生まれ落ちてきた自然言語をどのように習得していくのであろうか。子供たちが「赤い」という言葉を学ぶとき、その構造は複雑である。まず、子供たちが習得するのは、薬品のビンにラベルを張り付けるような仕方で、すでに同定された対象を命名することを学ぶのではない。ロックは、その抽象理論において、前言語的な抽象作用による抽象観念の形成のレベルと、それを名前によって命名するレベルを区別しているが、これは言語の習得、意味の生成についての根本的な誤解である。

「赤い」という言葉を学ぶとは、どのような色を「赤い」と呼ぶか、つまり、「赤い」という言葉が「紫」や「ピンク」という言葉とどのように異なった仕方で適用されるかを学ぶことである。(個別的に)「対象と記号」との関係を学ぶのではなく、「記号と記号との差異の体系」を習得することを通して、「赤」「紫」「ピンク」といった色の世界の分節化が習得されていく。

いま「赤い」という色の表現について述べたが、「赤い」という言葉の習得は「紫」や「ピンク」という表現との適用の相違の習得であるとともに、それはカテゴリーを異にするさまざまな表現の用法の習得を伴っている。

ウィトゲンシュタインは、『哲学探究』の第一節で、「赤いリンゴ五つ」という表現を取り上げ、「赤い」という色の言葉、「リンゴ」といったものの名前、そして「五つ」といった数の表現の用法がいかにタイプの異なる操作であるかをみごとな仕方で描いているが、日本語という自然言語を習得するということは、きわめて多様で複雑な言葉の適用を習得するということであり、その習得を通して世界が分節化されていく。

日本に生まれた幼児は、日本語という自然言語を直示的な仕方で教授され、徐々に日本語という言語空間の中へと導かれ(initiation)、言葉(ロゴス)をもつ動物になっていく。このようにして、単なる環境のうちに生きていた動物(幼児)に、分節化した世界が開かれてくるのである。

さて、ここで、幼児による自然言語の習得ではなく、日本語という自然言語自体について考えてみよう。日本語は奈良時代、江戸時代、明治時代、等々を経て、その間、さまざまな改修作業、増設作業が行われて現在に至っている。この日本語は「呼ぶ」「挨拶する」「支払う」「売る」「買う」「雇う」、等々の行為を分類する表現を含み、また「愛する」「憎む」「悲しむ」「怒る」等の意識状態を表す表現、さらに「勇気がある」「残酷な」「卑怯な」「正しい」等の価値表現を含んでいる。

「彼はなぜ彼女にお金を渡しているのか」—「先週借りた借金を返済しているのだ」、「彼女はなぜ憤慨しているのか」—「彼の振る舞いが卑劣だからだ」。このように、日本語のなかで、たとえ漠然としたものであれ、「何が何の理由とされるか」についての構造が示されている。われわれはそこに「理由の空間」が成立していることを確認することができる。また日本語の語彙は、当然、過去を背負っており、言語は言わば、「伝統の貯蔵庫(repository of tradition)」であると言える。

さて、ここで、この日本語をオットー・ノイラートが提唱した「ノイラートの船」の比喩を通して考えてみよう。われわれはこの日本語からいったん下船して、それをドックに入れて解体、改修工事をすることはできない。改修作業をするとしたら、海上の船の上で行うほかはない。

この「ノイラートの船」の比喩を使って、前節で問題にしてきた近世の道徳理論に対するわれわれの批判を纏め、その論点を明確にしておこう。まず、功利主義は科学的自然観を前提し、価値をその自然のうちに位置づけ、還元しようとすると言える。しかし、この還元主義に対しては、「言葉の意味とは言語における用法である」ことを強調し、そのような還元はひとびとが了解している価値表現を歪めてしまっていることを指摘したい。われわれは、カントと同様、道徳的価値を価値一般から明確に区別したいと考える。

他方、還元主義を拒否し、道徳的価値を自然世界の外から超越論的に基礎づけようとするカントの超越論的哲学に対しては、そのような基礎づけは不可能であり、また不要であると主張したい。なぜなら、先に単純な事例で示したように、われわれ人間はすでに道徳的価値に曝されて生きているのであり、その価値を超越論的に基礎づけるこころみは本末転倒であることを「ノイラートの船」の比喩は示しているからである。ノイラートの船そのものを陸地に上げて、基礎づけ作業を行うことはできないというのがわれわれの立場である。

(二)実践的推理の構造——アリストテレスと定言命法——

言葉を知るとはその用法を知ること、言葉を具体的な文脈でどのように適用するかを知ることである。この能力は実践的知識であり、きわめて広い領域に浸透している。われわれは自己の振る舞いを、「いまハガキを書いている」と語り、さらに「本の礼状を書いているのだ」とその理由を付け加える。あるいは庭の紅葉を眺めて、「錦織のようだ」とそれを描写する。また、このような発話のかたちを取らなくとも、われわれが直面する状況の知覚や自己の行為の知において、言語の知が浸透している。

ところで、実践的知識ないし実践的推理とは、ひとびとがある状況において行為するとき、そこにどのような理由が働いているかを示すものである。ひとつの状況に対しては、さまざまに異なった記述が与えられるのであり、ある状況をどう把握するかは、行為者の人柄や価値観と不可分であって、智慧ある人の状況把握はおのずから愚かな人のそれとは異なっている。それゆえ、この行為の文脈においては、価値意識から切り離された仕方で捉えられる「事実そのもの」といった概念はほとんど意味をなさないように思われる❼。

このように、われわれが遭遇する状況の把握には、行為者の価値観や実践的知識が反映しているのであって、アリストテレスはその点を自覚し、「プロネーシス(実践的知識、賢慮)」が知覚能力であることを強調しているのである。

ところが、最初に指摘したように、近世の道徳理論を代表するヒュームの見解は明らか

❼ 以下の詳しい説明については、拙著『道徳的実在論の擁護』(勁草書房、2004 年)、第七章「価値の知覚と実践的推理」を参照されたい。

にこのアリストテレスとは異なる。行為は広い意味での欲求(意志)と信念(理性)から形成されるが、その主要因は欲求であり、信念(理性)はそれを実現するための手段的要素とされる。ヒュームの「理性は情念の奴隷である」という言葉はこの事情を表現している。

このヒュームの見解によれば、行為は基本的には条件命法の構造を取り、その条件文の前件と後件の関係を洞察するのが理性の役割である。また、その際、欲求や意志をどう規定するかについての制約は問題にされてはいない。

すなわち、どのような欲求をもつかは個人の自由であり、真偽が問題になってくるのは、特定の欲求が選ばれた場合、それを実現する手段が適切であるかどうかであって、理性(知性)が関与するのはまさにその部分であるということになる。この見解は現代の個人主義、自由主義の態度を表していると言うこともできよう。

このヒューム的見解がアリストテレスの実践的推理(実践的三段論法)についての現代の解釈においても反映されている。その事情を簡単に説明しておこう。

人間の振る舞いとそれが目指す目的とを関係づけるのが、アリストテレスが「思案」と呼ぶ作用であり、その構造を表すものが実践的推理であるが、アリストテレスは実践的推理のタイプとして二つの型を区別している。

(イ) ひとつは「目的—手段型」の推理と呼ばれるものであり、まず目的を設定した上でどのような手段でそれを実現するかに思案が関わる推理である。つまり、目的ではなく、手段に関わる推理である。通常、この推理は医術や大工術等の技術知と結び付けられる。

(ロ) もうひとつは、手段ではなく、目的そのものを問題にする推理であり、「規則(規範)—事例型」の推理と呼ばれるものである。アリストテレスが具体的に上げている事例は「乾燥した食物はすべての人間が食べるべきものである」という規範が大前提として上げられ、「これは乾燥した食物であり、私は人間である」という小前提から「私はこれを食べる」という行為を導くものである。この大前提は道徳的規範ではないが、ここではその役割を担う例として上げられていると解することができる。

(イ)の「目的—手段型」の推理は技術知との関係で問題になる推論であり、道徳に関わる推理は(ロ)の「規範—事例型」であると解釈することができる。

さて、ここで問題にしたいのは「規範—事例型」に関する現代の支配的な解釈である。それによれば、大前提として、ある規範が捉えられ、その事例として小前提が問題になってくるということになる。この解釈は、近世の「理性と感性」の二元論をアリストテレスのうちに持ち込んだものであり、アリストテレスの実践的推理、実践知の誤解であるとわれわれは考える。

(1)まず、強調しておきたいのは、功利主義の「最大幸福の原理」にせよ、カントの「定言命法」にせよ、近世の道徳哲学は道徳原理を命題化し、コード化する傾向が強いという点である。この傾向が「規範—事例型」についての現代の解釈の動因になっているように思われる。

しかし、それに対して、アリストテレスは実践の不確実性、予測不可能性、開放性を指摘し、道徳規範をコード化することはできないことを繰り返し主張しているのである。人間の関心はあらかじめ定まっているわけでもないし、ヒエラルキー的に秩序づけられているわけでもない。新しい状況の変化によって、既存の秩序が崩れ、人生や行為の見方が変容していくこともあろう。

では、アリストテレスは実践的三段論法を通して何を明らかにしようとしているのであろうか。彼が示そうしているのは、人間生活の諸関心、諸理念を記述し、そのような諸関心がどのようなかたちを取って行為や決断として結実してくるのかであって、その構造を理論的に明確にしようとしているのである。

(2)第二に指摘したいのは、先に述べたように、アリストテレスは「プロネーシス(実践的知識、賢慮)」が知覚能力であることを強調していることである。

現代のアリストテレス解釈では、大前提と小前提とを一応切り離し、小前提に現れる信念は、大前提であらかじめ提示された規範(欲求)に適合する事例を述べたものであると捉えるが、それに対して、われわれは、欲求状態と信念状態は独立のものではなく、相補的に規定しあうものであると考える。

ひとつの状況はさまざまの記述を含んでおり、われわれが具体的な状況(小前提)に遭遇する場合、普通、その状況が含む諸特徴のうちからある特定の特徴に注目することになる。それによって、大前提における欲求状態(規範)が顕在化してくるが、しかし、同時に、この状況が含む諸特徴のうちからある特定の特徴に注目するわれわれの能力は、われわれの価値意識から切り離すことはできない。

この相補性はきわめて重要であり、このように相補的に規定しあうプロセスの背後には、行為の主体の「エートス(人柄)」や「プロネーシス」が働いている。人間のエートスの学としての「エーチケー」(倫理学)とはこのような「魂の力」に関わる学であると言うこともできよう。

すなわち、すぐれた実践知の所有者はある状況に遭遇した場合、その多様な相貌のなかから人間存在の理念、つまり、それを実現することがわれわれひとりひとりにとって目標であるような理念に関わる特性を取り出してくる。また逆に、その実現がわれわれに不幸や悲惨をもたらす現象に注目し、それを取り除こうとつとめるのである。

われわれは、日常、さまざまの価値に曝されて生きており、直面する状況のうちに、ある道徳的特性を把握するが、そのような把握は道徳的感受性をもつ人物にとってのみ可能になってくる。しかし、この道徳的特性は、現代のヒューム主義者が考えるような、心の単なる投影ではない。対象世界の道徳的特性は感受性を通して「生み出される」のではなく、いわば「照らし出される」のである。

この考察の最初で、われわれは、アリストテレスの「理性(ロゴス)」概念を通して、カントの洞察した理性主義の意義を擁護したいと述べた。カントは(1)道徳的価値を価値一般から区別し、(2)定言命法を通して、この道徳的価値を規定している。

このカントの見解はきわめて重要な洞察であると思う。しかし、カントが定言命法をまったく形式的な命法として考えてしまったのは、彼の自然観に根ざす、「理性」概念にその原因が存在する。

それに対して、われわれは、「第二の自然」である言語の習得を通して、人間には分節化した世界が開かれてくるのだと考える。そして、われわれ人間はそのような世界のうちで、道徳的特性を把握するよう育まれ、道徳的感受性(プロネーシス)をもつ人物になっていくのである。

カントの道徳哲学の意義と問題点は次のようにも表現できよう。カントの形式的な定言命法は、いわば「義務の軍隊」という理性をもつ人類全体に課せられた道徳的価値(義務)であり、このカントの見解は現代の正義論の核心部分を形成している。しかし、他方、いかに生きるべきか、いかに行為すべきかに関して、より実質的で重要な定言命法が存在する。それは自由な「志願兵」に示される定言命法である。

われわれ人間は具体的な文脈で、特定の状況を把握することによって、「ここで、～すべきである」と判断するが、このように、具体的な状況の特徴を把握し、何を為すべきかを洞察する能力がアリストテレスの「徳」の概念である。すなわち、道徳的感受性(徳)をそなえた人物にとって、同じ特定の状況においては、何を為すべきかが「普遍的に示される」のである。

「徳とは知である」というアリストテレスの理性主義は、そのようなかたちで、カントが洞察した「道徳的価値」と「定言命法」を捉える道を示しているように思われる。

再帰性・可逆性・隔たり―メルロ=ポンティの存在論への一視角

円谷裕二

はじめに

知覚とは何か。この問題は、ギリシア哲学以来、西洋哲学の中心問題の一つであり、この問いに対してどのように答えるかによってそれぞれ固有の哲学が生まれてきたことは哲学史の教えるところであろう。例えば、プラトン以来の西洋合理主義の伝統のもとでは、知覚や感覚は、人間を誤謬に導くものとして理性や知性や悟性などの下位に置かれてきた。他方、感覚主義的ないし経験主義的伝統のもとでは、知覚や感覚こそが経験知の基盤であり、それゆえ、それらには理性や知性とは異なる固有の意義が認められてきた。

メルロ=ポンティは、前期の『知覚の現象学』において、主知主義と経験論の双方をともに批判することによって、理性や知性にのみ依拠するのでも、逆に感覚にのみ基づくのでもないような知覚論、すなわち現象的身体という主体に基づく知覚論を展開したが、後期の『見えるものと見えないもの』に至っては、身体主体をも相対化することによって存在論に基づく知覚論を模索している。

因みに、メルロ=ポンティは、様々な局面一例えば、言語論、他者論、絵画論、文学論、

メルロ=ポンティのテキストからの引用箇所は次の略号によって本文中に示す。なお、引用文中の[　]内は、筆者による補足である。

PP　*Phénoménologie de la perception*, Gallimard, 1945

OE　*L'œil et l'esprit, Gallimard*, 1964

VI　*Le visible et l'invisible*, Gallimard, 1964

政治論、あるいは数学や自然諸科学や人間諸科学に関する学問論など一に即しながらみずからの哲学を披瀝していることは確かであるが、しかしながらどのような領域においてであれ、さらには、生涯のどの時期においてであれ、彼の議論の通奏低音をなしているのは、前期から後期に至るまで終始一貫して独自の知覚論であった。つまり彼は常に知覚論と不可分なものとして、言語や他者や芸術や政治や学問について論じていると言えるであろう。

たとえ、前期から後期への彼の哲学の展開が「現象学から存在論へ」とか「身体から肉chair へ」、あるいは「両義性から可逆性 réversibilité へ」というようにさまざまに特徴づけられようとも、『見えるものと見えないもの』における中心思想を表現している「存在論」や「肉」や「可逆性」という概念もやはり、知覚論の一環として位置づけられると言っても過言ではない。「肉は、見る者の見えるものへの裂開であり、そして見えるものの見る者への裂開である。…見る者と見えるものとの可逆性があり、これら両者の変身の交叉する地点に、知覚が生まれてくる」(VI202)。

ここであらかじめ、前期から後期へのメルロ=ポンティ哲学の展開が一般に「現象学から存在論へ」と特徴づけられることについて注意しておきたい。この特徴づけについては、往々にして、後期のメルロ=ポンティは前期の知覚論の立場を自己批判することによってそれを放棄し、存在論の立場に移行ないし転回したのであり、したがって後期のメルロ=ポンティにおいては、〈存在〉l'Être が知覚に先立ち、彼の関心は知覚ではなく〈存在〉そのものに向かったのだと解されがちであるが、しかしながら、『見えるものと見えないもの』やこれと同時期のテキストを読めばおのずと明らかなように、このような解釈は明らかに誤りである。メルロ=ポンティは、終生、知覚論を軸とした哲学的思索という彼の基本的態度を自己批判したことなどは決してないのである。彼にとっては、〈存在〉論は、知覚論に先立つのではなく、知覚論と相即しているのであり、〈存在〉とは、あくまでも〈存在〉の知覚経験にほかならない。「肉」とは、「知覚されるものの存在の意味」❶なのである。❷

---

❶ Renaud Barbaras, Le dédoublement de l'origine, dans *Merleau-Ponty, Notes de cours sur L'origine de la géométrie de Husserl,* PUF, 1998, p.290(邦訳『フッサール「幾何学の起源」講義』、法政大学出版局、396 頁)。

彼は、知覚論を基軸に据えながら、さまざまな問題、例えば、存在の意味への問いという根本的な問題をはじめとして、真理や明証性の問題、主観性の問題、言語の問題、他者の問題、政治や道徳の問題、さらには芸術や文学の問題など、要するに、哲学の基本問題のすべてを展開しているのだが、このように、知覚論から種々の問題に接近するメルロ=ポンティの基本的な狙いは何かと言えば、それは、主観と客観、即自と対自、感覚と思惟、事実と本質、観念と実在、さらには自然と文化といった対概念によって両項を対立させる伝統的哲学の二元論的思考法に対して、それを批判することによって、この二元論の根源的場としての知覚経験へと遡源することに存する。このことによって、伝統的二元論を脱構築しながらそれを新たに位置づけ直そうとするのが彼の目指すところである。そしてこのことがまた同時に、彼の哲学に固有の真理論なり主体論なり他者論なりの開示に連なってゆくのである。

したがって、もし、後期の知覚論が前期のそれと異なるとすれば、それに応じて、知覚される世界や知覚主体の意味も変様してくるのは当然であろう。『見えるものと見えないもの』におけるみずからの基本姿勢をメルロ=ポンティは次のように語っている。

「もしも見えるものと視覚から、あるいは感覚されるものと感覚することから出発するならば、われわれは〈主観性〉についての全く新しい理念を獲得する。もはや〈総合〉があるのではなく、存在の転調や存在の浮き彫りを通しての存在との接触がある」(VI322)。❸

この引用文から窺知されるように、メルロ=ポンティは、『見えるものと見えないもの』においては、『知覚の現象学』でのように身体を知覚主体として位置づけながらその身体主体についての現象学的分析を通して知覚論を展開しようとはせずに、むしろ、身体主体を相対化しながら「見えるものと視覚から、あるいは感覚されるものと感覚すること」から始めることによって、『知覚の現象学』での身体主体に依拠した知覚論ではなくして、存在論的な知覚論への通路を開こうとしている。このことはまた言い換えれば、〈身体主体が

❷ 後期メルロ=ポンティの存在論が後期ハイデッガーのそれの影響を受けつつも、存在論と知覚論の相即性という点においては両者のあいだに相違を認めることができる。

❸ ここで批判されている〈総合〉という概念には、主知主義の能動的総合ないし「作用志向性 intentionnalité d'acte」(PP XIII)のみならず、『知覚の現象学』の基本概念であった身体主体の受動的総合 synthèse passive ないし「作動しつつある志向性 intentionnalité opérante」(ibid.)も含意されていよう。

世界をどのように知覚するのか〉という観点からの知覚論ではなく、〈世界や〈存在〉がどのように知覚されるのか〉という観点からの知覚論の展開を目論むことにほかならない。この存在論的知覚論という観点からの知覚についての問い方はまた同時に、〈主観性〉や身体主体についてのメルロ=ポンティ自身の前期の考え方への反省と変更を含んでおり、それゆえ彼は、この存在論的知覚論が「〈主観性〉についての全く新しい理念」へと通じるものだと語るのである。

本稿の目的は、「見えるものと視覚から、あるいは感覚されるものと感覚することから出発する」ことによって、メルロ=ポンティが『見えるものと見えないもの』での存在論的知覚論において、前期とは異なってどのような知覚論を展開しようとしたのかという問題を考察することに存する。そしてそのことを通して、「現象学から存在論へ」というメルロ=ポンティ哲学の前期から後期への展開ないし転回の意味を考察することにしたい。

一 『知覚の現象学』から『見えるものと見えないもの』への知覚論の展開

「見えるものと視覚から、あるいは感覚されるものと感覚することから出発する」という表現は、『知覚の現象学』でのように身体主体から出発して知覚の現象学を展開するのではないということを含意した表現である。言い換えれば、メルロ=ポンティは、知覚論を身体主体と知覚世界の関係として捉えるかぎり、『見えるものと見えないもの』で述べているように、『知覚の現象学』において批判したはずの近代哲学の主観－客観図式に自分自身が絡め取られることになるという危惧を抱いていたのである。この点についてメルロ=ポンティは次のように書き残している。「『知覚の現象学』で提示された諸問題は、そこで私が〈意識〉－〈対象〉の区別から出発しているために解決不可能である」(VI253)。あるいは、「『知覚の現象学』の諸成果ーそれらを存在論的解明にもたらす必要性」(VI237)。

しかしながら他方、知覚論の展開に際して、知覚するものとしての知覚主体 sujet percevant なくして果たして知覚そのものが可能なのかという問題がどうしてもつきまとってくることも否めない。それゆえ『見えるものと見えないもの』では次のような仕方で問題提示がなされている。すなわち、そもそも身体主体ではないような知覚主体とはどのような主体なのであろうか、と。『知覚の現象学』においては、知覚の成立には知覚主体である「自己の身体 corps propre」が重要な役割を担い、この「自己の身体」の現象学的分析こそが、『知覚の現象学』の知覚論を導いていたスプリングボードでもあったのだが、『見えるものと見えないもの』においては、知覚主体そのものを存在論的観点から位置づけ直すことによって、「自己の身体」を「〈存在〉の非常に注目すべき一つの異本」(VI179)にすぎないものと見なすようになる。

このような問題提起は一見すると奇妙に思われるかもしれない。というのも、『見えるものと見えないもの』においては、身体主体に依拠した主観主義や主観－客観図式を払拭して存在論的知覚論の立場に立とうとしているかぎり、そこでの知覚主体とはなにかと問うこと自体が、『見えるものと見えないもの』に対する誤解に由来するのではないのかという異議を被るおそれがあるからである。しかしながら、メルロ=ポンティは、『見えるものと見えないもの』においても、知覚主体の問題を度外視しているわけではなく、むしろ、知覚主体とはそもそも存在論的にはどのように考えられるべきなのかという仕方で問題を提示して、それゆえにこそ上記引用にあるように、「見えるものと視覚から、あるいは感覚されるものと感覚することから出発すれば、〈主観性〉についての全く新しい理念を獲得する」と語るのである。したがって、ここから予想されるように、『見えるものと見えないもの』では確かに知覚主体は、もはや『知覚の現象学』でのような「自己の身体」ではないのであるが、しかしそうであるからと言って「自己の身体」の意義が全く失われるわけでもなく、むしろそれは存在論的文脈の中に位置づけ直されて、新たな意義を与えられることになる。

『眼と精神』や『見えるものと見えないもの』においても、「自己の身体」がしばしば議論の俎上に載せられて、「私の身体は見るもの voyant であると同時に見えるもの visible である」(OE18)という「私の身体」の逆説が強調されている。しかもこの逆説が、「私の身体は世界の織り目の中に取り込まれている」と同時に「世界は、ほかならぬ身体という生地で仕立てられている」(OE19)という、「私の身体」と「世界」の間の逆説をも生んでおり、このことからしても、『見えるものと見えないもの』での存在論的知覚論においても依然として「私の身体」が重要な役割を担,ていることは明らかである。

しかしながら、後期の存在論的知覚論においては、「自己の身体」がただちに知覚主体を意味するわけではないことも事実である。そこではむしろ、「自己の身体」をも「〈存在〉の一つの異本」とするような知覚主体こそが知覚論の主役をなしており、そのような知覚主体のことをメルロ=ポンティは、「〈主観性〉についての全く新しい理念」という表現で暗示しようとしているのである。

そうであるかぎり、存在論的知覚論での知覚主体の位置づけについて改めて考察する必要があろう。以下においては、『見えるものと見えないもの』での知覚主体とは何かという問題を念頭に置きながら、メルロ=ポンティの知覚論の内容をより詳しく吟味することにしよう。

『見えるものと見えないもの』では、知覚を、したがってまた、知覚するもの le percevant や見るもの le voyant それ自身を、存在発生論的に一ただし身体生理学的な意味での発生論ではなく❹一捉える観点を打ち出すことによって、知覚するものをも含むような知覚そのものの発生が主題に据えられている。例えば次の表現がそれを物語っていよう。

「最初の視覚、最初の接触、最初の喜びとともに、[世界への]参入が始まるのであるが、参入とはすなわち、或る内容の措定ではなく、もはや二度と閉じられることのありえないような或る次元を開くことであり、以後それとの比較で他のすべての経験が標定されるような或る水準の確立のことである」(VI198)。

『知覚の現象学』においては、存在発生論的観点から知覚や知覚主体に接近しようとする視点が欠如していた。というのも、そこでは、確かに主知主義の超越論的主観性による意味付与ではないにしても、意味を産出し意味を発生させるものはあくまでも身体主体であり、その身体主体の「唯一の始元的機能」(PP394)についての現象学的記述こそが探求の主題であったからである。例えば、『知覚の現象学』の第一部第三章では、伝統的精神病理学で精神盲に分類される後頭葉に戦傷を負った患者を俎上に載せながら、身体主体の根本機能である「投射機能 fonction de projection」(PP129)を剔出しており、あるいは、同書第二部第二章ではストラットンの逆さ眼鏡を例示しながら(PP282ff.)身体主体の意味付与的性格を見事に描写していた。しかしながら、『知覚の現象学』でのこのような現象学的記述は、メルロ=ポンティが『見えるものと見えないもの』で自己批判して

❹ 「私の身体」の逆説は、「人間の身体の物質的配列に先行するのでもなければ、いわんやその結果でもない」(OE20)。cf. VI274。

いるように、広い意味での主観－客観図式を保持したままであることも否めないであろう。

それに対して、『見えるものと見えないもの』では、『知覚の現象学』での知覚への問い方そのものを存在論的観点から相対化するために、身体主体の「唯一の始元的機能」による意味付与それ自体の発生的起源を問うという地点にまで探究を深化させ、それによって、知覚や知覚主体の発生的存在論を意図するに至る。したがって、このような視点から知覚論へ接近する『見えるものと見えないもの』における知覚主体とは、決して身体主体を意味するものではない。すなわちそこでの知覚主体とは、『知覚の現象学』におけるような、「ひと on が私の中で知覚するのであって、私が知覚するのではない」(PP249)という表現における「ひと」ではなく、むしろそれは、「匿名の可視性 visibilité」・「視覚一般」(VI187)にほかならない。❺

二　『見えるものと見えないもの』における身体論と肉の概念

意識ではなく身体のみが、われわれを物そのものに出会わせるのであり(VI179)、したがって物との根源的出会いは、思考作用や悟性による経験ではなく、知覚経験なのである。ところでそれでは、身体が物に触れたり物を見たりする経験、あるいは、「見る者が見えるものに合体する」(VI173)視覚という経験が成立する所以はどこに存するのであろうか。この問いは同時に、メルロ=ポンティにとっての根源的経験である「生まの野生の経験」(VI210)へと通じる問いにほかならない。

彼によれば、身体が見る者であると同時に見えるものだということが知覚経験を可能

❺　イザベル・マトス・ディアスによれば、『知覚の現象学』での無人称的な「ひと」は、「或る種の曖昧さ、さらには失敗をも意味している。なぜなら、この無人称性は依然として前人称的 prépersonnel 次元と考えられており、すなわち、この「ひと」は、依然として知覚する身体主体あるいは受肉主体という観念に従属しているからである」(Isabel Matos Dias, Maurice Merleau-Ponty: Une esthésiologie ontologique, dans *Merleau-Ponty, Notes de cours sur L'origine de la géométrie de Husserl*, PUF, 1998, p.277(邦訳『フッサール「幾何学の起源」講義』、法政大学出版局、380 頁)。さらにディアスは次のようにも語る。「主体の場所は、身体から、メルロ=ポンティの存在論の中心的審級である肉へとずらされている。根底性への要求は、主体の観念そのものの完全な改編を強いる。主体は今や、身体ではなく、「〈存在〉の領野」である」(op.cit.p.279、邦訳 381－2 頁)。

ならしめている。すなわち、身体は、見る者としては諸物を支配し所有するのであるが、同時に見えるものとしては物の間に置かれている。「私の身体は、知覚されるもののあいだにある一つの知覚物であるだけでなく、すべての知覚物の測定者であり、世界のあらゆる次元のゼロ点である」(VI302)。身体のこのパラドクシカルな在り方が、身体を物や世界に開く所以なのである。

知覚経験についてのこのような考え方は、明らかに伝統的なそれとは異っている。例えば、経験論によれば、見るとは、見えるものの単なる受容にほかならず、また受容したその時には見えるものについての一切が知られてしまい、それ以上何も言うべきことはなく、したがって見ることにおいて見る者が積極的に関与することもなく、見る者それ自身は見えるものへと解消されてしまう。他方、主知主義によれば、見ることが可能なのは、見る者が自己の思惟作用の同一性を保持しつつ自己の前に客観を表象として定立するからであり、したがってここではまた、見ることは、「見るという思惟 pensée de voir」(PP430)による認識経験であり、知覚経験ではなくなってしまう。メルロ=ポンティの言うように、身体としての見る者は同時に見えるものでもあり、そうであるかぎり、主観の同一性ないし思惟作用の同一性をアプリオリに前提することなどはできず、したがってまた認識対象の同一性も成立せず、世界を「すっかり出来上がった世界 le monde tout fait」(PP240)と見なすこともできなくなる。見るという経験が主知主義の言う認識経験ではなくあくまでも知覚経験として可能になるのは、見るという身体の能動性が同時に見えるという受動性でもあるかぎりにおいてなのであり、したがって、見ることは、見える者の純粋な受容でもなければ、「見るという思惟」の働きでもない。

それではなぜ、見るという知覚経験は、身体が見る者であると同時に見えるものでもあるかぎりにおいてのみ成立するのであろうか。

この問題に対してメルロ=ポンティは、身体の「反省能力 réflexivité」(VI303)ないし「再帰性 réfléchi」(VI302)、すなわち身体の「二重化」(VI303)に着目することによって答えている。

「私の身体は自己に触れ、自己を見る。そうすることによってこそ、私の身体は何ものかに触れたり何ものかを見たりすることができるのであり、すなわち、私の身体は、諸事物に開かれていて、そこに自己の諸変様を読みとることができるのである」(VI302)。

あるいは、『眼と精神』では次のようにも言われている。

「もしわれわれの眼が自分の身体のどの部分をも眼下におさめることができないようになっていたり、あるいは、何か意地の悪い仕掛けのためにわれわれが物には自由に手を触れられるのに自分の身体には触れることができないようになっていたとするならば、…自己を反省することのないこのような身体は、自己を感じることもないであろうし、また、全くもって肉 chair とは言えないほとんど木石のようなこの身体は、もはや人間の身体ではないであろうし、したがってそこには人間性 humanité もないことになろう」(OE20)。

このように、身体は、自己の身体に触れ自己の身体を見るという「反省能力」を有するからこそ、他の事物とともに世界に内属し、他の事物を自己の身体を見るように見ることができるのである。もし身体に「反省能力」が欠如していれば、つまり身体が自己を二重化するという再帰的能力をもたなければ、物に触れたり物を見たりする知覚経験は成立しえなくなる。

メルロ=ポンティが、物や世界との根源的な出会いの場としての知覚経験に関して、身体の反省能力の意義を強調する理由は、この反省能力こそが、知覚経験に関する以後の探究の手がかりになるとともに、反省能力の看過が知覚経験の根源性を忘却することになると考えるからである。彼はそのような忘却の歴史を近代哲学における自己意識ないし自己思惟のうちに見届けている。

すなわち、自己を反省するという点においては、確かに身体の反省能力も主知主義の言う自己意識も同様ではあろうが、しかしながら自己と世界との出会いとしての経験に関して両者は根本的に異なる立場に立っている。自己の身体に触れたりそれを見ることは、自己を思惟したり意識したりするという「一つの作用」(VI303)などではなく、したがってまた、その思惟「作用」によって「自己を対ー象(ob-jet)として捉えることではない」(ibid.)。

デカルトに由来する自己思惟=自己意識の思想は、意識の内部領域と物体世界の外部領域の「実在的区別」❻を前提にすることによって自己意識の確実性を確保したのであるが、その反面、外的世界の存在を疑い、外的世界との感覚的接触を不確実なものと見な

---

❻ Descartes, *Meditationes de prima philosophia, Œuvres de Descartes*, publiées par C.Adam et P.Tannery, 1996, TomeⅦ, p.71.

さざるを得なかった。すなわち、自己意識の哲学は、私を、「私の身体」としては捉えずに、精神の思惟作用と見なすことによって、感覚や知覚の根源的意味を取り逃し、世界との原初的な出会いという知覚経験の場を飛び越えてしまったのである。この哲学は、ギリシア以来の伝統に棹さしながら、感覚 aisthesis と思惟 noesis を二元的に峻別することによって、思惟の作用の確実性を確立しようとする一方で、感覚を個別主観的な心的状態へと矮小化し、それによって客観性をもたない感覚を、絶えず誤謬にさらされた私秘的なものと見なしてしまった。こうして感覚は、思惟とは質的に異なる心的能力として、思惟に対して低位に置かれることになる。自己の知覚ではなくして内省を本質とする自己意識はまた、他者の近づき得ない私秘性を帯びることになり、そうであるからこそ逆に、主知主義は、内的私秘性というこの難点を一挙に克服するために、自己自身の意識にすぎないものを、いわゆる〈意識一般〉という意味での超越論的主観性の高みへと祭り上げざるをえなかった。主知主義は、感覚の私秘性から脱却することによってしか認識の客観性や普遍性が確保できないのだという思い違いに陥ってしまったのである。

こうして主知主義は、メルロ=ポンティも指摘するように、〈意識一般〉と〈対象一般〉という主観－客観図式を構成できたのであるが、しかしそれによって、一方では「他者問題を無視し」(PPⅣ)、同時に他方では、物との生き生きとした出会いの場であるような知覚世界を忘却する(ibid.)という代償を支払わなければならなかった。❼

主知主義の自己意識とは異なり、見つつある自己の身体の「自己知覚 perception de soi」(VI303)あるいは「自己感情 sentiment de soi」(ibid.)は、自己を物や世界から上空飛翔させることなく、むしろ自己を世界に属せしめて自己を物のあいだに置くことにほかならず、言い換えれば、自己知覚とは同時に世界へと超越する知覚の謂にほかならない。したがってまた、経験を、自己意識ならぬ自己知覚を通して記述するメルロ=ポンティにとっては、いかにして内在的な意識領域から外的世界へと超越すべきなのかという、デカルト哲学における物体世界の存在証明での問題設定自体が、そもそもの初めから意味

❼ 知覚経験の確実性 certitude や明証性 évidence を根源的な確実性や明証性として主張するメルロ=ポンティと、自己思惟=自己意識に確実性の根拠を見いだす近代主観主義との相違に着目しながら、確実性とは何か、あるいは、真理とは何か、という問題を改めて考察することは、西洋哲学のこれまでの歴史を再検討する意味でも喫緊のかつ根本的な問題であると筆者には思われるのだが、この問題の考察は他日を期するほかない。

をなさない問いだと言えるであろう。「私にとって見えるものは、全く私の〈表象〉などではなく、肉なのである。…すなわち、私の身体を抱擁しそれを〈見る〉ことのできる肉である。私が見られたり思考されたりするのも、何よりも世界を通してなのである」(VI328)。

なお、自己知覚においては、自己の身体が物のあいだに置かれるのみならず、自己が他者のあいだに置かれることでもあることに留意しなければならない。自己知覚は、自己内省的な自己意識とは異なり、自己が自己にとって pour soi 見えることであるのみならず、同時に他者にとっても pour autrui 自己が見えることにほかならないからである。

こうして、身体の「反省能力」は、身体を世界に内属せしめることを通してそれを物や他者のあいだに置き移し、身体を物や他者と同様に〈見えるもの〉たらしめているのだが、そうであるがゆえに、私の身体は、自己を知覚するとともに、自己超越的な〈見えるもの〉をも知覚しうるのである。「見る者である私が、初めて本当に私に見えるものになる」(VI189)のは、つまり自己知覚が可能になるのは、見る者が〈見えるもの〉である物や他者や世界に依拠しているからなのである。

以上のことをメルロ=ポンティは、〈見えるもの〉一般を意味しまた「一般的な存在様式の具体的象徴」(VI194)である「肉」という概念を導入しながら、さまざまに語っている。例えば、私の視覚と同様に他者の視覚でさえも、「〈見えるもの〉の固有性が汲み尽くしがたい奥行[〈見えないもの〉]の表面だということ」(VI188)に裏づけられており、「私の緑のうちに他人の緑を私が認める」ことができるのは、「見ているのは私でも他我でもなく、…個体でありまた次元でも普遍でもあるところの肉に属している始元的特性によって、匿名の可視性すなわち視覚一般が、われわれ二人に住み着いているからである」(VI187－188)。あるいは、「肉、これこそが、私の身体を受動的－能動的(見えるもの－見るもの)であるように、すなわち、即自的な塊でありかつ所作であるように、仕向けている」(VI324)。

こうしてメルロ=ポンティは、自己の身体の「反省能力」についての考察から、肉という存在論的概念に至るのである。自己知覚を通しての知覚経験とは、独我論的な内在の領域に閉じこもることではなく、自己超越的な経験なのであるが、それというのも、知覚経験は他者たちの視覚を通して―そしてまたそのことが可能なのも他者たちの肉もまた私の身体の肉と同様に、〈見えるもの〉一般、可視性一般という大文字の〈肉〉Chair に貫かれているからなのであるが―〈肉〉に裏づけられているからである。

かくして知覚経験は、事実上はもっとも身近な自己の身体の自己知覚を通して可能になるのではあるが、その自己知覚は、権利上は、あるいは存在論的には、肉という「匿名の可視性」に裏づけられていてこそ初めて可能なのである。

本節を終えるにあたって、『見えるものと見えないもの』での上記の議論を、『知覚の現象学』と比較することによってより際立たせてみることにしよう。

知覚経験にとっての自己知覚の不可欠性については、既に『知覚の現象学』でも次のように表現されていた。すなわち、「ある物理的および人間的環境の中でわれわれの身体を知覚すること[自己知覚]とわれわれの状況を知覚することとは、われわれにとってはただ一つの事柄である」(PP391)。あるいは、「外的知覚と自己の身体の知覚[自己知覚]とは一緒に変化するが、それというのも、両者は、同一の作用の二つの側面だからである」(PP237)。これらの引用によれば、物や世界の知覚と自己知覚とが別々の知覚ではなく、裏表一体をなしていること、しかもその表裏一体性がどのような意味なのかといえば、それら両者が「同一の作用」の二つの側面だということである。

一見すると、両著は同じ内容を述べていると解されるかもしれない。しかしながら、『知覚の現象学』では、自己知覚と外的知覚はあくまでも「同一の作用 acte」の二側面だとされ、外的知覚と自己知覚に共通の根が「作用」という観点から捉えられている。それに対して、『見えるものと見えないもの』によれば、「身体が自己に触れ、自己を見ることは、一つの作用 un acte ではなく、～に属する存在 un être à である」(VI303)。つまり、身体の自己知覚と外的世界の知覚との相即性は、「作用」としてではなく、内属的な〈存在〉=肉という存在論的概念によって裏づけられている。この点において、両著のあいだには大きな違いを認めることができるのではないだろうか。『知覚の現象学』では、「同一の作用の二つの側面」と表現されているように、二つの側面が同一の作用に帰するという仕方で二つの側面の関係が理解されているのに対して、『見えるものと見えないもの』では、私の身体と世界とを同一の肉に帰せしめている。ただし、ここでの肉の同一性とは、決して、肉という物質の同一性を意味するのではなく、むしろ、世界が私の身体を蚕食するとともに逆に私の身体が世界を蚕食するというように、相互の蚕食・浸蝕・巻きつきという動的な関係性を意味している。つまり、肉とは、両者の蚕食しあう関係性の同一性のことであって、決して、「同一の作用」でもなければ、ましてや、物質としての即自的存在の同一性でもない。要するに、私の身体と世界とが可逆性という仕方で関係しているということ、この点にこそ、『知覚の現象学』とは異なる『見えるものと見えないもの』の独自性を見届けることができるのである。

「私の身体は(一個の知覚されるものである)世界と同じ肉でできており、そしてさらに、私の身体のこの肉は、世界によって分かちもたれており、世界は私の身体の肉を反映し、世界はそれを蚕食し、それが世界を蚕食しており、それら両者が越境あるいはまたぎ越しの関係にある」(VI302)。

三　可逆性と隔たり

前節で述べたように、自己知覚という身体の反省能力は、自己思惟とは異なり、身体を物のあいだの見えるものへと置き移すことによって身体を世界に開く。身体は、単に見えるものである物としての肉ではなく、自己知覚を有する特異な肉であり、そのかぎりにおいて物に対する身体の優位性が認められる。しかしながら、身体のその優位性も、身体と物が同じ肉であることによって、肉の存在論の中に位置づけられることになる。そのうえ、自己知覚あるいは身体の再帰性についてさらに存在論的に問い深めることによって、メルロ=ポンティは、可逆性における切迫という、肉の存在論の根源的事態へと進み、『知覚の現象学』での身体主体の現象学からより一層踏み込んだ立場を打ち出すに至る。本節においては、この点について吟味してみることにしよう。

「われわれは初めのうちは概略的に、見る者と見えるものとの、あるいは触れる者と触れられるものとの可逆性について語ってきた。しかしながら今や肝腎なことは、常に切迫して imminent いながらも決して事実上は実現されることのない可逆性にこそあるのだ、ということを強調すべき時である」(VI194)。

「私は触れている私に触れ、見ている私を見ることに事実上は完全に成功することはない。知覚する私について私がもつ[知覚]経験は、一種の切迫 imminence 以上になることはない。それは、見えないもののうちで終わるのであり、その見えないものとは、当の経験のもつ見えないものである」(VI303)。

メルロ=ポンティの挙げる右手と左手のあいだの触れる－触れられる関係の例(VI194)に即して言えば、身体は確かに物に触れつつある自己の身体に触れる(自己知覚)のではあるが、しかし、物に触れつつある右手に左手で触れる場合、触れられる右手と触れる左手が、あるいは、触れられることと触れることが、さらには触れられるものと触れるものが、完全な合致に達することはない。というのも、右手が物に触れているときには、私の左手は右手に触れているのではなく単に右手の外皮に触れているにすぎず、他方、左手によって右手が触れられているときには触れつつある右手の当の物に対する支配は中断されるからである。

つまり、私の右手による物の触覚と左手による右手の触覚は決して正確に合致することはない。そのうえ、このような自己知覚を媒介にした右手と左手や、先行する触覚と後続する触覚、私の過去と私の現在などの非合致の可逆性は、さらにより一般的に、見る者と見えるもの、身体と世界のあいだの可逆性へも拡張されることによって、見る者と見えるものの合致が、あくまでも切迫における合致でしかないと洞察されるに至る。両者のあいだには絶えざる「ぶれ bougé」・「隔たり écart」(VI194)・「間隙 hiatus」(VI195)が存するのであり、合致は不断に遅延される。可逆性とは、決して両者の融合などではなく常に隔たりにおける可逆性を意味している。言いかえれば、見る者と見えるものとの可逆性は、相互対称的な可逆性でもなければ、容易に交換可能であってそれゆえまた運動を伴わないような静的な可逆性ではない。メルロ=ポンティの肉の存在論の核心をなす可逆性という概念が、もし静的・対称的なものであるならば、肉の存在論も、単に身体と世界の根底に実体的な肉の存在を認めるだけになってしまうであろう。

見る者であると同時に見えるものである「私の身体」を特徴づけている自己触覚・自己視覚という再帰性は、経験論のような純粋な受容性としての物と自己との合致でないのはもちろんであるが、また主知主義における自己に対する透明な意識でもない。より肝腎なことは、再帰性や可逆性が、身体と世界のあいだの単なる静的で対称的な転換可能性を意味するのではなく、絶えず合致が先送りされるという意味での再帰性や可逆性であり、したがってまた身体の世界への開在性も、この意味において理解されなければならず、そのかぎりでまた、自己知覚は自己に対する無知として自己に開かれた知覚だ、ということである。

物を知覚することは自己を知覚することであるという「私の身体」の再帰性のナルシシスムは、主知主義での自己思惟=自己意識の再帰性ではないかぎり、「私の身体」は、自己の背後から自己の結合の働きを全体として一挙に捉えたり、自己の総合統一する働きそのものを自覚するわけでもない。自己知覚は、肉の可逆性に裏づけられているものの、しかしながらその自己知覚はまた、「自己に開かれ、[合致すべき]自己に差し向けられている」(VI303)のであり、「いわんや自己に到達するどころか、逆に、自己から逃れ、自己に無知であり、問題になっている自己とは隔たりから生じてくる」(ibid.)のである。つまり自己を知覚することは、「私にとっての私の不可視性 invisibilité」(ibid.)に裏づけられているのである。

見る身体と見られる身体との可逆性におけるこのような切迫したずれ、あるいは目指された同一性における差異化は、「自己の身体」にかぎらず、さらには、見る身体と見えるもののあいだの巻きつきや可逆性にも拡張される。自己知覚のこのような未完結性は、見る者としての身体の、物に対する支配が決して完結するものではないこと、つまり、物の知覚の未完結性をも示していることになる。

おわりに

可逆性は、肉の、そしてまた〈存在〉の「根本現象」(VI203)であり「究極的真理」(VI204)なのであるが、それは、「或る隔たり、決して完成することのない差異化、常に再開されるべき開在性」(VI201)であるかぎりでの可逆性である。見る者と見えるものとのあいだの可逆性という概念によってメルロ=ポンティが当初から意味していたのはこのことなのであり、決して、事実上の合致や弁証法的総合ではない。彼にとって、肉の可逆性とは、差異や隔たりにおける同一性にほかならず、隔たりなき合致や差異なき同一性は、決してメルロ=ポンティの意味する可逆性ではない。〈肉〉の、そして〈存在〉の、可逆性とは、絶えざる裂開、絶えざる運動であり、決して合致によって閉じてしまうことのない開在性である。

しかしながらまたメルロ=ポンティにとっては、見る身体と見られる身体との、さらには見る者と見えるものとの、そして身体と世界とのあいだの可逆性における「ぶれ」や「隔たり」は、決して「失敗」(VI194)でもなければ、「存在論的な空虚 vide や非－存在 non-être」(VI195)を意味するのでもない。それどころかむしろ、見る－見られる関係におけるこのような「ぶれ」は、「否定的な真なるもの、すなわち、隠蔽性の非隠蔽性、根源的に現前不可能なものの根源的現前」(VI308)を、つまりは〈見えるもの〉を透かしての〈見えないもの〉の現前を、表現しているのである。「ぶれ」や「隔たり」は、可逆性において〈見えるもの〉が〈見えないもの〉を糧としていることの証しなのである。「隔たり」は、〈見えるもの〉がそれ自身だけで現前するものではなく、〈見えるもの〉が〈見えないもの〉を「裏地や奥行」(VI195)としておのれを現前させることを意味している。〈見えないもの〉が〈見えるもの〉と調和したりそれに吸収されることなく、それらのあいだには絶えざる「隔たり」があるにもかかわらず、しかしながら、〈見えないもの〉は「闇の中で自己同一的であるような即自的〈存在〉」(VI304)なのではなく、あくまでも〈見えるもの〉を透かしておのれを与えてくる〈存在〉なのである。

〈存在〉とは、「見られる〈存在〉l'Être-vu」(ibid.)であり、「自己の否定、自己の知覚されること percipi をも含む」(ibid.)ものであり、そのような「〈存在〉がある il y a」(ibid.)からこそ、〈見えるもの〉も、したがってまた知覚する－知覚される関係も可能になるのである。世界の肉も身体の肉も、「見られる〈存在〉」に属するものとして、〈存在〉の多型性の二つの象徴であるかぎり、身体の自己知覚を通して可能になる知覚とは、自己否定的な〈存在〉に裏づけられているのである。かくして、『見えるものと見えないもの』における存在論的知覚論は、知覚と〈存在〉の相即性を、隔たりにおける可逆性として浮き彫りにしようとしているのである。

参考文献

メルロ=ポンティの著作や講義ノートや小論集として、本論文の中で言及したもの以外のものを以下に列挙する。

La structure du comportement, PUF, 1942.

Humanisme et terreur. Essai sur le problème communiste, Gallimard, 1947.

Sens et non-sens, Nagel, 1948.

Les sciences de l'homme et la phénoménologie, Centre de Documentation Universitaire, 1953.

Les relations avec autrui chez l'enfant, Centre de Documentation Universitaire,

1953.

Éloge de la philosophie, Gallimard, 1953.

Les aventures de la dialectique, Gallimard, 1955.

Signes, Gallimard, 1960.

Résumés de cours, Collège de France1952-1960, Gallimard, 1968.

La prose du monde, Gallimard, 1969.

La nature, Notes, Cours du Collège de France, Seuil, 1994.

Le primat de la perception, Verdier, 1996.

Notes de cours au Collège de France 1958-1959 et 1960-1961,Gallimard,1996.

L'union de l'âme et du corps chez Malebranche, Biran et Bergson, Notes prises au cours à l'École Normale Supérieure (1947-1948), J.Vrin, 1997.

Parcours 1935-1951, Verdier, 1997.

Notes de cours sur L'origine de la géométrie de Husserl, PUF, 1998.

Parcours deux1951-1961, Verdier, 2000.

理性批判の三つの試み―カント、ニーチェ、ディルタイの思索をめぐって―

牧野英二

一　問題提起

かつてハイデガーは、一連のニーチェ講義のなかで当時のニーチェ像の一面性を指摘して、「ニーチェは何と考えられ、また今も考えられてきたか」❶という問いを立て、その考察の手がかりとして当時流布していた七対のニーチェ解釈の観点を整理し提示している。そのなかでハイデガーは、「ただばらばらに〔分解〕する解体者－尊大な〔暴君のように振舞う〕押し付けがましい思索者」と「知的哲学者ではなく単なる詩人－形而上学者」❷という二組のニーチェ解釈の観点を挙げている。ハイデガーによれば、これらの観点は、いずれも最近発見された解釈上の観点であり、いずれの観点も多少正しいが、それらは「すべては不毛で真ではない」のである。ハイデガーからみるかぎり、ニーチェもまた、彼自身が批判し克服しようとした「形而上学の完成者」にすぎない。言い換えれば、彼は依然として「転倒されたプラトン主義者」にすぎないというわけである❸。

※　カントの『純粋理性批判』からの引用は、慣例に従って第一版をA、第二版をBとして本文中に頁数を表示する。その他のカント、ニーチェ、ディルタイ、ハイデガーの著作からの引用は、原則として参考文献に挙げた各全集版により、巻数をローマ数字で、頁数をアラビア数字で文中ないし注釈の中で表示する。

❶　Martin Heidegger, Gesamtausgabe, Bd.43, Frankfurt am Main, 1985, S.276ff.『ニーチェ、芸術としての力への意志』(1936/37)

❷　ここでは、ハイデガーの他の五対のニーチェ解釈の観点について言及する余裕はないので、本論考では省略する。

❸　A.a.O., S.270.

ところで、本稿の主題は、ハイデガーのニーチェ解釈の紹介やその妥当性の吟味にあるわけではない。ここでは第一に、今日なお大きな影響力を有するハイデガーのニーチェ解釈によって覆い隠されてきた側面、すなわちニーチェの「理性批判の試みを遂行した哲学者」という積極的意義に光を当てることを意図している。第二に、このためにカントの理性批判及び、ディルタイの歴史的理性批判との関連に立ち入ることを試みる。第三に、生をめぐるニーチェの見解とディルタイの思想との対比を試みる。第四に、こうした試みによって、従来の哲学史研究では看過されてきたカント、ニーチェ、ディルタイを結ぶいわば「一本の赤い糸」を追考する。第五に、これらの考察によって、生の現実を捉えようとした三人の哲学者、思索者の「理性批判における三つの試み」の含意が照らし出され、同時に三者相互間の「思索の距離」もまた測定可能になるであろう。

二　ニーチェのカント批判をめぐって

まず最初に、ここではニーチェの思索がハイデガーの解釈とは異なり、形而上学的思考の伝統から脱却した哲学者であり、少なくともそれを克服しつつあった哲学者であったことを明らかにしよう。次に、彼の思索が理性批判の遂行の営みに属することを考察してみたい。さらに、ここではニーチェのカント批判に即してこの点をみていくことにする。

ニーチェは、晩年のアフォリズムのなかで、自己のめざすあるべき哲学者のタイプが「新しい種族の哲学者」であり、「この将来の哲学者たちは、誘惑者と呼ばれる」(VI2,55)と述べている。「誘惑者 Versucher」という言葉は、もともと「試みる versuchen」に由来する。また、「誘惑者」という言葉は、試みることが任務であり使命である哲学者を表す。このことは、ピヒトが主張するとおりである❹。さらにここで読者は、ニーチェが自己の哲学を「実験哲学」と読んだ事実を想起すべきである。

これらの事実は、ニーチェとカントとの従来の哲学史では隠されていた親近性をあらわにする。周知のように、カントは『純粋理性批判』第二版の序文のなかで自然科学的実験的方法を哲学的方法として転用すると明言した。そしてこの方法によって「理性は自己の構想にしたがって産出するもののみを洞察する」(B,XIII)という見解に達した。言い換え

❹　Georg Picht, Nietzsche, Klett Verlag 1988. S.XXIII.

れば、彼は「純粋理性の実験」(B,XXI)を試みたのである。カントでは「実験哲学Experimentalphilosophie」(B,452)とは、「懐疑的方法」を含む理性批判の様々な批判の試みの総称であった❺。つまり、ニーチェと同様にカントもまた、「実験哲学」を試みた思索者であり、自己の生きた時代の形而上学の破壊者・克服者として新たな試みの「誘惑者」でもあったのである。またニーチェは、新しい歴史的世界を企投し、産出するかぎり、「創造者」であり、新しい価値を決定するかぎり、「立法者」でもある。このことは、カントの理性が自然の世界を企投し、自然の法則を産出するかぎり、現象世界の「創造者」であり、こうした法則の「立法者」でもあることと同様である。これらは、両哲学者の驚くべき共通性を示している。従来の哲学史の通説は、こうした事実におよそ目を向けることがなかったのである。

しかし、それとともに両者の根本的相違点も看過してはならない。実際ニーチェは、早い時期から最晩年まで一貫してカント哲学を批判し非難し続けていたからである。この事実に即して見るかぎり、上記の解釈は成り立たないように思われる。ニーチェは、晩年の書物『道徳の系譜』のなかでも、青年期から変わることなく「古典哲学者」のカントを批判しているからである。

アフォリズム形式とは異なる論文形式で叙述されたこの書物の中で、ニーチェは、自己の狙いについて「われわれは道徳的諸価値の批判を必要とする」❻と明言している。だが、この批判の試みは、カントに対する反発の表層的な解釈の呪縛に囚われない見方をするならば、ニーチェ自身のカントに対する両義的な姿勢を要求している、とみることができる。ニーチェは、一方で彼自身が「認識の自己批判」と呼ぶ「試み」によって、カントのコペルニクス的転回が「人間の自己貶下」をもたらしたはずであるにもかかわらず、他方で

❺ 『純粋理性批判』では、上記の箇所に関して「実験」は多数使用されているが、この書では「実験哲学」という概念はこの箇所だけに見られる。また、他の書物でも『自然科学の形而上学的原理』で一箇所登場するだけである(アカデミー版カント全集 IV,533)。もっとも、両著作の間ではこの概念の含意は異なるように思われるが、この問題はここでは立ち入ることができない。別の機会に譲ることにする。また、「実験的方法」については、井上義彦教授の執筆による『カント事典』の当該項目を参照されたい(有福・坂部編集顧問・牧野英二他編集委員『カント事典』弘文堂 1997 年、213 頁以下。)。

❻ Genealogie der Moral,『道徳の系譜』(ちくま学芸文庫・ニーチェ全集、1993 年、367 頁。)

は「神学的な概念教義学(神・霊魂・自由・不死)に対するカントの勝利は、あの理想を打ち砕いてしまったのだなどと、真当にまだひとは本気で考えているのだろうか」❼、と当時の一般的な風潮を皮肉っている。では、このような事態は、カント解釈との関連ではどのように把握すべきであろうか。

ここでもまた、ニーチェの「認識の自己批判」という概念に着目して、カントの「試み」との距離を測定することが求められる。この点に関して両哲学者の「実験哲学」の関係に本格的に立ち入った最初の解釈の一つに、ジル・ドゥルーズの試みがある。彼によれば、『道徳の系譜』などの晩年のニーチェの思索は、「カント哲学をラディカルに変容すること、カントが手がけたと同時に裏切りもした批判を創り直すこと、批判の企てを新たな諸基礎に立ち、新たな諸概念によってやり直すこと」❽に向けられていた。また、批判をめぐるカントとニーチェとの見解の対比は、第一に「超越論的な原理ではなく、信念や解釈や評価の意味と価値とを説明する発生論的で可塑的な原理」に求められる。第二に、「理性にしか服従しないがゆえにみずからを立法者と考える思惟ではなく、理性に反して思惟するところの思惟」にある。第三に、ニーチェは「カント的な立法者ではなく、系譜学者」である。第四に、「批判の観点は…批判の審級は実現された人間ではなく、精神とか、理性とか、自己意識とかいう人間の昇華された形態でもない。…批判の審級は力(への)意志であり、批判の観点は、力(への)意志の観点である」。第五に、したがって「批判の目的。人間や理性の目標ではなく、けっきょくは超人、克服されのりこえられた人間。批判で問題なのは正当化することではなく、別な風に感じることであり、別の感性なのである」❾。

以上の見解によれば、カントは、認識批判を徹底したのではなく、むしろ妥協したとみるべきである。それに対してニーチェは、カントの不十分性を自覚的に徹底し、認識批判の試みをやり直したのである。ここで注意すべきは、両者の対比には、近代以降今日まで継続されてきた哲学の主要な論争点がほぼ網羅的に集約されているという点にある。第一は、超越論的原理か、発生論的原理かという哲学の根本原理に関する問題であり、第二

---

❼ A.a.O.上掲訳書、574頁。

❽ Gilles Deleuze, Nietzsche et philosophie, P.U.F.1962.『ニーチェと哲学』足立和浩訳、国文社、1974年、82頁。

❾ Ibid.上掲訳書、139頁以下。

は、理性的立場か、反理性的立場かという思惟の根本性格に関する問題である。第三の問題は、法学的・裁判官的判定の発想か、系譜学的戦いの発想かという論争の集約点に関する問いであり、第四は、批判の主体と観点というパースペクティヴに関する問題である。そして第五の問題は、批判の目的と批判的方法の妥当性のあり方に関わる。

ドゥルーズによるニーチェ解釈とカント批判は、ニーチェの立場に依拠した点に大きな特徴がある。また彼は、ニーチェの思想を表現どおりに受け取り、この文脈に沿ってニーチェのカント批判を展開している。そのためドゥルーズの解釈は、カントとニーチェとの対比の場を開き、両者の相違点を鮮明にしたものの、逆に両者の思考の広がりや親近性を見失うという大きな代償を払う結果となった。なぜなら、カントの思考には超越論的契機とともに発生論的契機との両側面が潜んでいたからである。例えば、カントは、『純粋理性批判』では「純粋理性の後成説 Epigenesis の体系」(B,167)という見解を展開する。これは、カントがカテゴリーの超越論的演繹に関して自己の立場を表すために採用した概念である。この用語は、もともと生物学における有機体の説明のために要請された有力な立場の「前成説 Praeformationstheorie」との相違を明らかにし、それを批判するために採用された概念であった。『判断力批判』の目的論的判断力の批判では、この概念によって生命の発達に関連して、生命のもつ自己産出的性格が浮き彫りにされている。これは、明らかに超越論的原理ではなく、発生論的原理に根差している。上述のように、ニーチェの立場に依拠したドゥルーズの図式的なカント把握は、この錯綜した事態のもつ両面性を隠蔽し、単純に一面化するという誤謬に陥っている、と言わなければならない。

そこでドゥルーズの解釈から転じて、次に本稿では考察の視野をディルタイのカント解釈及び批判に目を向けて、ディルタイとカントとの関連に立ち入り、改めてカントとニーチェとの親近性を照らし出すという迂路を経ることにしたい。

三　ディルタイのカント批判をめぐって

ニーチェの場合とは異なり、ディルタイの生涯は、明らかにカント哲学との対話と対決の軌跡であったと言ってよい。ディルタイの「歴史的理性批判」は、文字どおりカントの『純粋理性批判』に対する直接的な批判的応答の「試み」であった。ディルタイは、その思想形成の過程でカント哲学に実に多くを負っている。ディルタイは、二十五歳の日記のなかで「新たな理性批判」❿の重要性に着目しており、また、彼の着任の約一年後にニーチェが赴任することになった同じ大学の「バーゼル大学での就任講演」(1867 年)では、「哲学の根本問題は、カントからあらゆる時代に確立している」(V,12)と述べ、個別の点では改善の必要性を感じながらも、「カントの大いなる道筋には申し分がない」(V,12)と明言している。ディルタイによれば、カントが「精神現象の経験の学 Erfahrungswissenschaft」(V,13)のための基礎を置いたのであるから、「哲学は、ヘーゲル、シェリング、フィヒテを超えて、カントに遡るべきである」(ibid.)。これらの見解は、ディルタイに対するカントの際立った影響を物語っている、と言ってよい。

他方、ディルタイの主著『精神科学序説』第一巻(1883 年)の前書きでは、「ロックやヒューム、カントによって構成された認識主観の血液には本当の血は流れておらず、たんなる思考の働きとしての理性の薄められた血液が流れている」(I,xii)、という厳しいカント批判が展開されている。ニーチェとは対照的に、ディルタイの認識批判の「試み」は、カントのそれのきわめて自覚的な批判的継承ないし内在的克服の道程であった、と言えよう。実際、ディルタイは「カントの業績の偉大さは、数学的及び自然科学的認識を厳密に分析したという点にあった。とはいえ、問題は、カント自身が試みなかった歴史の認識論というようなものが、カントの概念の範囲内で可能かどうか、ということにある」(VII,191)、と明言している。ニーチェと同様に、ディルタイもまた、カントの認識批判の不十分性を自覚して、「歴史の認識論」の批判としてそれを徹底化しようとしたのである。

以上から明らかなように、ディルタイは、カントの『純粋理性批判』での「試み」と類比的に、カントが見逃し遣り残した「歴史的理性の批判」の「試み」を企図したわけである。そこでディルタイは、カントとは異なり、歴史を超えて普遍的に妥当する純粋理性の批判を試みるのではなく、歴史的·社会的に制約された現実を直視して、それらを研究課題とする精神科学が可能になるための制約を問うために、そのなかで働く歴史的理性の批判を試みたのである。

ディルタイの読者は、彼の「試み」を探究する中で、ある興味深い事実に遭遇するはずである。第一に、晩年のベルリン大学での講義「哲学体系概説」(1899/1903 年)では、本

---

❿ Zusammengestellt von Clara Misch, Der junge Dilthey, Leipzig und Berlin 1933, S.80.

稿の「二」で言及したカントやニーチェの「実験」との関係が窺われる。「近代の数学的実験的思考 das experimentelle Denken がガリレイまで歩んだ偉大な過程を考察するがよい。人間精神を前進させ、斉一性を実験の途上で探究するという課題を解決するのは、生そのものから生じた発明や発見である」⓫。この記述には、当時ドイツで世界最初の実験心理学が登場したことに象徴されるような、実験的自然科学が隆盛をきわめる学問的状況のなかで、精神科学の自然科学からの独立性と固有の認識価値の確立とのために奮闘したディルタイの立場が明瞭に表現されている。ディルタイは、自然科学的学問方法論が巷を席巻した時代に、敢えて生の根源性と精神科学の第一次性を主張した。しかし、このことは、彼が数学的自然科学の妥当性やその「実験的思考」の重要性を軽視したことを意味しているわけではない。むしろディルタイは、この「実験的思考」が生の根源から生じた点を重視したのである。言い換えれば、この「実験的思考」の根底には、「心的生の事実」があり、またこの前提は、一種の「思考実験の試み」の成果であって、カント及びニーチェの概念に即して言えば、「経験」に根差した「実験哲学」の原理を意味する。

第二に、このことは、ディルタイ固有の時間・空間やカテゴリー観とも不可分である。ディルタイは、カントの認識およびその形式の二元論的発想やそれらの抽象性を批判して、次のように述べている。「カントの認識論における直観と思考との分離、および素材と形式との分離は、きわめて固定的であり、生き生きした連関を引き裂いてしまう」⓬。ディルタイの別の表現で言えば、「カントのアプリオリは硬直して死んでいる」というわけである。「生の体験」の根源性を主張するディルタイからみれば、経験に先立ちそれをアプリオリに制約する時間・空間・カテゴリーの把握は、生の根源性を見失った抽象的な思考にすぎない。なぜなら、時間は主観の直観形式などではなく、生一般の根本構造をなし、意識された時間性はすべての人間の出来事の基礎的性格をなすからである。また、人間は、深く歴史的・時間的に制約されるかぎり、カントにおける感性界と英知界との区別もまた、解消されることになった。さらに、カテゴリーは悟性の思考の形式などではなく、むしろ「主観と客観のう

⓫ Wilhelm Dilthey, Gesammelte Schriften, Bd.XX Göttingen 1990. S.279.（大野篤一郎・丸山高司編集・校閲、編集協力山本幾生、伊藤直樹他訳『ディルタイ全集』第三巻、法政大学出版局、2003 年、329 頁。）

⓬ 前掲訳書、649 頁。

ちに含まれている生の連関は、多数の実在的なカテゴリーによって表現される」⑬とみるべきである。ここにはまた、カントの超越論的立場とは異なり、ディルタイの歴史的・発生論的立場からの時間・空間やカテゴリーの捉え方が窺われる。

ディルタイの生の概念もまた、ニーチェの場合と同様に歴史的な生の概念であった。カントは、たしかに『判断力批判』ではディルタイと同様に生物学的過程の研究を通じて生の概念を導き出した。しかし、「歴史的理性の批判」を試みたディルタイとは異なり、「純粋理性の批判」を試みたカントの生の概念は、「抽象的な主観概念」にとどまっている、と言うべきであろう。さらに言えば、「人間の歴史はディルタイの生の連関の真の具体性」であったのに対して、カントの思想には「このような発展という歴史的意味が、認識論でも、生の概念でも欠けている」⑭という批判が生じるのは、きわめて当然であるように思われる。

だが、こうしたディルタイやディルタイ研究者のカント批判は、哲学史の通説の影響のもとで展開されてきたカントの一面的解釈に陥っていないであろうか。結論を先取りすれば、ディルタイやニーチェの場合と同様に、カントの生の概念もまた多義的であった。カントやニーチェのいう「実験哲学」の精神を継承したディルタイは、「私は生の地平 Lebenshorizont とはある時代の人間がその時代の思考・感情・意欲と関連して生きる限界づけ Begrenzung であると理解する」(VII,177)と述べている。カントは、すでにこうした見解を先取りして、この「地平」概念と理性の限界づけの試みとを結合していた。カントの場合には、「地平」概念は、主として三区分が試みられている。まず、知の普遍性の程度とそれに関連した主体の数の相違に対応する区分であり、「普遍的で真の地平」、「他者の地平」、「共同体的地平」、「人類の地平」などの用法がみられる。また、年齢や性別、身分などに関する分類であり、「子供の地平」、「大人の地平」、「老人の地平」、「同時代人の地平」などが指摘できる。さらに知識ないし学問の対象領域に関する区分としては、「学

---

⑬ 前掲訳書、596 頁。

⑭ Rudolf Makkreel, The Feeling of Life: Some Kantian Sourses of Life-Philosophy, in: Dilthey-Jahrbuch für Philosophie und Geschichte der Geisteswissenschaften, Bd.3/1985 Göttingen, S.103.

問の地平」、「哲学の地平」、「数学の地平」、「宗教の地平」などの概念がみられる⑮。

では、このようなカントの「地平」概念は、批判の「試み」にとってどのような意味があるのだろうか。カントによれば、思弁理性による独断論と懐疑論は、前者が人間認識の「地平の外部」に超出したのに対して、後者は、人間理性のあらゆる問題を「人間理性の地平の外に放逐する」(B,787)ことによって、これらの問題を処理することができたと誤解し、そのためこの地平を限定することに失敗したのである。理性の批判の試みは、このような人間理性の不可避の誤りを正すことにあった。さらに注目すべきは、自己と他者との関係性に対する次の洞察である。「他者の地平を自己の地平からみて測ってはならず、われわれにはなんら利益とならないことを無益とみなしてはならない。他者の地平を規定しようと欲するのは向こう見ずというものである。ひとは一つには他者の能力を、一つには他者の意図を十分に知っているわけではないからである」(IX,43)。ここでカントは、現実世界における他者理解の困難性を十分認識している。なぜなら、個々の人間の判断は「色々な経験的かつ特殊的諸事情に、例えば年齢、性別、身分、生活様式などに依存する」(IX,41)からである。さらに他者の能力や意図の認識の不確実性は、他者が「自己の地平」へと回収不可能な大きな隔たりを有する存在者であることを意味する。このようなカントの現実認識や他者理解から、ディルタイやニーチェとの本質的な差異を見出すのは困難であろう。

それにしても、カントとニーチェ、ディルタイとの「距離」はなお大きく、その測定には不透明な点が少なくないであろう。そこで次に、ニーチェとディルタイの生の概念に即して、本稿の課題をさらに追考してみたい。

四　生をめぐるニーチェとディルタイの見解

ディルタイは、ニーチェがバーゼル大学の哲学部に着任する半年前に、バーゼルを離

⑮　カントにおける「地平」概念の多義的で重層的な意味に関する立ち入った考察については、それらの正確な出典箇所を含めて以下の拙論を参照されたい。牧野英二「理性の必要の感情と生の地平」(日本哲学会編『哲学』55号、法政大学出版局、2004年、4頁以下。)

れ、キール大学に移った⑯。その後も、二人の哲学者が接する機会はなかった。また、ニーチェのディルタイに対する評価や批判については、ニーチェはディルタイの名前を挙げることがなかったため、彼のディルタイ評価は必ずしも定かではなく、ニーチェがディルタイに論評していたかどうかについても、今日研究者の間で解釈が分かれており、論争が絶えない⑰。他方、ディルタイの論考には、ニーチェに対する評価や批判が散見される。しかし、ここではこの興味ある重要な問題には深入りせず、もっぱら本稿の主題に議論を限定して、カントとの関連から生をめぐるニーチェとディルタイの見解に立ち入ることにしたい。

周知のように、両哲学者はともに哲学史上「生の哲学」と呼ばれる潮流に属する。しかし、従来の通説的理解によれば、生の哲学は非合理的で生物学主義的特徴をもつことが指摘されてきた。そのため、ニーチェ研究者の間でもニーチェやディルタイの思想を「生の哲学」という規定から分離させようという主張を唱える者もいる⑱。しかし、アーレントのようにニーチェやベルクソンと並んで、ディルタイではなく、マルクスの名を挙げる哲学者もおり、「生の哲学」という名称は、それ自体としては掴み所のない曖昧模糊とした規定に

---

⑯ Albert Teichmann, Die Universität Basel in den fünfzig Jahren seit ihrer Reorganisation im Jahre 1835. Basel 1885, S.54.

⑰ カマーベークによれば、ディルタイの援助でベルリン大学の教授資格を得たハインリヒ・フォン・シュタインが、1884年夏にジルス・マリーアに滞在中のニーチェを訪れ、前年に刊行されたディルタイの『精神科学序説』第一巻をニーチェに見せ、ニーチェがそこに展開されている著者ディルタイの形而上学及び従来の道徳の基礎づけに対する批判に関心を示した可能性がある。また、『悦ばしき智恵』の第 366 節の「博学な書物には感謝し、大いに感謝している dankbar, sehr dankbar für ein rechtschaffnes gelehrtes Buch」という箇所の指摘がディルタイのあの書物であるという解釈も成り立つ。Vgl. J. Kamerbeek, Dilthey versus Nietzsche, in: Studia Philosophica. Jahrbuch der Schweizerischen Philosophischen Gesellschaft X, 1950, S.58ff.しかし、この解釈に対しては懐疑的な見解や批判が存在することも確かである。Vgl. Werner Stegmaier, Philosophie der Fluktuanz: Dilthey und Nietzsche, Göttingen 1992, S.24ff.他方、新たな資料に基づき、カマーベークの解釈をさらに展開させた解釈も現われている。Vgl. Gerard Visser, Dilthey und Nietzsche, in: Dilthey-Jahrbuch für Philosophie und Geschichte der Geisteswissenschaften, Bd.10/1996 Göttingen, S.224-245.

⑱ 例えば、三島憲一氏の所説を参照。大石紀一郎・三島憲一他編集『ニーチェ事典』(弘文堂、1995 年、378 頁。)なお、ディルタイとの関係からみて、三島氏の論述には事実関係の不正確な記述が幾つか窺われる。

すぎない⑲。むしろ問題は、ニーチェやディルタイで問われている「生」やそれに対する考察の意味にある。ここでは、ディルタイの学問上の戦友とも言うべきヨルク伯爵が、彼に宛てた書簡のなかで、哲学は「科学ではなく、生である。哲学が科学であろうと欲したところでも、煎じ詰めれば、それは生である」⑳という発言が、ディルタイの見解を代弁していることを確認しておけばよい。そこで紙幅の制約上、次にディルタイの「生」の概念の意義について簡単にみていきたい㉑。

本稿の主題との関連から、ディルタイの「生」の概念を今日的な文脈から位置づけなおすならば、次の三つの論点にまとめることが可能である。第一に、「自己省察 Selbstbesinnung」を意味する生の自己解釈が、個体的(individuell)であるという点にある。この解釈は、「一つの生き生きしたもの」「生動的なもの Lebendigen」から出発する。それは、個体的な生の諸条件の下で一つの個体的な「生の統一体」(Lebenseinheit)の自己解釈である。この統一体が一人の人間、他者や特定の社会や集団、人類全体を包摂する生の独特のシステムであったとしても、この作用連関は、自己自身に中心をもつ統一的な主体である。第二に、この解釈は、つねにパースペクティヴ(Perspektive)をもつ。諸々の生の統一体は、生を限界づける諸構造によってのみ存立できるからである。これらの統一体は、ある限界づけられたパースペクティヴのうちですでに諸構造、歴史的諸条件を解釈している。生は、包括的全体であり、すべてがその中で理解され、人間は生の背後に遡ることはできないのである。第三に、生の自己解釈は、仮説的(hypothetisch)であ

---

⑲ Hannah Arendt,, The Human Condition, Chicago/ London 1958.(志水速雄訳『人間の条件』ちくま学芸文庫、1994 年、519 頁。)また、ディルタイ哲学を O. Bollnow のように「生の解釈学」と呼ぶべきか、それとも「歴史的・解釈学的な生の哲学 geschichtlich-hermeneutische Lebensphilosophie」と呼ぶべきかという問題もまた、看過しえない問題である。しかし、ここでは紙幅の制約上この重要な論点に立ち入ることはできない。この問題については、次の文献を参照されたい。Hans-U. Lessing, W. Diltheys >Einleitung in die Geisteswissenschaften<, Darmstadt 2001, S.16.

⑳ Briefwechsel zwischen Dilthey und dem Grafen Paul York von Wartenburg 1877-1897, Halle 1923, S.255f.

㉑ ディルタイの「生」の概念の含意やそれに対する批判などの詳細は、すでに考察したことがあるので、次の文献を参照されたい。また、ディルタイにおける「自己省察」の多義的な用法や生の自己解釈の第四及び第五の特徴に関しても、ここでは省略する。牧野英二「ディルタイ哲学の現代的意義―歴史的理性批判の射程―」『法政大学文学部紀要』第四九号、2004 年、1―23 頁参照。

る。生の諸条件の限界づけられた解釈は、つねに排除された生の諸条件が、そのパースペクティヴには侵入することを予想しなければならない。これらの諸規定は、ある未規定的なものによって制限されているかぎり、こうした規定は上述の意味で仮説的である。ディルタイ自身の表現で言えば、「生の意義についてのわれわれ[人間]の把握は、未規定的なものへと流れ去る」(VII,233)と言ってよい。

晩年のニーチェは、ディルタイ以上に生とそのパースペクティヴの意義を強調した。1880 年代に入って、ニーチェは、「遠近法 Perspektive」と「遠近法主義 Perspektivismus」の思想を打ち出す。ニーチェにとって世界の認識とは、個体的主体の次のような解釈の営みであった。「"認識"という言葉に意味がある程度に応じて、世界は認識しうるものとなる。だが世界は他にも解釈しうるのだ。世界は背後にひとつの意味を携えているのではなく、無数の意味を従えているのだ。"遠近法主義"」㉒。また、人間の理解の仕方は、普遍的理性ではなく、「大いなる理性」、すなわち身体の位置と不可分である。それは実際に、生の必要性にもとづいている。「人間の理解－それは結局われわれとわれわれの必要性にもとづいた解釈にすぎないのだが－は、人間がすべての存在者の秩序の中に占めている位置に関係している」㉓。さらに、こうした考えによれば、「あらゆる勢力の中心は、残りのもの全部に対してその遠近法を、すなわちそのきわめて特定の価値づけ、その作用の仕方、その抵抗の仕方を持っている」㉔。

要約すれば、ニーチェの「遠近法」、パースペクティヴの思想とは、なによりも力への意志が生における「力の中心」から生の保存と力の増大のために世界を解釈し、価値づけを行なう働き方を意味する㉕。ここではまた、「遠近法」の使用が、生の肯定やニヒリズム

㉒ Nietzsche-Werke, Kritische Gesamtausgabe, hrsg. von G. Colli und M. Montinari, Achte Abteilung, Berlin/ New York 1974, Bd.1,S.323.(『遺された断想』白水社版ニーチェ全集・第二期第9巻、1984年、397頁。)

㉓ Idem, Siebente Abteilung, Bd.3,S.354.(同全集・第二期第8巻、1983年、443頁。)

㉔ Idem, Achte Abteilung, Bd.3,S.163.(同全集・第二期第11巻、1983年、208頁。)

㉕ ニーチェの「遠近法」の思想に関しては、F.カウルバッハのカント解釈との関係から立ち入ったことがある。本稿での主張の論証の裏づけやその他の考察できなかった論点については、次の文献を参照されたい。また、そこではカウルバッハのカント思想を「遠近法主義」とみなす解釈に対する筆者の批判も、併せて次の文献を参照されたい。牧野英二著『遠近法主義の哲学』弘文堂、1996年、第三章。

の克服という目的を実現するための有効な道具としてみなされていることも、読者は見逃してはならない。ここには、唯一普遍の真理の存在を前提とする伝統的な真理観を破壊しようとする思想を容易に看取することができる。さらに言えば、生中心のプラグマティックな機能主義的な発想が表現されている、と言ってよい。

そうしてみるとニーチェとディルタイとの間には、表面的な類似性以上に根本的な相違点が介在しているように思われる㉖。それにもかかわらず、ここでは両者の間に、人間の生に対する深い洞察力のある種の共通性が存在する点を見逃してはならない。生や死の「概念」が科学技術の発展の結果、伝統的な「概念」の根本的な見直しを迫っていることは、脳死問題に言及するまでもなく、周知の事実である。しかし、これらの事実は、人間の生死を賭した歴史的・社会的な生の究めがたさや生の流動する現実そのものをそのような仕方で把握できることを意味するのであろうか。人間の生が科学技術によって究めがたい「心的事実」であることは、すでにディルタイが指摘したとおりである。また、ニーチェが強調したように、美と醜・静と動・秩序と混沌などを孕む両義的な生の現実に正面から向かい合い、大衆の堕落や教養俗物を目の当たりにして、価値の喪失や存在根拠の崩壊現象を直視し、真摯に生きることの辛さや厳しさ、その重さに耐え生の現実を生き抜こうとした点に哲学者の最大の意義がある。両者が歴史的生の根源性や生の創造性を重視し、ともに心理学的方法や社会批判を展開したことも、けっして偶然ではないのである㉗。

㉖ 例えば、両者ともに生の創造性や芸術の重要性に着目しつつも、ニーチェが「虚偽を用いる程度に至るまで、意図的に生を肯定するが、他方[ディルタイ]は、生を反省的に受け入れるのだと述べることによって」、両者の生の哲学の異なる特質を示そうとする見方もある。(Rudolf Makkreel, Dilthey－Philosopher of the Human Studies, 1975,大野篤一郎他訳、法政大学出版局、189頁。)しかし、このようなニーチェに芸術に対して意志の力の反規範的表現を帰し、ディルタイには経験の規範的表現を見出すことによって、後者のうちに重要性を帰する解釈には、問題が残る。もっとも、著者の執筆時期には、まだニーチェ再評価の研究条件が十分整っていなかった当時の状況を考慮すれば、ニーチェのエリート主義や現実逃避主義的傾向を批判するマックリールのような見方が生じたとしても、それはやむを得ないであろう。

㉗ こうした生の探究は、今日哲学の領域で活発な議論を呼び起こしている自然主義的認識論と反自然主義的認識論との論争点へと導く。なぜなら、すべての認識論を自然科学に帰属させる自然主義的認識論は、自然科学に属する「自然現象」に還元することのできない生の現実を自然科学的に処理可能な領域に限定することで成立可能になるからである。例えば、知識や言葉の意味の創造や認識のダイナミックな変成による「自然主義的認識論のゆらぎ」は、根本的に上述の生の営みに由来するかぎり、ある意味で当然の帰結である。カントを始めハイデ

以上の考察の成果を踏まえて、生をめぐる両学者の思想とカントの「地平」の思想との関連を省みるならば、ディルタイの生及び地平、パースペクティヴの思想は、カントの思想とニーチェの思想との間に位置する、と解することができる。カントは、最後まで超越論的哲学の遂行という課題に「誘惑」され、その「試み」の「誘惑者」であろうとした。ニーチェは、徹底的に超越論的問題設定を破壊する「誘惑」に駆られ、その「試み」の「誘惑者」となった。そして、ディルタイは、超越論的課題の重要性に「誘惑」され、その「試み」を脱超越論化しようという「誘惑者」をめざしていた、と解することができる。

五　結論

以上の考察は、従来の哲学の通説が看過してきたカント、ニーチェ、ディルタイという三人の哲学者の思索を結ぶいわば「一本の赤い糸」を追跡してきた。それによって、彼らは、それぞれ独自の原理や思考と表現方法とを駆使しながらも、歴史的な生の諸相に分け入り、独自の立場から「実験」や「経験」を重視して人間の生の根源性や創造性に着目し、その意志的作用を重視した点で共通の特徴を示している、と言ってよい。

また、彼らの哲学的思索の「試み」は、ともに広義の理性批判として遂行されたことの意味も明らかとなった。このことの意義は、けっして軽視されてはならない。もちろん、三人の哲学者の意図や方法、前提の相違点などは、どこまでも自覚されなければならない。それらはけっして看過されてはならないであろう。しかし、それらの相違を超えて、彼らには共通の問題意識と思考の方法があった。彼らが探究した哲学的課題を貫く「実験」、「経験」の探究の「試み」は、混迷する現代の人間が直面する諸問題に真摯に取り組もうとすれば、「探究しがたい」生の深みと多様性とに対する示唆を与え続けていることは、否定することができない。このことは、彼らがすべて人間の生の根源に迫ろうとして格闘し続けたことによって、おのずから物理的なものを超えた事態、「超・自然的なもの」の探究に「誘惑

ガーなどが取り組んできた上記の知の限界づけの「試み」は、この科学主義の行き過ぎた「誘惑」に対する「批判の試み」をも意味するからである。なお、「自然主義的認識論のゆらぎ」については、以下の文献を参照されたい。一ノ瀬正樹「自然主義的認識論のゆらぎ－制度と曖昧性をめぐる考察」（[東京大学]哲学会編『自然主義と反自然主義』792号、有斐閣、2005年、23頁。）但し、自然主義的認識論に対する立場は、筆者と一ノ瀬氏とでは必ずしも一致しているわけではない。

された者」として、形而上学的な「実験的思考」や「実験哲学」を試みたことを意味する。

すでにみたように、ニーチェやディルタイはカントを形而上学者として批判し、またハイデガーはカントやニーチェを形而上学者として批判していた。しかし、以上の考察から明らかなように、これらの哲学者は、彼らの批判の仕方とは異なり、すべて積極的な意味で優れて形而上学的な思考と知の限界づけの「試み」を展開した哲学者であった、と言うことができる。

参考文献

Kant's gesammelte Schriften, begonnen von der Königlich Preussischen Akademie der Wissenschaften. Berlin, Bd.1－29, 1900ff.（日本語版カント全集、岩波書店、全 22 巻・別巻 1、有福孝岳・坂部恵・牧野英二編集委員、1999－2006 年）

Wilhelm Dilthey, Gesammelte Schriften, Bd.1－24, Göttingen 1914ff.（日本語版ディルタイ全集、法政大学出版局、全 11 巻・別巻 1、西村皓・牧野英二編集代表、2003 年－）

Friedrich Nietzsche, Kritische Gesamtausgabe Werke, hersg. von Giorgio Colli und Mazzino Montinari, ca.30 Bde. Berlin/ New York 1967ff.（白水社版ニーチェ全集、II 期全 24 巻・別巻 1、1979－87 年。筑摩書房版ニーチェ全集、全 15 巻・別巻 4:ちくま学芸文庫 1993－94 年）

Martin Heidegger, Gesamtausgabe, 102Bde. Frankfurt am Main, 1976ff.（日本語版ハイデッガー全集、創文社、全 102 巻、1984 年－）

付記　本稿の執筆にあたり、本論文集の編集に当たられた台湾淡江大学副学長・高柏園先生、長崎大学環境科学部教授・若木太一先生、長崎大学環境科学部助教授・連清吉先生には、衷心よりお礼申し上げたい。

論牟宗三先生的詮釋系統

高　柏園

一、前言

時入廿一世紀，人類文明的發展呈現出十分詭譎的面貌，一方面知識已然爆炸，知識的成長已然超過人的學習可能，於是形成人在面對知識及資訊時產生焦慮與不安。另一方面，知識不僅在量上爆炸，同時在質上亦已全然進化為一種半衰期短、取代速度快、非連續性強的存在。如果知識在今日獲取，數日之後便已成為明日黃花，則吾人又何必認真學習，學習的價值又果何在？相對於此，大架構、大系統、大理論的百科全書式的時代似乎已走到盡頭，取而代之的，是片面的、專題的、個別的、微觀的研究風潮。這一方面是取決於知識對象之差異，另一方面也是時代因素使然。然而問題是，無論知識如何多元而善變，人做為一完整而獨立的存在，其仍需有其一致性的態度與立場，以維持其人格的統一性與連續性。一如休姆（D. Hume）的經驗主義所示，吾人無法找到一物質實體或精神實體做為吾人或其他存在之統一性之哲學基礎，然而吾人卻不得不在日常生活中通過記憶等方式，暫立一標準以支持吾人日常生活之所需的假設。即就知識系統而言，吾人雖無法窮盡知識以建構一完整的、完成的系統，然而一套可供暫時性運作的知識系統仍是維繫吾人生活世界繼續運作所不可或缺的文化產物。由此看來，回顧先賢的詮釋系統，似乎也就並非無謂之舉，尤有進者，是能由此中而尋找吾人在廿一世紀如此詭譎的時代能夠安身立命的參考系統結構。即就當代中國哲學而言，牟宗三先生的詮釋系統無疑是一個十分有價值的研究對象。

牟先生對中國哲學的詮釋系統之所以值得深入研究，主要是因為牟先生的詮釋系統具有十分強的解釋力、周延性與典範性。牟先生不是提供零星的論文或意見，而是以大部頭的巨著詳細展示其詮釋對象的內容，而後再呈現出其詮釋的基本預設及其理論意義。正因為牟先生乃是採取堅壁清野的戰略，因此，牟先生的詮釋系統在解釋力及周延性便有十分堅強的文獻基礎與細密的哲學分析。❶我們由牟先生對康德哲學、宋明理學、中國佛學之詮釋，便可明顯說明以上之義。然而，以上二義亦僅只是一個成功詮釋系統的必要條件而已，成功的詮釋不只是諸多的詮釋中的一種，而且應該是具有典範性的價值，更確切地說，即是具有革命性的意義與價值，如此才能開創新的視野與意義世界。其實，這點也正是牟先生詮釋系統最動人之處。牟先生的詮釋系統並非只是平面的詮釋，而且根本有一種判教式的企圖隱含其中，也就是在哲學追求最高善的理想下，對一切種種論說皆有一定意義之理解與安頓，此非判教又為何物？例如，牟先生十分清楚定位了孔孟荀之異同，在宋明理學的分系問題上，更有革命性的判定。這樣的判定表面上是對宋明理學的分系加以重新定位，實質上根本是對整個儒學發展及其本質的定位。而且其中所預設的判準也持續在對道家、佛教、甚至中西哲學的比較中發揮決定性的作用。由此看來，牟先生的詮釋系統一如華嚴世界所喜言之因陀羅網，其中一即一切，一切即一，整個詮釋系統呈現出機體的互動關係，此所以牟先生系統號稱難解，而入其內不易出其外之理由所在也。

二、詮釋系統的建立

本文既在討論牟先生的詮釋系統，因此，應先對詮釋系統加以釐定，以便吾人之討論。基本上，本文所論及之詮釋系統首先是針對人文學而言。詮釋在實質的活動形態上其實是一種對話，也就是通過人與對象之間的對話，形成人對對象的理解與看法。當人在進行對話時有主客二方面的意義須加以釐清。首先，我們必須了解詮釋者的歷史性，人永遠是時間中的存在，此時間加以具體之限定即為歷史，人必然活在歷史中，也必然會受到歷史之影響。其次，影響並不等於決定，人雖受歷史之限制，但也是藉歷史而找到具體理解對象之基礎，歷史一方面是限制，一方面也是開放的可能。此義高達美（H.G. Ga damer）在《真理與方法》的導言中，對歷史傳統之說明正是此義。

❶ 參見牟宗三先生《中國哲學十九講》（臺北：臺灣學生書局，1983 年 10 月）。

❷由於人做為詮釋者，其所賴以為詮釋基礎之歷史乃是個別的、具體的、特殊的，因此，其詮釋的活動也必然帶有個別性、具體性與特殊性，詮釋的創造性、多元性與開放性亦由此得到說明。由於人並非如洛克（John Locke）所說是以一白板的心靈接受對象，反之，人乃是有其特殊角度接受對象、理解對象，人的詮釋便與對象之間形成一定的距離，這便是詮釋的創造性所在。同時，歷史的多元性也隨詮釋活動而成為詮釋的必然內容。當時間、歷史成為詮釋活動的必要條件，而時間、歷史又表現為一動態的歷程，因而也隨此歷程而形成開放性。不同的歷史背景，便可能支持不同的詮釋。當然，當我們強調詮釋活動的創造性、多元性與開放性時，並不是採取一種純然的相對主義立場，而使詮釋成為一種任意、隨性的活動；反之，詮釋仍有其相對的客觀性存在。即以文本為例，詮釋首先應該了解文本的語法、語意問題，由概念而命題而論證，此中仍是十分清楚的。當然，我們不能忘記詮釋的循環性，例如我們要了解概念便可能需要對整體脈絡有相當之掌握，而要掌握脈絡，又不得不對諸多概念有所了解，由是構成全體與部分之間的互動與循環。即使是循環，也只是說明了客觀義的相對性，但是並不是對客觀義的否定，因為如果我們否定了某種共同的共識——客觀性，詮釋便只是創造而不再是詮釋。當概念、命題、論證已然釐清，理論系統便隱然浮現，此中，我們如何建構系統仍有其客觀次序，我們是依時間或邏輯次序加以建構，所獲致的系統不必相同。唯系統仍是以邏輯關係為主軸，是以此中仍應以邏輯關係為優先。至於對此理論系統的評價便具有更多的開放性與主觀性。基本上，評價之所以可能，乃是相對於所預設之標準而成立，因此，這樣的評價當然是以一假言的形式展開，也就是在假設了某種前提下而有的結論，並非一絕對的命題也。易言之，詮釋的客觀性乃是在一系統中成立，是相對於某一系統而建構其客觀性。我們可以說詮釋的活動就是主觀與客觀相互辯證的歷程，我們在詮釋中的創造雖具主觀性，然其能被理解與接

❷ 參見高達美（H.G. Gadamer）在《真理與方法》導言中，特別強調理解歷史傳統的重要性，並道出：「哲學研究用以展現自身的概念世界已經極大地影響了我們，其方式有如我們用以生活的語言制約我們依樣。如果思想要成為有意識的，那麼它必須對這些在先的影響加以認識。這是一種新的批判的意識，自那時以來，這種意識已經伴隨著一切負有責任的哲學研究，並且把那些在個體同周圍世界的交往中形成的語言習慣和思想習慣置於我們大家共同屬於的歷史傳統的法庭面前。」洪漢鼎譯：《真理與方法》（上海：上海譯文出版社，1994 年 4 月），頁 21。

受，仍然要通過一套相對客觀的形式加以表達與呈現。同時，當詮釋的創造以一客觀形式加以呈現的同時，也正好是另一種詮釋準備加以超越的對象，絕對的客觀或主觀都只是觀念中的存在，對詮釋活動而言，並不具有決定性。

由此看來，詮釋活動並非一種特殊的、罕見的活動，反而是一種日常生活中必然的活動，人時時在理解，時時在感受，也時時在詮釋。雖然如此，並非所有詮釋都是系統性的，更不必然是一套詮釋系統，做為詮釋系統顯然需要更多的條件。知識論中在論及真理的標準（criteria of truth）時，最常舉出的三個態度與標準分別是：符應說（theory of correspondence）、融貫說（theory of coherence）以及實用說（theory of use）。符應說認為知識之為真，乃是因為它符應了現實存在的事實，由是而具有真實性與正確性。這樣的說法對經驗知識大體而言是有效的，自然科學的實驗活動便是符應說忠實的支持者。然而，知識並不只限定在經驗知識，數學便是純形式的知識，它根本無法以符應對象加以說明，因此，針對此純形式的知識，融貫說便主張其知識之為真，乃是因為命題彼此一致而無邏輯上之矛盾。這樣或許成功地保留了形式知識之合法性，然而，僅僅是命題間的一致而不矛盾，做為真理之判準仍然是弱義的（in weak sense），因為我們可以創造出無限多符合融貫說標準的知識，而此種知識是否有價值仍未決定。因此，爲在此諸多融貫系統中加以選擇，便必須在邏輯意義之外再加上其他之標準，此即實用說的立場。吾人之所以會在諸多融貫系統中選此而不選彼並非是任意的，而是取決於吾人的需要，也就是「是否具有實用性」成為新的標準，以此而有效地分別選擇不同的系統。相對於命題、論證及理論而言，符應說較重在命題，尤其是經驗命題的檢證上，而論證的邏輯性正是融貫說的重點所在，至於理論則交由實用與實踐來加以印證。因此，三種主張應是互補的整體，而這也可以相應於詮釋系統的建立。易言之，詮釋乃是有客觀對象而展開之活動，因此，詮釋首先要遵守符應說之要求，也就是要客觀相應於對象而展開，否則詮釋便將轉為創作，若將創作取代詮釋便是造成詮釋者對對象的理解暴力。其次，詮釋並不是一種原子式的、個別的意見，它其實乃是一種歷程的活動，因而也有其整體性之脈絡，此中脈絡之成立乃是因遵守邏輯的一致性。這也就由個別的詮釋活動轉化為一種系統的建構，而融貫說正可做為此階段的建構原則。當詮釋系統已然建立，則諸多系統間之取捨便成為詮釋者必然的抉擇。此時便有待實用說以實用取向加以選擇。至此，吾人可借用知識論中討論真理的三種主張及其內容，做為詮釋系統建構的理論基礎。

問題是，即使詮釋系統已然經由以上程序加以建構，但是其間價值及影響之高下仍待進一步之討論。易言之，究竟以何種詮釋系統最值得吾人加以研究，關此，筆者認為至少有三義是值得考慮的。此即：革命性、周延性及典範性。首先，我們認為一個革命性愈高的詮釋系統愈具價值。所謂革命性即在其能建構一主流之外的另一異質性的詮釋系統。例如牟宗三先生對朱子學的定位便是明顯的革命性，康德的《純粹理性批判》亦然。此中之革命性其實亦正暗合著詮釋中的創造性。詮釋不是重複，而是一種再創造的對話，因此，創造性亦表現在其革命性中，不具創造性或革命性的詮釋基本上缺乏獨立價值。其次，詮釋系統的周延性愈廣，則其價值亦愈高。以中國哲學史為例，勞思光先生以存有與價值、實然與應然區分之應用所建構的心性論中心、宇宙論中心，便較其方法論之基源問題研究法更具周延性。同時，周延性也是呼應著詮釋乃是有其客觀對象而言，周延性愈強表示其與對象之關係愈密切，也愈符合詮釋系統之要求。即使具有革命性與周延性，此詮釋系統是否為學界所接受仍待考驗，唯有經得起考驗的系統才具有優勢而成為新的典範，進而決定學界的態度與方向。值得注意的是，典範性的詮釋未必是唯一的，此時就有待歷史的發展再加以定位了。

由以上對詮釋系統的簡單敘述可知，牟宗三先生對中國哲學的詮釋系統不僅具革命性、周延性，同時也具有典範性，因而十分合理地做為本文研究的對象。

三、牟宗三先生詮釋系統的內容

有關牟先生的著作，已有學生書局出版的全集可供參照使用，本文暫將目標定在以下三項：宋明理學、老子哲學及大乘佛學。此外《歷史哲學》、《政道與治道》、《道德的理想主義》三書亦有其詮釋之理路與系統，《圓善論》對中國三教及中西哲學原善問題別有洞見。凡此，皆是值得深入討論的主題，而有待日後的努力了。

㈠宋明理學的分系問題

做為當代新儒學的大師，牟先生對宋明理學所採取的詮釋系統無疑影響最大，也最具革命性的價值。同時，這樣的詮釋角度與內容也不只是對宋明理學有效，同時也涉及對先秦儒學的定位。牟先生在其《心體與性體㈠》的導論部分，便對「新儒學」之「新」義加以說明。所謂新，有調適上遂之新，亦有歧出轉向之新，然而這樣的判定乃是預設了吾人對先秦儒學之定位而後可能。易言之，無論是調適上遂或是歧出轉向，皆是相對於先秦儒學而言。在此，牟先生乃對宋明理學影響最深的五部書及其他儒者加以說明與定位。牟先生指出：

> 如果宋明儒所講者可稱為新儒學，則其新之所以為新首先即是對上述兩點而為新。㈠對先秦之龐雜集團、齊頭並列，並無一確定之傳法統系，而確定出一個統系，藉以決定儒家生命智慧之基本方向，因而為新。他們對於孔子生命智慧前後相呼應之傳承有一確定之認識，並確定出傳承之正宗，決定出儒家之本質。他們以曾子、子思、孟子、及《中庸》、《易傳》與《大學》為足以代表儒家傳統之正宗，為儒家教義發展之本質，而荀子不與焉，子夏傳經亦不與焉。㈡對漢人以傳經為儒而為新，此則直接以孔子為標準，直就孔子之生命智慧之方向而言成德之教以為儒學，或直相應孔孟之生命智慧而以自覺地作道德實踐以清澈自己之生命，以發展其德性人格，為儒學。宋以前是周孔並稱，宋以後是孔孟並稱。❸

在此，牟先生認為新儒學之為新，乃是就其確定了孔子以下的傳承系統，以及以道德人格之實踐做為儒學之本質，此亦成為宋明理學的主要精神所在。然而，這畢竟也只是區分了宋明與其之前的儒學之差異，至於宋明理學內容意義仍有待說明。試觀下文：

> 是以上述兩點新只是外部的認識，尚不是客觀內容之新。此種認識上圈定上的「新」，人易見矣，雖不必能知其實義。然則宋明儒於此兩點新以外，是否尚有客觀內容上的新？如有之，則真成其為新，如無之，則終不足成其為新。「新」有二義：一是順本有者引申發展而為本有者之所函，此種「函」是調適上遂地函；二是于基本處有相當之轉向（不是澈底轉向），歧出而另開出一套以為輔助，而此輔助亦可為本有者之所允許，此種允許是迂曲歧出間接地允許，不是其本質之所直接地允許者。前者之新于本質無影響，亦即是說洽合原義；後者

---

❸ 參見牟宗三先生《心體與性體(一)》（臺北：臺灣正中書局，1968年10月），頁13-14。

之新于本質有影響，亦即是說於原義有不合處。❹

依牟先生，宋明理學在理論意義的新，應是就其內容上言，此中可大分為二義：其一是順孔孟儒學進一步加以引申發揮，此中雖有距離，但在本質上並無差別。其二則是已然遠離了孔孟本質，而有異質性之發展。前者即為象山陽明系與五峯蕺山系，而後者即為伊川朱子系。我們可以由幾個角度來審視這樣的分系：

1.就經典而言，象山陽明系與五峯蕺山系，仍是以《孟子》、《論語》、《中庸》、《易傳》為主軸，《大學》並不具有理論的決定性。至於伊川朱子系，則轉而以《大學》為核心，尤其是朱子。同時因為《大學》只是形式義，對內容之決定較少，因此提供朱子更寬廣的詮釋發展空間。易言之，朱子以《大學》格物致知為核心來詮釋其他四部經典之意義，顯然是有距離的，而此距離也正是朱子歧出轉向之所在。至於陽明，則只是順著歷史發展之脈絡而重《大學》，在本質上根本是孟子學，是以《孟子》決定《大學》也。

2.就其道體的體會而言，象山陽明系與五峯蕺山系皆是肯定道體乃是一「即存有即活動」的存在，所謂「寂然不動，感而遂通」者也。其實，這種對道體的體會，我們可以直接從《孟子·盡心》中找到佐證。孟子在〈盡心篇〉中明確說明「盡其心者，知其性，知其性，則知天矣」。如果天乃是由心性而見，而心性又表現為吾人的良知四端，則此天道、天理亦應是一存有與活動合一之存在，此即為「即存有即活動」義之所以證成之理由所在，亦為象山陽明系對道體體會的主要方式所在。另一方面，五峯蕺山系則由《中庸》天命之謂性下手，此天所命之性必待誠之的工夫而後實現，此誠之之工夫乃是由心所發，是以性之內容乃由心之誠而見，此即「以心著性」之路，亦即是先客觀肯定一超越的天道實體，而後再以主觀之心加以一一證成、實現，當其終極義呈現，象山陽明與五峯蕺山二系並無本質之差別。此問題態度最為特殊的，當屬伊川朱子系。朱子以其理氣二分、形上形下二分之格局，將道體的活動義加以排除，由是而將道體窄化為只是理、只存有而不活動，凡活動者皆氣也。如是，朱子遂以道之存有義概括道之全義，由是而有以偏蓋全之病也。

---

❹ 參見牟宗三先生《心體與性體(一)》，頁16。

3.就其心性論而言，無論是象山陽明系或是五峯蕺山系，皆肯定心性是一，而且心性是理，是以性即理，心亦即理，此義與孟子立場完全一致。及至伊川朱子系，由於受制於理氣二分、形上形下二分、存有與活動二分的前提，於是有了心性情三分的格局。性即理依然被肯定，但是心卻只是氣之靈，是形而下的存在，因此不承認心即理。而性與情之間，乃是由心加以聯繫、統貫，此所謂心統性情者也。其實，這樣的二分很難由心完成統貫的目的。因為性與情既已為二，理氣已然二分，而心又屬氣，則心仍不離理氣二分之格局，其統貫畢竟無法穿透理氣之間的鴻溝。這也正是象山批評朱子「泰山喬嶽，可惜學不見道」之原因所在。

4.就工夫格局而言，由於心性天是一，心性即理，是以象山陽明與五峯蕺山系的工夫格局，基本上是以逆覺體證為主，也就是由心之逆覺為理之發現處。牟先生在此更以內在的逆覺體證與超越的逆覺體證，加以更細密之區分。相對於此，伊川朱子系便捨逆覺體證義，而以《大學》的格物致知為主軸。依朱子，心既只是氣之靈，則其並不即是理，既不是理，則逆覺體證所覺、所證之心亦只是氣，又如何可以達性之理呢？是以朱子乃以心之格物致知為工夫綱領，心以其虛靈之氣，去逐一掌握物物一太極之理，由是而使生命一旦豁然貫通，便可掌握理的內容。當然，心要能知理亦需有工夫在，此即「涵養須用敬，進學在致知」一義之所出。易言之，心要能在靜時以敬涵養之，使其心靜理明，動時則以理察識吾人行動是否中節合道。此工夫已由先天之本心轉為後天的氣心，亦為朱子所以為歧出最主要之特徵所在。依牟先生，朱子之所以如此歧出與其學思成長背景亦有相當之關係。朱子雖然師事李延平，然親炙問學之日實少，李延平對朱子並沒有決定性的影響，雖然如此，但是李延平留給朱子的問題卻影響朱子甚鉅，此即中和問題。《中庸》云：「喜怒哀樂未發，謂之中；發而皆中節，謂之和。……致中和，天地位焉，萬物育焉。」此即中和問題之所出。朱子在此將之二分，以未發之中為理，已發之情為氣，理氣二分、形上形下二分之格局於焉成立。同時，朱子思維之方式乃是以氣為然，以理為氣之所以然加以思考。因此，理與氣之間只是邏輯上的關係，而不具有活動義，進而便將道體簡化為只是理，再進而決定其心性情三分、心統性情、格物致知等系統。就朱子而言，其系統亦甚一致，唯其畢竟與先秦孟子思想有本質之差異，而被牟先生判為「繼別為宗」之歧出也。

(二)老子學的定位

以老子莊子為主的道家思想，對詮釋者而言其困難度顯然較詮釋儒家思想為高，此中可由二義加以說明。首先就形式而言，《老子》一書雖僅八十一章五千餘言，然而理解上卻十分困難，誠如其第一章所言，「道可道，非常道；名可名，非常名」。在可道與不可道，可名與不可名之間，如何有恰當之理解與掌握誠非易事。同時，其正言若反的表達形式及否定詞的大量使用，如「上德不德，是以有德；下德不失德，是以無德。」又如「生而不有，為而不恃，長而不宰，是謂玄德。」凡此，皆必須在掌握老子整體思想後才能加以有效之定位與合理之詮釋。其次就內容說，老子思想中的道、有、無、玄、自然、無為、無為而無不為等，這些概念都頗不易定位，其間的優先次序亦有待釐清。至於此中之道，究竟是一客觀實體而能生天生地，神鬼神地？還是一種主觀境界，而僅以不生之生為內容的實現原理？這正是理解老學的關鍵所在，吾人亦可由此而試觀牟先生之立場。

牟先生對老子思想之詮釋，主要以《才性與玄理》及《中國哲學十九講》為主，其他著作亦兼論之，唯以前述二書最為集中而深入。先讓我們看看牟先生的重要結論：

> 此冲虛玄德之為宗主實非「存有型」，而乃「境界型」者。蓋必本於主觀修證（致虛守靜之修證），所證之冲虛之境界，即由此冲虛境界，而起冲虛之觀照。此為主觀修證所證之沖虛之無外之客觀地或絕對地廣被。此冲虛玄德之「內容的意義」完全由主觀修證而證實。非是客觀地對於一實體之理論的觀想。故其無外之客觀的廣被，絕對的廣被，乃即以此所親切證實之冲虛而虛靈一切，明通一切，即如此說為萬物之宗主。此為境界型態之宗主，境界型態之體，非存有型態之宗主，存有型態之體也。❺

此言道以其沖虛之玄德為萬物之宗主，而此沖虛之玄德乃是聖人境界之所及，並非一存在之體，因此為一境界型態而非實有型態也。再觀下文：

> 此遍在之體是「虛」義，非「實」義。儼若有客觀實體之姿態（有客觀性，實體性之姿態），實則只是一姿態，故非「存有型態」也。❻

❺ 參見牟宗三先生《才性與玄理》（臺北：臺灣學生書局，1970年），頁141。

❻ 參見牟宗三先生《才性與玄理》，頁149。

道之遍在性之體，此體乃是一姿態，儼若有一遍在之體，其實仍只是境界形態沖虛之所照而已！因此：

> 「道法自然」，以自然為性，然道並不是一實有其物之獨立概念，即並不是一「存有型態」之實物而以自然為其屬性。道是一沖虛之玄德，一虛無明通之妙用。吾人須通過沖虛妙用之觀念了解之，不可以存有型態之「實物」（entity）觀念了解之。❼

由以上引文可知，老子之道在牟先生的詮釋系統中，乃是以一主觀之境界型態加以理解，而這樣的理解乃是以實踐為優先的條件下而成立，至於這樣的實踐其具體之內容與方式，牟先生在《中國哲學十九講》中有十分明確的說明：

> 道家的自然是個精神生活上的觀念，就是自由自在、自己如此、無依無靠。我們現在只知道那借用中國老名詞來翻譯西方的概念，這個「自然」之意義，而我們原來本有「自然」一詞之意義倒忘掉了，這中間有個曲折需要拆開，要返歸到自己原有的意義上來。道家講的自然就是自由自在、自己如此，就是無所依靠、精神獨立。精神獨立才能算自然，所以是很超越的境界。西方人講的自然界中的現象，嚴格講都是他然、待他而然、依靠旁的東西而如此。自然界的現象都在因果關係裡面，你靠我我靠你，這正好是不自然不自在，而是有所依待。所以莊子講逍遙、無待。現實上那有無待呢？例如坐要依待椅子，肚子餓了要吃麵包，這都屬於西方人所說的自然現象。道家老莊所說的自然不是這個意思，它就是自己如此就是無待。所以講無為函著自然這個觀念，馬上就顯出它的意義之特殊。它針對周文疲弊這個特殊機緣而發，把周文看成是形式的外在的，所以嚮往自由自在，就一定要把這些虛偽造作通通去掉，由此而解放解脫出來，才是自然。自然是從現實上有所依待而然反上來的一個層次上的話，道家就在這個意義上講無為。
>
> 從無為再普遍化、抽象化而提練成「無」。無首先當動詞看，它所否定的就是

---

❼ 參見牟宗三先生《才性與玄理》，頁 154。

有依待、虛偽、造作、外在、形式的東西，而往上反顯出一個無為的境界來，這當然就要高一層。所以一開始，「無」不是個存有論的概念（ontological concept），而是個實踐、生活上的觀念，這是人生的問題，不是知解的形而上學之問題。人生的問題廣義說都是 practical，「無」是個實踐上的觀念，這樣不就很容易懂嗎？❽

易言之，牟先生之所以會以境界型態詮釋老子的道，乃是有其性格之先認，也就是認定道家實踐型態的特殊機緣，道家乃是針對周文疲弊而起，因此，其真正之關懷並非一知識之關懷而是一實踐之關懷，知識之建構與理論之建立皆是第二義的而非第一義的。老子對周文的反省，使其理論的解讀上，必須以無為為優先，所謂「遮有為，顯無為，無為而無不為」。老子真正的關心是如何由周文的有為與虛偽中得到解脫與治療，是以要遮有為，而後顯示出自由自在的無為自然，能如此，才能真正安頓所有的文化內容，此所謂無為而無不為。此中，無為並非終極之目的，而是要能夠重新返回文化與社會，此所謂「無不為」也。同理，《老子・三十八章》在論及仁義禮部分，亦是在說明唯有不失道，一切的德、仁、義、禮才能獲得真正的安頓。至於我們在《老子・第一章》所論及的有、無、玄等觀念，都只是有為、無為、無為而無不為的抽象化、理論化、客觀化後的結果，是衍生義而非原始義，有為無為的實踐義才是終極的。既然無為、自然之道乃是實踐義，而此實踐之所以可能，又繫於聖人的「致虛極，守靜篤」而成立，是以道、無為、自然之意義亦即由此聖人之境界而得到充分之證成，如是，道、自然、無遂皆從屬於主觀之境界，而為境界型態之理論型態矣。

牟先生以主觀境界型態詮釋老子的道，至少有二點重大貢獻，其一是有效地說明道如何認知的問題。蓋道既為一形而上的存在，則吾人如何認識？徐復觀先生的「觀變思常」的說法並不究竟，蓋觀變如何求常仍是問題也。❾其二是合理取消了實然與應然的二分。若道為形上實體，則其具存在性，至於價值性則尚未說明也。今道既是一聖人境界之客觀化，價值義十分明確，而存有物之存有亦交給價值加以決定。總之，牟先生對老子學之定位，不但有效地詮釋了老子思想，也為中國哲學的實踐特質，提

❽ 參見牟宗三先生《中國哲學十九講》，頁 90-91。

❾ 參見徐復觀先生《中國人性論史》論老子章（臺灣商務印書館，1969 年）。

供了堅實的理論說明，貢獻可謂偉卓。

㈢大乘佛教之判攝

印順法師對大乘佛教曾有如下之判攝與定位：性空唯名，虛妄唯識，真常唯心。相對於此，牟先生對中國大乘佛教之判攝便集中在中國佛學，而且以天台宗與華嚴宗有關圓教之爭論為核心。牟先生在《佛性與般若》一書中，首先對龍樹的空宗加以定位。牟先生以《中論》「因緣所生法，我說即是空，亦為是假名，亦是中道義。」將空、因緣生、無自性三者視為是分析命題之關係，緣起即性空即空即無自性。而這樣的立場乃是大乘佛教共有之立場，無有可違者。因此，牟先生以「形式的圓」與「通教」二義加以定位。由於緣起、性空、無自性乃是以一分析命題之形式而存在，因此自然是不可諍的，然而，這樣的不可諍也只是形式的不可諍，此中並未涉及具體之內容。更具體地說，緣起性空誠然說明了一切存在的緣起性，但是一切法何以是有而不是無，空宗並未說明。因此，空宗的緣起性空只是「形式上的圓」，並非「存有論上的圓」。至於存有論上的圓，則有待華嚴宗與天台宗的說明，此中之核心即在「性起」與「性具」思想之對比。

依華嚴宗性起思想，一切存在之存在根據乃繫於佛境界中對以往經歷世界之回憶而起，佛經無量劫之修證而成，因而在此無量之過程中亦涵攝一切存在。及至佛境界，此一一存在乃能由此境界中方便起現而圓融無礙。牟先生指出華嚴宗「這一圓教系統之基本前題可如下列：⑴緣起性空。⑵昆盧遮那佛法身。⑶海印三昧。」❿簡言之，緣起性空是隨緣，昆盧遮那佛法身是不變，此隨緣不變，不變隨緣之種種起現變化，俱不出海印三昧之境界。關此，牟先生的判語十分明確：

> 從「緣起性空」之展轉引申說，則那些妙談都是分析的。從套于佛法身上而說法界緣起而成為圓滿無盡圓融無碍之圓教，此圓教亦是分析的。從緣起性空一義，無論如何開合，如何引申，如何妙談，那只是實相般若之作用的圓，尚不是「真心即性」之性宗之存有論的圓（別教一乘圓教之圓），在這裡說多說少不能決定什麼，在這裡分辨同異，說某言及，因此，說某異于某或勝于某，這

❿ 牟宗三《佛性與般若》（臺北：臺灣學生書局，1977年6月），頁554。

並無多大意趣，因為這裡不是問題之所在。要從實相般若之作用的圓進至「真心即性」之性宗之圓，這必須要進至如來藏系統之法界緣起而後可。這裡才是決定是否為圓教以及為如何樣的圓教諸問題之所在。⓫

又，

故吾人可說此三觀所觀之法界緣起之三觀相以及賢首《分齊章》所觀之法界緣起之十玄相皆不過是「緣起性空」一通義套于昆盧遮那佛法身法界上之展轉引申，此種引申皆是分析的（不是形式邏輯之分析的，而是緣起性空一義套于法身法界上之強度地詭譎地分析的），於此說圓教，此圓教之為圓教亦只是分析的，即由佛法身法界抽引出而為分析的：佛法身法界當然是圓滿無盡圓融無碍—圓滿無盡由主伴具足十十無盡明，圓融無碍由緣起性空一義之展轉引申明。此所謂「別教一乘圓教」也。⓬

華嚴宗不同於空宗只是形式邏輯上的分析，但是依然是強度地詭譎地分析，此即是華嚴宗並不僅以緣起性空而分析出一切法之共同性，反之，華嚴宗肯定了《起信論》「隨緣不變，不變隨緣」的理解進路，再配上佛境界，如是而由法身法界而有強度詭譎地分析，即使如此其畢竟只是分析，因而亦未能有效地給出存有論之說明，此存有論之圓滿說明，必須由天台宗的性具思想加以完成。

依華嚴宗，一切法既是性起，是不變而隨緣起現，是以起現或不起現，此中並無必然性，雖然佛可以無量起現一切法，此義即表示此一切法在華嚴性起思想中並無必然性，是可有可無，可起現可不起現者。因此，華嚴宗在此即無法對一切法有根源性之說明，或只有形式詭譎性的說明。及至天台宗，其性具思想乃是將一切法以權實相即的觀念加以掌握。此中一切法並不是一定性之存在，其為執為解乃由人之一念心而決定，一念心迷，則一切法即現出現象的意義，若一念心覺，則一切法便呈現出物自身、如相的意義，並無一獨立之現象或物自身，而只是一存在之兩種面向、二種意義而已。而且，此心亦非如華嚴宗所言之絕對真心，若為絕對真心，則一切法並不具必

⓫ 牟宗三《佛性與般若》，頁 553。

⓬ 牟宗三《佛性與般若》，頁 544-545。

然性，唯有一真法界之實相如相始具終極意義，此即知禮對華嚴宗有「緣理斷九」之批評。今天台宗之心乃是一念無明法性心，此中心永遠是在一具體的生活中呈現，《般若經》謂「一切法趣某某，是趣不過」，此中之趣即表示心乃是有一趨向、有一意向性（intentionality），因而必有一切法及無明之存在，唯此無明乃一虛而非實之存在，是以一念可無明，一念亦可清淨，此中並無排斥之問題在，而是相即義，所謂「煩惱即菩提」、「生死即涅槃」者也。也因此，一切存在皆有其不可廢之意義，佛之成亦當即此九法界之存在而成，所謂「即九法界而成佛」者也。而佛對一切貪嗔痴慢之斷，亦只是一種治療義與超越義之斷，而非一種完全排除之斷，是斷其染而不斷其在也。此所謂「不斷斷」、「不思議斷」、「圓斷」。人依然活在生活世界之中，一切法宛然而在，唯此時一切法並不礙吾人之解脫自在，反而是吾人解脫自在之場域與內容。此即《維摩詰經・文殊問疾品》所謂「但除其病而不除法」。智者大師《四念處・卷四》云：

> 今雖說色心兩名，其實只「一念無明法性」十法界，即是不可思議一心具一切「因緣所生法」。一句，名為「一念無明法性心」；若廣說四句，成一偈，即因緣所生心，即空、即假、即中。[13]

荊溪湛然《釋籤》解之曰：

> 「從無住本立一切法」者，無明為一切法作本。無明即法性，無明復以法性為本，當知諸法亦以法性為本。法性即無明，法性復以無明為本。法性即無明，法性無住處。無明即法性，無明無住處。無明法性雖皆無住，而與一切諸法為本，故云「從無住本立一切法」。[14]

法性無明皆為一相對性之概念，是相對吾人之一念心而有之內容，今此一念心即是不定，是以吾人對此法性與無明亦無所住，此方合中道第一義諦之義也。易言之，法性無明皆為方便自在之內容，亦為一緣起之空，無可住，是為不住之住，此亦《金

[13] 牟宗三《佛性與般若》，頁 610。

[14] 牟宗三《佛性與般若》，頁 611。

剛經》所謂：「應無所住，而生其心」者也。此義既明，請觀牟先生對性具說之總結：

> 故「一念心即具十法界」就等于說「法性即具十法界」或「中道實相理即具十法界」。然心有生起，而性不生起，理不生起。是以「一念心即具十法界」，此中之「即」是「就是」義，「具」是緣起造作地「具」。而「法性或中道實相理即具十法界」，此中之「即」是「即于」義，不離義，「具」是以即而具，非生起地具。此即是說，法之性是即于法而見，而見者見其空如無自性，即以空為性也。是故此法仍是抒義字，非實體字，不失緣起性空義也。故只說「性具」，不說「性起」。「性具」者，法性是即于一切法而且具備著一切法之謂也。⓯

總之，牟先生以「作用的圓」說明空宗的定位，以形式的強度的詭譎的分析的圓說明華嚴宗，而以「詭譎的相即」、「存有論的圓」判攝天台宗，完成其對中國佛教的主要詮釋系統。此中，亦兼判了唯識宗與禪宗，唯獨對淨土宗並未涉及。

四、結論

吾人由革命性、周延性、典範性來衡量詮釋系統的成敗，則牟先生對宋明理學、老子學及中國佛學所建立之詮釋系統皆具有革命性、周延性及典範性，可說是劃時代的代表作品。此中，我們也可以看出牟先生詮釋系統的幾個特色：⑴智的直覺之肯定，此義一方面說明中國哲學智慧之所以成立之基礎，另一方面也與康德哲學做了明確的區分。然而，這樣的肯定並不是一種理論的推證，而是一種實踐的呈現與證成。易言之，良知、無限心、智的直覺並不是一種理論的預設，而是一種生命實踐的內容呈現。⑵兩層存有論的架構，此乃相對於心的二種狀態而有之內容。當心處於執的、感觸直覺的狀態時，世界對其所呈現的意義便是現象；當心處於無執的、智的直覺之境界時，世界便呈現為物自身的意義。今心既是一無住之心，則此二層存在論亦是一不定之存在，並非果然有二個世界，而只是有二種意義而已。⑶分解與非分解的圓成，乃是針對表達形式而言，相對於執的世界、現象世界，吾人可以依分解之方式加以說明，而

⓯ 牟宗三《佛性與般若》，頁612。

當面對一無執的物自身世界之時，吾人便須用非分解的詭辭為用之方式加以回應。易言之，分解之為分解乃是相對於系統性而言，凡是系統必然是由一組前提加以引申而成，此前提即為一根本執之所在，亦為一切分解之前提所在。今在一無執世界之中，已然去除了此系統之所以成立之前提，是以即無系統相可說，亦無相可分解，由是而形成無執的非分解說之型態。唯此二種型態並非排斥對立之存在，而只是一心之二種面向與態度而已。⑷道德的理想主義的優先性，廣義地說，應該是實踐的優先性，是通過實踐，吾人才肯定了智的直覺，才區分了二層存有論，也才有二種表達模式之差別。此中，世界並非是以一知識對象對吾人呈現，而是以一種實踐的場域與內容而為吾人所理解。至於儒家，則更是以道德實踐為首出，這也是牟先生在其《圓善論》中，最終極肯定之圓教與圓善之所在。

牟先生詮釋系統龐大且深入，本文僅以宋明理學、老子學及中國佛學為例，略為展示其中之精義，做為日後深入研究者的一個參考而已，尚祈學者方家不吝賜正之。

沈采（練川）、沈受先（壽卿）同爲沈齡考辨

呂　正惠

明代戲文從民間流傳，到文人逐漸參與改編、創作，最終形成文人傳奇的過程，其轉折關鍵似在弘治、正德至嘉靖初年。按現在學術界的看法，這期間的主要作品及其改編者或創作者有：丘濬《伍倫全備記》、邵燦《香囊記》、周禮《東窗記》❶、姚茂良《雙忠記》、王濟《連環記》、徐霖《綉襦記》、沈采（練川）《千金記》、《還帶記》、沈受先（壽卿、沈齡）《三元記》、李日華《南西廂》等。緊接在這些人之後創作（或改編）戲文的鄭若庸、陸采、李開先、張鳳翼、梁辰魚等人，他們大都在正統士大夫間享有盛譽，行蹟也清楚得多，由此也可看出，戲文逐漸上升為文人傳奇的軌跡。這些人除丘濬外，都不是著有聲望的正統文人，事蹟大多不詳；而丘濬是否創作《五倫全備記》，則近年已有學者提出強烈質疑。❷

弘治至嘉靖初年的這些事蹟不明的、參與戲文的作者或改編者，至今連姓名字號都還沒有考辨清楚，但其實有待澄清的，首推所謂「沈采，字（或號）練川」、「沈受先，字壽卿」的這兩個人。這之間牽涉到一連串的以訛傳訛，其最終的真相可能如徐朔方所推測的，本來只是一人：其人本名沈齡，字壽卿，號練塘漁者或練川，現在

---

❶ 《南詞敘錄》於《岳飛東窗事犯》下注云：「用禮重編」，學者多認為「用禮」為「周禮」之訛。按，周禮為餘杭人，弘治年間作《湖海奇聞集》六卷，另有《秉燭清談》五卷、《警心叢說》六卷，見陳大康《明代小說史》687－8 頁，上海文藝，2000；袁行霈、侯忠義《中國文言小說書目》238－9 頁，北京大學，1981。

❷ 見徐朔方《說戲曲》94－101 頁，上海古籍，2000；孫崇濤《南戲論叢》169－181 頁，中華書局，2001。

還流傳下來的《千金記》、《還帶記》、《三元記》、以及存有大量佚文的《四節記》❸都為他所作或改編，因此可以認定是文人傳奇形成期非常重要的一位作家。

徐朔方在1993年出版的《晚明曲家年譜》〈沈齡事實錄存〉❹一文中提出上述看法，但遺憾的是，似乎很少受到戲曲研究者的重視。這也許是由於徐文雖然舉證不少，但論辨不夠精細，因此為人所忽略。個人在徐文的基礎上，又發現了一些新的資料。現即以徐文及此為基礎，重新加以排比，加強論證過程，草成此文，就教於相關的專家。

一、以訛傳訛的過程

呂天成《曲品》（作於萬曆30年至41年間，1602－1613）❺首先提到沈練川、沈壽卿二人。他在卷上《舊傳奇品》的「能品」評論了沈練川、在「具品」中又評論了沈壽卿；在卷下談論作品時，於「能品」中品評了沈練川的《四節》、《千金》、《還帶》，又於「具品」中品評沈壽卿的作品《嬌紅》、《三元》、《龍泉》。按呂天成的著錄，沈練川和沈壽卿各有三部作品行世。呂天成評沈壽卿「語或嫌於湊插，事每近於迂拘」，並不認為他的作品有多好，「然吳優多肯演，吾輩亦不厭棄」❻，說明了呂天成作《曲品》時，沈壽卿的作品還在上演。

呂天成評論的這六部作品，早在四十多年前《南詞敘錄》（序作於嘉靖38年己未，1559）已有著錄，現條列對比於下：

南詞敘錄	曲品
馮京三元記	三元（沈壽卿）
裴度還帶記	還帶（沈練川）
韓信築壇拜將	千金（沈練川）
龍泉記	龍泉（沈壽卿）
嬌紅記	嬌紅（沈壽卿）

❸ 關於《四節記》佚文問題，參看孫崇濤《風月錦囊考釋》146－148頁，中華書局，2000。

❹ 見《徐朔方集》第二卷33－43頁，浙江古籍，1993。

❺ 參見吳書蔭《曲品校注》429頁，中華書局，1990。

❻ 同上，16頁。

文林四景❼　　　　　　　　　四節（沈練川）

我們現在已無法確認，呂天成所評的六部作品是否即為《南詞敘錄》所著錄的那六部相關戲文，尤其是《韓信築壇拜將》與《文林四景》，名目上頗有差異。但也很難說，彼此所說的六部都毫不相干。值得注意的是，《南詞敘錄》在六部戲文下都不標作者，而《曲品》卻明確的分屬於沈練川、沈壽卿二人名下。

呂天成在《曲品》自序中說：

> 予舞象時即嗜曲，弱冠好填詞。每入市，見新傳奇，必挾之以歸，笥漸滿。初欲建一曲藏……❽

呂天成的父親呂胤昌（字玉繩）、胤昌的舅父孫鑛（母孫夫人之弟，號月峯），孫鑛的侄子（兄孫鑨之子）孫如法（如法稱天成為甥）都嗜好戲曲，孫夫人也是如此。王驥德云：

> 孫夫人好儲書，於古今戲劇，靡不購存。❾

由此可以推知，呂天成撰《曲品》，是有祖母及他自己的大量購藏作基礎的。他把《千金》、《還帶》、《四節》歸在沈練川名下，把《嬌紅》、《三元》、《龍泉》歸在沈壽卿名下，必定有所據。但他已不知練川、壽卿的本名，也是可以肯定的。

比呂天成晚一代的祁彪佳和沈自晉對於沈練川和沈壽卿的了解，並未有所改變。祁彪佳在《遠山堂曲品》的「能品」裡提到沈練川的《還帶》、沈壽卿的《嬌紅》和《龍泉》，在「具品」評《四德》時，說「沈壽卿有三元記，今插入三事，改為四德」；「雅品殘稿」中評《千金》、《四紀》時，前後相接，雖未標作者，但在《四紀》一條中說：「沈練川作此壽鎮江楊相公者」❿，顯然這即是《四節》（詳下）。所以，總結來看，他仍如呂天成一樣，認為沈練川、沈壽卿各作三部，曲目完全一樣。他也

---

❼ 《龍泉》、《嬌紅》、《文林四景》三種屬姚燮《今樂考證》所說「何義門補錄」的十五種中。見《中國古典戲曲論著集成（十）245 頁，中國戲劇，1959（1982 重印本）。

❽ 《曲品校注》第 1 頁。

❾ 《曲律》卷四，《中國古典戲曲論著集成》（四）172 頁。

❿ 以上分別見《中國古典戲曲論著集成》（六）80、129 頁。

不知練川、壽卿的本名。

沈自晉在沈璟原編的基礎上重定《南詞新譜》，「凡例」云：「博訪諸詞家，實核其作手，可一覽而知其人，論其世，非止浪傳姓字已也。」其「載譜詞曲總目」于沈練川名下列《還帶記》、《四節記》、《千金記》，又於沈壽卿名下列《嬌紅》，因其未選《三元》、《龍泉》，所以未列目。⓫顯然，沈璟、沈自晉「博訪」、「實核」之後，仍不知練川、壽卿為誰。

又，一向與呂天成《曲品》、高奕《新傳奇品》合鈔的《古人傳奇總目》，於《千金》、《還帶》、《四節》之下仍標「沈練川作」，又於《銀瓶》、《三元》、《龍泉》、《嬌紅》之下標「沈壽卿作」，除了將無名氏的《銀瓶》誤歸壽卿外，其餘全同《曲品》。⓬

沈練川、沈壽卿的名、字發生重大變化，仔細考察，可以發現始於現在學術界稱之為《傳奇彙考標目》這一不知編撰者的目錄。這一目錄一向附在《傳奇彙考》之前。《標目》相關的兩條摘錄如下：

> 沈采（字練川，居處未詳）
>
> 千金　還帶（演裴晉公香山事，因楊一清生日故作此以壽之）　四節
>
> 沈受先（字里未詳）
>
> 銀瓶　龍泉　三元　嬌紅⓭

在這裡，除了《銀瓶》循《古人傳奇品》之誤外，「沈練川」突然變成「名采，字練川」了，而「沈壽卿」則莫名其妙的變成「沈受先」。

《標目》一書，裡面問題重重，現在學者大多知道，譬如，《曲品》明明說姚茂良「僅存一佚，惟睹雙忠」，但《標目》卻多了《金丸》和《精忠》，邱濬，《曲品》只著錄《五倫》，現在突然多了《投筆》和《舉鼎》，曲目之誤增與亂標觸目皆是，

⓫ 參見《徐朔方集》第二卷43頁。

⓬ 《古人傳奇品》往往將《曲品》中列於某人所作之前的無名氏作品誤為某人作；此種錯誤，《傳奇彙考標目》完全承襲，而且更為嚴重，現代學者的許多論著往往沿襲，不敢輕易更改。

⓭ 《中國古典戲曲論著集成》（七）196頁。

作者姓名產生淆亂也有不少，這些都蹈襲《古人傳奇品》，而且更形嚴重。至於「沈采」、「沈受先」兩名，更屬前無來者。清代的另兩份目錄黃文暘《曲海總目》⑭及姚燮《今樂考證》，仍然承襲《曲品》的沈練川、沈壽卿，也不見這兩個名字。然而，不可思議的是，這樣一本大有問題的書，卻影響了現代戲曲研究達八十餘年之久，遺毒至今尚未清除乾淨，實在是大大的怪事。

《傳奇彙考標目》所造成的怪異的影響，其實是由王國維和青木正兒所賦與的。王國維的《宋元戲曲史》雖然只有最後一章討論南戲，但他另編了《曲錄》一書（宣統元年，1908）。王國維在編《曲錄》時，有關傳奇的曲目，由於《曲品》、《新傳奇品》都沒有《標目》「詳盡」，於是他不加詳考（在當時的條件下，這是難以避免的）的大量引用《標目》，這已有人已指出：

> 王國維作《曲錄》，很多材料曾引用《傳奇彙考》，但《曲錄》裡所說的「右見傳奇彙考」云云，往往並不是根據《傳奇彙考》，而是根據這本《傳奇彙考標目》。又，當時王國維所見的《傳奇彙考標目》，可能是一個有些殘缺的本子……⑮

這樣，王國維就沿襲了差不多所有《標目》所造成的錯誤現象，如前面所舉，誤入邱濬、姚茂良的作品，王國維都照搬下來。對於沈練川、沈壽卿二人，王國維除了繼續把《銀瓶》歸屬後者之外，又根據《標目》作了一個其實是很嚴重的更動，其文如下：

> 千金記一本　還帶記一本　四節記一本（右三本見曲品、傳奇彙考、曲海目）
> 左三種明沈采撰。采號練川，里居不詳
> 銀瓶記一本　三元記一本　龍泉記一本　嬌紅記一本（右四本見曲品、傳奇彙考、曲海目）。
> 右四種明沈受先撰。受先字壽卿，里居未詳⑯

⑭ 此據《揚州畫舫錄》，見中華書局（標點本）111－121頁，1960（2004重印本）。

⑮ 同上，191頁。

⑯ 《曲錄》卷四，頁4，《王國維遺書》（十六），上海古籍，1983。

王國維把《標目》所謂的「字練川」，改成「號練川」，可以看出他的見識，因為「練川」像地名，不可能是「字」，但《標目》改「沈壽卿」為「沈受先」，他竟大膽的再改為「沈受先，字壽卿」，就變得嚴重了。由於王國維在戲曲界的權威性，一般人就不敢推測，原來「受先」是因「壽卿」音近而誤寫的。

青木正兒繼王國維而研究戲曲史。如果說，王國維是元雜劇第一個現代權威，那麼，青木就可以說是明戲文和傳奇的第一個系統論著者了。青木在中國學術界的威望遠不足與王國維相比，但他的《中國近世戲曲史》（日文版 1930，中譯本 1936）在很長時間裡一直是明、清戲曲史唯一的通史著作，影響力也就不容忽視。對於沈練川、沈壽卿兩人，他是這樣敘述的：

> 千金記（附四節記）　均為沈采所撰。采字練州（按，青木誤「川」為「州」），事蹟不詳，所作尚有《還帶記》……
>
> 三元記　沈受先撰。受先字壽卿，里居事蹟無可考，年代亦不詳……此外尚有《嬌紅記》、《銀瓶記》、《龍泉記》，均登古人評壇……[17]

可見青木完全承襲王國維《曲錄》。從此，「沈采」作三記，「沈受先」作四記遂成「定論」。1935 年開明書店排印汲古閣《六十種曲》，《千金記》名下即據此標為「明沈采作」，而《三元記》則標為「明沈受先作」。

二、沈齡的發現

沈采（練川）、沈受先（壽卿）的問題，自被王國維、青木正兒所「論定」以後，一直到一九六二年才找到新的突破。這一年，譚正璧在嘉慶年間所編、刻的《安亭志》中找到一則沈齡的小傳，其文如下：

> 沈齡，字壽卿，一字元壽，自號「練塘漁者」。究心古學，落拓不事生產，尤精樂律，慕柳耆卿之為人，撰歌曲，教童奴為俳優。畫竹仿文洋州，書法出入蘇文忠、趙承旨。詩歌清綺綿婉，名滿大江南北。太傅楊一清謝政居京口，特

[17] 《中國近世戲曲史》125 頁、129 頁、131 頁，台北，商務印書館，1996 重版。

招致之，適館授餐，日與為詩酒之會。武宗南巡，幸一清第，一清張樂侑觴，苦梨園無善本，謀於齡，為撰《四喜傳奇》，更令選伶人之絕聰慧者，隨撰隨習，一夕而成。明旦供奉，武宗喜甚，問誰所為，一清以齡對，召見行在，欲官之，不受而歸。（《嘉定志》）⑱

這一條資料的發現，從現在的觀點來看，是頗為重要的。如果結合明、清人曲目、筆記所提到的沈練川、沈壽卿、沈練塘和楊一清的關係來看，可以作出許多推測（此點詳下）。但當時，譚正璧則據此得出三點看法：一、以前認為沈氏名「受先」，這是因與「壽卿」音近而傳鈔致誤，沈氏應名齡，字壽卿。二、沈氏在世年代約弘治中（1496）前後。三、向來認為謝讜撰《四喜記》，看來成化、弘治年間沈壽卿已撰《四喜》，謝有可能是後來的改編者。關於後兩點，下文再談，這裡先談沈氏的名、字、號問題。⑲

其實，要不是王國維在《曲錄》裡把《傳奇彙考標目》的「沈受先」改成「沈受先，字壽卿」，《標目》之將「壽卿」寫為「受先」的錯誤是不難推知的。因為《標目》也把「柯九思」寫成「格九思」，其因音近而傳寫訛誤並不難察覺。但令人大感驚訝的是，譚正璧的發現似乎影響不大，八〇年代到現在，仍然有不少重要論著寧肯仍作「沈受先」⑳、「沈壽卿」而不改成「沈齡」。這裡面也許有人不知道譚正璧的文章，但有人肯定知道，但仍然不改，這問題實在大可深思（詳下）。因為這裡面牽涉的問題頗為複雜，使他們對《安亭志》的小傳的可靠性有些懷疑。

但 1993 年徐朔方發表〈沈齡事實錄存〉一文時，卻讓我們不得不再一次面對沈齡這個人。徐朔方發現了一些非常重要的新資料，其中一條引自歸有光的〈朱肖卿墓誌銘〉：

---

⑱ 《安亭志》296 頁，上海古籍（標點本），2003。又，《乾隆嘉定縣志》沈齡小傳見趙景深、張增元編《方志著錄元明清曲家傳略》71 頁，中華書局，1987。此傳比《安亭志》簡略，《安亭志》不可能只參考此書。

⑲ 譚正璧〈《三元記》作者沈壽卿生平事蹟的發現〉，1962 年 9 月 9 日《光明日報·文學遺產》。本人未見此文，僅參考《曲品校注》17 頁，及郭英德《明清傳奇綜錄》51 頁，河北教育，1997。

⑳ 王季思主編《全元戲曲》（第十一卷，第二頁，人民文學，1999），廖奔、劉彥君《中國戲曲史》（第三冊，234 頁，山西教育，2000）均仍作「沈受先」；至於明代傳奇史最重要的專家郭英德的處理方式，請見下文。

> 君世家安亭鎮，其地于崑山、嘉定兩屬，故君為嘉定人，亦為崑山人。安寧有二沈氏。昔時有沈元壽者，慕宋柳耆卿之為人，撰歌曲，教僮奴為徘優，以此稱于邑人，即君之族。君之考曰朱翁，朱氏之外孫也。君以故亦冒姓曰朱傳，而字肖卿云。㉑

把這一段文字和《安亭志》的沈齡小傳加以對比，可發現，《安亭志》「慕柳耆卿之為人」以下三句完全襲自歸有光這篇墓誌。歸有光是明代最著名的古文家，文章完全可靠，沈齡之存在確然不可懷疑。

安亭鎮介於崑山、嘉定兩縣之間，自宋寧宗以後，割崑山之東為嘉定，安亭即分隸兩縣，但「其疆域雖分隸崑、嘉，要不可不統謂之安亭」，嘉慶《安亭志》的記述也因此「以例」而跨縣界「備書」全鎮。㉒以縣而言，沈壽卿（元壽）是嘉定人，歸有光是崑山人，但他們其實都是安亭人，是「小同鄉」。沈氏是安亭的最大族，元末明初的大財主沈萬三即出安亭沈氏。㉓安亭另一大姓為王氏，歸有光妻即王氏族人。㉔翻檢歸有光集，即可發現歸有光不少壽序、墓誌銘、「記」（如〈櫟全軒記〉、〈世善堂後記〉等），都是為安亭人而撰寫的，讀歸有光文集描寫家人、親族及自己生活的文章，即可對安亭產生具體印象。

除〈朱肖卿墓誌銘〉外，徐朔方還從程庭鷺的《練水畫徵錄》引述了其中沈齡小傳的後半，《畫徵錄》這一小傳則源自王輔銘（徐朔方誤「銘」為「明」）的《練音續集》。我找不到《練水畫徵錄》，但卻意外而的找到了王輔銘所編的《練音續集》。

《練音續集》選了沈齡五首詩，比安亭志所錄一首（徐文已引）還多出四首。《練音續集》的沈齡小傳如下：

> 齡，字壽卿，號練塘漁者；一字元壽，見歸太僕集中沈氏墓誌，或曰：元壽其小字也。占籍安亭。落拓不事生產，於古學彌不究心，尤精樂律。畫竹仿文洋州，書法出入蘇文忠、趙文敏間，詩歌清綺綿婉，有《春蚓遺音》、《練塘吟

㉑ 《震川先生集》462頁，上海古籍（標點本），1981。

㉒ 《安亭志・凡例》第1頁。

㉓ 《安亭志・前言》第9頁。

㉔ 參《安亭志》237－240頁。

草》。（以雙行小字）太傅楊一清謝政家居京口，聞練塘名，招致之，館菩提寺，日與為詩酒之會。俄武宗南巡，幸一清第。一清張樂侑觴，苦梨園無善本，謀之練塘，立為撰《四喜》傳奇，更令選絕聰慧者習之，隨撰隨習，一夕而成。明日供奉，上喜甚，問誰所為。一清以練塘對，召之，逃匿不出。其大致如此。㉕

初讀這段小傳，非常驚訝：原來歸有光也撰寫了沈齡墓誌。但現存歸有光集卻無此文，因此懷疑王輔銘是不是把〈朱肖卿墓誌銘〉誤為「沈氏墓誌」了。但〈朱肖卿墓誌銘〉中「慕柳耆卿之為人」數句卻不見於王輔銘所寫小傳。王輔銘、或至少他所使用的資料之源頭曾經看到〈朱肖卿墓誌銘〉之外的另一篇「沈氏墓誌」應該是沒有問題的；而《安亭志》小傳則參考王輔銘小傳，另加入〈朱肖卿墓誌〉的一些話重新改寫。又，《練音續集》小傳說，楊一清「館」沈齡「於招提寺」，此句「安亭志」改為「適館授餐」。按，《練音續集》選有沈齡〈莫春從邃菴楊太傅遊招提寺〉一詩㉖，這也可證明，王輔銘的小傳是有依據的。

如果歸有光所撰「沈氏墓誌」保存下來㉗，我們也許可以輕易得知沈齡的生卒年，現在則只能根據一些零星資料推測了。根據徐朔方所發現的另一資料，即唐寅手書他與沈壽卿、呂叔通三人的聯句詩的跋尾（藏故宮博物院），聯句作於「正德庚午仲冬廿有四日」，即正德五年（1510）11 月 24 日。這一年唐寅 39 歲。㉘《安亭志》有一條徐朔方沒有引用的記載，見於卷三：

有明弘治間，里人沈壽卿撰歌曲教人，至今殷厚之家猶轉相慕效。㉙

弘治間（1488－1505）沈齡已有歌曲流傳於安亭，因此假定弘治末年（1505）他其時年齡至少在三十五歲左右，應該是合理的。武宗幸楊一清第在正德十五年閏八月，史

㉕ 《練音續集》卷一，《四庫存目》（影雍正刻本）集部 395 冊，317－8 頁，台灣莊嚴文化，1997。

㉖ 同上，318 頁。

㉗ 歸有光集除「沈氏墓誌」外，尚有其他遺文，見《安亭志·前言》第 7 頁。

㉘ 《徐朔方集》第二卷，39 頁。又，徐朔方據《安亭志》所錄沈氏一詩〈吳淞江疏鑿畢，朋輩載酒同遊〉（13 頁），推測此詩作於弘治七年，其時沈氏年約 25，理由不能成立；因此詩在《練音續集》題目上標明「嘉靖改元五月」（同上 318 頁）。

㉙ 《安亭志》31 頁。

有明文[30]；又，楊一清七十大壽在嘉靖二年（1523），沈齡參與祝壽（詳下），其時沈氏年 53 左右，這是沈齡事蹟有文獻可查的最後一年。因此，可以說，沈齡活動時期為弘治、正德至嘉靖初年。前文所提譚正璧推測他約弘治中在世，可以往下再推延一些。

總之，根據歸有光〈朱肖卿墓誌銘〉，王輔銘《練音續集》及《安亭志》兩書所載沈齡小傳，嘉定安亭人沈齡（字壽卿，一字元壽）的存在是無可懷疑的，呂天成《曲品》的「沈壽卿」，只能是沈齡，絕對不會是「沈受先」。按《曲品》的著錄，他編著了至少《三元記》、《龍泉記》、《嬌紅記》三部傳奇，《三元記》留傳下來，其他兩種已佚。

三、「沈練川」也是沈齡，不是「沈釆」

前文已說過，1962 年譚正璧發現「沈壽卿」名「齡」而不是「受先」，戲曲研究者對此頗為持疑，其後相關論著採用者似不多見，因為其間牽涉到一些資料上的牴牾。按《安亭志》（及《練音續集》）的沈氏小傳，沈齡在武宗幸楊一清第時，為楊一清撰《四喜》傳奇，但另有一條資料見於呂天成《曲品》，這是研究者都非常熟悉的，即：

> 《四節》……此作以壽鎮江楊公[31]

這一說法也見於祁彪佳《遠山堂曲品》（在此目錄中，《四節》作《四紀》，已見前），而《四節》公認是「沈練川」所作。沈壽卿、沈練川，兩人都姓沈、都是嘉定人，兩人都為楊一清撰傳奇（使用場合不同），一名《四喜》、一名《四節》，相似處實在太多，另人「惴惴不安」。另有一條資料，其實也不難查到，見於蔣一癸《堯山堂外紀》卷 90：

> 今傳奇有《還帶記》，嘉定沈練塘所作，以壽邃翁者也，故曲中有「昔掌天曹，

---

[30] 參見《徐朔方集》第二卷，41 頁。

[31] 《曲品校注》181 頁。

今為地主」等語，邃翁喜，圈此八字。㉜

這一條資料又為清初的褚人獲載入《堅瓠集，甲集》卷二中。㉝「邃翁」即楊一清，「昔掌天曹，今為地主」兩句見於今傳《還帶記》第七出〈乞帶救父〉，「掌天曹」暗指楊一清以前擔任吏部尚書，在戲中，曲文由吏部鄒尚書所唱，其文如下：

昔掌天曹，今為地主。蒙頭鶴髮蕭蕭，紅日三竿，一枕黑鼾方覺。蓬作戶，今為君開；花滿徑，不因客掃。

確實如徐朔方所說的「切合楊氏宦歷與身份」㉞。因此，《堯山堂外紀》的記載應無可疑。

根據以上各種資料，就有如下「事實」

1.沈壽卿為楊一清作《四喜》以觴武宗

2.沈練川為楊一清壽而作《四節》

3.沈練塘為楊一清壽而作《還帶》

4.據《曲品》，《還帶》為沈練川作

5.據《安亭志》、《練音續集》，沈壽卿即沈練塘

如果這些記載都是正確的，那麼，就會得出以下的結論，即：

1.沈壽卿（練塘）作《四喜》（為武宗）、又作《還帶》（壽楊一清）

2.沈練川作《四節》（壽楊一清）、又作《還帶》

這樣，沈壽卿、沈練川各為壽楊一清而分別作《還帶》和《四節》，而沈練川又另作了和沈壽卿（練塘）同名的《還帶》。我們不能完全否認這樣的可能性，但看起來實在太奇怪了。何況，沈練川和沈練塘又如此的相似。這種「矛盾」20年來一直研明傳奇史的郭英德一定很清楚。1986－1993寫《明清傳奇綜錄》（1997出版）時，他已知道《安亭志》裡的沈齡小傳，知道譚正璧的文章，也知道《堯山堂外紀》的資料，但

㉜ 《續修四庫全書》第1194冊，111頁，上海古籍，1995。

㉝ 《續修四庫全書》第1260冊，421頁，上海古籍，1995。

㉞ 以上參見《徐朔方集》第二卷42頁。按，此為楊一清七十大壽，很多文人參加，參見《徐朔方集》卷二42頁，及上引《堯山堂外紀》、《堅瓠集》同條文字。

他沒有懷疑到「沈采」的問題，他同時不用「沈受先」和「沈齡」這兩個名字，而恢復《曲品》所用的「沈壽卿」㉟，這是一種「持重」的態度。1994－1997 寫《明清傳奇史》（2001 出版）時，他已看過徐朔方的《晚明曲家年譜》（書中多處引用），但並沒有接受徐朔方「沈練川、沈壽卿同為一人」的看法。不過他已使用「沈齡」一名以取代「沈壽卿」。在〈生長期傳奇家作品一覽表〉中，他在沈齡欄中列了《四喜》（還有《標目》誤入的《銀瓶》），而把《還帶》歸屬「沈采」，「沈采」欄中還列了「四節」，又在備注中說「沈采與沈齡或為一人」。在正文中，「沈采」、沈齡分別敘述，但這時他卻非常奇怪的把《還帶》放在沈齡名下敘述，說《三元》、《還帶》同為沈齡作，而《千金》則為「沈采」作。㊱為了「持重」（包括把《銀瓶》保留在沈齡名下），郭英德顯得左支右絀。

從郭英德的「困境」中，我們更可看出，徐朔方的「假設」更為簡單而可以接受，即：「沈壽卿」即「沈練塘」，也即是「沈練川」，都是沈齡。《曲品》將《四節》誤為祝壽作（其實是為武宗作），《安亭志》、《練音續集》則將《四節》誤為《四喜》。《曲品》對沈練川的評論可以為徐朔方的推測作為佐證：

> 沈練川，名重五陵，才傾萬斛。紀游適則逸趣寄於山水，表勳猷則雄心暢於干戈。元老解頤而進卮，詞豪攦指而擱筆。㊲

吳書蔭在《曲品校注》中認為，「紀游適」是指《四節》，因《四節》以春夏秋冬四景各寫一文士遊賞的故事，「表勳猷」是指《千金》，因寫楚相爭，韓信建功。㊳徐朔方同樣也以「紀遊適」指《四節》，但他認為「表勳猷」兼指《千金》和《還帶》，因《還帶》也有裴度征淮西建功之事。㊴其實，從上引各項資料來看，沈齡以一個沒有功名的落拓文士而能留下一點聲名，主要就是因為他為楊一清作了《四節》、《還帶》兩記，都讓楊一清非常高興。所以，「紀游適」應指《四節》，「表勳猷」應指

㉟ 參見《明清傳奇綜錄·目錄》，河北教育，1997。

㊱ 參看《明清傳奇史》42 頁、88－89 頁、93－94 頁，江蘇古籍，2001。

㊲ 《曲品校注》11 頁。

㊳ 《曲品校注》12 頁。

㊴ 《徐朔方集》第二卷，39 頁。

《還帶》。兩記可以說是沈齡一生事蹟的「頂峯」。由此也可說明，呂天成對兩記的「轟動」略有耳聞，但對產生兩記的具體狀況並不十分清楚。

關於《四節》、《四喜》的問題，我們也先從《曲品》的評論談起：

> 四節　……初出甚奇……記分四截，是此始。[40]

一本傳奇寫四個故事，可以省去關目、結構上的勞神苦思，又可以集四個相近的「喜事」，作為歡聚、慶賀、祝壽等場合之用，確實有其方便之處。沈齡一夕之間必須為武宗的突然駕臨作出一本傳奇，只有出此「巧思」；這也可證明，《四節》不是為楊一清祝壽作（相反的，《還帶》為祝壽作，前文所引《堯山堂外紀》已以《還帶》中的具體文字證實）。《四節》一出，仿效者紛紛出現，如《麗情四景》（見《南詞敘錄》，又《敘錄》另有《文林四景》，可能即《四節》；《四節》，《遠山堂曲品》作《四紀》，均見前）、《四豪》、《四夢》（見《曲品》）等。這類曲目流行以後，甚至連演一人故事的作品，題目也常加以模擬，如《五福》、《八義》、《三節》、《三聘》等。甚至連「沈壽卿」的《三元》，後來也被改為《四德》（已見前）。這中間，最為著名的是謝讜的《四喜》。

《四喜》寫宋庠、宋祁兄弟的高中科第及兄弟、夫婦情誼，但作者勉強湊出兩出〈喜逢甘雨〉、〈他鄉遇故〉的關目，以符合「久旱逢甘雨，他鄉遇故知，洞房花燭夜，金榜挂名時」這「四喜」[41]，可以看出，一人故事也可以用「分截」的方式以湊成「四」或「五」等等。因為《四喜》寫的是封建文人夢寐以求的奢望，它之流行，以至超越《四節》及其他類似作品，是不難理解的。

《四喜》的作者謝讜是嘉靖、隆慶間人（1512－1569），《四喜》約作於嘉靖36年左右，是在傳奇盛行之前。由於謝讜三十三歲中進士後，只當了兩年餘的知縣即棄官歸隱，不甚知名於當世，而當時士大夫即使喜好戲曲，也並不把戲曲看作嚴肅作品，所以《四喜》流行以後，很多人未必清楚它是誰作的。沈德符在《野獲編》卷26「諧謔、四喜詩」一條說「成、弘間人曾以宋公序、子京事實之，演為傳奇」，連時代都

---

[40] 《曲品校注》184頁。

[41] 參看《徐朔方集》卷三〈謝讜年譜〉所論，19頁，浙江古籍，1993。

搞錯了，即此可見一斑。[42]

歸有光（1507－1571）和謝讜是同時代人，他應該不知道謝讜其人。他寫了「沈氏墓誌」（《安亭志》和《練音續集》裡沈齡小傳說沈氏作《四喜》可能根據他的「沈氏墓誌」），推算起來，他的墓誌應寫於嘉靖末、隆慶初，即歸有光晚年（亦即沈氏去世約二十年後；歸有光在〈朱肖卿墓誌銘〉說「昔有沈元壽者」，可見沈齡應該早他們一個世代以上）[43]，《四喜》已流行之後，而沈氏族人還誤以這《四喜》來「頂替」沈齡的「成名作」《四節》。實情剛好相反，是《四節》引發了「四」、「五」曲目熱，才有《四喜》的產生。這同時也可說明，前述譚正璧「沈齡先作四喜，謝讜也許是改作」的說法是有問題的。

四、為沈齡正名與定位

根據《練音續集》，沈齡，字壽卿，號練塘漁者；根據《堯山堂外紀》，沈練塘為壽楊一清而作《還帶》；根據《曲品》，作《還帶》的是沈練川。即就這三條資料而言，我們不得不作出「練川」即「練塘」，沈練川、沈壽卿都是沈齡的結論。誠如徐朔方所說，壽卿是字，練川、練塘（還有練水）則指沈氏家鄉。[44]張雲章在為王輔銘所編《練音續集》作序時說：

> 嘉定初建，在宋寧宗時，遂以其年號名之。又因練祁市為邑，治其水之貫乎東西者為練祁塘，故另以練川名邑。[45]

這就很清楚的說明了「練塘」、「練川」之名的來由。《安亭志》選錄了呼谷《岳心館練水言別》一詩，又引述了秦立《練川野錄》一書[46]，又可見練塘、練川、練水三名均可通用。嘉定人沈齡（壽卿）自稱「沈練川」或「沈練塘」，是非常順理成章的

---

[42] 謝讜行實參見前注所引〈謝讜年譜〉（年譜中還分析了《四喜》的內容和謝讜的生平遭遇頗有呼應，見同上書 19 頁）。

[43] 沈齡嘉靖二年為楊一清祝壽，假定他卒於嘉靖二十年以前，至嘉靖末、隆慶初，已超過 20 年。

[44] 《徐朔方集》卷二，33 頁。

[45] 《練音續集》卷一，《四庫存目叢書》集部 395 冊，300 頁。

[46] 《安亭志》164 頁、228 頁。

事。同時我們也不要忘了，成化本《白兔記》是在嘉定平民宣氏墓中發現的，成化、弘治、正德年間嘉定之流行戲文可以想見。在這環境中，出現了一個「落拓不事生產」，「慕柳耆卿之為人」的沈齡，一點也不令人奇怪。

我們可以推測，呂天成所搜集到的劇本，三本題「沈壽卿」，三本題「沈練川」，由於呂天成已對沈齡其人的了解甚為模糊，就誤作兩人了。我個人懷疑，沈齡在較早階段（可能在未受楊一清「招致」之前）題「沈壽卿」，在較晚階段則題「沈練川」或「沈練塘」。《練音續集》裡選了一首沈齡的〈有感〉，其詩如下：

> 歲事侵尋柰若何，世途滋味足風波。衣冠者舊白頭少，湖海文情青眼多。蚓也可充陳仲操，鳳兮無怪楚狂歌。春江剩有桃花鱖，愛煞元真一釣簑。㊼

從「歲事侵尋」、「白頭」等詞句來看，此詩為較晚期作。在詩中他表現出對玄真子張志和的景仰，並使用了〈漁歌子〉的典故，他自號「練塘漁者」應在這一階段。由此可以推測，題「沈練川」的《四節》、《還帶》、《千金》的寫作時間要比題「沈壽卿」的《嬌紅》、《三元》、《龍泉》來得晚。早期三記在楊一清「招致」之前，晚期三記則在此之後。

在沈齡活動的時代，傳奇（戲文）在士大夫中間即使漸受喜愛，但文人編寫劇本還不被當一回事。《練音續集》、《安亭志》都只提到沈氏有《南游草》、《春蚓遺草》、《練塘吟稿》㊽，而不著錄他所作傳奇。提到《四喜》，因為這是演給武宗看，是沈氏一生得意事，不得不談。要不是他的劇本在呂天成時代「吳優多肯演」，而那時傳奇又已盛行，劇本保留下來，他可能早就湮沒不彰了。

相同的命運也落在沈齡同時代的另一劇作家徐霖身上。武宗南巡時，兩次光臨徐家，還帶徐霖一起回北京，這樣的際遇，遠超過沈齡。徐霖有好友顧璘為他寫墓誌銘，顧璘又是知名文人，墓誌銘遺留下來，他的事蹟比沈齡更為後人所知。但墓誌銘同樣不提徐霖所作傳奇，還好周暉在《金陵瑣事、曲品》中談到他所見到的徐霖曲目，我

㊼ 《練音續集》卷一，《四庫存目叢書》集部395冊，318頁。

㊽ 以上三本著作，《安亭志》著錄於卷12〈藝文八·著述目〉，214頁。《練音續集》則只提到後兩本，作《春蚓遺音》、《練塘吟草》。

們才知道他作了《綉襦》、《三元》、《梅花》、《留鞋》、《枕中》、《種瓜》、《兩團圓》七個曲目。《綉襦》是早期傳奇中相當優秀的作品，終明之世盛行不衰，但自呂天成以下很少人知道是徐霖所作；甚至後來還先後被誤以為是鄭若庸或薛近衮作。又因王國維、青木正兒都主薛說，徐霖長期以來更是湮沒不彰。最近十年來，由於鄧長風和徐朔方的重新論證，才比較受到重視。㊾

如果我們確認徐霖撰寫了七個劇本，唯一留傳下來的《綉襦》還是名作，沈齡寫了六本，留下三個半（半個是《四節》），數量不少；在他們之後才出現鄭若庸、陸采、張鳳翼、李開先、梁辰魚這些更正統、更有知名度的文人，我們就可以了解到徐霖和沈齡在戲文演變為傳奇過程中的重要地位了。

確認沈練川、沈壽卿都是沈齡，去除《傳奇彙考標目》所遺留下來的「沈采」（我們不知道這一名字從何而來）㊿、「沈受先」（這完全是音近誤寫）的不良影響，我們才能還給沈齡在文學史上應有的地位，而且，也才能明確沈齡、徐霖這一些「前行代」作家對明傳奇發展所作出的整體貢獻。

㊾ 參看鄧長風〈徐霖研究——兼論傳奇《綉襦記》的作者〉，《明清戲曲家考略》，39－56頁，上海古籍，1994；徐朔方〈徐霖年譜〉，《徐朔方集》第二卷，1－31頁。

㊿ 《傳奇彙考標目》為何會出現主要明、清戲曲目錄都未見的「沈采」這一名字，實在令人難以理解。《中國古典戲曲論著集成》（七）的《標目》提要說，此一鈔本「類內府流出者」（192 頁）；又《曲海總目》的是黃文暘為內府總校詞曲後所定「總目」（見《揚州畫舫錄》111 頁），翻閱二書，會覺得二書頗為近似。但《曲海總目》並未出現「沈采」、「沈受先」之名。《標目》的可靠性甚至還不如《曲海總目》，我們應該徹底檢討由於王國維、青木正兒引用《標目》所造成的大量混亂情況。

陽明在南贛

周　志文

正德十二年（1517）正月起至正德十三年三月止，是王陽明在南贛居留的日子。這前後兩年對王陽明而言極為重要，但歷史上研究陽明生平與學術者甚少論及，值得加以討論。

南贛分指兩個地方，即南安與贛州，在今江西省南部。在明朝，南安府轄有大庾、南康、上猶、崇義四縣，贛州府轄有贛縣、雩都、信豐、興國、會昌、安遠、寧都、瑞金、龍南、石城、定南、長寧十二縣。❶陽明之在南贛居留，是受命平定此方亂事。這兩年的「軍功」與「政績」在陽明而言雖是開創，對明朝中葉以後東南諸省的穩定，發生了很重要的作用。這是陽明第一次率領士卒作戰，而且要面對廣大民眾的實際苦難，一方面要思考如何在短期內平定地方亂事，一方面要有效的解決一般人民的生活問題，讓整個社會保持穩定。這個經驗在陽明也是特殊的，因為在此之前，他大部分作的是京官或閒差。他曾因罪被貶謫到貴州龍場驛作個「驛丞」，所謂驛丞是管理驛站的小吏，這個小職務無須亦無法展開他處理事務的才幹，龍場在「貴州西北萬山叢棘中，蛇虺魍魎，蠱毒瘴癘，與居夷人鴃舌難語，可與通者，皆中土亡命。」❷在這裡，外緣皆毀，只有進入內心世界，一日，突悟格物致知之旨。❸龍場一悟，終使陽明哲學正式展開，於陽明而言，當然更為重要。但陽明並不只是個文人，不只是個有思考性的哲學家，他在明代學者之中，是個有事功的人，事功之中又包含軍功。陽明的軍功共有三個，第一個就是正德十二年巡撫南贛，平定了江西南部、福建西南、湖

---

❶　見《讀史方輿紀要》，清·顧祖禹撰，賀次君、施和金點校，2005年3月，北京中華書局出版，卷八十八，江西六。

❷　《王陽明全集》1992年12月上海古籍出版社出版，卷三十三〈年譜〉一，武宗正德三年戊辰條。

❸　同上注。

南東南及廣東北部一帶的亂事，就是本論文所討論的對象。第二次是正德十四年平定了「宸濠之亂」，「宸濠之亂」是明代中葉的重要政治事件，影響十分深遠，朝廷因功封他新建伯。最後一次是嘉靖六年（1527）征討廣西思恩及田州的少數民族亂事，以一文臣立下三次軍功，為歷史所罕見。平宸濠是全國性的大事，陽明功業彪炳，天下皆知，平思、田則為陽明一生最後的事功，陽明於事成班師時死於路途，所以受到學者注意。唯第一次在南贛的事蹟，頗為人所輕忽，但於陽明而言，首次的經驗卻比其他兩次更為重要。

壹、正德十二年之前

陽明在貴州龍場謫居期滿，曾被短暫的調升為廬陵縣知縣，在任內雖然有建樹，但期間太短，前後僅七月，這段過渡的經歷，對陽明並沒有什麼太大的助益。❹

從正德五年（1510）到正德十二（1517）年這七年之間，陽明在北京與南京都擔任過一些缺少實際事務的閒差事，他曾任吏部驗封清吏司主事，後升任文選清吏司員外郎、考功清吏司郎中，正德七年十二月，調升南京太僕寺少卿，這個官位比主事、郎中都高，而陽明又得一兼職，兼職是分署滁州馬政，雖然得兩頭跑，但事務單純，生活清簡。《年譜》描寫這段時日的生活：「滁山水殊勝，先生督馬政，地僻官閑，日與門人遨遊瑯琊、瀼泉間。月夕則環潭而坐者數百人，歌聲振山谷。諸生隨地請正，踊躍歌舞，舊學之士皆日來臻，於是從游之眾自滁始。」❺

正德十一年（1516）他因兵部尚書王瓊的薦舉，升為都察院左僉都御史，撫鎮南贛汀漳等處。❻在此之前，他曾多次上書要求致仕，沒有被批准。這次任命此職，除

---

❹ 陽明因上封事，下詔獄，謫龍場驛丞是在正德元年丙寅（1506）二月，時陽明三十五歲，但京師距離龍場遙遠，陽明於赴謫路程中，嘗經越回里。於正德二年十二月由家鄉轉赴龍場，三年春至龍場。陽明在龍場停留了兩年，於正五年庚午（1510）得令調廬陵縣知縣，三月赴任。是故陽明在龍場謹兩年，但前後經歷了五年。

❺ 《王陽明全集》卷三十三〈年譜〉一。

❻ 《明史》清．張廷玉等撰，原中華書局校點本，民國六十九年一月，台灣鼎文書局出版，卷一九五〈王守仁〉：「兵部尚書王瓊素奇守仁才。十一年八月擢右僉都御史，巡撫南、贛。」其實陽明職司的地方尚包括福建汀、漳等地。《明通鑑》卷四十六，武宗正德十五年八月條：「戊辰，擢南京鴻臚寺卿王守仁為督察院左僉都御史，巡撫南、贛、汀、漳等處。」〈年譜〉所記與《明通鑑》同。

了督導地方行政之外，南贛亂局不斷，尚有緊急又繁瑣的軍務須處理，他必須認真及勇敢面對，不得怠忽。此年十一月，他歸越省親，次年正月，他即趕赴贛州任所了。

當時江西南部及福建、廣東甚至湖南東南這一片相連的土地，其狀況到底如何？據《明史》所載：

> 當是時，南中盜賊蜂起。謝志山據橫水、左溪、桶岡，池仲容據浰頭，皆稱王，與大庾陳曰能、樂昌高快馬、郴州龔福全等攻剽府縣。而福建大帽山賊詹師富又起。前巡撫文森托疾避去，志山合樂昌賊掠大庾，攻南康、贛州，縣主簿吳玭戰死。❼

據《明通鑑》所載：

> 初，南、贛之賊，為陳金、俞諫先後討之，稍戢，不數年，復嘯聚為亂。謝志山據橫水、左溪、桶岡，池仲容據浰頭，皆稱王，與大庾陳曰能、樂昌高快馬、郴州龔福全等攻剽府縣。而福建大帽山賊詹師富又起。于是江西、福建、廣東、湖廣之交，千餘里皆亂。前巡撫文森托疾求去，尚書王瓊劾罷之，薦守仁才，遂有是命。❽

可見任命陽明都察院左僉都御史，撫鎮南贛汀漳等處，主要是期望陽明能安撫、平定當時橫跨江西、福建、廣東、湖南諸省的流賊叛亂，推薦陽明的是當年擔任兵部尚書的王瓊。王瓊與陽明並無共事的經歷，為何知道陽明有將兵之才呢？王瓊推薦陽明到南贛之外，後來陽明等人平定更大的宸濠之亂，也是受中央的王瓊節制與調度的，可以說陽明的事功軍功，與王瓊總是脫離不了關係。王瓊字德華，太原人，成化二十年進士，正德初以右副都御史督漕運，後為戶部右侍郎，因釐平民怨，正德八年進為

陽明被升為督察院左僉都御史，而非如《明史》謂右僉都御史，巡撫之地包括南、贛、汀、漳等處。汀即福建汀州府，明時轄長汀、寧化、上杭、武平、清流、連城、歸化、永定八縣。漳即福建漳州府，明時轄龍溪、漳浦、龍巖、長泰、南靖、漳平、平和、詔安、海澄、寧洋十縣。見《讀史方輿紀要》卷九十八、九十九，福建四、五。

❼ 《明史》卷一九五〈王守仁〉。

❽ 《明通鑑》清·夏燮撰，民國七十一年台灣西南書局影印，卷四十六，武宗正德十一年條。

戶部尚書，十年代路完為兵部尚書，《明史》稱王瓊「為人有心計，善鉤校。」❾

正德年間，因為朝政混亂，全國陷於相當不安的亂局中，南方寇盜頻傳之外，中原亦不甚安寧。《明史・王瓊傳》曰：

> 帝時（正德十年）遠遊塞外，經歲不還，近畿盜竊發。瓊請於河內設總兵一人，大名、武定各設兵備副使一人，責以平賊，而檄順天、保定兩巡撫，嚴要害為外防，集遼東、延綏士馬於行在，以護車駕，中外恃以無恐。孝豐賊湯麻九反，有司請發兵勦，瓊請密敕勒糧都御史許廷光，出不意擒之，無一脫者。四方捷奏上，多推瓊功。❿

就連京畿附近亦盜賊橫行、民不聊生，其他地區可以想像。王瓊須處理的亂局甚廣，而南贛並非重點之所在，他推薦陽明，可能事先耳聞陽明為一幹濟之才，陽明之前治廬陵雖短然頗有政績，而南贛又與廬陵接近，陽明對此地風俗民情，理較熟悉，這次任命，有試它一試的意味，何況陽明如不濟事，廣東、湖南、福建各有兵備以供支援，另外，此次亂局雖影響甚大，但究竟是一隅的亂事，並未牽連全國，萬一平亂失敗，亦有補救機會。

貳、在南贛的軍功

陽明於正德十二年正月赴贛，遇流賊數百，沿途肆劫，商舟不敢近。陽明立即展現出果敢領袖風範，〈年譜〉說：

> 乃連商船，結為陣勢，揚旗鳴鼓，如趨戰狀。賊拜於岸，呼曰：「饑荒流民，乞求賑濟！」陽明泊岸，令人諭之曰：「至贛後，即差官撫插。各安生理，毋作非為，自取戮滅。」賊懼散歸。⓫

---

❾ 《明史》卷一九八〈王瓊〉：「瓊為人有心計，善鉤校。為郎時悉錄故牘條例，盡得其斂散盈縮狀。及為尚書，益明習國計。邊帥請芻糗，則屈指計其倉，某場庤糧草幾何，諸郡歲輸、邊卒歲採秋青幾何，曰：『足矣。重索妄也。』人益以瓊為才。」足證王瓊為一精明幹練的能臣。

❿ 《明史》卷一九八〈王瓊〉。

⓫ 《王陽明全集》卷三十三〈年譜〉一，正德十二年條。

陽明自正德十二年出至十三年四月間，平定了所有在南、贛、汀、漳諸地的流寇叛亂，以時間為序，他所立的軍功如下：

一、正德十二年正月至三月，勦平了福建漳州附近的亂事。是役陽明率領三省（江西、福建、廣東）軍先駐上杭，後分三路進擊，斬賊首從詹師富、溫火燒等七千有奇，俘獲輜重無算，諸洞蕩滅。此役僅耗時三月，福建東南至沿海數十年逋寇悉平。

二、正德十二年六月廣東境內樂昌、龍川聚嘯諸寇如黃金巢、盧珂等率眾投降。

三、正德十二年十月，平定湖南境內的橫水、桶岡諸寇。是役先於橫水破寇巢五十餘所，擒斬寇首謝志山等五十六人，從寇首級二千一百六十八，俘虜寇屬二千三百二十四人。後於桶岡破巢三十餘所，擒斬首領藍天富等三十四人，從寇首級一千一百零四人，俘獲二千三百人。

四、正德十三年正月征三浰，三月襲大帽、浰頭諸寇。在三浰破敵巢三十有八，擒斬寇首五十八人，從寇二千餘人。後於九連山，以奇計襲敵，寇皆擒之，撫其降酋張仲全等二百餘人。⓬

這是陽明在南贛的軍功。他把被連續騷擾了數十年的東南，在一年有餘的時間內，盡數掃滅撫平，不只消除了盜寇，又把朝廷政令原本不太能到的偏遠地區整頓一新，《明史》稱他：

> 守仁所將皆文吏及偏裨小校，平數十年巨寇，遠近驚為神。⓭

陽明以一文人出身，所率亦是所謂的「偏裨小校」，卻在短期內一舉平定了亂事，為此地未來的安定打下基礎。陽明治軍帥兵，其實有相當獨特的方法，以下分別討論：

一、謹慎選兵，重新編伍

陽明到贛州後，對他領導的軍隊，不論選兵、編伍，都有自己的方式，關於選兵，《年譜》記：

> 先生以南、贛地連四省，山險林深，盜賊盤據，三居其一，窺伺剽掠，大為民患。當事每遇盜賊猖獗，輒復會奏請調土軍狼達，往返經年，靡費逾萬，逮至

⓬ 以上資料，分見《明史》、《明通鑑》等書及陽明〈年譜〉。

⓭ 《明史》卷一九五〈王守仁〉。

集兵舉事，即已魍魎潛行，班師旋旅，則又鼠狐聚黨，是以機宜屢失，而備禦益弛。先生乃使四省兵備官，於各屬弩手、打手、機快等項，挑選驍勇絕群、膽力出眾者，每縣多或十餘人，少或八九人，務求魁傑，或懸召募，大約江西、福建二兵備各以五、六百名為率，廣東、湖廣二兵備各以四、五百名為率，中間更有出眾者，優其廩餼，署為將領。除南、贛，兵備自行編選，餘四兵備官仍於每縣原額數內揀選可用者，量留三分之二，委該縣賢能官統練，專以守城防隘為事，其餘一分，揀退疲弱不堪者，免其著役止出工食，追解該道，以益募賞。所募精兵，專隨各兵備官屯劄，別選官分隊統押教習之。如此則各縣屯戍之兵，既足以護守防截，而兵備募召之士，又可以應變出奇。盜賊漸知所畏，平良益有所恃而無恐矣。⓮

明代兵制大致繼承唐、宋兵制特點，除衛戍京師、保護朝廷的京軍之外，在地方，則採取了衛所的制度，所謂衛所制度是軍人的軍籍是世襲的，衛所軍士皆有定籍，駐守地方，兵農合一，屯戍兼備。《明史》曰：

天下既定，度要害地，係一郡者設所，連郡者設衛。大率五千六百人為衛，千一百二十人為千戶所，百又十二人為百戶所。⓯

這個制度當然有一定的優點，即是軍隊人數確定，如不是遭逢極大的亂事或外敵入侵，兵源沒有問題。再加上採兵農合一制，軍人屯戍兼具，政府無須花用太多的軍費，在養兵上就比較輕鬆。但也有缺點，兵源雖多，然多非專業軍人，平日忙於生產，武事漸廢，到緊要時往往失去作用。再加上軍人屯田一地，當然可以組成家庭，成為「軍戶」，法令規定每戶須出丁一名，正軍（正式軍人）出缺，戶內須有「餘丁」一名填充，正軍餘丁都可婚取成家，妻兒亦隨營居住，這樣的軍隊，嚴重缺乏「機動」

⓮ 《王陽明全集》卷三十三〈年譜〉一，正德十二年丁丑條。又詳《王陽明全集》卷十六，別錄八〈選練民兵〉。

⓯ 《明史》卷八十九〈兵制・二〉。

能力，地方守衛工作也許可以應付，但要其越鄉乃至越省作戰，則斷無可能。⓰

陽明到南贛，並未帶領機動性強有戰鬥力的「京軍」，他的職位，可以節制指揮當地的軍隊，但這些常駐一地的衛所部隊，完全無法調度，要以勦滅機動性強的流寇，則完全是奢想。所以陽明到贛，第一就是整頓軍隊，調整行伍，使得軍隊可以擔任軍事任務。

要廢了通行全國的衛所制度是不可能的，因為那耗費時日又牽涉太大，也非陽明職權所及。要在衛所之外另募兵源，不但缺少經費，短期之內也無法達成，所以陽明只有在現成的衛所之間選出有作戰力的兵勇，加以特殊訓練，這些兵勇，不受衛所的限制，等於新組一支部隊。這支軍隊不見得陣容盛大，因為東南諸省，山川縱橫，大軍發揮不了作用，軍隊小，反而容易調度，可以發揮更大的戰鬥力。所以經陽明重整過的軍隊，每隊不過四、五百人或五、六百人，但個個驍勇耐遠戰。召募後所剩的衛所軍人仍在地方，可供防守鄉里，這正是：「各縣屯戍之兵，既足護守防截，而兵備召募之士，又可以應變出奇。」⓱

陽明等於是採用募兵制，但不是向外募兵，而是向衛所「募」兵，這一點與後來盛行的募兵制是完全不同的。從衛所「募」得的兵，給予較高的福利酬勞，重新編伍，加強訓練，儼然以新兵的姿態出現。⓲至於重新編伍，陽明嘗言：「習戰之方，莫要於行伍；治眾之法，莫先於分數。所聚各兵既集，部曲行伍，合先預定。」⓳陽明所定的部曲行伍之法如下，〈年譜〉曰：

> 將調集各兵，每二十五人編為一伍，伍有小甲；五十人為一隊，隊有總甲；二百人為一哨，哨有長、協哨二人；四百人為一營，營有官、有參謀二人；一千二百人為一陣，陣有偏將；二千四百人為一軍，軍有副將、偏將無定員，臨陣而設。小甲於各伍之中選材力優者為之，總甲於小甲之中選材力優者為之，哨

⓰ 參閱《明史》〈兵制〉及《明代政治史》張顯清、林金樹著，2003 年 12 月廣西師範大學出版社出版，第四章〈明代的行政體與軍事管理制度〉。

⓱ 《明通鑑》卷四十七，武宗正德十二年。

⓲ 同上注：「兵部王瓊議請許之，乃更兵制。」可見陽明採行新制，是得到中央授權。

⓳ 《王陽明全集》卷十六，別錄八〈兵符節制〉。

長於千百戶義官之中選材識優者為之。副將得以罰偏將，偏將得以罰營官，……總甲得以罰小甲，小甲得以罰伍眾。務使上下相維，大小相承，如身之使臂，臂之使指，自然舉動齊一，治眾如寡，庶幾有制之兵矣。⑳

重新編伍之後的軍隊，「上下相維，大小相承」連接緊密，層層相扣，調度指揮，如「身之使臂，臂之使指」極為靈活方便，這是克敵制勝的關鍵。

二、明法令，信賞罰

明中葉地方盜賊時起，一方面是衛所防務日弛，軍隊無法作戰，另一點是朝廷怕事，對盜寇姑息，一意招撫，使得惡勢力日益坐大。陽明看出問題之所在，認為地方盜寇，安撫無效，必動征討，而一動征討，務須斬草除根，除惡務盡，所以之前的招撫政策必須檢討。陽明說：

蓋招撫之議，但可偶行於無辜脅從之民，而不可常行於長惡怙終之寇；可一施於回心向化之徒，而不可屢施於隨招隨叛之黨。南、贛之盜，其始也，被害之民恃官府之威令，猶或聚眾而與之角，鳴之於官，而有司以為既招撫之，則皆置之不問。盜賊習知官府之不彼與也，益從而讎脅之。民不任其苦，知官府之不足恃，亦遂靡然而從賊。由是，盜賊益無所畏，而出劫日頻，知官府之必將己招也；百姓益無所恃，知官府之必不能為己地也。㉑

陽明以為朝廷對地方盜賊招撫太過，盜賊有恃無恐，而百姓則遑遑不可終日，所謂「平良有冤苦無伸，而盜賊有求無不遂」，招撫等於犒賞為盜者，而人民尚須負擔征輸之劇，最後人民遇寇盜則奔逃，軍隊見流賊則潰散，更嚴重者是「近賊者為之戰守，遠賊者為之嚮導；處城郭者為之交援，在官府者為之間諜。」㉒

對於這種過濫的招撫，陽明以為該立即革除，政府應該重整兵力，申明軍紀、號令，以極高的威信建立賞罰制度，他提出三段式的推論，說：

---

⑳ 《王陽明全集》卷三十三〈年譜〉一，正德十二年丁丑條。

㉑ 《王陽明全集》卷九，別錄一〈申明賞罰以勵人心疏〉正德十二年五月初八日。

㉒ 同上注。

盗賊之日滋，由於招撫之太濫；

招撫之太濫，由於兵力之不足；

兵力之不足，由於賞罰之不行。㉓

朝廷因地方兵力不足，對盜賊只有一味的招撫，而兵力之不足，其實並非是欠缺兵源，而是沒有嚴格軍紀的部隊，等於沒有可用之兵，陽明說：

今南、贛之兵尚足以及數千，豈盡無可用乎？然而金之不止，鼓之不進；未見敵而亡，不待戰而北。何者？進而效死，無爵賞之勸；退而奔逃，無誅戮之及，則進者必死，而退者有幸生也，何苦而求必死乎？吳起有云：「法令不明，賞罰不信，雖有百萬，何益於用？凡兵之情，畏我則不畏敵，畏敵者不畏我。」㉔

是故陽明治軍，必先申明賞罰之典，從而嚴格執行。譬如地方發現小規模的「草賊」，該地官司即應依律調撥官軍乘機剿捕，應合會捕者，亦立即調撥策應，不得延誤，並且須將地方情勢立即上報，不得遲延隱匿，如遲延隱匿，巡撫、巡按三司官即便參問，依律罷職、充軍等項發落。軍事必須有效率，效率靠嚴明軍紀來維持，地方官及守軍如對情勢朦朧隱蔽，不即申報，以致賊寇聚眾滋蔓，則從重參究，絕不輕貸。陽明新到一地，即將這些規定刊印數千百紙，通行所屬，布告遠近，未及一月，大小衙門以賊情來報者接踵，斬獲者漸夥，陽明以為，這是「官無觀望執肘，則自然無可推脫逃避，思效其力」的緣故。〈年譜〉引疏奏曰：「凡遇討賊，領兵官不拘軍衛有司，所領兵眾有退縮不用命者，許領兵官前以軍法從事，領兵官不用命者，許總統官軍者以軍法從事。……若生擒賊徒，問明即解押市曹，斬之以狥，庶使人知驚畏，亦可比於令典決不待時者。」㉕有效率的軍隊，必須上下環環相扣，層層負責，對盜賊處置，該處決即處決，手段明快才有警示作用。〈年譜〉又引疏奏，曰：

古者賞不逾時，罰不後事，過時而賞，與無賞同；過時而罰，與不罰同。況過

㉓ 同上注。又參見《王陽明全集》卷十，別錄二〈換敕謝恩疏〉正德十二年九月十五日。

㉔ 《王陽明全集》卷九，別錄一〈申明賞罰以勵人心疏〉正德十二年五月出八日。

㉕ 《王陽明全集》卷三十三，〈年譜〉一，正德十二年丁丑六月條。

時而不賞，後時而不罰，其何以齊一人心，作興士氣？雖使韓、白為將，亦不能有成。㉖

明號令、信賞罰，陽明以之治軍，這種方式，使得原本不堪使用的地方兵勇士氣大振，從而有了新的戰鬥力，對盜寇的征剿與處置，明快而果決，當然也發揮了警戒作用，盜寇聞風喪膽，因而節節潰敗。

三、戰術靈活，剿撫互用

陽明帶軍喜採奇襲戰術，往往率領極少部隊，與數量龐大的流寇相抗，卻能大敗敵方，這是靈活運用戰術的原因。如正德十二年五月征討大帽山流寇，便用了佯敗、奇襲之術，《明通鑑》有記：

是月（十二年五月）巡撫南贛王守仁討大帽山賊，平之。時賊首詹師富等據長樂村為巢，守仁督副使胡璉等破之，逼之象湖山。指揮覃桓、縣丞紀鏞戰死，守仁親率銳卒屯上杭，佯退師，出其不意擣之，連破四十餘寨，俘斬七千有奇，遂禽師富，散其脅從者四千餘人。㉗

八月，擒大庾山賊陳曰能，《明通鑑》有記：

庚申，大庾賊陳曰能盤據山峒，與上猶、浰頭諸賊相犄角。守仁督副使楊璋潛師以入，乘夜縱火焚巢，破十九寨，禽曰能，俘斬五百六十餘人。㉘

十月征橫水、左溪，《明通鑑》記：

是月，王守仁討橫水、左溪。令都指揮許清、贛州知府邢珣等各一軍會於橫水，南安知府季斅及守備郟文等各一軍會於左溪，又令吉安知府伍文定等遏其奔軼。守仁自駐南康，去橫水三十里，先遣四百人伏賊巢左右，進軍逼之，賊方迎戰，兩山舉幟，賊大驚，謂官軍已盡犁其巢，遂潰。乘勝克橫水，……左溪

㉖ 同上注。

㉗ 《明通鑑》卷四十七，武宗正德十二年。

㉘ 同上注。

亦破。㉙

陽明與盜寇周旋，大量運用欺敵、偷襲等方式，其中尤以正德十三年正月征浰頭之役，表現得最為淋漓盡致，這次戰役進行得十分曲折，高潮迭起，頗有戲劇性。起初，陽明破大帽山賊詹師富時，龍川賊首盧珂、鄭志高、陳英等皆請降，後征橫水、浰頭，寇首黃金巢亦以五百人降，獨池仲容未下。《明通鑑》記曰：

橫水破，仲容始遣弟仲安來歸，而嚴為戰守備，詭言：「珂、志高，讎也，將襲我，故為備。」守仁佯杖擊珂等，而陰使珂弟集兵待，遂下令散兵。

歲首，大張燈樂，仲容信且疑。守仁賜以節物，誘入謝，仲容率九十三人營教場，而自以數人入謁。守仁呵之曰：「若皆吾民，屯於外，疑我乎？」悉引之，厚飲食之。賊大喜過望，益自安。守仁留仲容觀燈樂，正月三日，大享，伏甲士于門，諸賊入，以次悉擒戮之。自將抵賊巢，連破上、中、下三浰，斬馘二十有奇。

餘賊奔九連山，山橫亙數百里，陡絕不可攻。乃簡壯士百人，衣賊衣崖下，賊招之上，官軍進攻，內外合擊，禽斬無遺。乃于下浰立和平縣，置戍而歸。㉚

在這場戰役，陽明將各種戰術運用純熟，包括誘敵深入、佯攻奇襲，積極主動又策略萬端，終於平定了十分棘手的亂事。

四、信任與寬容

陽明治軍，非常注意統御術，他對軍隊充分信任，要求屬下分層負責，絕不大權獨攬，他讓部將有權自行調度指揮軍隊，陣前無須處處請示，他曾吩咐諸將曰：

善用兵者，因形而借勝於敵，故其戰勝不復，而應形於無窮；勝負之算，間不容髮，烏可執滯。……各官務要同心協德，乘間而動，毋得各守一見，縻軍僨事；一應舉止，不必呈稟，以致誤事。領軍等官，隨機應變，就便施行，一面

㉙ 同上注。

㉚ 同上注，武宗正德十三年。

呈報。如復彼此偏執，失誤軍機，定行從重參拿，決不輕貸。[31]

他治軍雖嚴明，但對屬下將領均充分授權，讓前線軍人可以隨機應變，這是對付小規模敵軍的重要方式。另外，他對敵人也不是一意的剿殺，他也想盡辦法來安撫他們，但絕不因招撫而示弱，他仍然以強大而機動的軍隊為後盾。所以大致而言，他採行的是剿撫互用的策略。為了顯示寬大仁慈的一面，他常常對敵人發表告諭之類的文書，他的告諭多寓感情，不似一般的公文，讀之令人動容，如正德十二年五月，他在《告諭浰頭巢賊》文中說：

夫人情之所共恥者，莫過於身被為盜賊之名；人心之所共憤者，莫甚於身遭劫掠之苦。今使有人罵爾等為盜，爾必怫然而怒。爾等豈可心惡其名而身蹈其實？又使有人焚爾室廬，劫爾財貨，掠爾妻女，爾必懷恨切骨，寧死必報。爾等以是加人，人其有不怨者乎？人同此心，爾寧獨不知？乃必欲為此，其間想亦有不得已者，或是為官府所迫，或是為大戶所侵，一時錯起念頭，誤入其中，後遂不敢出。此等苦情，亦甚可憫。然亦皆由爾等悔悟不切。……爾等久習惡毒，忍於殺人，心多猜疑。豈知我上人之心，無故殺一雞犬，尚且不忍；況於人命關天，若輕易殺之，冥冥之中，斷有還報，殃禍及於子孫，何苦而必欲為此。我每為爾等思念及此，輒至於終夜不能安寢，亦無非欲為爾等尋一生路。……爾等今雖從惡，其始同是朝廷赤子；譬如一父母同生十子，八人為善，二人背逆，要害八人；父母之心須除此二人，然後八人得以安生；均之為子，父母之心何故必欲偏殺二子？不得已也，吾於爾等，亦正如此。若此二子者一旦悔惡遷善，號泣投誠，為父母者亦必哀憫而收之。何者？不忍殺其子者，乃父母之本心也今得遂其本心，何喜何幸如之？吾於爾等，亦正如此。[32]

告文中，將自己討賊的心情，為他人設想的曲折，縷縷道出，其中毫無官腔，偶有訓誡，亦威而不猛，而用語姁姁，如父兄之諭子弟，真不愧是此類文書中的上乘之作。這種招撫、招降的文字，是否發揮了實際的效用？據〈年譜〉所記：「按是諭文

[31] 《王陽明全集》卷十六，別錄八〈案行廣東福建領兵官進剿事宜〉。

[32] 見《王陽明全集》卷十六，別錄八。

藹然哀憐無辜之情，可以想見虞廷干羽之化矣。故當時酋長若黃金巢、盧珂等，即率眾來投，願效死以報。」㉝可見化戾氣、致祥和，感格人心，亦是得勝要務。

參、其他政績與事功

無論重整軍隊，以新制編伍、練兵，陽明都有一套應時制宜的方法，他治軍嚴明，紀律井然，又講求戰術，剿撫互用，所領軍隊皆願效命外，盜賊亦紛紛投降輸城，在短短不到兩年的時間，平定了橫越四省、延宕了數十年的亂事，功勞不能說不大。陽明除了平定了亂事，他在巡撫地方時，尚作了不少的地方建設，現簡述如下：

一、設立新縣

他曾三度建議中央，在亂平後設立新的行政區，以處理紛至遝來的管理工作，在福建、江西、廣東他都奏請設一新縣。譬如他在正德十二年五月，平定了福建漳州附近的亂事後，立即奏請設立平和縣，〈年譜〉曰：

> 先生以賊據險，久為民患，今幸破滅，須為拊背扼吭之策，乃奏請設平和縣治于河頭，移河頭巡檢司于枋頭，蓋以河頭為諸巢之咽喉，而枋頭又河頭之唇齒也。且曰：「方賊之據河頭也，窮凶惡極，至動三軍之眾，合二省之力，而始克蕩平。若不及今為久遠之圖，不過數年，勢將復起，後悔無及矣。蓋盜賊之患，譬諸病人，興師爭討者，針藥攻治之方，建縣撫揖者，飲食調攝之道，徒恃攻治，而不務調攝，則病不旋踵，後雖扁鵲、倉公，無所施其術也。」㉞

又《讀史方輿紀要》云：

> 平和縣，府（漳州府）南二百五里。……本漳浦、南靖二縣地。正德十四年南贛撫臣王守仁討平象湖賊，上言：「河頭之地，北與蘆溪、流恩山岡接境，西北與漳平象湖山接境，而平和等鄉又與廣東饒平縣大繖、箭灌等鄉接境，皆窮險賊巢，與所屬縣治相距五日程，往往相誘出劫，宜設縣控制。」於是析置今

㉝　《王陽明全集》卷三十三，〈年譜〉一，正德十二年丁丑九月條。

㉞　見《王陽明全集》卷三十三〈年譜〉一，正德十二年五月。又參閱《王陽明全集》卷九別錄一，有〈添設清平縣治疏〉，查文集別錄「清平縣」為平河縣之誤，可參下引《讀史方輿紀要》。

縣，並築縣城，……。㉟

同年潤十二月，陽明在平定了橫水、桶岡諸寇後，又奏請於江西設崇義縣治，及茶寮隘上堡、鉛廠、長龍三巡檢司。㊱正德十三年三月襲大帽、浰頭諸寇後，奏請於廣東惠州府新設和平縣治。㊲

陽明新設縣治的建議是考慮到亂事勘平了之後，政府於該地方應有長遠之計，不設縣治，則寇盜雖平，但因疏於管理，地方不久又全落於寇盜手中。朝廷對於陽明的建議，都幾乎立刻准奏，新設縣治之後，也確實使得該地區維持了相當時間的安穩，沒有再發生大型的亂事。

二、疏通鹽法

除了新設行政區以利管理，陽明對於籌畫糧餉，也有特殊套方法。明代軍隊採衛所制，寓兵於田，主要在減輕政府軍費負擔，政府的軍事預算一向短缺。對於弭平此區亂事，並沒有特別供應經費，陽明來此，除煩心軍事外，尚須自籌部分軍費，好在陽明所面對的是小型的動亂，而軍隊在地方原本自給自足，須籌經費亦不甚大。陽明在正德十二年六月，有「疏通鹽法」的建議，這是因為明朝對地方用鹽採統一供應的方式，自洪武初年就規定江西十三府均屬淮鹽的供應區，因屬淮鹽的供應區，反而不准販賣鄰省的廣鹽，但淮鹽因路程遙遠經常供應不繼，後來某些地區准許暫時販賣廣鹽，由於不是全面開放，民間供鹽仍然嚴重失調，私販猖獗，這使得地方徵收不到鹽稅，而走私又影響治安。㊳陽明因此建議政府乾脆於南、贛所轄地區，正式開放廣鹽販賣，政府可以按價抽稅，而民間用鹽可不虞匱乏。地方政府多抽的鹽稅，正可應付

㉟ 見《讀史方輿紀要》卷九十九〈漳州府·平和縣〉。唯《紀要》誤以陽明於正德十四年奏請設縣，其實陽明上奏在正德十二年五月，平和縣正式核准設縣是在正德十三年五月。

㊱ 參閱《王陽明全集》卷十別錄二〈立崇義縣治疏〉。又參閱《讀史方輿紀要》卷八十八，江西六〈南安府·崇義縣〉。

㊲ 《讀史方輿紀要》卷一百三，廣東四，〈惠州府·和平縣〉：「和平縣，……本龍川縣和平峒地，山林深險，盜賊盤據。正德十三年撫臣王守仁奏置今縣，又割河源地益之。」

㊳ 《王陽明全集》卷九，別錄一〈疏通鹽法疏〉：「……卷查正德六年奉總制江西等處地方軍務左都御史陳金批：『據江西布政司呈，准本司右布政使任漢咨稱，查得江西十三府，俱係兩淮行鹽地方，湖西、嶺北二道灘石險惡，淮鹽因而不到。商人往往越境私販廣鹽，射利肥己。……』」可見陽明未到之前，南、贛地區已因鹽事而影響稅收及治安，這是陽明不得不興革的理由。

此地軍費所須，這便是他所謂得「疏通鹽法」。

三、行十家牌法

陽明還在南、贛地區，實施了著名的「十家牌法」，這是為了加強地方管理，以維護治安。

十家牌法仿古代的保甲法，將地方組織起來。㊴所謂「十家牌」是把十家組織為一個單位，實行連保連坐，對於防止宵小串聯最有功效，據〈年譜〉記：

其法編十家為一牌，開列各戶籍貫、姓名、年貌、行業，日輪一家，沿門按牌審察，遇生面可疑人，即行報官究理。或有隱匿，十家連坐。㊵

實施起來很有功效，使得盜賊宵小無法化整為零隱藏在偏僻民間，敵我態勢明白，目標顯著，自然有利於官軍的剿撫，而且民間如組織起來，一經動員，就會發揮自保的力量。

四、舉鄉約

行十家牌法，主要在整頓戶口，以防姦宄，但卻沒有積極勸善除奸的功效。陽明在地方，極為注意民間教化，風俗厚薄，所以他首先為鄉里百姓訂定一種像是「鄉民公約」、「鄉民守則」之類的「鄉約」，要求鄉民參與結社，彼此約束，〈年譜〉中說：

先生自大征後，以為民雖格面，未知格心，乃舉鄉約告諭父老子弟，使相警戒。㊶

他最有名的是為南、贛二州鄉民所訂的〈南贛鄉約〉，立該鄉約的目的，據陽明自己的說法是：

今特為鄉約，以協和爾民，自今凡爾同約之民，皆宜孝爾父母，敬爾兄長，教

㊴ 《明通鑑》卷四十七，武宗正德十二年正月：「是月，王守仁行抵贛州，開府郡中，選民兵，行十家牌法，其法仿保甲行之。」

㊵ 《王陽明全集》卷三十三〈年譜〉一，正德十二年丁丑正月。可參閱《王陽明全集》卷十六，別錄八，〈十家牌法諭告各府父老子弟〉及〈案行各分巡道督編十家牌〉二文。

㊶ 《王陽明全集》卷三十三〈年譜〉一，正德十二年十月。

訓爾子孫，和順爾鄉里，死喪相助，患難相勉，惡相告戒，息訟罷爭，講信修睦，務為良善之民，共成仁厚之俗。[42]

〈南贛鄉約〉的結構是前一段為相序一樣的文字，真正的「鄉約」共分為十五條，這十五條又可分為三個部分，第一部分是從第一條到第五條，主要在講鄉約的組織。第二部分由第六條到第十四條組成，主要在說明如何處理鄉里中發生的現實問題。第三部分是鄉約中的第十五條，此條極長，講的是鄉約會議的儀式。〈南贛鄉約〉最主要的應該是第二部分，它處理的是南、贛地區鄉里的實際問題，包括要求鄉民應按期納糧當差，本地大戶與異境客商放債收息應合常例，對普通人與富人都有所約束。此外，尚有要求同約不能「通賊」，要求土著與新民相處和善，要求同約節約婚喪喜慶，避免舖張浪費，這些都是比較瑣碎的卻是極為現實的社會問題。

然而〈南贛鄉約〉是很重要的研究民間結社、規約的材料，在於它的第一部分與第三部分，第一部分講的是鄉約的組織，這成了後來部分鄉約依循的範本，第三部分所講的鄉約集會儀式，也為後來所參考，此二者被人看重的程度反而超過了第二部分，如〈南贛鄉約〉第一條即是：

同約中推年高有德為眾所敬服者一人為約長，二人為約副，又推公直果斷者四人為約正，通達明察者四人為約史，精健廉幹者四人為知約，禮儀習熟者二人為約贊。置文簿三扇，其一扇備寫同約姓名，及日逐出入所為，知約司之；其二扇一書彰善，一書糾過，約長司之。[43]

第十五條的儀式部分，陽明於此著墨最多，舉凡讀諭與盟誓，彰善、舉過，都通過莊嚴的儀式以進行。譬如每在鄉約集會之前，，都會舉行一場有宗廟祭祀形式的典禮，〈南贛鄉約〉中說：

當會前一日，知約預於約所灑掃張具於堂，設告諭牌及香案南向。當會日，同約畢至，約贊鳴鼓三，眾皆詣香案前序立，北面跪聽約正讀告諭畢。約長合眾

[42] 《王陽明全集》卷十七，別錄九〈南贛鄉約〉。

[43] 同上注。

> 揚言曰：「自今以後，凡我同約之人，祇奉戒諭，齊心合德，同歸於善。若有二三其心，陽善陰惡者，神明誅殛。」眾皆曰：「若有二三其心，陽善陰惡者，神明誅殛。」皆再拜，興，以次出會所，分東西立，約正讀鄉約畢，大聲曰：「凡我同盟，務遵鄉約。」眾皆曰：「是。」乃東西交拜。興，各以次就位，少者各酌酒於長者三行。

有趣的是在聚會中無論是舉善或糾過，在儀式進行之中，往往穿插飲酒的動作。在前面引文中有約正讀完鄉約並盟誓之後，「少者各酌酒於長者三行」，不僅如此，在後來進行的彰善、糾過的過程，皆以飲酒為結束。如約長在舉某人的善行之後，〈鄉約〉如此記：

> 善者亦酌酒酬約長曰：「此豈足為善？乃勞長者過奬，某誠惶怍，敢不益加砥礪，其無負長者之教。」皆飲畢，再拜會約長，約長答拜，興，各就位，知約撤彰善之席，酒復三行，知約起設糾過位於階下……。

同樣的，犯過的人在被糾出過錯之後，也斟酒自罰，〈鄉約〉曰：

> ……於是約長副正街出糾過位，東西立，約史書簿畢，約長謂過者曰：「雖然姑無行罰，惟速改！」過者跪請曰：「某敢不服罪！」自起酌酒跪而飲曰：「敢不速改，重為長者憂！」約正、副、史皆曰：「某等不能早勸諭，使子陷於此，亦安得無罪！」皆酌自罰。過者復跪而請曰：「某即知罪，長者又自以為罰，某敢不即就戮，若許其得以自改，則請長者無飲，某之幸也！」趍後酌酒自罰。約正副咸曰：「子能勇於受責如此，是能遷於善也，某等亦可免於罪矣！」乃釋爵。過者在拜，約長揖之，興，各就位，之約撤糾過席，酒復二行，遂飯。

〈南贛鄉約〉組織鄉民，最主要的功能，在除姦防暴，這與行十家牌是一樣的。但〈鄉約〉的目的，則不僅在除姦防暴，它可以激發鄉民的道德意識，使得「同約」長幼有序，善惡得所，嚴肅的儀式，使得道德風教如不是出於自覺，也有群體的約束，向善除惡，得以在社群之間遂行。有趣的是，〈南贛鄉約〉在奬善懲惡這極嚴肅緊張的過程中，總穿插著敬酒及自飲的動作，這不但展現出基本的倫理，而且使的前面進行的儀式，不至過於僵化。[44]每次鄉約聚會結束，都以聚餐終了，其目的也使得獎善懲惡不至過分嚴酷，道德風教是在十分和樂的、極具生活化的形式下進行。

五、立社學，修書院

陽明對社區教育，一直十分關心，他每平一亂，就想起民間風教的問題，除了組織鄉里，為舉鄉約，他還興立了社學，所謂社學，據《明史》上說：

> 社學，自洪武八年，延師以教民間子弟，兼讀《御制大誥》及本朝律令。正統時，許補儒學生員。弘治十七年，令各府、州、縣建立社學，選擇明師，民間幼童十五歲以下者送入讀書，講習冠、婚、喪、祭之禮。然其法久廢，寖不舉行。[45]

社學即是民間化的學校，學生是以十五歲以下的鄉下孩童為主，有別於正式官學，它可視為比較自由的鄉村平民教育。這個制度來自明初洪武年間，在弘治年間，還一度受到朝廷重視，但到陽明的時代，已經荒廢。陽明此時重新推行，是想紮根民間教育，以作為振興社會的準備。他在正德十三年浰頭之戰班師後，馬上在南贛地區，普設社學，〈年譜〉說：

> （正德十三年）四月，班師，立社學。先生謂民風不善，由於教化未明。今幸盜賊稍平，民困漸息，一應移風易俗之事，雖未能盡舉，姑且就其淺近易行者，開導訓誨。即行告諭，發南、贛所屬各縣父老子弟，互相戒勉，興立社學，延師教子，歌詩習禮。出入街衢，官長至，俱叉手拱立。先生或贊賞訓誘之。久之，市民亦知冠服，朝夕歌聲，達於委巷，雍雍然漸成禮讓之俗矣。[46]

陽明在地方開社學，要求社學教師，多教子弟習禮讀書之外，尚須諷誦歌詩，盡量寓教於樂，這樣教學才不至僵化。他在〈訓蒙大意示教讀劉伯頌等〉一文中說：

---

[44] 參閱常建華《明代宗族研究》，2005 年 2 月上海人民出版社出版。中編第五章第二節〈明中葉鄉約教化的實踐：以王陽明的《南贛鄉約》為中心〉。

[45] 《明史》卷六十九，〈選舉志〉一。

[46] 《王陽明全集》卷三十三〈年譜〉一，正德十三年四月。

今教童子者，當以孝悌忠信、禮義廉恥為專，務其培植涵養之方，則宜誘之歌詩，以發其志意，導之習禮，以肅其威儀，諷之讀書，以開其知覺。今人往往以歌詩習禮為不切實務，此皆末俗庸鄙之見，烏足知古人立教之意哉？大抵童子之情，樂嬉戲而憚拘檢，如草木之始萌芽，舒暢之則條達，摧撓之則衰萎。故凡誘之歌詩者非但發其志意而已，亦所以洩其跳號呼嘯於咏歌，宣其幽抑結滯於音節也。導之習禮者，非但肅其威儀而已，亦所周旋揖讓，而動盪其血脈，拜起屈伸，而固束其筋骸也。諷之讀書者，非但開其知識而已，亦所以沉潛反復而存其心，抑揚諷誦以宣其志也。㊼

陽明推行民間教育，他的思想十分先進，方式也很合現代教育的原則，教學在輕鬆與歡樂的氣氛中進行。他主張歌詠詩篇，注重跳號呼嘯以宣洩情緒，使兒童少年在自然不受拘束的環境中習禮讀書，這樣得到的道德與知識，便成為可以實行的道德，可以利用的知識，這與他「知行合一」的哲學主張是一貫的。

除了在各地興辦社學以外，陽明自龍場出後，就有許多學生跟隨，這些學生隨著陽明游宦各地，正德九年，陽明四十三歲，四月，陽明從滁州調往南京，擔任南京鴻臚寺卿，從這時起，跟隨他的學生更多。㊽

陽明在南贛的時候，亦有大批學生相隨左右。據〈年譜〉所記，正德十三年七月，他在為南贛地區普設社學後，在任所刻印古本《大學》及《朱子晚年定論》，〈年譜〉說：

先生出入賊壘，未暇寧居，門人薛侃、歐陽德、梁焯、何廷仁、黃弘綱、薛俊、楊驥、郭治、周仲、周衡、周魁、郭持平、劉道、袁夢麟、王舜鵬、王學益、余光、黃槐密、黃鎣、吳倫、陳稷劉、魯扶徽、吳鶴、薛僑、薛宗詮、歐陽昱，

㊼ 同上注。

㊽ 《王陽明全集》卷三十三〈年譜〉一，正德九年甲戌：「五月，至南京。自徐愛來南都，同志日親。黃宗明、薛侃、馬明衡、陸澄、季本、許相卿、王激、諸偁、林達、張寰、唐愈賢、饒文璧、劉觀時、鄭騮、周積、郭慶、樂惠、劉曉、何鰲，陳傑，楊杓，白說，彭一之，朱篪輩，同聚師門，日夕漬礪不懈。」自此跟隨學生日眾。

皆講聚不散。[49]

同年八月，門人初刻《傳習錄》於贛，這是《傳習錄》的最早刊本。[50]同年九月，修濂溪書院，〈年譜〉曰：

四方學者輻輳，始寓射圃，至不能容，乃修濂溪書院居之。[51]

可見修濂溪書院，原本是為安排學生居住，但陽明師生，旦夕相處，因而講學不輟，修復已有之書院，自更有益於講學。

肆、結論

陽明在南、贛，事實上只停留了不到二年的時間，但他一舉平定了騷擾此地區數十年的亂事，牽涉到四省的安寧，其軍功不可謂不大，貢獻不可謂不多。最主要的是陽明在此之前，並沒有任何軍事上的經驗，他主持軍務，從容不迫，計謀連連，連敗寇盜，達數十場之多，擒獲敵眾上萬人，作戰無法避免殺戮，而然除對盜賊首領之外，陽明事後處決人犯甚少，大部分的賊眾都自願投誠，在妥善招撫下，安順歸田，成為地方良民。陽明每到一地，都有新的施政，新的規畫，譬如他初到南贛，為使軍隊可用，將軍隊重新編伍。但他又擔心變動過大，倉促之間軍隊無法適應，因此他並不破壞整體的衛所制度，而是在既有的制度之下，做他特殊的興革，使得原來不堪使用的軍隊，具有了新的活力，不但能夠作戰，而且連戰皆捷。他更知道平定一時的亂事容易，要使得一個地區長治久安困難，尤其在盜寇蹂躪達數十年地區，要想恢復安定更為困難，所以他在每戰皆捷之後，便大肆整頓地方。譬如他在掃除了三省的亂事之後，立刻奏請將收復的偏遠山區設立新的行政區，使得政府的政令可達，居民可治。陽明給朝廷的疏奏，都寫得真確動人，他奏請的事，都得到朝廷立即的應允，速度之快，

---

[49] 《王陽明全集》卷三十三〈年譜〉一，正德十三年七月。

[50] 同上注八月：「門人薛侃刻《傳習錄》。侃得徐愛所遺《傳習錄》一券，序二篇，與陸澄各錄一卷，刻於虔。」按虔即贛州之別稱，《讀史方輿紀要》卷八十八，江西六，〈贛州府〉：「隋平陳改置虔州，大業初復為南康郡，唐復曰虔州，乾元初復故。……宋仍曰虔州，紹興二十二年改曰贛州。」元、明皆名贛州。

[51] 同上注九月。

以一般明朝行政的效率而言可謂驚人，這一方面可看出中央亟思地方平治，另一方面可看出陽明深受朝廷信任。陽明在平定南贛亂事之後一年，隨即得令征討宸濠，一直到嘉靖六年（1527）受命起征廣西思、田，以一文臣，立數次大型的武功，可以說是史上所罕見。陽明受知於朝廷，將俾大用，在此次征南贛後實已看出端倪。

陽明不僅建立軍功，他在地方政事上，亦同步有所貢獻。在平亂時，他實施十家牌法，將原來雜亂無章的地方民政，整頓到井然有序。亂平後，他又注意平民教育，為立鄉約，為興社學，再為地方修復已廢的書院，使的地方弦歌不輟，民心向化。他的〈南贛鄉約〉，在當時及後世都造成了很大的影響，明代（尤其是晚明）士人流行結社，民間亦復如此，此後有許多的鄉約、社學，都是取法於陽明的設計。[52]

陽明即知即行，常說「知而不行，只是未知。」又說「知行如何分得開？」[53]「知行合一」是陽明哲學中的重要杖柱。所謂「知行合一」除了指「即知即行」之外，還應指良知必須在實踐中印證，而「知行合一」的知，因為有實踐的含意，它如指的是知識，便是指可以實踐的知識，並不蹈空，也不虛無。陽明所有的知識都可用於實際，他屢平亂事，集軍功事功於一身，又到處施教，平生講學不停。明清之際，學者批評「王學」，認為陽明之學「束書不觀，游談無根」，甚至將明之覆亡，歸咎於王學太過發達所致。[54]以陽明一生所建事功揆之，可知學者好發議論，常昧於成見，未必見出事實真相。

---

[52] 參閱常建華《明代宗族研究》，中編〈宗族的組織化與族規的興起——以鄉約的推行為視角〉。

[53] 《王陽明全集》卷一〈傳習錄〉上，陽明答徐愛語。

[54] 如顧炎武批評王學說：「不學則一貫之言以文其陋，無行則逃之性命之鄉，以使人不可詰。」又說：「以一人而易天下，其流風至於百有餘年之久者，古有之矣，王夷甫之清談，王介甫之新說，至於今，則王伯安之良知是也。」見《原抄本日知錄》民國五十九年十月，台灣明倫出版社出版，卷二十〈朱子晚年定論〉。

文獻學概念下的目錄學論述

周　彥文

一、前言

目錄學一向被視為傳統中國國學的治學門徑，可是要用目錄學來治學，卻應要有一套專門屬於目錄學的治學方法，否則初入此一領域的人，只能看到一連串排列在一起的書名，往往瞠目結舌，茫然不知所對。

要使目錄學有所用，應先對書目的內在意涵有所知。否則在運用時，或者無法全盤觀照，使書目不能盡其用；或者誤入其編纂時的盲點，進而誤讀文獻典籍。

故本文擬從文獻學的宏觀角度，重新檢視目錄學的編纂原理。企望使後之學者在運用目錄學時，能對目錄學的觀念有更深一層及更正確的認知，進而發揮目錄學的功能，使目錄學真正夠成為治學的進階法門之一。

二、文獻學的詮釋角度

不少目錄學界的前輩學者在其撰著中，都提到目錄學的功用。如余嘉錫於《目錄學發微》中說目錄學的功用有：以目錄著錄之有無斷書之真偽、用目錄書考古書篇目之分合、以目錄書著錄之部次定古書之性質、因目錄訪求闕佚、以目錄考亡佚之書、以目錄書所載姓名卷數考古書之真偽、用解題中之論斷辨章古人之學術等七項。❶又如劉紀澤於《目錄學概論》中說目錄學的功用為：編次圖書為綱紀、考證典籍之存亡、稽核私家之庋藏、鑑別書籍之真偽、存論書名之異同部居之出入卷帙之增減作家之譌敓、辨章書籍之版刻與繆本之流傳、購書之便給等七項。❷這樣的例子很多，方向也

❶　台北市：華聯出版社，民國五十八年四月，見該書第一章：目錄學之意義及其功用。

❷　台北市：台灣中華書局，民國六十八年四月台二版，見該書第五章：目錄學之功用。

大致相同。

前輩學者所述及的目錄學功用，的確可視為運用目錄學以治學的有效方法。然而我們若再從另一個角度來看的話，則可以讓我們思考到這些功用的根據問題。也就是說，為什麼目錄學可以有這些功用？而這些功用是否確然可靠？還有，若是這些功用確然可靠，那麼可不可能有更進一層的功用，使我們可以更宏觀的去使用目錄書籍？

要思考這樣的問題，就要把思考的位階抬拉到比較大的視野上來檢視，也就是從文獻學的整體角度來看書目，而非只從目錄學的著作中看書目。

從目錄學看書目，意思是指我們先驗的相信了書目的記載是可信的，同時也相信書目是反映了當時學術真貌的真實記錄。當我們在這樣的觀念中去看書目，並且從其中去歸納某些學術現象時，就會自陷於書目內在的循環論證中。

可是如果我們不把目錄書籍當作我們考證學術的終極根源，而是把它定位在一項文獻的編寫成果上來看待，我們的觀念就要移轉到文獻學的普遍原理上來思考，而不是限於目錄學之內。易言之，書目只是一項文獻產物，它的詮釋法則，是包括在文獻詮釋方法之內的。如果文獻的詮釋有其通則存在，那麼這個通則一定也可以用於詮釋目錄書籍。

文獻學是一門以宏觀角度審視文獻發生原理及發展規律，並藉此原理與規律詮釋典籍文獻的學科。它透過各種研究方法，企圖讓使用文獻的人能夠對文獻有正確的認知，進而能正確的使用各種文獻。其中，由於編纂型態的文獻必定有編者的主觀意識摻合於內，所以經過人為加工過後的編纂型態的文獻，更是文獻學主要的研究對象之一。

在此觀點下，目錄書籍——無論是史志書目、官修書目、或是私家書目，都符合文獻學的研究範疇；同時，書目本身就是一種呈現各類文獻的重要載體，所以從文獻學的角度研究書目，可能可以有更宏觀的視野來看目錄學。

三、文獻分類時後設的運作法則

從文獻學理論的觀點來看，凡是編纂而成的典籍，都是屬於一種後設的型態。編輯者無論是主觀上的個人價值觀，或是客觀上被責成的責任範疇乃至於意識型態等，都使被編纂後的文獻呈現出可以詮釋的空間。這個詮釋空間，是由主題定位、取材標準、編輯體例、評價角度等多重因素所造成的。因此，就原始資料的立場而言，被編纂後的典籍一定有其部份「不真實性」的存在。其「不真實性」的程度，則取決於取材時全面性的程度與還原歷史原貌的程度。基於資料不可能毫無遺漏的全面採取，以及歷史原貌不可能還原的經驗法則，其部份的「不真實性」無法免除，於是編輯者只能後設的處理其所得的資料，並且後設的去詮釋歷史。所以書中所有被處理過的資料，與歷史真象一定是有段距離的。

然而使用文獻典籍的人卻往往以俱有部份「不真實性」的文獻作為研究的終極依據，其實使用文獻的人所根據的，只是編輯者後設的成果，而非真正的歷史原貌。

回到目錄學上來看這個現象，就十分的明顯。所有的書目，都是在文獻典籍已經完成之後才去編纂的。因此在最基本的文獻詮釋觀點上來說，書目絕對是一種後設式的編輯型態。由於書目都有需要將文獻做分類的編輯模式，於是將文獻分隸入那一個類別，是由書目的編輯者來斷定的，這當然更是一種後設的作法。在這樣的編輯過程中，就產生了文獻的隸類與文獻的本質是否相合的問題。

書目在編輯時，通常採用兩種方法併行，一種是依據文獻的屬性來隸類，稱為「崇質」，另一種是依據文獻的體裁來隸類，稱為「依體」。❸至於那些文獻用崇質，那些文獻用依體，其實是以歷代書目的傳統習慣作為依據的。例如說，經部和子部的文獻，歷來以崇質為主；而史部與集部的文獻，則多以依體的方式隸類。問題是，這兩種方式的本身就具有矛盾性，屬性與體裁在文獻中本來就是同時存在的，在編輯書目時如果只能取其一作為標準，當然就產生了矛盾性。

這是一個歷史性的問題，所有的書目都存在這個矛盾性。可是因為歷來所有的書目都是以傳統上的慣例來編輯，所以對慣於使用書目的人而言，這個現象並不會造成太大的困擾。也由於貫性作用，所以書目的使用者通常也會忽略這個問題存在的現象。因此，雖然就文獻學的角度而言，這個後設的作法本身是有問題的，但是並不干擾到我們對文獻的正確認知。

真正對學術思想產生干擾的，是類別的設定與文獻屬性的認定問題。我們從中國

❸ 有關屬性的討論，請參見拙著〈文獻屬性與書寫研究〉，收入《第二屆淡江大學全球姐妹校漢語文化學學術會議論文集》，台北市：台灣學生書局，2005 年 11 月，頁 85－105。

傳統學術發展的情況，可以很明確的看出學術類別是在書目建構以後才出現的。在漢代劉向、劉歆父子整理文獻之前，中國人並沒有天下學術分為六藝、諸子、詩賦、兵書、數術、方伎六大類的概念。這個概念基於書目中將學術分成六大類而形成；而將天下學術分為六大類，則是在學術已經發展到一個很興盛的情況下，被後設的分成六大類。這六大類，在劉歆所編的《七略》，及後來的《漢書・藝文志》中的單位辭是「略」，後世又稱之為「部」或其他名辭。❹

然而，《七略》所收錄的就真的等同於中國當時學術思想的全部嗎？就算當時中國學術思想的全部就僅止於此，但是其類別就真的若合符般的與《七略》契合嗎？例如說，中國自古以來就頗受重視的教育，為何不立一略？中國自古就有商業行為，先民必有的民間宗教信仰等，為何在書目中都看不到？

因此，我們可以這樣大膽的假設：書目中的部、類，其實都是編目者後設的。編目者在書目中製造出一個學術系統，可是這個學術系統只是編目者所自訂的，它們與學術發展的實際情況，並不見得相合。

這個說法，可以由《七略》對於先秦諸子的處理方式得到證明。在先秦時代，諸子百家的學說的確是非常盛行，但是諸子是不是在先秦時代就分成所謂的「九流十家」，就十分可疑。在先秦文獻中，除了儒、墨兩家外，我們似乎沒有看過有誰是自稱為陰陽家、名家、雜家……的現象。在文獻中提到諸子的情況，亦各有不同。《莊子・天下篇》在以道術為觀點論及先秦學術時，是以人物為單位，共分成七組：⑴墨翟、禽滑釐。⑵宋鈃、尹文。⑶彭蒙、田駢、慎到。⑷關尹、老聃。⑸莊周。⑹惠施。⑺桓團、公孫龍。這七組人物，莊子並沒有給他們任何家派的稱謂。《荀子・非十二子》以禮為觀點論及先秦學術時，也是以人物為單位，分為六組：⑴它囂、魏牟。⑵陳仲、史鰌。⑶墨翟、宋鈃。⑷慎到、田駢。⑸惠施、鄧析。⑹子思、孟柯。這兩部書中墨翟和宋鈃被重複提到，可是組合卻不相同。而且《荀子》中對於所提到的人物，也同樣的並沒有給他們任何家派的稱謂。

進入漢代以後，劉安的《淮南鴻烈解》卷二十一〈要略〉篇中也論及先秦學術。

---

❹ 《七略》原書已佚，然《漢書・藝文志》是簃錄《七略》而成，故下文凡說《七略》，皆是據《漢書・藝文志》。所據版本是台北市：世界書局，民國六十二年版。

該書以先秦的時代環境為背景，討論到各種學說形成的現象。該書的說辭是：老莊之術……

> 儒者之學生焉……
>
> 墨子學儒者之業，受孔子之術……節財薄葬閑服生焉……
>
> 管子之書生焉……
>
> 晏子之諫生焉……
>
> 縱橫修短生焉……
>
> 申子者……刑名之書生焉……
>
> 商鞅之法生焉……

這部書中人物和家派是混用的，而且在《七略》－《漢書・藝文志》中，管子與老莊同屬於道家類，晏子屬於儒家類，劉安卻將之分開敘述。首先統一用家派名稱討論先秦學術的，是收錄在《史記》卷一百三十〈太史公自序〉中的司馬談的說法。《史記》中的措辭是：陰陽、儒者、墨者、法家、名家、道家。所分隸的家派，只有六家。奇特的是，其中除了談論墨者時提到墨子之外，其他各家都沒有列舉出具有代表性的人物。然而司馬遷在撰寫《史記》時，顯然並沒有完全遵照司馬談的分類方法，《史記》的列傳中，管、晏同入列傳第二；老子、莊子、申不害、韓非同入列傳第三；仲尼弟子在列傳第七；商君鞅在列傳第八，為專傳；孟軻、淳于髡、慎到、騶奭、荀卿同入列傳第十四，其中〈孟軻列傳〉中附帶提到說：「自騶衍與齊之稷下先生如淳于髡、慎到、環淵、接子、田駢、騶奭之徒各著書，言治亂之事，以干世主……」；〈荀卿列傳〉之末還附帶提到了公孫龍和墨子。❺

我們綜合以上的現象來看，在《史記》以前，所有先秦諸子學中的代表性人物並沒有一個統一的分隸方法，在不同的文獻中，諸子人物有不同的組合方式，甚至沒有人物和家派名稱緊密結合的現象。若拿這些資料和西漢末年的《七略》相較，則更可以發現兩者之間組合的情況是不相吻合的。例如在《莊子・天下篇》及《荀子・非十二子》中都放在同一組的慎到、田駢，在《七略》中慎到屬法家，田駢卻屬道家。在

❺ 《史記》列傳第七十六〈平原君傳〉之末亦提及公孫龍。

《七略》中同屬道家的田駢、關尹、老子、莊子，在《莊子・天下篇》中是分別隸入不同的三組。在《七略》中同屬名家的尹文、惠施、公孫龍，在《莊子・天下篇》中也是分別隸入不同的三組。在《七略》中同屬道家的魏牟、田駢，在《荀子・非十二子》中是分別隸入不同的二組。《莊子》、《荀子》都提到的宋鈃，在《七略》中隸入小說家類。❻在《淮南鴻烈解》中，《七略》隸入儒家的晏子，與「儒者之學」是分開敘述的；《七略》隸入道家的管子，也是與「老莊之術」分開敘述的。在《史記》中，同放在列傳二的管子、晏子，在《七略》中分別屬於道家和儒家。同放在列傳三的老莊申韓四人，其中老子、莊子，在《七略》中屬道家；而申不害、韓非在《七略》中則屬法家；而同樣在《七略》中屬法家的商鞅則獨立專傳。同放在列傳十四的孟軻、荀卿、慎到、騶奭，在《七略》中前二人屬於儒家，慎到屬法家，騶奭屬陰陽家。❼至於淳于髡，清代姚振宗的《漢書藝文志拾補》則列入了雜家。❽

除此之外，還有一些潛在性的問題存在。例如在《淮南鴻烈解》中，〈要略〉篇提到「刑名之書生焉」以及「商鞅之法生焉」一段，原文是這樣的：

> 申子者，韓昭釐之佐。韓，晉別國也。地墽民險，而介於大國之間。晉國之故禮未滅，韓國之新法重出；先君之令未收，後君之令又下。新故相反，前後相謬，百官背亂，不知所用，故刑名之書生焉。秦國之俗貪狼，強力寡義而趨利。可威以刑而不可化以善；可勸以賞而不可厲以名。被險而帶河，四塞為固。地利形便，畜積殷富。孝公欲以虎狼之勢而吞諸侯，故商鞅之法生焉。❾

我們從這一段文字中，很明顯的的可以看出，在劉安的理念中，申不害和商鞅是不同的兩種環境背景下的不同作法。用現代的話來說，申不害所訂定的，是相當於現代的憲法或法律；而商鞅之法，則是構成警察國家的監視和刑法的機制。在該書的概念中，這兩種不同的範疇，是不能統括在後世所謂的「法家」一個概念下的。可是在《七略》

---

❻ 《漢志》作《宋子》十八篇。《漢書藝文志注釋彙編》中考證宋子即宋鈃。該書不著撰人，台北市：木鐸出版社，民國七十二年九月。

❼ 騶奭，《漢書・藝文志》入陰陽家類，作鄒奭子。

❽ 姚氏還將彭蒙補入名家。台北市：世界書局，民國六十二年版。

❾ 據文淵閣本《四庫全書》。

－《漢書・藝文志》中，一個法家類就囊括了全部。

又例如：在《漢書・藝文志》諸子略各類的註解中，曾多次提到「稷下」一辭。如儒家類《孫卿子》條下註：「為齊稷下祭酒」；道家類《田子》條下註：「游稷下」；陰陽家類《鄒子》條下註：「居稷下」；名家類《尹文子》條下註：「與宋鈃俱游稷下」。可見這個在戰國中晚期延續了一百多年的稷下學術社群，在當時是一個學者聚集和學術交流的重要場域。這事在學術史上一定有其意義，甚至可能可以視為一個學派來討論。「稷下」一辭在《韓非子》卷十一〈外儲說左上〉篇中即已提及；早於《七略》的《史記》，在〈孟軻列傳〉及〈田敬仲完世家〉中亦有述及，後者並且說稷下學士「且數百千人」。然而，在《七略》－《漢書・藝文志》中，卻沒有給稷下學術一個歷史上的定位。近現代以來，有不少學者對稷下學都深加研究。[10]概略的說，諸學者共通的觀點都不把稷下學派歸屬於「九流十家」中的任何一家，而是視為轉折的過渡學派或是整合諸家學說的新學派。

再綜合以上的所有敘述，我們可以因之思考一個問題：在《七略》－《漢書・藝文志》中所設定的「九流十家」，真的是先秦諸子學的全貌嗎？先秦諸子真的是這樣區分的嗎？

如果上文的論述沒有差誤的話，那麼西漢末年以來，學術界慣稱的「九流十家」，根本就是劉向、劉歆父子在整理圖書文獻時，為了符合《七略》二級分類法的體例所後設出來的。這種分流立派的方法，不但有高度的「不真實性」，而且在後世沿用下，完全錯亂了先秦學術體系的真面目。由此上推，同樣的情況，《七略》－《漢書・藝文志》中把圖書文獻分成六大類，也是一種不當的後設，它顯然無法包容當時的學術全貌，而且很可能錯亂了真正的學術體系。

我們可以再舉一個例子來證明這種後設的不當。在《隋書・經籍志》中，原本數量就不多的子部名家類突然豐富了起來。原來該類在先秦所謂的名家之外，又加入了許多魏晉時期有關人物品評方面的書籍。後代書目沿波逐流，品評人物方面的文獻都

---

[10] 例如金受申：《稷下派之研究》．台北市：台灣商務印書館，民國六十年台一版。白奚：《稷下學研究》，北京市：三聯書店．1998年9月。胡家聰：《稷下爭鳴與黃老新學》，北京市：中國社會科學出版社，1998年9月。

比照列入，於是各公私書目中，竟然出現了越到後代名家類著作越是興盛的現象。

以魏代劉卲的《人物志》三卷為例，它是現存談人物品評的最早著作。這部書一直都被列入名家類，可是我們細考這部書的內容，劉卲對人物品鑑的標準，都是以儒家理念為歸依的。《四庫全書》該書書前提要即說：

> 其書主於論辨人才，以外見之符，驗內藏之器。分別流品，研析疑似，故《隋志》以下皆著錄於名家。然所言究悉物情，而精覈近理，視尹文之說兼陳黃老申韓，公孫龍之說惟析堅白同異者，迥乎不同。蓋其學雖近乎名家，其理則弗乖於儒者也……⓫

從文獻的發生意義上來說，這部書顯然不是為了要宣揚名家理念而作的；雖然劉卲用了儒家的觀點來品鑑人物，但是全書也不是為了要宣傳儒家理念而作。這部書實際上是因應當時士族中流行品評人物的文化環境而撰寫的，應是屬於當時的一種文化論述。只不過由於講求從人物的外在形象以求內在品格，所以被《隋志》的編纂者以符合名家「循名求實」的觀點，而後設的隸入了名家類。

由於中國傳統目錄書籍的分類法一直十分古板，不太隨時代變化作大幅度的隨機調整，因此不去因應時代變化以設立新的類別，只是在傳統的類別中找尋一個近似的類別以隸入書籍，已經成為編目者的慣用方法。所以把《人物志》隸入名家類，就目錄學而言，是可以被接受的事。可是如果我們文獻學追求本質意義的角度來看，這種作法就使後人對該書的本質意義產生誤讀現象。不僅如此，後人在考索名家類在歷史上的發展情形時，也容易因之產生名家類不但沒有在學術領域中消失，反而有興盛趨勢的錯誤觀點。也就是說，書目的後設作法，不但改變了原書的本質意義，更進而使學術流變的真貌也產生了「不真實性」。

據此，我們對於目錄學的功能應再加以重新認識。後設的運作法則事實上提供給我們的是一套並不完全正確的學術資訊。我們應該釐清的是：從目錄學的範疇領域內來談學術結構，是可以成立的；但是若從文獻學理論的角度來看目錄學，則要思考到目錄書籍之所以構成的原理，進而重新檢視目錄書籍內的分類與學術文獻發展真象的

⓫ 據文淵閣本《四庫全書》。

對應關係。

四、文獻內在的自身互補機制

一般說來，一部書就像是一個人的身體一樣，本身就是一個完整的個體。固然每一個人都有社群關係，會和他人產生互動，以構成一個和諧的生命；但是個人本身在內在上就有自我調節的功能，使自身的身心可以協調。書籍也是一樣，某些書籍可以和其他同類型或相關類型的書構成一個學術體系，可是就書籍的本身來說，每一部書其內在亦有可以相互補闕，以構成一個完整概念的功能。

從文獻學理論的觀點來看，從單一文獻到群組文獻，都有其結構性。例如屬於文學本質的詩經、屬於政治本質的尚書、屬於社會宗教本質的易經、屬於制度本質的禮經、屬於史學本質的春秋，全部都以文化方向來詮釋，就使這些原本不相關聯的文獻有了結構性，組成了一個「經」的整體概念，進而導引了中國古代文化發展的走向。將範圍縮小一點來看，經－傳關係是一種結構性的組合；白文－註解也是一種結構性的組合；原書－續補也是一種結構性的組合。再縮小到單一文獻來看，分立章節的書籍本身呈現的就是一種結構，分類或分體編纂的文獻，更是一種結構的呈現。

就目錄學而言，由於書目編纂的目的在於呈現一代文獻的全貌，又必須實踐分類編纂的體例，所以書目當然是一個俱有內在完整性的結構體。要觀察這樣一個結構體，最基本的觀念不是看書目如何「分」，而是去考察書目在「分」的外形之下，如何以「合」的內在互補機制，來作文獻的整體呈現。

由於書目要做分類，而且中國傳統上的書目並不像現代西方的圖書分類法那樣做互見的處理，⓬因此各類之間就形成了絕對的排斥性。基本的原則是每一部書籍只能歸屬於一個單一定義的類別下。而在分類時，對於書籍的類別隸屬，有依體和崇質兩種標準同時並用；再加上對於書籍的本質意義的認定，是採用後設的方式，只用一個單一的概念來囊括全書，所以往往一部典籍呈現在書目中的，都只是一個單一的屬性。這個現象和文獻產生的本質概念是不盡相合的，因為往往有許多文獻其屬性是綜合性

⓬ 章學誠在《校讎通義》中主張中國的傳統書目中有互見現象，但是我個人認為其說有點牽強，所以略而不論。

的，甚至連體裁也是多樣性的，例如個人別集即包括了文學性的詩歌體、散文體，政治上的奏議體等。所以在書目中每一部書只有一個單一屬性，就會使文獻屬性的多樣性潛蟄其中，不易被發覺。

所以在使用書目時，除了要檢出綜合屬性的類別，如經部書籍、集部書籍、類書、叢書等之外，最重要的就是首先要明確的認知所有類別的定義及收錄範疇，再據此依各種類別特定及相關的屬性，以建構起其相互補全的結構關係。

例如想要彙集有關制度方面的文獻群組，歷代書目中的舊事類（或稱故事類）就是特定屬性的類別。但是還有其他相關屬性的類別也記載了制度方面的典籍，例如經部的禮類，史部的正史類、雜史類、職官類、儀注類、刑法類等。這些特定及相關屬性的類別，就是考察歷代制度的結構群。又例如想要彙集有關雜談方面的文獻群組，小說類當然是特定屬性的類別，但是在史部的雜史類、霸史偽史類、傳記類、時令類，子部的雜家類、類書類等，都是組成雜談文獻結構群的相關類別。

我們用這樣的觀念來看一部書目，就可以發現書目在編輯時雖然有隸類上先天的限制，但是由於書目必須要呈現出一個時代整體的文獻全貌，所以儘管書目中將文獻散入各個類別中，只要我們將其還原，重新組合其結構型態，就能建構起每一個主題的文獻群組。這就是用「合」的觀念來看「分」的現象，也是本文所說的書目中的內在互補機制。

據此，我們在利用書目時，其實就可以以主題為準，訂定出在一部書目中、每一個主題下的主系、支系、參考系。使書目的功能結構化、系統化。

以《隋書·經籍志》中的「女誡」主題為例，在子部的儒家類中，可以找到《女篇》一卷、《女鑒》一卷、《婦人訓誡集》十一卷、《婦姒訓》一卷、《曹大家女誡》一卷、《貞順志》一卷。由於「女誡」主要談的是婦女的言行問題，而人物的言行記載，時常是被視為傳記體的文獻，所以我們再從《隋志·史部·雜傳類》中尋檢，即可看到劉向撰《列女傳》一卷、高氏撰《列女傳》八卷、劉歆撰《列女傳頌》一卷、曹植撰《列女傳頌》一卷、虞通之撰《妬記》二卷等十數條相關文獻。由於《隋志·雜傳類》中的文獻，有很多在後代書目中都隸入了小說家類，所以接續要翻檢的是子部小說家類。但是《隋志·小說家類》中沒有相關文獻。⑬小說家類歷來又與子部的雜家類互有糾葛，所以接續要翻檢的是子部雜家類。但是《隋志·雜家類》中也沒有相關文獻。最奇特的是，《隋志·儒家類》中有關女誡諸書，全部都在《隋志·集部·總集類》中重出。由於《隋志》顯然沒有互著的體例，所以我們可以有理由懷疑這些文獻的體例可能是總集性質，所以才會被不慎重複著錄。因此，總集類應該也可以列入，成為我們考察的對象之一。

現在依各類之間的親疏關係，我們可以訂出此一主題的文獻結構系統：由於女誡的思想是屬於儒家的思想產物，所以儒家類是「女誡」主題的主系；在體例或屬性上有緊密關係的雜傳類（後世稱傳記類）、小說家類、雜家類，則是此一主題的支系；而可以列入考慮的總集類，則是參考系。

這個方法是可以檢驗的。我們如果再以「女誡」主題去檢索其他的書目，在清代姚振宗的《漢書藝文志補》的儒家類中，即可找到劉歆撰《列女傳頌》；在《舊唐志》的儒家類中有《女誡》，雜傳類中有《列女傳》、《女記》、《古今內範記》等；《新唐志》子部儒家類有《武后訓記雜載》，史部雜傳類中將「女訓」列為一個子目，收錄此主題文獻二十四部；《宋志》在小說家類中有《誡女書》、《補姑妬記》等，在雜家類中有《女誡》等……。各書目的載錄範圍，都不出我們所訂定的文獻結構系統。

這樣操作的思想基礎是：文獻列入書目時，既然不得不依體或崇質的被打散，分別隸入不同的類別，那麼相對的，我們就可以從屬性本質、體裁兩方面找出相關的類別，再把文獻重新組合起來。換言之，就書目來說，把文獻「分」入各類是必要的編輯方法；但是相對的，各個不同的類別，就「合」的觀念來講，就恰好構成了運用方法上的互補機制。

我們從文獻學理論系統中的文獻構成原理，來思考文獻內在結構上的互補機制，再把這個機制用到書目的檢索功能上，就可以使書目在運用上變得系統化。而且，從文獻學的角度來說，書目就如同其他分章立節，或是分體分類編纂的文獻一樣，都有

⑬ 另外一種系統化的查檢方法，是既然已經確定女誡書是儒家的屬性，於是就從《漢志》開始尋檢儒家類的著作。在清代姚振宗的《漢書藝文志補》的儒家類中，可以看到劉歆撰《列女傳頌》一卷。由於《列女傳》是傳記體裁，所以再回頭由《隋志》中的雜傳類中去尋檢。

其內在的自足完滿性。我們如果能充份運用這種文獻原理去解析文獻典籍，就可以使文獻的功能完全發揮出來。

五、結論

目錄學在文獻學的理論探索，甚或是文獻的解析運用中，無疑都是十分重要的資料來源及依據。但是在運用目錄學時，卻不可以只看到書目的表象。因為目錄學受到了三項很大的先天限制，一是書目必須分類編輯，所以文獻必須依不同的標準散入各類；二是書目的慣例是不重視隨著時代環境的改變而新立類別，所以後出的文獻往往只能找一個近似的類別隸入，因而造成了文獻屬性的不明；三是所有文獻的屬性都是書目的編纂者後設認定的，而且在面對屬性複雜的文獻時，往往只取其中一個比較突出的屬性，就逕行給予定位，這種以部份代替全體的作法，很容易錯亂了原典的本質意義。

除此之外，還有一個時間差的問題必需要考慮進去。在文獻學理論的研究上，文獻的出現時間點、詮釋時間點，以及某種原因上的特定時間點，都是很重要的討論依據。一部文獻被編撰的時間一定在前，而被後人註解、詮釋的時間一定在後，這中間就出現了一個時間差。有些文獻的時間差並不會產生意義，但是有些則對文獻的詮釋和認知有重大的影響。

在目錄學中，時間差的考量就十分重要。因為書目的編輯時間一定晚於文獻的出現時間，這中間就產生了文獻認知上和學術系統上的落差。這個情況在「補志」上最為嚴重。以上文多次提及的清代姚振宗編《漢書藝文志補》為例：姚氏在補志的六藝略中多立了讖緯一類；在詩賦略中將所補苴的文獻分成總集、別集兩類。除此之外，全書所列當然都是《漢志》中沒有的文獻典籍，其作者當然也隱含其中。就資料性而言，姚氏所補使後人更完備的掌握了漢代以前的所有文獻資料，但是姚氏是不是也因而錯亂了《漢志》原本建構的學術體系呢？

我們固然認為《漢志》中的學術體系上距先秦時期學術思想的原貌有其「不真實性」存在，但是從另一個角度而言，《漢志》卻真實的呈現了屬於漢代自己的學術體系，這是兩個要分別對待的問題。

同樣的，我們對於姚氏的補志也要分成兩方面來思考。其一，補志的目的本來就在補全能夠得到的資料，所以列出《漢志》未載的文獻典籍（人物），對姚氏而言，並無可議之處。關鍵在於後代使用補志的人，我們應該思考到，像《莊子》、《荀子》書中都只列舉十多人，做為討論先秦學術的代表性人物，可見這些人在先秦時期的重要性。《漢志》中有多人並未收錄，是當時這些人的著作即已失傳，還是有其他原因呢？稷下學派中亦有多人不錄，是不是也有同樣的原因？到了後代這些文獻會列入補志，當然都是輯佚學發展後的結果，可是如果我們就這樣簡單的認為「補志使漢代以前的資料齊備」，相對的，我們是否就忽略了《漢志》也有對於文獻資料的取捨問題？也就是說，我們在使用補志時，面對補志中臚列的資料，應要考慮它們是不是《漢志》所刻意捨棄的？原因何在？思考到這一問題，才能正確的使用補志。

其二，姚氏在補志中加入讖緯，並以總集、別集來分隸詩賦作品，根本就不合於《漢志》的精神。劉氏父子和班固豈有不知讖緯之理？他們不收讖緯類的文獻，有可能是故意排除，也有可能是把讖緯看作是政治或文化的產物，而不把它們視為學術著作，因此不收錄。這其中的原因，尚待考證。姚氏的編輯方法，無疑已經干擾到漢代的學術體系了。同樣的，《漢志》對詩賦的分類方法可能另有一套標準，例如顧實在《漢書藝文志講疏》中就把詩賦略中「賦」的三大部份定義為「屈原賦之屬，蓋主抒情者也……；陸賈賦之屬，蓋主說辭者也……；荀卿賦之屬，蓋主效物者也。」⓮可是姚氏用了漢代以後的分類觀念和方法來隸類，根本就不合於《漢志》所想要表達的概念。這些問題的徵結，即是由清代與漢代之間的時間差所構成。所以我們在運用補志，甚至是所有文獻時，要分清那些是前代文獻形成期的學術理念，那些是後代文獻詮釋期的學術理念，這樣才能使學術系統各歸本位，不致混淆。

本文的討論無意否定目錄學在學術研究上的重要性與功能。本文主要想傳達的是一個文獻學上的理念，即我們在做任何文獻研究或利用時，應要宏觀的以文獻構成的原理為思考起點，而不能自陷於某一種文獻中做循環論證。所以當我們運用書目時，不能自陷於目錄學自身的觀點中，而要把書目－目錄學拉到文獻學的觀念和理論系統中思考。否則書目中後設的困境、互補的機制，與時間差等問題，都會因無法正確認知，而使我們在運用書目時產生觀念上的偏差。從文獻學的概念下看目錄學，不但可

⓮ 台北市：廣文書局，民國七十七年十月再版。

以有新的詮釋角度，而且更可以增強書目的運用功能。本文簡單的舉出幾項文獻學理論來檢視目錄學，雖然並不完備，但是可以做為思考文獻學與目錄學之間相互關係的門徑。

《文獻通考·經籍考》輯錄體解題引文之研究

陳 仕華

一、前言

解題亦稱敘錄、提要，是中國目錄重要之體例。其目的在於揭示作者生平，書籍之篇目大旨、內容得失，學術淵源、版本源流等，可指導讀者涉學之途徑。故可稱是中國目錄學之優良傳統。此傳統創自西漢目錄學家劉向。劉向在校理書籍後，即撰寫敘錄一篇，闡述其校勘經過，介紹撰者生平、書之得失等。事後輯為《別錄》一書，此書今雖失傳，但現存《孫卿書》、《晏子春秋》之敘錄中，尚可見其梗概。劉氏鎔鑄各家之說而以己意綜述之撰為一篇故可稱為解題之綜述體。後世之《直齋書錄解題》《郡齋讀書志》《四庫全書總目提要》皆屬之。

迨及南朝王儉《七志》出，即以為作者「每立一傳」，當作簡單之解題。故可稱為解題之傳錄體。《七志》今不傳。此體偏重作者事蹟，於學術卻少發明，故為《隋志》所不滿。而後世之歷史藝文志，偶作小註殆襲其意。

解題發展至南宋末年王應麟《玉海·藝文部》、馬端臨《文獻通考·經籍考》其解題博採前人之說，按序排列。迻寫原文後，或作案語略述己意。因其材料輯錄眾說，故可稱為解題之輯錄體。其後沿用此體者有：朱彝尊《經義考》、謝啟崑《小學考》、張金吾《愛日精廬藏書志》、孫詒讓《溫州經籍志》，及清末諸多補志，如姚振宗《隋書經籍志考證》等，皆為較著者。

解題之作，既分綜述、傳錄、輯錄三體。傳錄體因不傳，鮮人論及。而綜述體則學者多有論述，如余嘉錫《目錄學發微》嘗分析劉向《別錄》之體例；莊清輝《四庫全書總目提要經部研究》亦對總目提要之義例有所闡微。

輯錄之體，後之繼者甚眾，余嘉錫亦稱其「體制之善，無間然矣」。但對此體之探討則鮮少。

探討輯錄體解題之起源，歷來學者以《出三藏記集》為輯錄體解題之源起，此說乃強為附會❶。當與其時發展成熟之集解、類書等文獻類型，及當時讀書求實求博之精神、史學會通思想等皆有關聯。

馬端臨《文獻通考》全書共分二十四門，《經籍考》在第十八，凡七十六卷。約八十餘萬字，分經、史、子、集四部，五十五類。是第一本運用輯錄體解題的目錄書。而引文問題是瞭解輯錄體解題必先解決的問題。

二、引文之作用與方式

《經籍考》所錄引文，每能呈現作者生平、著書大旨、著書緣由及書之得失。而難能可貴者，在於馬氏之採錄，皆能以互補之方式，使得所引之文各有作用，期使讀者能自我取捨，而解讀文獻。如卷三十八《鶡冠子》條，馬氏引用「晁氏曰」、「昌黎韓愈讀鶡冠子」、「河東柳氏辯鶡冠子」、「高氏子略」、「周氏涉筆」、「陳氏」諸說法，即在反覆辨說《鶡冠子》之真偽，最後引用《崇文總目》曰：「唐世嘗辨此書後出，非古所謂《鶡冠子》者。」作結。

而馬氏對所引材料能再引其他資料加以申說者，亦不吝補充。如卷六十二《樂全先生集》條，先引「陳氏曰」云：「（張方平）壽八十五，薨於元祐中。於當時最為耆德，頗不為司馬公所喜。」下又引「東坡蘇氏文集序」曰：「世遠道散，雖志士仁人，或少貶以求用，公獨以邁往之氣，行正大之言，用之則行，舍之則藏。上不求合於人主，故雖貴而不用，用而不盡。下不求合於士大夫，故悅公者寡，不悅者眾。」即求點出「不為司馬公所喜」的原因。又如：卷十八《後漢書》條引晁氏《讀書志》云：「初，曄令謝儼撰志，未成而曄伏誅，儼悉蠟以覆車。梁世劉昭得舊本，因補註三十卷。」按劉昭所注者，乃晉司馬彪《續漢書》之《志》也。晁氏文字語焉不詳，

❶ 參見陳仕華：〈類書與輯錄體解題〉，《海峽兩岸古典文獻學學術研討會論文集》（上海：上海古籍書版社），頁25－38。

故馬氏又引《陳錄》云：「劉昭所注，乃司馬彪讀漢書之八志爾。」以改正之。

再如：卷二十五《唐制舉科目圖》條，引《晁志》曰：「不題撰人」，又下引李燾語，則知此書撰人為「蔡元翰」，此又是互相補足之例。

除了引文能互相輔助之外，引用之文字，是否資料豐富，有參考價值，增刪改易的現象如何，也是觀察的重點。

《經籍考》引用目錄書以《崇文總目》、《晁志》、《陳錄》為最多。而《崇文總目》、《陳錄》今存者為輯本。故以《經籍考》取材於《讀書志》之引文為例說明之。

晁志最早刻本為蜀本，一為四卷本，一為二十卷本，今皆不存。但自宋至明，公私書目屢見著錄，史傳文集中亦多有提及，明清的刻本、鈔本中有不少是屬於衢本系統，足見其流傳不墜。其中流傳較廣、影響較大的是清汪士鍾藝芸書舍刻本。淳祐九年，黎安朝在袁州重刻蜀四卷本，又刻趙希弁據其藏書續撰的《讀書附志》一卷，次年刻趙氏據衢本補編的《讀書後志》二卷和《考異》。與《後志》相對而言，先刻的四卷被稱為《前志》。《前志》、《附志》、《後志》合為七卷，是即《袁》本。

於是自清代以來，即有衢、袁二本孰優孰劣之爭。孫猛先生〈郡齋讀書志衢袁二本的比較研究〉以二本之收錄書量、序文、分類、歸類、編次、書名著錄、卷數著錄、作者著錄、解題多方面比較，終以衢本優於袁本為定論。❷

《經籍考》大量引用《晁志》之文字，則馬氏取材於衢本，抑或袁本？

晁氏《讀書志》每部之前有大序，部下分類，類有小序，小序綴於該類收錄的第一部書解題之後。

衢本小序多於袁本共十五篇：經解、雜史、史評、刑法、傳記、譜牒、農家、小說、天文、兵家、類書、藝術、醫書、神仙、釋書。文字長者三百餘字，如釋書類。短者也有二、三十字，如小說類。而經籍考除經解類外，其餘十五類❸，各在其著錄書下，引用晁氏之語，間接的讀到晁氏小序。足見馬氏精於用衢本，以取得更多的材

---

❷ 參看孫猛：《郡齋讀書志校證》（上海：上海古籍出版社，1990），頁 1361－1404。本文以下之論述，多從此書取證。

❸ 譜牒類晁氏著錄第一本書為《姓源韻譜》，《經籍考》卷三十四也著錄，但引《晁志》之文誤標為「陳氏曰」。

料。

又如《經籍考》引用了很多晁志的解題，其中多是衢本。若以衢本與袁本相較異文有三百餘處，歸納起來大約有十四個方面：一、補充書名釋義。二、補正所著錄書之篇目篇數及編次。三、補正成書原委。四、增引序跋或附錄。五、補正所著錄書之體例、特點、內容。六、增補辨偽、考訂之內容。七、增補前代書目的著錄情況。八、增補介紹著作之版本內容。九、增補有關典章制度、掌故軼事的內容。十、補正編撰者的事蹟。十一、增加大量評論性文字。十二、增補介紹學術之淵源。十三、增補有關晁氏收書、藏書、校書之情況。十四、補正史實的考辨。❹再據以覆覈《經籍考》所引《讀書志》，會發現馬氏引衢本《讀書志》，皆因衢本內容較為豐富，有參考價值。

今以馬氏所引《讀書志》，述其增刪改易等現象❺，亦可窺見其引文之情形。

㈠增字

卷十九《梁書》條，引《晁志》末尾尚有「筆削次序，皆出思廉，思廉名簡，以字行」十五字，乃本《舊唐書姚思廉傳》，及《陳錄》卷四《梁書》條之文。

卷十九《周書》條，引《晁志》多出「初，周有柳蚪……」以下十六字，乃本《史通》卷十二《古今正史》篇，闌入。

卷四十《風俗通義》條，引《晁志》多出自序之文四十五字。以釋「風俗」二字。

卷三十一《河南志》條，引《晁志》多出「以為考之韋記……」以下二十六字，乃據司馬光之序闌入。

卷八《周禮辨疑》條，引《晁志》，多出「凡一卷，攻安石之書」八字。卷四《書義辨疑》條引晁氏云：「其書專攻王雱之失。」此又闌入晁志其他條目之文。

卷三十九《鬼谷子》條，闌入柳子厚言，補足《晁志》引用柳子厚之文。

卷三《葆光易解》條，引晁志多出「字舜元、治聖中」六字，因闌入《陳錄》。此類滲入情形頗多。

卷十七《佩觿》條引《晁志》，多出「取字文相類者」以下十四字。至於為何多

---

❹ 參看同註❷，頁 1375－1383。

❺ 文字小異，字句誤乙者，概不討論。

出，原因不明，此類情形亦頗多。

㈡刪字

卷九《春秋公羊疏》條，刪去「不著撰人」，至「出於近世」凡三十二字，因先引《崇文目》，故刪。

卷二《儀禮注》條，引《晁志》刪去「唐韓愈謂」以下二十七字。因先引韓文公〈讀儀禮〉，內容已涵蓋，故刪去。

卷四孔安國《尚書註》條，引《晁志》刪去八十二字，以其於該類總論中已俱錄孔安國《尚書序》、《隋志》小序，故刪去。

卷二《周易舉正》引《晁志》刪去「如渙之繇」四十三字，因下引《容齋隨筆》，於增入、削去之法多有舉例，故刪去。

卷十一《橫渠孟子解》條，引《晁志》而刪去「載，汴人……」以下十八字，或因卷六十三《張橫渠崇文集》條，已引《晁志》曰：「張載字厚之，京師人，後居鳳翔之橫渠鎮，學者曰橫渠先生。」

卷四十三《補妬記》條，引《晁志》刪「自商周至於唐初。」句，因下引《陳錄》有「自商周而下，迄五代史傳，所有妬婦皆載之」句，故刪去。

卷五十七《楚辭釋文》條，引《陳錄》更為詳細，故引晁志時，刪「蓋以離騷經」以下九十六字。

卷五十九《柳柳州文集》條，引《晁志》刪去「集中有御史周君碣」以下七十三字，馬氏或以為不足取，故刪之。

卷三十六《孔叢子》條引《晁志》刪去「崇文總目亦錄於雜家，今從之。」句，因馬氏將此書入儒家類，故刪去。

卷四十七《廣古今五行志》，引《晁志》刪去「且其說皆本於五行，故同次之為一類」蓋為晁氏分類的說法，故馬氏刪略。

卷五十二《金丹訣》條，引《晁志》刪去「自此以下」以下五十二字，因此為晁氏言其收書體例，故馬氏刪去。

卷五十八《張燕公集條》引《晁志》刪，間為天平軍……」以下十九字，乃因其說有誤，故刪之。

卷四十一《劉子》條，引《晁志》，刪去「或以為劉勰，或以為劉孝標，未知孰是。」按因馬氏引《陳錄》之文，內容即是討論此劉子，當為何人。故刪晁氏文字。

卷七《周禮》條，引《晁志》刪去「大夫者，輿；司徒者，眾也。」乃因後引《陳錄》而更詳細，故刪去。

卷二十六《魏國忠獻公別錄》條，引《晁志》刪去「右皇朝韓魏公琦相仁宗英宗」十二字，覈其文意，此句不當刪。

㈢改易

卷十一《孟子音義》條下誤添「正義」，且改易跋語。

《十駕齋養新錄》卷三云：「晁公武《讀書志》有孫奭《音義》而無《正義》，蓋其時偽者未出，至陳振孫《書錄解題》始並載之。馬端臨《經籍考》併兩書為一條。今考『子等無執中』之說，初不載於《正義》唯《音義》有之。馬氏既不能辨《正義》之偽託，又改竄晁語以實之，不知晁志本無《正義》也。」而錢氏所謂「改竄」者，乃晁氏提要有「奭等以趙注為本」，而經籍考改為「奭撰《正義》，以趙注為本」。

卷五十《靈苑方》條，引《晁志》「右皇朝沈括存中編」改為「亦存中編」乃因連上條「《沈存中良方》」條，便於行文。

卷六十《羅隱甲乙集》條，引《晁志》結尾句，有「又有吳越掌記集一卷」等二十字，乃馬氏將二條併為一條。

卷五十六《六問算法》條引《晁志》云：「唐龍受益撰」，晁志本作「右皇朝」，誤以撰者為宋人，馬氏改之。

卷八《明道中庸解》條引《晁志》刪去「明道者，顥之和謚」七字，乃從袁本。但其他文字則從衢本。合併衢、袁二本解題為一。

卷十一《論語正義》條，引《晁志》云：「亦因皇侃所採諸儒之說刊定而成書。」而晁志之文為「先是梁皇侃采衛瓘、蔡渙等十三家之說為疏，昺等因之成此書。」是馬氏改字，非晁氏原文。

㈣誤引

卷三十四《姓源韻譜》條引「陳氏曰」而其文字與《讀書志》完全相同。陳仍不致於一字不易照錄《讀書志》。乃是馬氏誤題「陳氏曰」。

卷十四《太常因革禮》條，引《晁志》文而作「陳氏曰」。

卷四十三《歸田錄》條，下引《晁志》云：「皇朝李畋撰。畋蜀人，張詠客也，與范鎮友善。熙寧中致仕，歸與門人賓客燕談忘倦，門人請編錄之，又名《該聞錄》。（馬氏小註：《書錄解題》作十卷）。又有雜詩十二篇係於後」。《晁志》此條應為《該聞錄》解題，殆因傳刻時，造成衢本此標題與解題不合。馬氏編纂《經籍考》，發現不合，然不明其由，遂妄合二篇為一書，書名從衢本，卷數從袁本前志（或蜀刻四卷本《讀書志》）改解題「遂以《該聞》為目」句為「又名《該聞錄》」，又於句下添注云：「《書錄解題》作十卷」遂致誤謬。

其他亦有不因主觀意識相關而與《讀書志》文字有異者，如：

卷三十四《崇文總目》條；引《晁志》，將「景祐中」至「秘閣」二十字，錯置於「康宗三年」之下。

卷四十九《銅人針灸圖》條，將下一條之解題，錯簡誤置於此。

除此之外，試分析其引文現象：

(一)馬氏雖多據衢本，但有據袁本者，其解題文字反較好。如：

卷六十《白樂天長慶集》條，引《晁志》衢本脫去「初，頗以規諷得失，及其多，更下偶俗好」十五字，袁本不脫，馬氏引袁本。

卷七十《薛許昌集》條，引晁志，自「時軍以供備疎闕」至「並屠其家」段，言薛能死事。馬氏引袁本作「許軍懼見襲，大將周岌乘眾疑怒，逐能，據城自稱留後，因屠其家。」文字較為簡潔。

(二)增字有不洽當者：

如卷六十《白樂天長慶集》，引《晁志》之文，但馬氏據《新唐書》本傳，增「與元微之酬唱，故號『元白』；與劉禹錫齊名，號劉白」凡十九字。而所引《晁志》下文，於「元白」、「劉白」本有說明，增此數字，反覺詞費。

(三)刪字有不恰當者：

卷二《胡安定易傳》條，引《晁志》刪去胡瑗生平四十六字。《晁志》其他有關胡瑗著作之著錄仍有多條，而此條有關生平最詳細，但馬氏刪去。

卷十五《嘉祐謚法》條，刪去「三百一十一條」句，但讀其文意，此六字不當刪，否則語焉不詳。刪去原因不明。

卷三十一《水經》條引《晁志》，刪「道元，範之子……」以下十五字。此條亦引《陳錄》，但無此生平資料，馬氏刪去，殊為不解。

馬考卷十七《切韻指玄論》條，引《晁志》脫「見、溪、羣、疑、喉音也；照、穿、牀、審、禪、精、清、從心、邪舌音也」二十字，下文有「分為五音」，則此引文脫去喉、舌二音，明顯不妥。

㈣不刪但不恰當：

卷四十九《黃帝素問》條，引《晁志》，有「故予錄醫頗詳。《隋志》以此書為首，今從之」句，此為《晁志》醫書類之分類原則，馬氏引之，殊不洽。

卷五十七《蔡中郎集》，引《晁志》有「凡文集，其人正史自有傳者，止掇論其文學之辭，及略載鄉里、所終爵位，或死非其理，亦附見，餘歷官與其善惡，率不錄。若史逸其行者則雜取他書詳載焉，庶後有考。」等句，乃晁氏說明解題之義例，而馬氏亦錄入，不洽。

㈤馬氏未辨正《晁志》之誤。

卷二李鼎祚《周易集解》條，引《晁氏》曰，其中謂「所集有子夏、孟喜……劉瓛、何安……孔穎達三十餘家。」其中「何安」，衢本作「何妥」，袁本作「何安」。《新唐志》卷一、《玉海》卷卅六引《中興書目》均作「何妥」。《何妥傳》見隋書卷七十五、《北史》卷八十二。馬氏據袁本而誤。

卷五十一《定觀經》條，引《晁志》云：右題云：「天尊援左玄真人述，定心慧觀等修，故以為名云。」按定心，慧觀乃道家修煉養生之法，公武似誤解為修撰人名，馬氏沿其誤。

卷五十二《開元釋教錄》條，馬氏引《晁志》云：「智昇在開元中纂釋氏諸書入中國歲月及翻譯者姓氏。以《楞嚴經》為唐僧懷迪譯，張天覺以懷迪與菩提流支，後魏僧。其言殆不可信也。」《晁志》於「流支」下有「流支同時」四字。

陳垣辨正云：

> 「天覺者，張商英，宋觀文殿大學士，喜談禪，自謂得當時高僧兜率悅之傳，《五燈會元》十八有傳。……曾撰《護法論》一卷，攻擊儒家。……商英與洪覺範往來，且見《宋史》三五一本傳，其於佛教非門外漢可知也。」「菩提流支，北魏僧，見《續僧傳》一、《開元錄》六；菩提流志及懷迪者，唐僧，均見《開元錄》九、《宋僧傳》三。兩流支，雖同名，然相距三朝，垂二百年，商英

乃混而為一，抑何陋邪？商英謂《開元錄》之言不可信，吾謂商英之禪尤不可信。晁氏既采其說，馬端臨《經籍考》復采晁氏說，謬說相傳，不容不辨。」❻

馬氏敘錄雖多抄錄成言，但於引文後，往往自撰按語，或辨證資料，或發抒胸臆。卷五十四《破邪論》、《甄正論》二條下，先引《晁志》，介紹法琳生平，及二書在宣和中被焚燬。馬氏後設按語云：

按破邪甄正二論，昭德讀書記以為宣和焚毀，藏中多闕，然愚嘗於村寺經藏中，見其全文。破邪論，專詆傅奕，而併非毀孔孟，所謂詖淫邪遁之辭，無足觀者。甄正論，譏議道家，如度人經璇璣停輪處，以為璇璣無停輪之理，使停輪至七日七夜，則宇宙顛錯，而生人之類滅矣。……又如河上公道德經章句序言，漢文帝駕詣河上公問道，而河上公一躍騰雲，帝知是神人，下輦稽首，從受章句二卷，以為漢史帝紀車駕每出必書，何獨不書駕詣河上公問道之事，……乃羽人道士輩，自創此說。此論頗當，意必借筆於文學之士，沙門輩恐不能道也。

此說明二書之內容，並辨證晁氏之說。

又如卷五十八《陳子昂集》條，共引「晁氏曰」、「陳氏曰」、「後村劉氏曰」三種成說。而此三書則引據柳儀曹、韓退之說，內容大抵皆為稱許子昂之文。但文後馬氏按語云：

陳拾遺詩語高妙絕，出齊、梁，誠如先儒之論。至其他文，則不脫偶儷卑弱之體，未見其有以異於王、楊、沈、宋也。然韓吏部、柳儀曹盛有推許，韓言「國朝盛文章，子昂始高蹈」，柳言「備比興著述二者而不作」，則不特稱其詩而已。二公非輕以文許人者，此論所未諭。本傳載其〈興明堂〉、〈建太學〉等疏，其言雖美，而陳之於牝朝，則非所宜。史贊所謂「薦珪璧於房闥，以脂澤汙漫之」，信矣！

除肯定作者之詩外，則於藝之外的人品，則別有觀察。

---

❻ 參見：《中國佛教史籍概論》（上海：上海書店出版社，1996），頁15。

三、引用資料之出處

馬氏〈自序〉曰：

> 今所錄，先以四代史志列其目，其存於近世而可考者，則採諸家書目所評，旁搜史傳、文集、雜說、詩話，凡議論所及，可以紀其著作之本末，考其流傳之真偽，訂其文理之純駁者，則具載焉。俾覽者如入群玉之府而閱木天之藏，不特有其書者稍加研究，即可洞究旨趣。雖無其書者，味茲題品，亦可粗窺端倪。蓋殫見洽聞之一也，作《經籍考》第十八。

今以書目、史傳、文集、雜說、詩話為例，全書逐條審閱，可得者如下：

㈠採用書目：《漢書藝文志》、《隋書經籍志》、《唐書藝文志》、《崇文總目》、《中興館閣書目》、《宋三朝國史藝文志》、《兩朝國史藝文志》、《中興國史藝文志》、《郡齋讀書志》、《直齋書錄解題》、《通志·藝文略》、《通志·天文略》、《史略》、《子略》、《緯略》。

㈡史傳：作者生平多引本傳，如《漢書》、《後漢書》、《隋書》、《北史》本傳等。

㈢文集、雜說、詩話：此類資料，馬氏註出處，極為混亂，有記人者，有記書者，記篇者。

記名號者有：劉子駿（歆）❼、杜元凱（預）、孔衍、昌黎韓氏（愈）、程子（頤）、歐陽氏（修）、東坡蘇氏（軾）、潁濱蘇氏（轍）、後山陳氏（師道）、龜山楊氏（時）、少游秦氏（觀）、巽岩李氏（燾）、邵氏（博）、武夷胡氏（安國）、平園周氏（必大）、西麓周氏（端朝）、後村劉氏（克莊）、五峰胡氏（宏）、石林葉氏（夢得）、南軒張氏（栻）、致堂胡氏（寅）、了翁陳氏（瓘）、水心葉氏（適）、張浮休（舜民）、雁湖李氏（壁）、劉夷叔（望之）、竹溪林氏（希逸）、雲龕李氏（邴）、先公（馬廷鸞）。

記書名者：《程子遺書》、《朱子文集》、《朱子語錄》、《建炎以來朝野雜記》、

❼ 括弧文字為筆者附加，以下同。

《唐子西語錄》、《宋氏筆記（宋景文公筆記）》、《王氏揮麈錄》、《歐陽氏歸田錄》、邵伯溫《（易）辨惑》、容齋洪氏《隨筆》、周氏西麓《涉筆》、程氏《演繁露》、《談苑》、《東齋記事》、《冷齋夜話》、《幕府燕談》、《復齋漫錄》、《漁隱叢話》、《藝苑雌黃》、《詩史》、《歐公詩話》、《石林詩話》、《漫叟詩話》、《後山詩話》、《古今詩話》、《高齋詩話》。

有記篇者：致堂胡氏〈永寧院輪藏記〉、〈讀史管見〉；河樂柳氏〈辨文子〉、〈辨列子〉；東坡蘇氏〈莊子祠堂記〉、巽岩李氏〈長編奏狀〉、朱子〈答張敬夫書〉、〈答呂伯恭書〉；東坡蘇氏〈上清儲詳宮碑〉、曾南豐（王冏）墓銘等等，並各書序跋二百餘篇。

馬氏亦有用「注語」者，如卷四十二《周盧注博物志》條，即引用「殷文奎啟注」。亦有引用所著錄書之內容者，如卷七十六《文章正宗》條，《文常正宗》，其目凡四：辭命、議論、敘事、詩賦。故馬氏即引用此四目之〈序論〉，以明編者去取標準，態度嚴謹。此法類似於「文摘」。

馬氏引用宋人文獻最多，尤其偏重於書目。引用書目除少數只引用《崇文總目》外，大抵皆引用《晁志》、《陳錄》。另外集部引用序跋最多。注明出處方面，有時很清楚，有時又語焉不詳，最為混亂，引用某某人曰，也許就是一篇序跋，如卷四十三《東軒筆錄》條，引「王氏曰」，不知何人，至卷四十四《碧雲騢》條，引「邵氏曰」，內引有王銍〈跋范仲尹墓誌〉，方知此王氏乃王銍。又卷七十《李文山集》條，引《石林詩話》但標題僅題「詩話」。

四、結論

馬氏作《文獻通考》共三八四卷分二十四考，《經籍考》為七十六卷，故其引用資料不可過於龐雜，以免本末倒置。其中多引用《晁志》、《陳錄》，一則資料豐富，二則方便取得。又時從文集及本書抄出序跋，並於諸家議論筆記摘錄論辨，不足者再以「按語」補充。馬氏在引用資料方面可謂費心。至於註明出處方面，則顯然體例不一，頗見瑕疵。輯錄體至清代，如朱彝尊《經義考》、張金吾《愛日精廬藏書志》、孫詒讓《溫州經籍志》則於註明出處、摘取引文多有縝密之法。然創始之功，不能不歸之於《經籍考》。

林懷民小說初探

胡　衍南

一、前言

林懷民生於 1947 年，台灣嘉義人，是二次大戰後出生的一代。高中時期開始發表小說，很快就受到文壇前輩林海音、瘂弦等人的鼓勵和贊美。十八歲北上讀大學時，又被甫實施「基本作家」制度的皇冠出版社納入旗下；前一年被皇冠網羅的作家有司馬中原、尼洛、朱西寧、段彩華、茅及銓、桑品載、高陽、張菱舲、華嚴、馮馮、魏子雲、聶華苓、瓊瑤、季季等十四位，林懷民和季季是當時年紀最輕的小毛頭。從十五歲到二十三歲，林懷民寫了十多篇小說，1968 年出版第一本短篇小說集《變形虹》（水牛出版社），1969 年出版第二本短篇小說集《蟬》（仙人掌出版社）。赴美之後棄文習舞，1973 年回台創辦「雲門舞集」，至今三十餘年沒有再寫過一篇小說，諸如《說舞》、《擦肩而過》都是關於雲門舞集、或是他的現代舞經驗的書寫品。

眾所周知，林懷民的舞作在台灣、乃至於全世界都得到極高的矚目，然而他兩部小說集卻始終沒有得到學界足夠的重視，相關的研究實在可以用「零星」來形容。這或許和他創作量不夠多、而且又過早擱筆脫不了干係，當然也可能和他的舞蹈成就遠蓋過文學風采有關。不過，既然青年林懷民的小說曾經那麼熱烈地被期待者，三十幾年來他的小說（尤其是〈蟬〉）又一直被不同世代的讀者莫名地傳頌著——評論家楊照就說，二十多年來，他始終以為自己曾經沒頭沒腦地對著一個女孩朗誦起瘂弦〈如歌的行板〉，直到後來重讀林懷民的小說，才驚覺這只是〈蟬〉裡面的一段場景，當事人是莊世恒（而非楊照）與劉渝苓（而非楊照老是記不起的女孩）❶——因此相關

❶ 楊照，〈林懷民的小說世界〉，《INK 印刻文學生活誌》創刊前號，2003 年 8 月，頁 101-107。

研究的匱乏不能說不是一種疏忽。

二、初試啼聲：《變形虹》

林懷民的第一篇創作〈兒歌〉，被林海音主編的「聯合副刊」登了出來，那是 1961 年 4 月，林懷民才只十四歲。不過這篇處女作，並沒有被他收入第一本小說集中，《變形虹》一共收錄了作於 1963 至 1967 年間的六個短篇和一個中篇，依其創作問世的先後順序，分別是：

〈鐵道上〉（1963 年 5 月）
〈轉位的榴槤〉（1965 年 6 月）
〈變形虹〉（1965 年 8 月）
〈鬼月〉（1966 年 6 月）
〈星光燦爛〉（1966 年 12 月）
〈兩個男生在車上〉（1967 年 3 月）
〈安德烈・紀德的冬天〉（1967 年冬）

〈鐵道上〉是林懷民高中時期的作品，相較起其他幾篇作於大學時期的小說，尤其顯得稚嫩青澀。整篇小說的人物、情節、架構均非常簡單：某個沒有彩霞的傍晚，小學生（？）模樣的敘述者阿民和他的朋友明仔，一面沿著鐵道走著，一面交換彼此的身世遭遇；結果在明仔緩緩敘說出自己亟思離開會打人的阿爸、執意想要坐火車到台北找媽媽之後不久，一列北上的火車汽笛聲，尖銳地劃破陰沉的空間，就在火車離兩人愈來愈近的時候，明仔忽地「迎著火車跑去，衝去」，徒然留下一臉驚愕的敘述者在雨中矗立⋯⋯。這個僅有二千餘字的短篇，多半只是兩個孩子的對話，敘述和描寫都十分有限，因此缺乏足夠的感染力來打動讀者；不過換個角度看，這樣的題材倒也是青春期林懷民唯一能付出的社會關懷。比較起來，陳映真的處女作〈麵攤〉同樣可見作家幼稚的社會關懷，然而剛出道的陳映真已是個英文系的大學生，抒情的筆力，自是猶在衛道中學念書的林懷民所不能及的。

然而自〈轉位的榴槤〉以降，小說中稚氣的敘事口吻日漸淡去，取而代之的是有著各種心靈創傷的大學生；林懷民也願意費比較多的筆墨來描寫人物的心境，整部作品的文字質地及藝術氛圍都超過了更早以前的「少作」。〈轉位的榴槤〉寫大學女生懷孕墮胎，然而這卻是一篇情節十分模糊的小說，作家在意的是人物心理而非事件本身。即便這個禁忌的話題在當時相當前衛，但是林懷民完全無意從道德的、或是社會學的角度處理，也沒有從市場的角度去利用這個題材，他更關心的反而是這些找不到生存意義的時代青年，如何面對命運對他們的考驗。小說的女主角來自北國僑居地，負笈來台求學期間，竟然宿命地先後遇到同樣來自南洋的兩個僑生，並且分別在高中、大學時期懷了對方的孩子，遺憾的是，第一次墮胎即已預言她下一次手術後的夭亡。若就一般層面而論，悲劇的產生係由於男女雙方太過年輕，無論最後的選擇是生下孩子或是拿掉胚胎，兩個青春的生命都沒有能力招架。但是作家並沒有刻意凸出這一點，反而強調他們染上的生活不適症才是致命殺手。例如女孩對大學生活的感觸是：

> 有太多殺不死過去的自卑。太多孤獨。太多淒涼。太多無處可訴的泣聲。宿舍中又有太多青春。太多歡笑。太多誘惑。太多不屬於書本的。書本不能是生活的全部，不能滿足一切的需求。做個全然的旁觀者，對二十歲的女孩畢竟是困難而殘酷的。❷

男孩也在一次的自問自答裡說到：

> 長長的假日，我們守長列宿舍的死寂。白天根本不敢出門，怕見身影相隨，怕聽自己空洞細碎的腳步聲跟蹤。摒青天白雲於室外，躺在舖位上，看時光一滴滴流逝，聆炎夏嘶號；籃球一聲聲拍打在晌午空花花的陽光裡。覺得自己是個囚犯；自囚也被囚。禁不住又要——……。
>
> 你只好摸出兩枚鎳幣，細察它們的花紋，輕輕敲擊作響，打破寂靜。並不覺得有何快感，也不為什麼。然而，要不這樣，日子好像就挨不過去了。而日子就這樣挨過去。❸

雖然這裡的男女主角都是僑生，但是這樣一種敏感的心靈，在那個時代的大學生中是

❷ 林懷民，《變形虹》（台北：水牛出版社，1968 年），頁 13。

❸ 林懷民，《變形虹》（台北：水牛出版社，1968 年），頁 20。

具有普遍性的。

〈變形虹〉、和〈鬼月〉是作家接下來發表的小說，這兩篇除了具備更多小說所需的元素，而且可以看出林懷民的風格正準備成形——兩篇小說都是寫百無聊賴、找不到生存意義、成天鬼混卻又從不覺得快樂的大學生，他（她）們浪擲青春、折磨自己靈魂的姿勢，像極了後來的〈蟬〉，或者說是〈蟬〉裡面男男女女的青澀版。

〈變形虹〉中的敘述者，是個高中念了四年換五個學校才畢業、聯考時找人護航、上了大學卻因捲入一個莫名的凶案而遭退學的「流浪雲」。林懷民仍舊沒有選擇從社會寫實的角度，將小說寫成一則報紙社會版常見的傳奇故事，也無意嘲諷這個溫柔、膽怯、自怨自哀的倒楣鬼，他唯一想呈現的只是這群人不知從何時何處滋生起來的無聊——就像敘述者自己說的：「常常有一串長長的無根源可尋的煩悶把我綑起來，一種比不快樂更難受的空洞。」敘述者前後結識的兩個女子，據她（們）說，「都只是流浪的葉子，不知要飄到那裡，走到那裏。」然而前一個女子沙夷，在敘述者看來是知道自己要什麼，而且敢要、敢付出代價、從不後悔的、真正的虛無者；至於後來的「她」，在敘述者眼中卻是一個天真的、只想藉著叛逆行逕昭告世人自己已經長大的女孩。沙夷死在產科手術枱的事實，令自比為流浪雲的敘述者想要終止流浪：「有一天，流浪的雲必然會依附另一片雲而固定下來。」可是當「她」鄭重其事地向敘述者自薦枕席，敘述者卻又縮手，並且以「妳不知道妳在做什麼」駁回這段感情，因為他自己也是一樣：「永遠心虛，永遠畏懼，不知為何而活，卻一直活著。連解決自己的勇氣也沒有！」

〈鬼月〉的敘述者也同樣自覺是個廢物：

> 我是一文不值的，我自己知道。不逃課，可也不抄筆記，不打彈子，不趕舞會，不在宿舍睡大覺，也不上圖書館。……就是蕩，東晃西蕩，蕩出一肚子鬼主意，鬼問題，自己無法解答，也不便啟齒問人。夜裏那一團團夢魔時時困擾著我，使我睡不穩。看時間一滴滴滴過去，無法攔阻，也不去攔阻，反而閃身一旁，讓他更快溜過去。告訴自己，你是個最低最賤，無藥可救的人，用不著付出一

絲惋惜！❹

這樣的虛無者，有一晚約了好友同到湖畔，不像別人是為了看月亮，但也不確定究竟為什麼來。躲在林裡餵蚊子的同時，他們先是憶起前一次到「金馬車」聊天的經驗，這是一家以熱帶魚出名的咖啡館，和〈蟬〉裡面的「野人」性質差不多，都是無聊至極的年輕人流連的地方。接下來，敘述者向好友掰出了一個構思中的小說，一個吞了大量安眠藥的男人在湖畔殺害妓女的超現實故事。最後，則是好友貢獻出自己一則沒有結果的愛情，以及一段無知又敏感的美好時光。不同於其他小說的灰暗，〈鬼月〉難得地透露出一點揚棄虛無的訊息：小說敘述者承認自己僅有一片空白，因為相對朋友握有一份真實的往事，自己卻僅有一些猥瑣、苦澀而虛無的幻想；其次，他確信自己的生命刻正渴待什麼，也許是一點點足以令自己快樂的奇蹟，也許是一時強烈的色彩和刺激，也許是一夜長成……；所以他默默地向雲後的月許下的願，誰說不是像七彩煙火般絢爛呢？

這樣的推論來自一個巧合，即，接下來的兩篇小說都有類似的傾向。〈星光燦爛〉的故事十分簡單，一位朋友眼中「長相好，人聰明，功課好，家庭又這樣令人羨慕，什麼都不缺」的青年，或許是受到尼采的影響，終於因為尋不到生存的意義而割腕自殺了。三個好友為此事聚在一起討論，或是回憶，或是反省，最後的結論卻非常正面：「我不曉得思民為何自殺，不管如何，他是死了，走完了他的路，演完了他的戲。那是他的事，而我們依舊有許多許多個明天。」〈兩個男生在車上〉於此更顯突兀，兩個即將畢業的大學生同坐一輛公車到校，其中一個喋喋不休穿著黑夾克的男子，一直在車上發表珍惜當下、盡情享樂的「消沉」論述，不料另一位卻老講一樣的話：「好好把書念通點，把自己的實力弄紮實點，其他都是自欺欺人。你蓋得再響，肚子沒貨，人家拿你當個鳥？」這兩篇小說讓人物的生命型態向現實端傾料，因而迥異於之前〈轉位的榴槿〉和〈變形虹〉，敘事聲音中竟混雜了惱人的說教！尤其林懷民不知怎地，在處理〈星光燦爛〉、〈兩個男生在車上〉的時候明顯缺乏耐心，通篇依賴人物對話不論，僅有的敘述又多半是說明性的文字，予人說教的嫌疑。

---

❹ 林懷民，《變形虹》（台北：水牛出版社，1968年），頁88。

到了這部集子的最後一篇小說〈安德烈·紀德的冬天〉，林懷民又變回原來那個早熟的作家，而且似乎更加沉穩。重要的是，〈變形虹〉那股凝重的憂悒情調又回來了，顯然他還是擅長、而且偏愛處理那些虛無破碎的魂靈。不過這篇小說描寫的是同性戀的故事，這個題材的特殊性，自然使得讀者把重心全部放在「這種人」所受的折磨上——尤其是秦附在康齊耳邊說：「那是改變不了的。你知道，我們這種人天生就流著這種血！」讀者簡直是驚心動魄地、眼睜睜看著康齊奮力從泥沼中站起的痛苦。在台灣文學史上，〈安德烈·紀德的冬天〉是提早報到的同性戀題材，而且要透過它才能真正掌握〈蟬〉裡面吳哲和莊世桓的曖昧情愫，只可惜它在文學史的光環被迫讓給了更晚的、白先勇的《孽子》。

三、變聲之後：《蟬》

《變形虹》出版後，林懷民自大學畢業並到軍中服十個月的預官役。雖然被分發到位於新店的通訊指揮部是坐辦公桌的職務，但他卻有感於遠離了實際的軍中生活，因而在請調金門不成之後，改以寫小說來打發時光。他說：

> 常有人問我為什麼不再寫。理由很簡單，沒有時間。我再也不曾擁有那樣漫長，無事，而且無聊的時光。少年時提筆，往往出於不知拿自己怎麼辦的無聊。還未真正介入生活，只能把某些情緒，某些聽來的事情，一點點因為沒有切身經驗所導致的渴望與恐懼，誇張地寫下來。只是一些感覺。❺

這段期間，林懷民一共作了四篇小說，包括三個短篇和一個中篇，不久便與出國後作的〈辭鄉〉一同收在他的第二本小說集《蟬》。五篇小說的寫作順序是：

〈穿紅襯衫的男孩〉（1968 年秋）

〈虹外虹〉（1969 年 1 月）

〈逝者〉（1969 年 3 月）

〈蟬〉（1969 年春）

❺ 林懷民，〈前世煙塵〉，《蟬》（台北：INK 印刻出版有限公司，2002 年），頁 15。

〈辭鄉〉（1970 年）

從《變形虹》到《蟬》，最大的變化除了作家心智的成長，另外就是藝術技巧的進步。此外，《變形虹》時期的人物，一個個都是歇斯底里式的生活不適症患者；到了《蟬》，這些人全部都老了幾歲，即便仍是惶惶不知終日，然而大都變得世故、冷漠、理性起來，死亡的招喚雖然猶有魅力，但是對生命同樣充滿敬意。如果用楊照的說法，從《變形虹》到《蟬》，林懷民小說最大的變化在於敘述聲音。《變形虹》諸篇小說的敘述者，大半都是一個故事裡宿命的當事人、痛苦的經驗者，因而這幾篇小說的敘事聲音總是悲慘的；《蟬》則開始出現變化，其中幾篇小說的敘述者相對屬於正常、穩定、不輕露感情的旁觀者，因而它們的敘事聲音即便還稱不上事不關己，但也是保持距離的。❻

〈穿紅襯衫的男孩〉主角是一個沒有升學的臨時工人小黑，這個角色不但在林懷民小說的人物職業欄絕無僅有，而且他不顧流俗眼光、全然依照自己意志而走、生活的目的就是買一台摩托車奔馳飆速的行為模式，對甫自大學畢業的敘述者、對退休老教授、乃至於對整個社會的主流價值而言根本就是「異端」。小說的一開始，敘述者就表明自己不喜歡小黑，除了服裝儀容的緣故，另外還為了「他那蠻不在乎，彷彿天塌下來，也不會眨一下眼睛的態度。」因為這是敘述者沒有的，所以他視小黑為另一個世界的人。後來，兩人生活漸有交集，敘述者雖然猶會受不了小黑灼灼逼人的認真模樣、以及他那種「老子說要做，就做得到」的自信，但依照社會主流認知準備結婚生子的敘述者，老早就對小黑有著一股羡慕之情：「儘管已經二十多了，小黑看起來好小好小，是天下最幸福的那種人；單純無知的兒童，整個世界都在他們掌心中。」小黑最後如願買了車，並且毫不意外地命喪風火輪下，但是敘述者仍然覺得自己不如小黑，甚至早在很久以前，他就領會這個事實了：

> 小黑買了摩托車以後，是否會發現事情真的如想像中那般的美好，那是另一回事。重要的是，他有一個可達成的夢，他知道他要什麼，還肯拚了命，付出代價去實現它。

❻ 楊照，〈林懷民的小說世界〉。

比起他，我不知道自己是幸或不幸，我沒有轟轟烈烈，曲折動人的生活；更糟的是，我迷迷糊糊得過且過，隨遇而安，到底為什麼活著也弄不清楚。❼

不只〈穿紅襯衫的男孩〉觸及死亡，事實上在前一本小說集《變形虹》，除了〈兩個男生在車上〉以外的小說全都寫到了死亡，至於《蟬》所收錄的五篇小說也有四篇寫到了死亡，而且死者多半是青年。難怪王德威要說：「青春與死亡這兩個看似不相干的題目，在林懷民的作品中不斷糾纏出現，形成揮之不去的蠱惑。」❽然而《變形虹》時期的小說寫死，多半是苦悶青年的尋短；《蟬》時期的小說不然，從〈穿紅襯衫的男孩〉到〈虹外虹〉到〈逝者〉，死者全是因為無法抗拒的意外（至於〈蟬〉則是不可知）。

〈虹外虹〉是林懷民全力描寫瀕死經驗的小說，這類成功的例子在文學史上並不多見。小說的開頭和結尾，都引用了海明威的〈印地安營〉父子間一段對話：

"Is dying hard, Daddy?"

"No, I think it's pretty easy. Nick. It all depends."

這篇小說寫到一個非野戰部隊坐辦公桌的預備軍官——這個角色的形象、氣質、舉止，簡直就是刻正服役的林懷民的翻版——在某個休假日獨自來到新店碧潭划船、游泳，行囊裡另外夾了一本海明威的《在我們的時代》。小說一開始就見他的好心情，划船、流汗、哼歌、閱讀、聯想，每一件事都令他感到快意；及至於想到死的問題，更是一派灑脫樂天：「死不死是自己的事，問題是你拋得開不。他準備隨時死去。把心一橫，大不了一死，有許多事便可以不去計較，不那麼患得患失；拋去一些不必要的束縛，可以活得如意自在點。」然而就在他救起一個溺水的人，接著換成自己差點滅頂之後，他才發覺他是那麼地在乎生命。他沒想到自己只差一點點就死了，他想大聲對每一個路人遊客強調這一點，卻驚訝於沒有人注意到他心裡的恐懼。心有餘悸的他，因此用大吃大喝證明自己劫後餘生的事實，直到杯盤狼籍，他燃起一支菸，「那份忧心的餘

❼ 林懷民，《蟬》（台北：INK 印刻出版有限公司，2002 年），頁 40。

❽ 王德威，〈蟬與蟬蛻——重讀林懷民的《蟬》〉，林懷民，《蟬》（台北：INK 印刻出版有限公司，2002 年），頁 6。

悸在煙霧中融失，代之而起的是平日如影隨形的落莫和無聊。」於是他又打開了書，翻到溺水前的那一頁，正是尼克和父親的那段經典對話……。

不同於〈虹外虹〉寫的是瀕死經驗，〈逝者〉則是意在探討生命的脆弱與無常。小說一開始就寫到主角喆生趕赴喪家致意——死者是他的大表哥，一個曾經在他面前往返一趟鬼門關的親人，沒想到這回仍是在劫難逃。同時也因為這個惡耗，讓喆生打開了塵封已久的記憶——當年在金門當兵時，天天晚上挨砲彈死不了人，倒是大白天裡竟讓自家的地雷炸死了連長和一個充員兵。喆生不知道為什麼，當年軍中的意外雖然如此直接而震憾，但他仍能強忍悲傷並在日後鎖上記憶，可沒想到卻在姨媽家為表哥的死而大哭。然而無論如何，逝者已矣，來者可追，活下來的人還是要過日子，喆生第二天起來後的反應，可以看出林懷民對死是既敬重又漠然：

> 第二天，他起床，上洗手間，洗臉，漱口，修面，穿衣服，打領帶。九點半有個約，已經快九點了，喆生依然慢條斯理地吃早餐；兩大杯牛奶，一個雞蛋，五片麵包，麵包間塗了厚厚的牛油……。[9]

〈蟬〉是一部分量十足的中篇小說，也被視為林懷民短暫小說生涯的代表作，許多在前期小說出現過的議題，大抵上在這裡都得到進一步的發揮，某些在〈蟬〉看似未及處理的疑竇，常是在其他小說就已經先行解決了。小說幾個主要人物，悉是甫自大學畢業的年輕男女，看似整天無所事事、東晃西蕩。小說上部寫的是這群男女在明星咖啡廳、野人酒吧、圓山育樂中心、台北新公園——這些六、七〇年代青年的精神堡壘——虛度光陰、消磨青春的故事，並且藉陶之青到莊世恒家過夜，帶出莊世恒和同性戀室友吳哲之間的曖昧過往。下部則寫這群男女遠赴溪頭、日月潭遊玩，不料一回台北，每天要吃一堆藥丸的神經質小范就死了。這個突發變故，令陶之青自責不已，因此一個人遠赴美國讀書，她和莊世恒模糊的情愫也就劃上句點。倒是在小說結尾，離鄉六年、在異國結婚生子的陶之青，寄了一封信給莊世恒，這封信讓讀者看到了她幾經輪迴之後的人生智慧：

---

[9] 林懷民，《蟬》（台北：INK印刻出版有限公司，2002年），頁108。

當我被生活折磨得懊喪時，我常想小范是比我們幸福的，他一走了之，省去了好多煩惱和痛苦。可是有更多的時候，我又想，他這麼早結束自己，也失去了許多生命中值得叫人欣慰的事情，像家、孩子。……其實，我們不必想得太多，有那麼多事，我們以為會發生，感到害怕恐懼，結果不一定發生，卻有那些做夢也想不到的事，一件又一件像浪潮打過來，我們一樣死不了。其實我們什麼都不要想，而我們就會活下去，而我們就活過來了，我們什麼都不必想，不要去想……❿

附帶一提的是，很多人摸不透莊世恒與陶之青究竟怎麼一回事？這是因為大部分〈蟬〉的讀者沒有看過《變形虹》的緣故。〈變形虹〉中沙夷－敘述者－「她」之間的複雜感情，可以幫助讀者掌握〈蟬〉裡面吳哲－莊世恒－陶之青的曖昧糾葛；〈安德烈·紀德的冬天〉康齊在秦、意芃之間的游移，也可以作為理解莊世恒面對吳哲、陶之青之所以困窘的參考。

至於最後一篇小說〈辭鄉〉，成於愛荷華小說寫作班，按林懷民的說法，這是一篇有「學院氣」的小說⓫，然而也是一篇技巧成熟、結構完整、敘事清晰的作品。小說寫的是大學畢業、準備赴美深造的年輕人，奉父命在出國前回嘉義新港老家掃墓。家鄉景物的變化、老家人事的飄零，固然令年輕人發出些微的感慨，但對任何一個只想虛應故事的人來說，老頭子老太婆的唸經說教早就與己無關，年輕人甚至想要父親把老家賣掉算了！所以年輕人沒有愁悵、沒有感傷、第二天早上起晚了趕不及上墳也無所謂，到時在那個夜晚，看著天上福泰的月亮，「想著不久就要在另一塊大地上看同一個月亮，他笑了。」他巴不得趕緊離開滿是蛀蟲的老家，離開台灣，奔向象徵美好的異國：

——紐約，芝加哥，春田……他望住月亮，心底大聲叫道：美國！我來了！⓬

到了美國的林懷民，寫完這篇小說之後，也就告別了他的讀者。

---

❿ 林懷民，《蟬》（台北：INK 印刻出版有限公司，2002 年），頁 207。

⓫ 林懷民，〈前世煙塵〉。

⓬ 林懷民，《蟬》（台北：INK 印刻出版有限公司，2002 年），頁 225。

四、林懷民小說的特殊性與時代性

閱讀林懷民的小說，尤其是按照他小說寫作的時間順序一路讀下來，很容易讓人誤以為這是他一系列自我生命歷程的記錄，是他大學前後數年、從十八歲到二十三歲的自傳式演出，這全係因為作家把一己形象投入小說的緣故。為《變形虹》作序的葉石濤，既驚訝於林懷民的早熟，同時也意有所指地道出，林懷民和他筆下人物其實是同一種人：

> 事實上，他的小說皆缺少傳統小說的結構和情節，它底晦澀獨異的風格委實頗不容易接受。這些小說有些地方顯然閃露著心理分析的碎片，有些地方卻接近於內心底獨白，而仔細察看，倒什麼都似是而非。廣泛的閱讀和敏銳的知性，使得林懷民不知不覺之中消化了現代文學的菁華，但到頭來全是空虛，它所寫出的就只是屬於一己的感覺和色彩。也許他和幾個現代年輕作家一樣，並不囿於傳統，而屬於「孤獨」的「無根」的種族。⓭

葉石濤批評林懷民的意見，其實就是他一貫對台灣現代主義文學的看法，這並且落實在他後來的《台灣文學史綱》裡面。然而，林懷民正式登場的 1960 年代中後期，台灣文壇正是剛走過現代主義文學的高峯，鄉土文學還正在蘊釀登場的時候，葉石濤批評他「缺乏的正是『某種寫實主義』。他底世界僅囿於這時代、社會的某一階層，與生氣勃勃的廣大人群的喜怒哀樂完全無關；簡而言之，他缺少的是濃厚的鄉土性和堅強的民族性。」——這固然是事實，但是對於一個才二十歲上下、剛從升學主義制度冒出來的娃娃作家來說，確實也太嚴苛了些。如果不要從一開始就視《變形虹》裡面的年輕人為社會之惡，那麼我們也許願意承認，林懷民筆下那些心靈受創、精神萎靡、理想殘缺，終日只曉得吸菸、閒扯、晃蕩、鬼混、戀愛的年輕大學生，畢竟也是由台灣社會哺育出來的一個世代。因而從另一個角度講，林懷民等於是用「另一種寫實主義」，讓我們看到了那個時代青年的集體苦悶、焦慮和徬徨。葉石濤不是也贊美道：「他猶如一個溫度計，正確地反映、記錄下來這些時代的病態。」

⓭ 葉石濤，〈序——兼評「安德烈·紀德的冬天」〉，林懷民，《變形虹》（台北：水牛出版社，1968年）。

呂正惠早就準確地指出，台灣現代主義作家的直覺敏感性，如果超越他對西方現代文學的題材與技巧的模仿性，那麼他仍然可以獲致相當的成就，反之則會淪落為拙劣的複製品⓮。白先勇、王禎和是正面的範例，想來林懷民也是一樣。從《變形虹》到《蟬》，林懷民更成熟地掌握了小說寫作的要領，並且用更冷靜、更全面的視角，展現六〇年代台灣社會及知識青年的精神衰弱症。在這象徵成長的轉變過程中，林懷民和他筆下的人物一起由熱烈地擁抱頹廢與虛無，變成世故地品鑒荒謬與瘋顛；從血性方剛、歇斯底里、搖頭晃腦的叫喊者，變成一口啜飲咖啡，一手燃起紙菸，一派安詳地時而低頭啃讀海明威、時而抬頭觀看人生劇場的聆賞者。年齡逐歲提高的林懷民，及其筆下的小說人物，都必須從「叫囂」自己的無聊，變成「面對」自己的無聊，這是一個從激烈到漠然的歷程。

至於這「另一種寫實主義」是什麼呢？楊照認為是村上春樹式的：

> 林懷民小說中這些滿盈的六〇年代符號，從一個角度看，多麼像後來在台灣大流行的村上村樹。林懷民跟村上春樹一樣，擅於利用這些高度象徵感染性的符號，讓閱讀者快速跌入那個特殊的氣氛裡。⓯

這「另一種寫實主義」的說法也不無可能是詭辯，然而，林懷民的技法使六〇年代台灣的另一面給呈現出來卻是事實，它填補了過去歷史敘述的空缺，讓從那個時代走來的人、以及好奇於過往的現代讀者因此有了憑藉。當然，林懷民也沒有偉大到「感時憂國」⓰，白先勇說的好：「林懷民小說中的那些年青人對於社會國家的問題，還徘徊在徬徨少年時，『感時憂國』恐怕他們承受不了。」⓱

如果說，《變形虹》時期的林懷民一味只想藉「叫囂」自己的無聊以引起別人的注意，《蟬》時期的林懷民則是開始「面對」自己的無聊並設法安頓之，那麼離台赴美的他便是尋找真正的解決之道了。1973 年他回台創辦雲門舞集，創團宣言提到「中

⓮ 呂正惠，〈現代主義在台灣——從文藝社會學的角度來考察〉，《戰後台灣文學經驗》（台北：新地出版社，1992 年），頁 3-42。

⓯ 楊照，〈林懷民的小說世界〉，《INK 印刻文學生活誌》創刊前號，2003 年 8 月，頁 105。

⓰ 高全之，〈林懷民的感時憂國精神〉，《從張愛玲到林懷民》（台北：三民書局，1998 年），頁 1-16。

⓱ 白先勇，〈我看高全之的《當代中國小說論評》〉，高全之，《從張愛玲到林懷民》，頁 7。

國人作曲，中國人編舞，中國人跳給中國人看」——當時「中國」的意涵係指台灣——我們看到林懷民決定走向群眾、面對鄉土。當年葉石濤批評他缺少的是「濃厚的鄉土性和堅強的民族性」，後來他最不缺少的也正是「濃厚的鄉土性和堅強的民族性」。

1995 年 10，雲門舞集在華盛頓甘迺迪中心歌劇院演出「九歌」，次日《紐約時報》對它的評論為：「是交融東西文化，撞擊今古的壯闊大作！」⓲如果林懷民繼續寫小說，大概也是走上這條路吧。

⓲ 楊孟瑜，《少年懷民》（台北：天下遠見出版公司，2003 年），頁 207。

由「湯島聖堂」之沿革談日本江戶前期儒學之實相

金　培懿

前　言

江戶時代初期，日本在落實、普及朱子學，以及考議聖像章服、釋菜儀節等方面皆有長足之發展。與伊藤仁齋分庭抗禮於京都的中村惕齋（1629－1702），其於元祿六年（1692）十月，為佐賀藩豪商武富咸亮所興建之「大寶聖堂」❶作記時，如下說道：

> 伏惟吾夫子之德教，名並日月，功侔造化。凡極海宇、達古今，人紀世綱之楷範，莫不取諸此。實天下萬世所永賴也。本邦崇儒之典，自經籍入來，則置博士授業生徒，其學術則大學寮及諸家學院庶州官校，一以孔氏為宗矣。其釋禮則昉於文、武帝之時，遂為諸州通祀。尊儀講論，倣李唐開元禮。國庠丁祭翌日，獻胙於天子，天子御紫宸令，再繹講論，謂之內議論，學生雖士庶亦與焉。中葉王化寢微，佛教孔殷而其禮廢墜。正保皇帝登極，尚儒術、興舊典，釋奠禮樂亦既備，惜乎其未及行也。昔時廟像之設，亦皆烏有。野州足利郡學之聖睿，雖尚獨存，而今禪徒所管。往歲東都侍儒羅山林老，造聖祠於東間，而修二仲之祀，然亦繫一家之私。方今大君殿下，英斷由衷，挺然以興儒為急務，乃肇基於城北，建至聖之殿，置日講之堂，而與臣民公之。春秋釋儀，臺駕一臨，宿齋精禋，蓋為恆規也。禮畢嘉宴便殿，其不親臨，則使朝臣諸侯群拜，

❶ 有關「大寶聖堂」與佐賀藩多久邑孔廟之關係，詳參拙作〈日本多久聖廟與儒學〉，《漢學論壇》第3輯（2003年12月），頁165－184。

亦就賜宴。又於大殿中，屢御講筵，侯伯守令，凡居民上者，皆許拜聽，為之親解說經義，因命守國治民，要文武兼備。嗚呼！啟千古之蒙蔽，警兆民之憒耗，可謂宇宙間之一盛會矣。然今既數歲，自國侯郡牧以下，未聞一有贊襄德意者，何也？豈得非以異教蠱人心之久故乎。❷

誠如中村惕齋所言，蓋據《本朝文粹》記載，日本信史上皇朝學校之創建乃在大化之世（645－649）。孝德天皇即位始以僧旻及高相玄理為國博士，在此之前，則常向三韓徵求博士。大化 5 年（649），孝德天皇又命僧旻及高相玄理為博士，並首置八省百官，然仍未立庠序。又據《續日本記》之記載，天智天皇承五經之學，創設學校，拔擢百濟之歸化僧詠為大學頭，至天武天皇時，始置大學於京師；諸國則置國學，而其制度之整備，實有待文武天皇大寶之世（701－703）。蓋大寶元年（701）二月始祭孔子，文武天皇親臨祭祀，行釋奠之禮。而據《大寶令》〈釋奠〉條項，爾後每年春秋二仲皆行釋奠。又大學寮屬於式部省，掌管簡試學生及釋奠之事。而無論是大學寮或國學，皆為施行儒學教育以培養官吏之機構，大學所培養的是中央律令官員；國學培養的則是地方官吏。至於孔廟，則是大學和國學的附屬設施。但到了平安時代（794－1185）末期，上述機構設施全被廢棄，甚至到了戰國時代（約 1467－1567），春秋二仲之釋奠亦遭廢絕。

至德川家康於慶長八年（1603）創建江戶幕府以來，文教再興，釋奠之禮才又再度施行。本文以下將從寬永 9 年（1632），林羅山（1583－1657）於忍岡私家宅邸內設置孔廟「先聖堂」開始，到五代將軍綱吉之世改建為「湯島聖堂」為止的百年間，探討林家孔廟聖堂之發展，反映出江戶前期儒學發展的何種樣貌。下文將分三節，首先論述林家私設之孔廟，如何由創建、漸興到隆盛❸，以及由此發展沿革過程中，得

---

❷ 該文收入《惕齋文集》卷十，及《惕齋筆錄》中，本文所援用者，係柴田篤・邊土名朝邦，《中村惕齋室鳩巢》（東京：明德出版社，1983 年 12 月）一書末尾所附原文資料，頁 279。

❸ 下文有關「先聖堂」與「湯島聖堂」之發展沿革，主要係參考犬冢遜，《昌平志》（收入黑川真道編，《日本教育文庫　學校篇》，東京：同文館，1911 年 3 月）、《聖堂略志》（收入斯文會編，《諸名家の孔子觀》，東京：博文館，1910 年 4 月）以及鈴木三八男著，《日本の孔子廟と孔子像》（東京：斯文會，1989 年 3 月）、《聖堂物語》（東京：斯文會，1989 年 5 月）、《聖堂夜話》（東京：斯文會，1989 年 11 月）三書。

以窺知何種江戶前期儒學發展過程中所醞釀的課題或顯現的實相。

一、林家「先聖堂」之創建

慶長年間（1596－1614），林羅山獲得德川家康允許而欲興建學校於京都，然因大阪之役❹，建校宿願未果，爾後虛度十餘年而未有任何進展，寬永 7 年（1630），三代將軍德川家光乃將忍岡之地五千三百五十三坪，賜與羅山設置別宅。❺另賜二百兩以營建學寮、塾舍、書庫。兩年後的寬永 9 年（1632）冬，尾張藩大納言，亦即德川家康之第九子德川義直，協助林羅山於忍岡宅邸內興建孔廟，除捐贈孔子聖像、顏回、曾子、子思、孟子四哲像和祭器等，另外還親自書寫「先聖堂」三字之匾額，以為該孔廟之名。❻若據《昌平志》卷二中所記載，「先聖堂」中的孔子與四哲之木像皆為德川義直所捐贈，另外還捐贈了祭器和聖賢畫像二十一幅❼，然若據〈羅山先生年譜〉或〈羅山先生行狀〉之記載，則此二十一幅聖賢畫像乃林羅山本人所訂作，畫出自狩野山雪之筆。另據〈聖賢像軸〉所記，寬永 13 年（1636）朝鮮通訊大夫金世濂來日聘扣時，受羅山之託，曾為此二十一幅畫像題贊。❽

尾張藩大納言德川義直之所以協助羅山建孔廟，除因其好學尊儒、而大興文教之

❹ 豐臣秀吉之子豐臣秀賴，於再度興建的方廣寺的鐘銘文中，竟有詛咒德川家康之文，家康遂以之為藉口，於慶長 19 年（1614）及元和元年（1615）兩度發起「大阪冬之陣」和「大阪夏之陣」戰役，藉此殲滅了豐臣氏殘留於大阪的舊勢力。

❺ 忍岡一地在今上野公園內，原為藤堂高虎等二、三大名舊宅邸之所在地。寬永 2 年（1625），高僧正天海為興建東叡山寬永寺，遂將忍岡一帶收為寺地。惟當時依藤堂高虎之願，於寬永寺內，為東照大權現，亦即德川家康建廟紀念，此即現今之東照宮。而幕府頒與林家的土地，則由現今清水觀音堂周圍到西鄉隆盛銅像附近一帶。

❻ 先聖堂乃於林家宅邸內畫出一區，建堂於中央，面向於西，正門介於塾舍與書庫中間，舊址於今彰義隊碑附近。德川義直耗資數百金建造之，然規模不大，就僅先聖堂一間。相關記載可參閱犬冢遜，《昌平志》，第 1 卷，〈廟圖誌·寬永壬申創置忍岡〉，頁 30。

❼ 見《昌平志》，第 2 卷，〈事實誌〉，頁 51。又二十一幅畫像除了周敦頤、張載、程顥、程頤、邵雍以外，尚有伏羲、神農、皇帝、堯、舜、禹、湯、文王武王、周公、孔子、顏子、曾子、子思、孟子。前六宋儒之像今藏於筑波大學；後十五聖賢像則藏於東京國立博物館。

❽ 詳參京都史蹟會編纂，《林羅山文集》（東京：ぺりかん社，1979 年 9 月），卷第 64，〈雜著九〉，頁 766。

外，其自身亦於名古屋城內建一孔廟，內置孔子及堯、舜、禹、湯、周公等像外，還置有籩、豆、爼、瑚、璉等祭器。羅山早在寬永 6 年（1629）12 月 6 日赴東武時，便順道前往德川義直私設的孔廟參訪。❾而德川義直的興建孔廟或恐與其於寬永 15 年（1638），招聘歸化人陳元贇（1587－1671）為尾張藩儒官不無關係。此由今被名古屋市指定為重要文化財的定光寺，乃陳元贇為尾張藩主敬公所設計建築的儒學式廟宇一事便可窺知一二。事實上，陳元贇於江戶初期社會所立下的功績，除建築方面之設計提案外，亦致力倡導四書五經，教授唐音，及中文會話和習作漢詩文、並教授「元贇燒」之製陶、趙子昂流之大楷書法、水墨畫和茶道。也就是說江戶初期，陳元贇可說是發揮了傳播中國文化、儒家文化之先驅人士，是一親臨江戶日本現場指導的儒家文化傳播者，而孔廟的設計建設亦為此儒家文化傳播之一環。❿而若將上述朝鮮通訊大夫金世濂為林家二十一聖哲畫題贊，與陳元贇為尾張藩設計建設孔廟二事合而考慮，則吾人可以說江戶初期日本孔廟之興建，中國、朝鮮之知識份子乃實際直接、間接參與其中。

「先聖堂」竣工後，寬永 10 年（1633）2 月 10 日，羅山首次舉行釋奠之禮。4 月 17 日，三代將軍德川家光於參拜上野東照宮後的歸途中⓫，順道親臨「先聖堂」參拜孔子等諸像，並命羅山講釋《尚書》〈堯典〉，此乃將軍首次拜謁孔廟。寬永 12 年（1635）2 月，羅山於「先聖堂」舉行釋奠之禮時，講釋《論語》首章，此乃初次於「先聖堂」釋奠儀式中講授經書。此後羅山幾乎每年皆舉行丁祭。惟家光首次拜謁孔廟後，將軍拜謁孔廟之舉一度中絕，要到五代將軍綱吉時，將軍才又重新拜謁孔廟。明曆 3 年（1657）正月 18、19 兩天，江戶城內發生了嚴重的「明曆大火」，林羅山位於神田的個人家宅被大火燒盡之外，明曆元年（1655）受賜於幕府的銅瓦書庫和數萬冊珍貴典籍，亦全都付之一炬，然羅山位於忍岡之別宅和慶安 4 年（1651）剛修建之文廟，以及學舍，則倖免於難。慨嘆多年心力盡毀於一時，羅山遂臥病不起，遂於明曆 3 年（1657）正月二十三日辭世。

---

❾ 詳參《林羅山文集》，卷第 64，〈雜著九・拜尾陽聖堂〉，頁 766。

❿ 關於陳元贇之研究，詳參小松原濤，《陳元贇の研究》，京都：雄山閣，1962 年 8 月。

⓫ 4 月 17 日為德川家康之祭日，江戶幕府將軍，按例每年該日須前往東照宮祭拜。

二、林家「先聖堂」之漸興

明曆 3 年（1657）正月林羅山歿後，其三子林鵝峰繼承家業⓬，隔年的萬治元年（1658）3 月，幕府憐憫林家書庫罹災而重新贈與府庫之書六十部，另贈五百兩使其購買新書。萬治 2 年（1659）2 月及 8 月，鵝峰於「先聖堂」行釋奠之禮，訂定每年春秋仲月上丁之日皆舉行釋奠。萬治 3 年（1660）幕府更賜與林鵝峰五百兩使其修造「先聖堂」，因自慶安 4 年（1651）修築以來雖未經數年，然因規模狹小出入不便，故幕府當局特准其修改之。寬文元年（1661）6 月修築竣工，較之舊廟多有擴張增設，文廟規制終至完備，右方正門「杏壇門」，外門「入德門」，兩匾額皆成於鵝峰門人樋口榮清之手。⓭

除規制完備之外，釋奠樂舞亦漸趨整備。寬文 4 年（1664）正月，京都伶人正四位下行伯耆守狛朝臣近元因公務至江戶，鵝峰乃招之至文廟，使其於二月丁祭時率伶人之輩合奏箏、笙、笛、笳，此舉可視為「先聖堂」釋奠奏樂之始，鵝峰視之為據周代古制所復興之禮樂。寬文 5 年（1665）5 月，近元在參加完日光東照宮之祭典返回江戶時，鵝峰再度招之於「先聖堂」前演奏舞樂，同時並舉辦臨時祭典。寬文 10 年（1670）釋奠儀節大為整備，首設伶人座於東廡，自此以還，規定行釋奠時必奏古樂。

文廟規制儀節完備之同時，林家學寮更形發展。蓋林羅山晚年曾授命編《本朝編年錄》，雖於慶安 3 年（1650）業已完成神武天皇至宇多天皇之部分四十卷，但因史料不全而中途被迫停頓。寬文 2 年（1662）10 月，幕府再命鵝峰續修延喜（901－922）以後之國史，其時鵝峰正在為將軍德川家綱講授五經，翌年的寬文 3 年（1663）該講義結束，12 月時幕府准林家私塾改稱「弘文院」。寬文 4 年（1664）續修《本朝編年錄》之作業正式開始，幕府在 8 月時於「弘文院」中設建長寮以為編輯所，又置附屬

⓬ 羅山之長男、次男相繼早夭，故家業由三男鵝峰繼承。鵝峰初名又三郎春聖，又稱恕，號鵝峰，元和 4 年（1618）生於京都。寬永 11 年（1634）鵝峰十七歲方來江戶，削髮為僧稱春齋，使謁將軍。寬永 18 年（1641）以還，以文學仕幕府參與大議。明曆 3 年（1657）6 月承繼家業時，家祿九百二十石。安慶 4 年（1651），四代將軍家綱繼承將軍職時僅十一歲，鵝峰輔導之，繼羅山之後成為將軍家綱之侍讀。寬文元年（1661）敘治部卿法印，寬文 3 年（1663）幕府更授與鵝峰「弘文院學士」之號。

⓭ 有關新廟規模、詳參《昌平志》，第一卷，〈廟圖誌·寬文辛丑重修孔廟〉，頁 31－32。

文庫以收藏史料，林家私塾「弘文院」遂成為修史館、史料館，此「弘文院」理所當然成為公家設施，鵝峰等修史人員亦享領幕府俸祿。故雖然「先聖堂」和「弘文院」仍是林家之私廟和私塾，然已具「準公家性質」之機構，所以當寬文 10 年（1670）《本朝編年錄》全 310 卷完成，改名《本朝通鑑》後，同年 8 月，「先聖堂」之釋奠便與修史成功之奉告儀典合併舉行。林家享領之俸祿亦增加二百石，並將修史時賜與的給書生月俸九十五人扶持，原原本本轉與林家做為學生之學糧。此舉無非等同於是在林家私塾「弘文院」中設置官費生。幕府更於寬文 12 年（1672）春，賜與建材協助林家增設塾舍，延寶 2 年（1674）11 月，幕府再度撥款協助林家重修「先聖堂」屋頂。延寶 3 年（1675）8 月釋奠之禮舉行時，還特地迎請水戶藩主德川光圀蒞臨席筵。由於林家二代鵝峰致力擴建文廟、整備文廟典禮儀制，使得每年前來參拜忍岡孔廟「先聖堂」之諸侯士庶與日俱增，「先聖堂」之名聲亦日漸興隆。

在此值得注意的是：誠如前文在「先聖堂」初建時期有陳元贇和金世濂的共襄盛舉，「先聖堂」在整備文廟典禮儀制的過程中，吾人亦不可忽略背後朱舜水的影響。蓋延寶 3 年（1675）8 月的釋奠之禮所以特地迎來水戶光圀，除了說早在鵝峰續修《本朝通鑑》前，水戶藩已開始編纂《大日本史》，故據《國史館目錄》的記載，《本朝通鑑》自著手之初便與水戶義公德川光圀詳細研商，進行編纂的七年間，雙方還曾數度會面交換意見。⓮而朱舜水於寬文 5 年（1665）至江戶後，亦負責指導日本史編纂的方向和諮詢，此由「彰考館」前六任總裁皆由朱舜水門人擔任，便可見一斑。事實上，為彰顯「正閏皇統」的修史原則⓯，德川光圀曾為楠木正成修建紀念碑於湊川，迎來舜水之前已撰文表彰楠木正成，後又為此紀念碑撰像贊，此或可視為光圀與舜水兩人史觀契合之佐證。⓰而除修史之外，關於孔廟規制與釋奠儀節等，朱舜水亦同樣

⓮ 相關研究詳參平野彥次郎，〈林羅山と本朝通鑑〉（收入德川公繼宗七十年祝賀記念會編，《德川公繼宗七十年祝賀紀念　近世日儒學》，東京：岩波書店，1939 年 8 月），頁 279－296。

⓯ 德川光圀於〈梅里先生碑陰並銘〉（收入《水戶義公・烈公集》，東京：日東書院，1933 年 5 月）文中曾言：「自蚤有志於編史，然罕書可徵，爰搜爰購，求之得之，微遴以稗官小說，摭實闕疑，正閏皇統，是非人臣，輯成一家之言。」，頁 47。

⓰ 日本在鎌倉時代（1192－1333）中期，後嵯峨天皇讓位後，天皇世系便二分為持明院統和大覺寺統兩皇統。文保元年（1317）幕府當局提出所謂「兩統迭立」的兩皇統交替繼承皇位，此即「文保和談」。然大覺寺統在後宇多天皇於元亨元年（1321）讓位後，其子後醍醐天皇試圖恢復天皇親政，

發揮了親臨江戶日本現場指導的作用。

如寬文 9 年（1669），朱舜水「作〈諸侯五廟圖說〉，博採重說，通會經史，旁考古今，以理折衷。識者皆謂不朽之盛典。」⓱寬文 10 年（1670），舜水奉命作〈學宮圖說〉，「商榷古今，剖微索隱，覽者若燭照而數計焉。上公乃使梓人依其圖而以木模焉，大居其三十分之一。棟梁枅椽，莫不悉備。而殿堂結構之法，梓人所不能通曉者，先生親指授之，及度量分寸，湊離機巧，教喻縝密，經歲而畢。文廟、啟聖宮、明倫糖、尊經閣、學舍、進賢樓、廊廡、射圃、門樓、牆垣等，皆極精巧。」⓲而此學宮之設計，「湯島聖堂」日後於寬政 10 年（1798）3 月改建時，便大致依此模型為準據而改建之。另外，寬文 13 年（1672），朱舜水更奉上公之命，「率儒生習釋奠禮，改定儀注，詳明禮節，學者通其梗概。明年癸丑（延寶元年，1673），復於別莊權裝學宮，使再習之，於是學者皆精究其禮。甲寅（延寶 2 年，1674），先是上公使光生製明室衣冠，至是而成，朝服、角帶、野福、道福、明道巾、紗帽、幞頭之類也。」

乃登用吉田定房、日野資朝、日野俊基、北畠親房等新進人材，但因貴族政治之恢復計畫未果，天皇與日野資朝等近臣乃在學習宋學之大義名分論後，意志轉為倒幕。

然雖經歷「正中之變」與「元弘之變」兩次倒幕策劃，卻皆告失敗，後醍醐天皇遭幕府逮捕後，遂被流放到隱岐，於是畿內與各地反幕府、反莊園領主之有力武士，乃舉兵起義以響應天皇和護良親王。其中楠木正成繼赤坂城之後，再佔據千早城以力抗幕府；護良親王則以吉野為依據地，而播磨（今兵庫縣）的赤松則村；伊予（今愛媛縣）的土居通益、得能通綱；肥後（今熊本縣）的菊池武時、阿蘇惟直等則起而反叛幕府，鎌倉幕府於是逐漸被孤立。

一般日本漢學史方面之著作，皆言後醍醐天皇召天台僧人玄惠為侍讀，首次於宮中講《四書集註》，時楠木正成、源親房等亦皆從而學之（見牧野謙次郎，《日本漢學史》（東京：世界堂書店，1938 年 9 月），頁 87）。文化評論家司馬遼太郎亦主張：造成日本南北朝時代政治混亂的導因，乃在後醍醐天皇及其近臣們成為宋學意識形態的思想俘虜（見司馬遼太郎，《この國のかたち》一（東京：文藝春秋，1993 年 9 月），頁 29）。

然而水戶藩德川光圀於《大日本史》中，雖將盡忠於後醍醐天皇的楠木正成視為正閏皇統之忠臣，但就如同和島芳男所言：「玄惠確實為天台宗出身之詩僧文人，然所謂玄惠精通於宋學、為首唱宋學者一事，則無一確實證據。」（見和島芳男，《中世の儒學》（東京：吉川弘文館，1996 年 7 月，新裝版），頁 142）。今姑且不論楠木正成之反幕是否為忠臣義舉，但其行為果真受宋學大義名分所影響，或恐仍有待商榷。

⓱ 見朱謙之整理，《朱舜水集》下冊（北京：中華書局，1981 年月），〈附錄一——傳記〉，頁 619。

⓲ 《朱舜水集》下冊，〈附錄一——傳記〉，頁 619。

⑲由上述資料看來，就時間順序來看，延寶 3 年（1675）德川光圀所以被林鵝峰迎請來參加整建後的「先聖堂」之釋奠禮，可謂指教意謂濃厚，而此事或許亦可視為朱舜水之間接指導。

相對於萬治 2 年（1659）才歸化日本的朱舜水在「先聖堂」漸興期的江戶日本，發揮了對朱子學、乃至孔廟興建、釋奠祭儀等制度面的指導功效；陳元贇則於該年與詩僧元政上人意氣相投，共同提倡傳授明袁宏道等之「性靈派」文學，四年後刊行了兩人酬答應和之詩集《元元唱和集》，促使當時江戶漢詩藉由形式擬古派轉為奔放的性靈派，此可謂陳元贇於江戶漢學界立下的大功績。另外，其所著的《老子經通考》二卷，雖仍有諸多尚待商榷之問題，例如：其以《老子河上公注》為正確解釋老子思想者、以及確信老子為孔子所問禮者等等；然書中多引宋林希逸《老子口義》和明焦竑《老子翼》之注而加以批判，隱然可窺知此乃對幕府儒官林羅山之批評。

同是來自中國的歸化人，朱舜水以提倡朱子學為主，力主建學宮以培養人才，為國所用，進而改變階級制度⑳，積極向日人推崇孔子，以為孔子之道若能施行，則百姓自可安居樂業。其先後著有〈孔子贊〉三首、〈聖像贊〉五首。㉑其於〈聖像贊　五〉中說道：

> 仲尼之道，大則則天，明則並日。有心以援弱，無位而憂時。表章六經，丕承七聖，覆冒八荒，焜煌九有。豈形容彷彿之可肖，語言文字之可盡，支流小道之可擬議哉！然在中國，帝王之治或有盛衰，則仲尼之道固有明晦。況在日本，國小而法立，氣果而輕生，結繩可理，畫地可牢，前乎此，未聞有孔子之教也。故好禮義而未知禮義之本，重廉恥而不循廉恥之初。一旦有人焉，以孔子之道教之，行且民皆堯、舜，比屋可封，寧止八條之教朝鮮而已哉！㉒

相對於此，陳元贇則試圖以《老子》中所闡述的道，向江戶初期的日本學界力主所謂「治國治身」這一實理實用之學的必要，希望實現社會和平（治國安寧）與個人

---

⑲　《朱舜水集》，下冊，〈附錄一——傳記〉，頁 620。

⑳　《朱舜水集》，上冊，卷九〈書簡六・答小宅生順、野傳論建聖廟書〉，頁 323。

㉑　《朱舜水集》，下冊，卷十九，〈贊〉，頁 557－560。

㉒　《朱舜水集》，下冊，卷十九，〈贊〉，頁 560。

身心之安寧康健（治身全性）。

另外，「先聖堂」之漸興期間，隨著林家私塾「弘文院」為修纂《本朝通鑑》而成立修史館、史料館，林家作為一日本學者的文化身份主體性亦遭受檢驗。此即有關林家於《本朝通鑑》中如何處理所謂日本乃吳太伯之後裔這一問題。若據內藤恥叟《江戶文學志略》、安藤年山《年山打聞》和湯淺常山《文會雜記》三書之記載，皆言《本朝通鑑》中承認日本乃吳太伯之後裔，結果受到水戶德川光圀等諸老或京都公家眾卿之非議。㉓然江戶儒壇的此項流傳果真屬實？蓋《本朝通鑑》中〈神代紀〉三卷，乃原原本本抄自《日本書紀》，林鵝峰在該書後之跋文中亦言：

> 本朝通鑑前編三卷，以日本書紀為正，而參校舊事記古事記，辯同異、削繁冗，以低書之，粗加倭姬世紀，古語拾遺，元元集於其間，聊傚劉氏外紀，金氏前編之例，而附神武紀之首，以尋神國之宗源，崇皇胤之正統，若夫少康泰伯之事，則異域之所傳稱，今不取焉。㉔

而林羅山於〈太伯〉一文中亦如下說道：

> 聞太伯可謂至德，則仲尼之語也。後世執簡者，以本邦為其苗裔，俗所稱東海姬氏，國之類何其誕哉。本邦元是靈神之國也，何故妄取彼而為祖乎？嘗有一沙門修日本紀以太伯為我祖神者，時天子怒其背朝儀，遂火其書，實乎？否乎？至若伊勢內宮揭三讓以為額，亦是誰所為歟。㉕

蓋太伯乃日人之始祖一說，為日本南北朝（1336－1392）時東山僧侶圓月所倡，故德川時代初期仍有不少學者相信其說。羅山雖有共鳴，但亦半信半疑。而在面對公家的修史事業，則仍強調「夫本朝者神國也」㉖，另外在〈神祇寶典序　代義直卿〉一文中則說：

㉓ 有關該方面之研究，詳參平野彥次郎，〈林羅山と本朝通鑑〉，頁 279－296。

㉔ 轉引自平野彥次郎，〈林羅山と本朝通鑑〉，頁 291。

㉕ 《林羅山文集》，卷第 36，頁 408。

㉖ 《林羅山文集》，卷第 48，頁 562。

夫本朝者，神靈之所挺而棲舍也。故推稱神國。其寶號神器，守其大寶，則曰神皇，其征伐則曰神兵，其所由行，則曰神道。㉗

既然如此，江戶儒界何以誣賴林家？筆者以為此舉乃在凸顯初期水戶學之尊崇日本國體這一精神，以開顯日本皇道，促進國民自覺，而其學問方法則在《春秋》、宋學之正名主張。以萬世一系之天皇為統治根據，強調日本傳統的特殊與優越性。爾後，當十八世紀後半以還，外國勢力威脅到江戶日本的鎖國外交政策時，隨著國族意識的高揚，日本中世的神國思想、近世日本儒者或神道家身上所具有的各種日本固有道德，遂皆集中於所謂「國體」這一獨特的國家觀念。又將此國體思想加以理論體系化的，則是後期的水戶學者，如會澤安於《新論》、藤田東湖於《弘道館記》中，皆在闡發「國體」之「尊嚴」。「國體」可謂後期水戶學的核心觀念，是國家所以統合民心、對抗外敵的政治思想依據。就這層意義而言，「國體」乃水戶學基於其歷史認識而建構出的一種國家觀念。明治日本為了對抗西洋近代國家，再以「國體」這一觀念支持天皇制國家，於《教育敕語》中使之重生，用以支撐明治憲法體制，進而結合軍國侵略主義。㉘

三、隆盛期——「先聖堂」到「湯島聖堂」

五代將軍德川綱吉就職時，正值林鳳岡承繼家業，故鳳岡立即成為綱吉之侍讀。元祿元年（1688）鳳岡首次將釋奠之胙獻與將軍綱吉，同年 9 月綱吉召見鳳岡，讚賞林家自建孔廟於忍岡家塾以來，行春秋之釋奠不絕，故綱吉下令欲倣效寬永年中三代將軍謁拜文廟之例，欲親謁文廟，並定孔子誕生的 11 月 21 日為將軍參謁文廟之日。當天，由老中阿部豊後守正武陪同，綱吉盛裝前往謁廟，繼而蒞臨鳳岡之書院「弘文館」，又倣效三代將軍之例，使鳳岡講義《尚書》〈堯典〉。翌年的元祿 2 年（1689）春以還，綱吉再三參謁文廟並親臨「弘文院」。

綱吉以一將軍之「公」職身份，屢次參訪一儒臣的「私」設文廟，本有失尊卑儀

㉗ 《林羅山文集》，卷第 48，頁 558。

㉘ 有關明治日本如何運用「國體」這一觀念，來支持天皇制國家往軍國侵略主義發展，詳參拙作〈日本的孔子教運動〉，林慶彰主編，《國際漢學論叢》第 1 輯（台北：樂學書局，1999 年 7 月），頁 158－202。

節。復加「先聖堂」本為尾張藩大納言德川義直所協助建造，代代將軍雖尊崇之，然終非幕府營造之物。何況規模狹小，不足以滿足綱吉之豪邁性格。再加上「先聖堂」位於佛寺寬永寺附近，寺方對文廟有所顧忌。基於上述諸多因素，使得朝中產生遷移、擴建孔廟之議。幕府於是卜中江戶城北相生橋，即今昌平橋西北，神田神社座落的神田台高地一角，以高崎藩主松平京亮輝貞為總奉行，蜂須賀飛彈守隆重為輔佐，大興土木，時為元祿 3 年（1690）7 月。同年 11 月 21 日，綱吉親書黑漆金字「大成殿」之匾額，元祿 4 年（1691）正月新孔廟落成，形式全倣效「先聖堂」，惟規模較之舊廟，雄大宏壯。新孔廟以其附近有坡道，名「昌平坂」，故稱「昌平坂聖堂」，又因其所在地位於湯島，故又稱「湯島聖堂」。新廟落成時，幕府命諸大名貢獻祭器、圖書，今幾已全部亡佚，惟蜂須賀隆喜所獻之銅製花瓶，仍被保存至今。

「湯島聖堂」開基完工後，幕府將之視為與寺院同格，命大藏卿法印鳳岡蓄髮還俗，敘爵任官為從五位下大學頭，且准其子孫世代相承大學頭一職，並擔任聖堂之主祀。從此祭孔成為林家之公職，與先前忍岡「先聖堂」之私祭有所區隔。至於林家自羅山以來，任將軍侍讀、掌外國事務，起草法制等公職，仍持續從事。元祿 4 年（1691）仲春 2 月 7 日，由總奉行松平輝貞指揮，將忍岡「先聖堂」的聖像及四哲像置於神輿中，以「目付」（檢察官）以下為先導，沿途禁止一般人通行，並令町家大門緊閉，慎重行事中，將之移置新廟「湯島聖堂」，由老中大久保賀守忠朝等人迎於杏壇門，安置聖像於大成殿，舉行遷座奉告儀式。

元祿 4 年（1691）2 月，首次於新廟舉行釋奠，該日綱吉著正式服裝前往新廟，鳳岡恭迎其登上大成殿，綱吉奉納神劍後，親自燒香禮拜，繼而退於杏壇門內的臨時小屋內，觀賞釋奠之禮。此次釋奠乃湯島聖堂之首次釋奠，亦是將軍首次觀賞釋奠之禮。鳳岡亦一改歷來僧人裝扮，著緋色五位袍，其他諸員則著六位布衣，於伶人奏樂中進行祭儀。釋奠禮成後，綱吉召來鳳岡頒賜一千石，做為今後永久祭祀及看守聖堂之費用，之前頒賜的學糧如舊，並且為防火災，命諸侯派人擔任聖堂救火員。繼而綱吉自講經書，使諸老臣以下儒員聽之。此日綱吉所奉納之神劍乃葵下坂康繼所鑄，長一尺六吋，靶、鞘皆金銀裝飾。此日以還，每逢釋奠必置於聖像左側，今藏於東京上野博物館。

元祿 4 年（1691）林鳳岡於仰高門講釋經書，聽者多達三百餘人，而今由「聖堂繪圖」看來，仰高門之講經時而有之。元祿 5 年（1692）2 月，綱吉再度前往湯島聖堂謁拜聖像、觀釋奠，於御成御殿講《論語》〈學而〉後，再聆聽鳳岡進講經書。元祿 6 年（1693）2 月，再度蒞臨釋奠，自講經書後，接著使鳳岡之子林榴岡講釋經書。而由於將軍出席釋奠時，諸大名中尊崇儒學者並不能陪同觀禮，故自元祿 6 年以後，春季之釋奠仍由將軍蒞臨觀禮；秋季之釋奠則允許諸大名參觀。元祿 7 年（1694）2 月，綱吉照往例親臨聖堂釋奠；9 月釋奠時又同其生母桂昌院尼一起參謁聖堂觀釋奠。元祿 11 年（1698）9 月 6 日，江戶新橋南郭町竄出火苗，復受南風吹煽，夜裡已蔓延到東叡山，此乃所謂「敕額大火」，忍岡之林家舊廟與別宅全部付之一炬。由於此處本屬寬永寺之屬地，故幕府乃贈牛迂山伏町之地二千餘坪與林家，並將羅山以下林家先祖之墓遷至此處。而忍岡林家文廟燒卻後，反而促使湯島聖堂的「公」家性質更形顯著。

「敕額大火」之後，元祿 12 年（1698），綱吉雖未前往參謁聖堂，然翌年的元祿 13 年（1699）到元祿 16 年（1703）則每年持續參拜聖堂。但元祿 16 年（1703）11 月 22 日發生關東大地震，餘震連日不絕，29 日時火苗由烈風中的小石川之水戶藩邸竄出，由本鄉、神田、下谷、淺草一路燒到深川。湯島聖堂未能倖免於難，大成殿、御成御殿、學寮等設施皆遭燒毀。聖像、四哲像、十哲木主及將軍綱吉手寫之「大成殿」匾額被保護在聖堂消防員前田飛彈守利直家中而移置淺草駒形。翌年的寶永元年（1704）才將聖像等以船隻運回湯島，安置於書庫中，再收進緊急建造的臨時屋舍中。元祿 4 年(1691)建造以來,僅歷 12 年,湯島聖堂便自地面上消失無蹤。寶永元年(1704）2 月，幕府下令再建聖堂，5 月興工，11 月上樑，12 月竣工。規制、位置皆依元祿舊制，惟遭罹大火以來，幕府下令諸事宜檢約，故大成殿較先前舊廟低三尺，御成御殿未再重建。新置的杏壇、入德、仰高諸門之匾額，則命林家門人佐佐木玄龍寫成。11 月 25 日舉行聖像遷座儀式，綱吉遣畠山民部大輔基玄代為參加。此次重建被命為輔佐的伊豫宇和島藩主伊達宗贇，徵人夫五十萬人，並於聖堂境內新植五百株樹木。

寶永 2 年（1705）3 月 25 日將軍綱吉首謁重建後的新廟，此乃綱吉最後一次參謁文廟，一生共謁拜文廟十六次。翌年的寶永 3 年（1706），以聖堂常有將軍等貴人出入，杏壇、入德、仰高等三門卻為無官無位之林家門人佐佐木玄龍所寫成，故幕府當局乃委請當時以書道聞名的前參議正三位藤原基輔執筆，重新製作三門之匾額。

在「先聖堂」發展到「湯島聖堂」的隆盛期，無論是所謂將軍綱吉不宜以將軍之身分親臨儒臣私設之文廟；或是「先聖堂」終究為尾張藩大納言所建，而非幕府所營造；甚至是將軍、大名不能同時觀釋奠禮；或是將軍、大名等貴人不宜出入一無官無位的林家門人所寫的匾額之門等等。這些除了反映出德川幕府封建階級秩序的嚴明區分之外，同時亦指涉了「公」、「私」之分，以及「公」概念於政治上被重視之程度。此一「公」領域概念，既是一「場域」概念，而且其亦無法超越這一「場域」本身。蓋相對於個人的「私」，每一個「公」領域之上，又有一更上層，更大的「公」領域，而在古代日本，天皇個人及其所代表的共同體這一首長身份，更是最至極、最高位的「公」。

反過來說，既然最高位的「公」乃是國家朝廷或天皇，則國家朝廷和天皇乃最終極、最高之「公」領域，故無法超越之。因此林鳳岡雖為儒臣，且身兼「公職」，但不能超越其上的將軍之「公」；尾張為「三親藩」之一，德川義直為德川家康第九子且身為大納言要職，但亦不能超越或等同其上的將軍之「公」；無怪乎大名不可同將軍一同觀釋奠禮，因為這是兩個無法重疊的「公」領域，若置於同一場域，則無法區分兩種「公」之上、下。至於將軍、大名等貴人從一無位無官的林家門人所寫成的匾額「下」經過，則「私」置於「公」上，豈不是一錯置的場域。然「公」的優越性，隨著明治國家的成立，呼應所謂以自國富強化為第一要義的國家主義，「各藩之情實」與「國民之私情」的「私」，也獲得了某種合法權，足以與「公」相抗衡。㉙

接著關於「先聖堂」鄰近寬永寺而遭寺方忌憚，然新廟建地卻卜中神田神社座落的神田高地一隅一事。由此事除可看出佛教於飛鳥時代（592－710）自中國經朝鮮傳入日本以後，在奈良時代經聖武天皇的大力扶植，廣建寺院與鑄造佛像，佛教信仰之風因而興盛。後經平安、鎌倉、室町時代之發展，各宗派蓬勃發展，特色各異。江戶時代初期，雖然德川政權致力提倡儒學，然儒風猶未普及，儒者甚至仍亦留有削髮披袈裟之風。朱舜水初至江戶時，見此佛盛儒衰之現象即如下感嘆道：

> 東武戶口百萬，而名為儒者僅七八十人，加以婦女則二萬中一儒也。而其人又

㉙ 詳參福澤諭吉，《文明論之概略》（東京：岩波書店，1996 年 12 月），卷 6，〈第 10 章自國の獨立を論ず〉，頁 263－305。

> 未必不佛。就此七八十人中，又自分門別戶，互相妒忌，互相標榜，欲望儒教之興；不幾龜毛兔角乎？乃欲以此闢佛，是以蚊撼山也。㉚

為了扭轉儒釋相互攻訐之歪風㉛，德川光圀立足於儒學立場，不僅大規模改革佛寺，清理淫祠，共計毀壞 3088 座淫祠。次年再毀新建寺院 997 座，令破戒僧侶 344 人蓄髮為編氓。㉜德川光圀之外，儒者林羅山亦激烈抨擊佛教，其在批判倡佛的聖德太子時說道：

> 太子無獻王好古之心，而有蕭衍講經之質。若令太子好神如好佛，則豈費多少之財，立若干之寺哉。奉儒如奉釋，則何謂篤信三寶哉。只佛為根本，神儒為枝葉，蓋太子之意也。吁以寺院為學校，而佛事為祭祀，教之以孝弟，勸之以忠誠，神道人道豈二哉。惜乎太子不如此也。㉝

其實在羅山之前，其師藤原惺窩亦於〈千代もと草〉一文中表明其排斥佛教之弊害的立場。

> 日本之神道亦在正我心、憫萬民、以施慈悲為其蘊奧，堯舜之道亦以此為蘊奧。其在唐稱儒道；在日本稱神道，名異而心一也。自神武天皇以還至三十代之欽明天皇時，天竺之佛法傳至日本，以闡說怪奇神變之事，民心遂傾心於此，以是，神道遂衰。釋迦佛乃天竺之人也。天竺國之人，其心不正，其國不治，……以是，佛應其諸人等之氣而為諸說，欲正其心、治其國、安萬民，佛陀之心亦為寶貴。然今世之出家眾，以闡說佛法為謀生之工具，皆為蠱惑人心也。……

㉚ 見《朱舜水集》，上冊，卷 4，〈書簡一・答釋獨立書三首　三〉，頁 58。

㉛ 朱舜水於〈答釋斷崖元初書〉文中說道：「至若儒釋紛紜之議，舌敝耳聾，不得肯綮，何足復道！彼以削髮披緇者為僧，峨冠廣袤者為儒，互相攻擊，專在此輩。樸謂究其大罪，什七乃在儒者，呫嗶剿襲，嘲風詠月，儼然自命為儒，是豈謂之儒哉？若非叛儒入佛，便思以儒攻佛，遂使佛者摭為口實，亦不自量之甚矣！不知儒教不明，佛不可攻；儒教既明，佛不必攻。何為徒爾紛紛哉！」，《朱舜水集》，上冊，卷 4，〈書簡一〉，頁 63。

㉜ 詳參水戶彰考館員纂輯，《朱舜水記事纂錄》（東京：吉川弘文館，1914 年 6 月），〈義公行實〉，頁 3。

㉝ 《本朝神社考》，轉引自《德川公繼宗七十年祝賀紀念　近世日本の儒學》，頁 580。

蠱惑人心之事，亦非佛陀之本意，更非神道之心，妨礙人世者乃出家之道也。[34]

蓋隨著德川初期儒學之提倡，排佛似乎是江戶前期儒學界的主流趨勢。

相對於對佛教的排詆，江戶前期的儒者們多將神道與宋學結合，提倡神儒一致。羅山便言：「我朝神國也。神道乃王道也。一自佛法興行後，王道、神道都擺卻去。」[35]又言：「王道一變至於神道，神道一變至於道。道，吾所謂儒道也；非所謂外道也？外道也者，佛道也。」[36]山崎闇齋亦云：「胡佛入來，神道愈廢，王道愈弛。……嗚呼！神垂以祈禱為先，冥加以正直為本。君臣上下無黑心，以丹心奉大神，則胡佛無所立，而觀常世之神風。」[37]另外熊澤蕃山於《大學或問》中曾言：「中夏之聖人，日本之神人，其德一也，其道不二。」[38]

蓋江戶初期的朱子學者或是陽明學者，多立於神儒一致之立場，以儒學、特別是朱子學來解釋神道，可將之稱作儒家神道或儒學神道。其中立足於儒學、終至形成其自身之神道教說的代表儒者，即為林羅山與山崎闇齋。其中，羅山晚年倡導其自創的「理當心地神道」，以排佛及神儒一致為其基本立場，進而批判中世之神道，主張神道即王道，以及所謂實踐儒家德治主義即為神道。並以三種神器象徵智、仁、勇三德，以作為支持神道即王道論之中心，主張君臣關係與親子關係同為自然之理，實踐忠孝之道，正是對神靈誠摯的信仰實踐。當吾人理解到林羅山等人此種神儒一致之主張，與江戶前期儒學界主張儒佛不相容之現象，便可理解何以幕府當局對「先聖堂」設置於寬永寺旁會有所顧忌，但卻無畏於將新孔廟建置於神社旁。

最後，吾人由羅山、鵝峰、鳳岡林家三代，其家職乃在將軍侍讀、外國事務之掌管以及起草法制等慣例一事，便應當考慮到江戶前期「儒者」的職分這一問題。蓋在

---

[34] 收入井上哲次郎、蟹江義丸編，《日本倫理彙編　朱子學派の部（上）》（東京：育成會，1901 年），頁 40－41。

[35] 《林羅山文集》，卷第 66，〈隨筆二〉，頁 804。

[36] 《林羅山文集》，卷第 66，〈隨筆二〉，頁 804－805。

[37] 日本古典學會編，《山崎闇齋全集》（東京：ぺりかん社，1978 年 5 月），第 1 卷，〈垂家草第伊勢太神宮儀式〉，頁 68。

[38] 見正宗郭夫編，《蕃山全集》（東京：蕃山全集刊行會，1940 年 7 月），第 3 冊，《大學或問》，頁 36。

戰國時代這一中世日本的社會混亂時期，儒學也是隨同其他知識，由中央向地方傳播，但逐鹿沙場的戰國大名們，顯然不可能在政治執行上實踐儒學之諸多主張，儒學得以在日本社會全面性實踐開來，實有待江戶幕府確立、近世日本社會恢復其秩序後，方有其可能性。但是，德川政權的確立，並不意味著儒學就直接可獲得其實踐的場域，江戶初期儒學的確立與發展，是由儒者個人分別擔負起責任，各自發展，各自發揮呈現儒學多樣化的特性。而在沒有科舉制度，且幕府直轄之教育體制尚未確立的江戶初期，既非官僚、武士，亦非地主的「日本儒者」，又該以何種職份立足於近世日本社會？

若由上述觀點來思考林家三代的家職，則其為侍讀，特別是起草政治、外交往來文書，其職份並非因其儒學理念被採用作幕府體制教學而獲得；而是其取代了日本自中世以來僧侶所從事的職份。蓋幕府制乃是一因應戰時社會的軍事政治體制，故其所重視的乃是自中世以來，行之有年的武家社會慣例，在此一既定的慣例下，武士即便不具儒學知識亦可獲得其社會職份。但是，儒者則與之前的僧侶一樣，並不屬於武士集團之成員，是處於支配體制階層外，即便其仕宦於支配階層。故林家三代所從事的諸如侍讀、外國事務、起草法制文書等職務，可謂在江戶前期的儒學界，確立落實了上述事務乃「日本儒者」之職分的這一慣例，同時也使得具備儒學知識本身，獲得其具體的社會性意義。

四、結語

綜合前文之論述，吾人可以得知：設置於林家忍岡別宅邸內的孔廟「先聖堂」，經歷了創建、漸興、到隆盛三時期，由於受到德川家康到德川綱吉等五代將軍的推崇儒學、孔廟，自三代將軍家光開始，已由武斷政治轉為文治政治，社會、政治的客觀環境有利於儒學的推廣，林家三代羅山、鵝峰、鳳岡又奮力圖治，不僅修葺擴建孔廟規模，以考求典章制度，使得釋奠儀節漸趨完備，在諸多努力下，終於使得一宇私人孔廟的「先聖堂」，於將軍綱吉時代，成為幕府公家之機構「湯島聖堂」，由林家私塾門生的崇敬中心，一躍成為江戶日本全國儒者精神之象徵。

在上述發展沿革過程中，吾人可以窺知江戶前期儒學的幾點內在實相，即一、江戶前期儒學的發展傳播，中國流亡日本的歸化人陳元贇、朱舜水之親臨現場指導效用，功不可沒。二、由於羅山、鵝峰父子修纂《本朝通鑑》，江戶初期儒壇圍繞太伯說所展開的論爭，凸顯了「國體」觀為日本儒學中的一重要精神元素。三、「公」、「私」之分，以及層層而上的，各種層級分明之「公」領域，使得天皇、國家、朝廷這一代表集團共同體或集團首長的最高「公」領域，凌駕一切之上，儒學於江戶前期的發展，亦受到其牽制。四、排佛毀釋，主張儒釋有違、神儒一致，是眾多江戶前期日本儒學者在提倡儒學時的操作路線。五、林家三代所從事的諸如侍讀、外國事務、法制起草等家職，確立落實了日本儒者於江戶前期日本社會中的職份。

「湯島聖堂」在五代將軍綱吉的大力振興後，盛極而衰，邁向了其衰頹期，後雖經老中松平定信及「寬政三博士」的力圖振作，然終究於明治 4 年（1871）7 月廢校。至明治 40 年（1907）4 月 28 日，才又重新在大成殿舉行釋奠祭典，迎向其光明的恢復期。二次大戰時雖遭戰火波及，然戰後受文化保護財法保障，至今仍可說是日本國內最大的書院。㊴今日，「湯島聖堂」內古木蓊鬱，大成殿肅穆不語，幾經滄桑，朱舜水攜來的孔像，仍妥善保存於堂內，象徵扶桑之地，斯文長存。

附錄：

一、林家（大學頭）系統表

⑴羅山（信勝）——⑵鵝峰（春勝）——⑶鳳岡（信篤）——⑷榴岡（信充）——⑸鳳谷（信言）——⑹鳳潭（信徵）——⑺錦峰（信敬）——⑻述齋（衡）——⑼檉宇（皝）——⑽壯軒（健）——⑾復齋（韑）——⑿學齋（昇）

二、德川幕府將軍一覽表

家康　慶長 8 年 2 月（1603）～慶長 10 年 4 月（1605）
秀忠　慶長 10 年 4 月（1605）～元和 9 年 7 月（1623）
家光　元和 9 年 7 月（1623）～慶安 4 年 4 月（1651）
家綱　慶安 4 年 8 月（1651）～延寶 8 年 5 月（1680）
綱吉　延寶 8 年 7 月（1680）～寶永 6 年 1 月（1709）

㊴ 有關「湯島聖堂」於現今日本民間所從事的漢學教育事業，詳參拙作〈儒學的社會實踐與制度化——以日本為例〉，《2002 年漢學研究國際學術研討會論文集》（斗六：國立雲林科技大學，2003 年 12 月），頁 135－184。

家宣　寶永 6 年 5 月（1709）～正德 2 年 10 月（1712）

家繼　正德 3 年 4 月（1713）～正德 6 年 4 月（1716）

吉宗　享保元年 8 月（1716）～延享 2 年 9 月（1745）

家重　延享 2 年 11 月（1745）～寶曆 10 年 5 月（1760）

家治　寶曆 10 年 9 月（1760）～天明 6 年 9 月（1786）

家齊　天明 7 年 4 月（1787）～天保 8 年 4 月（1837）

家慶　天保 8 年 9 月（1837）～嘉永 6 年 6 月（1853）

家定　嘉永 6 年 10 月（1853）～安政 5 年 7 月（1858）

家茂　安正 5 年 10 月（1858）～慶應 2 年 8 月（1866）

慶喜　慶應 2 年 12 月（1866）～慶應 3 年 12 月（1867）

宋代道学倫理思想の再検討
—カント倫理学との比較を通して—

藤井倫明

はじめに

一般的に、道学(朱子学)の倫理思想は、「理」を絶対視し、「理」への服従を要請するものとして、「リゴリズム」(厳格主義)だと理解されてきたと言ってもいいのではないだろうか。

古くは中国清代の戴震が「理」を「酷吏の法」になぞらえ、人を強制的に死にも追いやり得るその冷酷さを、次のように批判しているのは有名である。

> ああ、今の人は其れ亦た思わざるか。聖人の道は、天下をして達せざるの情無からしめ、其の欲を遂げしめて天下の治まらんこと求むるものなり。後儒は情の織微に至るまで憾み無きを是れ理と謂うを知らず、其の所謂理とは、酷吏の所謂法に同じ。酷吏は法を以て人を殺し、後儒は理を以て人を殺す。浸浸乎として法を舎きて理を論ず。死なんかな。更に救うべき無し。……後儒は心を冥して理を求め、其の縄るに理を以ってすること商・韓の法よりも厳し。故に学成りて民情知らず。天下此より迂儒多し。其の民を責むるに及んでは、民能く辨ずる無し。彼方は自ら以て理得と為し、天下其の害を受くる者衆し。(『戴東原集』巻九、「與某書」)

近年でも我が国の狩野直喜博士などは、朱子の学説を評して次のように指摘している。

> 朱子の考に依るときは、人の気稟より出でたるもの換言すれば情の止むべからざる所よりなしたるものは、寧ろ其の弱点となすべく、理非を辨別し強き意思を以て行って始めて善たり得

> ると。即ち朱子の学説は、重きを意思の上に置くもので、孔孟時代の倫理に比すれば大いに厳粛主義に傾いたと云わねばならぬ。目的を有せず善なるが為に為したるもの、即ち天理に依って為したるものにして始めて真の善となすのである故、宋儒は總べて行為の善悪を定めるのに動機に据るのである。即ち Kant の無上命題の如く善の為めの善で、一毫の人欲あれば、功業に燦然たるものがあっても、又社会に福利を与ふることがあっても、善とはしないのである。一体、其の義を正しくして其の功を計らずといふは、儒家倫理に共通なる思想であって、王覇の別も亦た此にあるのであるけれども、朱子及び其の学派は殊に此の点に就いて厳密である。❶

ここで狩野博士は、朱子(宋儒)にとっての「真の善」とは、あらゆる功利打算の念を排し、ただそれが善であるという理由に基づいてのみ為されたもので、それは是非善悪を弁別した上で、強い「意思」の力によって始めて行い得るものだとし、朱子の道徳説をカントの道徳説と近似のものと見なしている。

現代日本では、さすがに狩野博士のように、朱子の道徳説を直接カントの道徳説に比するような見解は見られないが❷、島田虔次氏も、宋儒が、理想とする「聖人」には「欲望否定の道徳学という学問によって到達しうる」と宣言したため、その結果、「人情を無視し、ときにはほとんど人間性をも無視するようなリゴリズムが生まれ」❸たと指摘されているように、朱子学(宋学)が、「欲望否定の道徳学」を提唱したという観点から、それを「リゴリズム」、あるいは「リゴリズム」を生み出す要素を持った学問と捉える見方自体は、現代で

---

❶ 『中国哲学史』(東京:岩波書店、1953 年)406 頁。

❷ 一方、台湾では、牟宗三や李明輝氏などが、カント倫理学の視点から儒家の道徳説を検証している。(牟宗三『心體與性體』、台北:正中書局、1990 年、李明輝『儒家與康德』、台北:聯經出版、1990 年、李明輝『康德倫理学與孟子道德思考之重建』、台北:中央研究院中国文哲研究所、1994 年などを参照)両氏の見解によれば、孟子や程明道、陸象山、王陽明など伝統的な儒家の道徳説は、「自律倫理学」であるという点でカント倫理学と同質のものであるが、程伊川と朱子の道徳説は「他律倫理学」であり、カント倫理学とは系統を異にするものであるとともに、伝統的な中国の倫理思想の流れから見ても異端的なものということになる。このように程伊川や朱子の道徳説を「他律道徳」と見なし、伝統的な中国の倫理思想とは異なる系統のものとする牟・李両氏の見方には疑問が感じられ、深く検証してみる必要があるが、この問題については稿を改めて考察してみたい。本稿ではとりあえず「リゴリズム」という視点からカント倫理学と道学の道徳説との比較を試みた。

❸ 『朱子学と陽明学』(東京:岩波書店、1967 年)35－36 頁。

も通用しているようである。

しかし果たして道学(宋学・朱子学)は単純に「リゴリズム」と規定できるような性格のものであったのだろうか。本稿では、カント倫理学との比較を通して、その道徳説・倫理観の特質を明らかにしてみたい。

一

「リゴリズム」(厳格主義)の代表的なものと言えば、言うまでもなくカントの道徳説であり、道学(宋学・朱子学)がリゴリズムと指摘される場合にも、道学の道徳説に、カント的な道徳理解が存在すると見られていることは、狩野博士の指摘が示している通りである。そこで先ずカントの道徳説の性格を概観し、カントの道徳説が、なぜリゴリズムの形になるのか、リゴリズムの核心とは何なのか確認しておきたい。

カントによれば、真に「道徳的」と称し得る行為とは、単に「道徳法則」に適合しているというだけでなく、その行為が、他の如何なる目的をも有せず、ただ「道徳法則」そのものの為になされたものでなければならなかった。❹つまりカントにとって、行為が道徳的価値を有するか否かを決める本質は、「動機」(「意志」を規定する根拠)にあったのであり、この「動機」となるものが、恐怖や傾向性(感覚的欲望)でなく、「道徳法則」に対する「尊敬」の念のみであった時、はじめてその行為は道徳的価値を有するものとなり得たのである。❺

従って、真の道徳行為が成立する為には、道徳行為の前提となる「意志」が「道徳法則」によってのみ規定されなければならないわけであるが❻、理性的でありながらも感性界に

---

❹ 「道徳的に善であるべき事柄においては、それが道徳的法則に適合しているというだけでは十分でない、それはまた道徳的法則の為になされたものでなければならないのである。」(篠田英雄訳『道徳形而上学原論』序言、14頁、東京:岩波書店、1976年。)

❺ 「道徳的価値ということになると、行為そのものよりも、むしろ行為を規定する内的原理が問題になる。」(『道徳形而上学原論』53頁)

「行為に道徳的価値を与える動機となるものは、恐怖でもなければ傾向性でもなく、もっぱら法則に対する尊敬にほかならないのである。」(『道徳形而上学原論』128頁)

❻ 「およそ行為の道徳的価値の本質的なものは、道徳的法則が意志を直接に規定するということにかかっている。」(波多野精一・宮本和吉・篠田英雄訳『実践理性批判』152頁、東京:岩波書店、1979年)

「意志の唯一の規定根拠は、純粋実践理性の法則(すなわち道徳的法則)である。これ以外の規定根拠は、すべて経験的なものであり、元来そのようなものとして幸福の原理に属するから、かかる規定根拠はすべて最高の道

属する有限な存在者である人間の場合、「理性」だけが「意志」の唯一の規定根拠ではあり得ず、「意志」の規定根拠に感性的動因(自愛・幸福の原理)が混入する危険性を免れない。そのため、有限的存在者である人間にあっては、「道徳法則」は、必ず「強制」「命令」の形で課せられることとなり、真の道徳行為は、そのような「道徳法則」に「義務」として「服従」することによってのみ成立し得ることになる。❼人間にとって、道徳行為がこのような性格のものであるとすると、道徳行為が真の道徳行為である限り、それに伴う感情は必然的に「道徳法則への服従として、還元すれば命令として(この命令は、感性的に触発された主観に強制を通告する)、行為に対する快よりも、その場合にはむしろ不快を含んでいる」❽ということにならざるを得ない。カントは、行為に道徳的価値を与える唯一の動機、道徳法則に対する「尊敬」の念についても次のように言っている。

> 尊敬は、意志が法則によって直接に強制される意識であり、快の感情の類似物のようなものではない、尊敬の意識は、欲求能力に対する関係においては快の感情と同じこと「行為

徳的原則から分離されねばならないし、また条件としてこの原則に決して合体されてはならないのである。」(『実践理性批判』192頁)

❼ 「有限な〔理性的〕存在者の場合には、道徳的法則は命法の形式をとる。有限的存在者にせよ、やはり理性的存在者であるからには確かにこの存在者にも純粋意志を前提し得るが、しかしまた〔有限であるが故に感じる〕種々な必要や感性的動因によって触発された存在者としては、彼等に神聖な意志—換言すれば、道徳的法則と相容れない格律に従うことがまったく不可能であるような意志を前提することができないからである。こういうわけで道徳的法則は、有限的存在者にあっては定言的に命令するような命法となる。道徳的法則は無条件的な法則だからである。道徳的法則に対する〔有限的存在者の〕意志の関係は依存の関係であり、この依存性は責務と呼ばれる。責務は、行為への強制—純粋理性とその客観的法則とによるとはいえ—を意味する。そしてこのような行為が、すなわち義務と呼ばれるのである。」(『実践理性批判』76頁)

❽ 「行為が、道徳的法則に従い、また傾向性に由来する規定根拠をことごとく排除して客観的に実践的であれば、この行為は義務と呼ばれる。義務は、このように傾向性に由来する一切の規定根拠を排除するところから、義務の概念のうちには実践的強制が含まれている、そしてこの強制は、たとえ或る行為がいやいやながらなされようとも、その行為を〔道徳的法則に従って〕規定せずにはおかないのである。このような強制の意識から生じるところの感情は、パトローギッシュなものではない、すなわち感官の対象によって生ぜしめられた感情のようなものではなくて、まったく実践的な感情である。換言すれば、理性が感情に先立ち(客観的に)意志を規定するという、理性の原因性によって可能なのである。それだからこの感情は、道徳的法則への服従として、換言すれば命令として(この命令は、感性的に触発された主観に強制を通告する)、行為に対する快よりも、その場合にはむしろ不快を含んでいる。」(『実践理性批判』168頁)

を規定する」を為すわけであるが、しかしこれとは根源を異にしている。❾

このようにカントの道徳説においては、感性界に属する有限な存在である人間の場合、真の道徳行為は、「快」の否定の上でしか成立し得ない構造になっているのであり、ここからカントの道徳説が「リゴリズム」だと称されることになるわけである。もちろんカント倫理学においても、その最終目標は「最高善」、すなわち「徳」(幸福に値すること)と「幸福」との一致であり、そのための条件として「意志」が「道徳法則」に完全に一致すること、すなわち「神聖性」が求められているわけであるが、この「神聖性」は、「感性界に属する理性的存在者としては、彼の現実的存在のいかなる時点においても〔すなわち彼の生涯においては、ついに〕達成し得ない完全性」❿であるとされ、意志と道徳法則との完全な一致は、完全な一致を目指す無限の進行のうちにのみ見出されるとして、ここから「心(魂)の不死」が要請されるに至っている。また「徳」(「意志」と「道徳法則」の完全一致)の実現そのものには「幸福」の要素は含まれておらず、それが「幸福」と一致して「最高善」が実現されるには、さらに人間の力を超えた「神」の存在が要請されなければならなかった。従って、カントの道徳説においては、この現実の人間世界では、「リゴリズム」性から逃れることはできず、かつ又「リゴリズム」でなければならぬこととなるのである。

三

では目を転じて道学の道徳説を見てみよう。道学の道徳理解に、どれだけカントの道徳説と共通する要素が見出せるであろうか。先に取り上げたように、狩野博士は、「朱子の考に依るときは……理非を辨別し強き意思を以て行って始めて善たり得る」、「朱子の学説は、重きを意思の上に置くもの」というように、朱子学(道学)の道徳説における「意思」の重要性を強調されている。もし朱子をはじめとする道学者が、狩野博士の指摘されているように、真の道徳が実現する上で、「意思」を必要不可欠なものと見なしているならば、道学の道徳説は、確かにカントの道徳説と通底するものであって、「リゴリズム」という規定を受けるに値するものと言えることになるであろう。しかし、道学の道徳説を慎重に

❾ 『実践理性批判』237頁。

❿ 『実践理性批判』246頁。

見ていくと、道学者は決して「意思」を道徳成立の上での絶対必要条件とは見なしていない。否、必要条件としないどころか、道学者は「意思」(意識)を真の道徳から排除しているのである。そこで以下、「意思」(意識)という観点から道学の道徳説の特徴を検証していきたい。

確かに狩野博士が「目的を有せず善なるが為に為したるもの、即ち天理に依って為したるものにして始めて真の善となすのである故、宋儒は總べて行為の善悪を定めるのに動機に据るのである」と指摘しているように、道学においては、行為の道徳性が論じられる場合、行為が単に「理」(道徳法則)に合致するというのみでは良しとされず、行為を遂行する際の内面的「心意」の在り方こそが問題とされており、その意味では行為の「道徳的価値」の有無を、行為の結果という外面ではなく、行為の動機という内面から捉えようとするカントの方向と共通する。程子や朱子が「其の誼を正して其の利を謀らず、その道を明らかにして其の功を計らず(正其誼不謀其利、明其道不計其功)」(『漢書』巻五十六、董仲舒伝)という董仲舒の言葉を絶賛してやまなかった⓫ことは周知の通りである。

しかし道学の場合、真の道徳行為においては、その内なる「心意」に、功利的・打算的意識が介入することが退けられるだけでなく、実は、善の為に善をなそうとする意識、すなわち純粋に善なる動機までもが退けられている。カントの道徳説においては、道徳行為を成立させるために不可欠の条件であった「善なる動機」すら、道学の道徳説においては克服すべきものとされているのである。

先ず張横渠に次のような言葉がある。

> 已むを得ず、当に為すべくして之を為せば、人を殺すと雖も皆義なり。心有りて之を為せば、善と雖も皆意なり。己を正して物正しきは、大人なり。己を正して物を正すは、猶お意有るの累を免れざるなり。善を為すに意有るは、之を利とするなり。之を仮るなり。善を為すに意無きは、之を性とするなり。之に由るなり。意有りて善に在るすら、且つ未だ尽くさずと為すに、況ん

⓫ 程子は次のように言う。「董子有言、仁人正其誼不謀其利、明其道不計其功。度越諸子遠矣。」(『二程集』「河南程氏粋言」巻二、1238 頁、北京:中華書局、1981 年)朱子も次のように言う。「聖賢做事,只説箇正其誼不謀其利,明其道不計其功。」(『朱子語類』巻七十三、易九、鼎、1848 頁、北京:中華書局、1986 年)

や未だ善ならざることに意有るをや。仲尼の四を絶つは、始学より成徳に至るまで、両端を竭くすの教なり。(『正蒙』中正篇⑫)

ここで張横渠が、己の利欲を謀るといった悪に向かう意のみならず、物を正し、善を為そうとする「意」すらをも「累」(無くもがなのもの)として問題視していることは明らかであろう。「意」が介入していなければ、人を殺しても「義」が成立するというのはあくまでも誇張であろうが、それほど「意」の有無ということが倫理上決定的重要性をもっていたことを示す発言だと言えよう。完全なる「善」が成立するには、「無意」が絶対的な条件とされているわけである。

次に程子の発言を見てみよう。

「心を養うは、寡欲より善きは莫し」と。欲せざれば則ち惑わず。欲する所は必ずしも沈溺せず。只だ向かう所有れば便ち欲なり。(『程氏遺書』巻十五、伊川先生語一⑬)

人、力行を要すと謂うは、亦た只だ是れ浅近の語なり。人既に能く知見あれば、豈に行う能わざること有らん。一切の事は皆当に為すべき所なるも、必ずしも意を著けて做すを待たず。纔かに意を著けて做せば、便ち是れ箇の私心有り。這の一点の意気あれば、幾ばくの時を得ん。(『程氏遺書』巻十七、伊川先生語三⑭)

人纔かに公を為すに意有れば、便ち是れ私心なり。(『程氏遺書』巻十八、伊川先生語四⑮)

このように、当然為すべき事であっても、「意を著けて」為したならば「私心」になってしまうと言い、『孟子』尽心下に所謂「養心」の秘訣としての「寡欲」の「欲」とは、単に人が溺れがちな物質的快楽に向かうことを意味するだけでなく、心が向かう所があれば、それが直ちに「欲」になると捉えている。程子の場合も、張横渠と同じく、「意」はたとえそれが善

⑫ 『張載集』28頁、北京:中華書局、1978年。
⑬ 中華書局版『二程集』145頁。
⑭ 中華書局版『二程集』181頁。
⑮ 中華書局版『二程集』192頁。

なるものに向かうものであっても、「私」に陥るものとして斥けられているのである。

更に朱子も次のように言う。

> 蓋し舜禹授受の際、人心・私欲と謂う所以の者は、衆人の所謂私欲の若き者には非ざるなり。但だ微かに一毫の把捉底の意思だに有れば、則ち本は是れ道心の発と云うと雖も、然れども終に未だ人心の境を離れず。所謂「動くに人を以ってすれば則ち妄有り。顔子の不善有るは、正に此の間に在り」とは是れなり。既に妄有りと曰えば、則ち私欲に非ずして何ぞや。須く是れ都(すべ)て此の意思無かるべし。自然に従容として道に中たりて、才方(はじめ)て純ら是れ道心なり。(『朱子文集』巻三十二、「答張敬夫」⑯)

ここでは、「私欲」の範囲が、普通に使われる意味での私利私欲に止まらず、「把捉底の意思」、すなわち安田二郎氏の言葉を借りて言えば「善を善として意識して(即ち意識のうちに把捉して)それを実現しようとする努力を伴う行為の事態」⑰にまで拡大され、そのような善なる「意思」そのものまで「道心」にそぐわない「妄」として斥けられているのである。⑱

以上から明らかなように、道学者が理想として目指した真の道徳行為とは、「道徳法則」に対する当為の意識すら消滅し、「勉めず、思わず」無為自然の形で遂行されるものであった。

「天理」の「性」(本来性)としての内在を確信していた道学者にとって、「道徳法則」(理)を当為として意識し、「意思」の力によって「道徳法則」に従うという在り方は、本来一体であるべき「自己」と「道徳法則」(理)とが乖離し、「自己」が「道徳法則」(理)を対象化・客体化して捉えてしまっているという不完全さを意味するものに他ならなかった。程伊川は、これを「尺度」(物差し)という外在する道具を使って物を計量する境地だと表現している。

> 「大にして之を化す」とは、只だ是れ理と己と一なるを謂う。其の未だ化せざる者は、人の尺

---

⑯ 陳俊民校訂『朱子文集』参(台北:德富文教基金会、2000年)、1247頁。

⑰ 「朱子に於ける習慣の問題」(『中國近世思想研究』、東京:弘文堂、1948年、所収)108頁。

⑱ ではなぜ道学者は「意」を排除しようとしたのか、その理由については拙稿「宋代道学における聖人観の本質―道学的『無』の意味するもの―」(『東方学』第104輯、2002年7月)を参照。

度を操りて物を量るが如し。之を用いるも尚お差有るを免れず。若し化に至る者の如きは、則ち己便ち是れ尺度、尺度便ち是れ己なり。(『二程遺書』巻十五、伊川先生語一⑲)

一方、「自己」が「道徳法則」(理)と一体であれば、主体としての「自己」は「道徳法則」(理)と化して消滅し⑳、あらゆる行為が「道徳法則」(理)そのものの軌跡ということになる。程伊川の表現を用いれば、これは自分自身が「尺度」(物差し)そのものとなった境地に他ならない。この場合「道徳法則」(理)そのものが、道徳行為を展開するわけであるから、それは自己表現、本能的行為であって、ここには当然ながら「道徳法則」に従わなければならないという「当為」の意識はない。道学において究極的境地の「聖人」が、以下のように、「無意」すなわち道徳的であろうとする「意識性」そのものすら撥無した存在(『中庸』に所謂「勉めずして中り、思わずして得る」存在)だとされていたのもそのためである。

周濂渓:

誠は為すこと無し。幾には善悪あり。徳は愛するを仁と曰い、宜しきを義と曰い、理えるを礼と曰い、通ずるを智と曰い、守るを信と曰う。焉(これ)を性のままにし、焉に安んずる、之を聖と謂う。焉に復り、焉を執る、之を賢と謂う。(『通書』誠幾徳第三㉑)

張横渠:

聖人の若きは則ち性と天道とのままにして勉むる所無し。(『正蒙』中正篇㉒)

勉めて清なるは聖人の清に非ず。勉めて和なるは聖人の和に非ず。所謂聖なる者は、勉めず思わずしてここに至る者なり。(同上)

程子:

---

⑲ 中華書局版『二程集』156頁。

⑳ 伊川は次のように言う。「大而化則己與理一。一則無己。」(『二程遺書』巻十五、伊川先生語一、中華書局版『二程集』143頁)

㉑ 『周子全書』(台北:廣學社印書館、1975年)126頁。

㉒ 中華書局版『張載集』28頁。

聖人の神は、天と一なり。安んぞ二有るを得ん。勉めずして中たり、思わずして得るに至りては、此に在らざる莫し。此の心、即ち天地と異なること無し。(『程氏遺書』巻二上、二先生語二上㉓)

朱子:

聖は只だ是れ極至の処に做し到りて、自然に安行し、勉強を待たず。故に之を聖と言う。(『朱子語類』巻五十八、孟子八㉔)

このような「自己」が「道徳法則」と一体となり、「勉めず」「思わず」して道徳を実現することが可能な境地—聖人の境地—は、カントが、感性界に属する人間には実現不可能であるとした、「意志」が「道徳法則」に完全に一致している「神聖性」に相当するものであるが、道学においては、「学んで聖人に至るべし」というスローガンが示しているように、誰もが実現可能であり、実現しなければならない境地であると認識されているわけである。

このように道学における真の道徳行為とは、「自己」に命令の形で課せられる「道徳法則」に義務として服従することで実現するのではなく、「自己」と「理」(道徳法則)とが一体になること、より正確に言えば、本来性として内在している「理」が覚醒し、この「理」が意識主体としての「自己」を完全に支配して、「自己」が「理」そのものと化することで実現するのであり、ここに実現された道徳行為は、「自己」に内在してる「理」(道徳法則)そのものの自発的顕現に他ならなかった。真の道徳行為の実体がこのようなものであるとすると、当然ながら、それは意識的緊張を伴わず、感性的・本能的な形で遂行されることになる。道学者が道徳行為(善)を遂行する際の最も理想的な心理状態を、次のように「勉強」「苦」とは正反対の「楽」「好」という言葉で表現しているのもそのためである。

古人言う、理に循うを楽しむ、之を君子と謂うと。若し勉強なれば、只だ是れ理に循うを知るのみ。是れ楽しむには非ざるなり。纔に楽しむに到る時は、便ち是れ理に循うを楽しと為し、理に循わざるを楽しからずと為す。何ぞ苦しんで理に循わざらん。自ら勉強を須(ま)たざる

㉓ 中華書局版『二程集』22頁。

㉔ 中華書局版『朱子語類』1366頁。

なり。夫の聖人の勉めずして中り、思わずして得るが若きは、此の又上一等の事なり。(『二程遺書』巻十八、伊川先生語四㉕)

惟だ是れ知り得ること切なれば、則ち善を好むこと必ず好色を好むが如く、悪を悪むこと必ず悪臭を悪むが如し。是れ人の為にして然るに非ず。蓋し胸中実に此くの如きを欲し、而る後、心満ち意愜(こころよ)きなり(『朱子語類』巻十六、大学三、伝八章釈修身斉家㉖)

道学者にとって道徳行為とは、「楽」や「好」という「快」の感情を伴って遂行されるはずのものであったのであり、そこに「勉強」という意識的緊張や「苦」という「不快」の感情が存在しているうちは本物とは言えなかったのである。

道学には、『論語』の「志士仁人は、生を求めて以て仁を害すること無し。身を殺して以て仁を成すこと有り。(志士仁人、無求生以害仁、有殺身以成仁。)」(衛霊公篇)という精神を継承し、「仁」や「義」といった道徳的価値を生命価値よりも重しと見なす傾向が見られることは確かであるが、これも決して、「仁・義」が「生命」よりも大事なのだと理性的に判断・理解した上で、「仁・義」を成就する為には、生きたいと願う自己の欲求を押し殺して、壮絶な気持ちで「生命」を犠牲にすべきだというような意味ではなかった。程伊川は次のように言う。

人苟も「朝に道を聞かば、夕べに死すとも可なり」の志有れば、則ち肯て一日も其の安んぜざる所に安んぜざるなり。何ぞ止(た)だに一日のみならん、須臾も能わざるなり。曾子の簀を易うるが如き、須(かな)ず此くの如くならんと要して乃ち安ず。人、此くの若きこと能わざるは、只だ実理を見ざるが為なり。実理とは、実に是を見得、実に非を見得。凡そ実理、之

㉕ 中華書局版『二程集』186頁。

㉖ 中華書局版『朱子語類』二、355頁。
土田健次郎氏は、王陽明が知行合一を説明する際に、「好色を見る」「悪臭を聞く」のを「知」に属し、「好色を好む」「悪臭を悪む」のを「行」に属すると指摘している(『伝習録』上)のを受けて、この「好む」「悪む」という機能を、「認識」に対する「判断」として理解されているが(「朱熹の思想における認識と判断」、『日本中國學会創立五十年記念論文集』、汲古書院、1999年)、「好」「悪」が「感性」に由来する情緒的なものであり、「理性」に由来する「判断」とは異なるものであることは言うまでもないであろう。

を心に得れば自ら別なり。耳に聞き口に道(い)う者の若きは、心実に見ざるなり。若し見得れば、必ず安んぜざる所に安んずるを肯んぜず。……昔、経(かつ)て虎に傷つけらるる者の若き、他人の虎を語れば、則ち三尺の童子と雖も、皆虎の畏る可きを知るも、終に曾経(かつ)て傷けらるる者の、神色懾懼し、至誠に之を畏るるが似(ごと)きにはあらず。是れ実に見得ればなり。之を心に得る、是れを有徳と謂い、勉強を待たず。然れども学者は則ち須く勉強すべし。古人に軀を捐て命を隕す者有り。若し実に見得ずんば、則ち烏んぞ能く此くの如くならん。須く是れ実に生は義よりも重からず、生は死よりも安んぜざるを見得るべきなり。故に身を殺して仁を成す者有るは、只だ是れ一箇の是を成就するのみ。(『程氏遺書』巻十五、伊川先生語一、中華書局版『二程集』147 頁)

ここで伊川は「実理を見る」「実理を心に得る」と言っているが、これが伊川の所謂「真知」㉗であり、自己に内在する本来性としての「理」が覚醒・顕在化して、自己の全意識を支配し、自己が「理」と一体になった状態を表すものであると考えられる。「真知」を得、「理」と化した自己にとっては、「かくせねばらなぬ」からではなく、「かくせざるを得ない」、そうすることが我が身にとって最も苦痛・葛藤の少ない「安らか」な在り方であるからこそ「身を殺して仁を成す」という「理」(道徳的価値)に従う道が選ばれるのである。それは真に虎の恐ろしさを知る者が、生理的・本能的に虎を畏れ避けようとし、真に美味を知る者が、生理的・本能的に美味を求めるに至るのと等しく、「理性」に基づく「当為」としての選択ではなく、生理的・本能的な要求に突き動かされての止むにやまれぬ行動であったのである。ここにあるのは決して「自己犠牲」ではなく、真の「自己実現」の道であったとも言えよう。このように「身を殺して仁を成す」と言っても、道学において、それは「義務」、「当為」として人に強要するような性格のものとして考えられていたわけではなく、真に「道」を知り、「理」としての本来的自己に立ち返った時、そうあらざるを得ない最も自然な、安らかな在り方であったのである。

㉗ 「真知」と道徳行為との関係については、拙稿「程伊川『真知』考—『知』から『行』へ—」(『中国哲学論集』第二十七号、2001 年 10 月)を参照。

四

道学の道徳説とカントの道徳説が根本的に異なるものであることは、両者の「徳」—人間が実現し得る最高の在り方—に対する定義の仕方にもつぶさに現れている。

カントの用語'Tugend'が、一般に「徳」という漢語を用いて訳されているが、カントはこの'Tugend'を定義して、「人間が義務を遂行する場合の意志の〔道徳的〕強さである」(『道徳哲学』57 頁)とし、さらに「意志の格律が、この理念(意志が格律であると同時に客観的に法則であり得るような最高睿知者の神聖性)に向かって無限に進行し、またこれらの格律が常に変わることなく不断の進行を続けることを確実にするものが、すなわち徳である。徳こそ有限な実践理性の生ぜしめる最高のものである。しかし徳そのものは、少なくとも自然的に得られた能力としては、ついに完成せられ得ないのである。」「およそ人間が、どんな時にももつことのできる道徳的状態は徳—換言すれば〔傾向性〕と常に闘争している道徳的心意である」(『実践理性批判』176 頁)と指摘している。篠田英雄氏によると、カントをはじめ、彼と同時代の哲学者の著書からの引用語句を収録した『道徳学辞典』(Werbig: Worterbuch der Sittenlehre, 1834)においても、'Tugend'は「義務の遵奉における格律の強さ」、「道徳的法則が行為者の意志に義務として課するところのものの遵奉における道徳的強さ」と定義されているようである。㉘

ここから明らかなように、カント倫理学における「徳」、すなわち人間の在るべき理想的な在り方とは、「意志」の力により感性的欲望を抑え、義務にもとづいて道徳法則を遵奉している緊張状態そのものであったわけである。

では道学における「徳」の定義はというと、程子·朱子によれば次の如くである。

程伊川:

> 之を心に得る、之を有徳と謂う。自然に睟然として面に見(あらわ)れ、背に盎(あふ)れ、四體に施し、四體言わずして喩(さと)る。豈に勉強を待たんや。(『程氏遺書』巻十五、伊川先生語一㉙)

㉘ 『実践理性批判』解説、338 頁。

㉙ 中華書局版『二程集』147 頁。

朱子:

> 徳は是れ行い来り行い去り、行い得て熟し、已に箇の物事を成し了るものなり。惟だ這箇の物事、已に我に得。故に孝は是れ這の物事、流出し来りて孝を做し、忠は是れ這の物事、流出し来りて忠を做す。若し只だ子と為りては孝を尽くし、臣と為りては忠を尽くすと説くのみならば、這れ只だ尽くすと説き得るのみ。徳とは説き得ず。蓋し徳は是れ這の物事を我に得るなり。故に親に事(つか)うれば必ず孝にして、必ず不孝に至らず。君に事うれば必ず忠にして、必ず不忠に至らず。若し今日孝にして、明日又孝ならず、今日は忠にして、明日は又忠ならざれば、是れ未だ我に得ること有らざるなり。之を徳と謂うべからず。惟だ徳は是れ我に得る有る者のみ。故に拠りて之を守るべきなり。若し是れ未だ我に得る有らざれば、則ち亦拠るべき者無きなり。(『朱子語類』巻三十四、論語十六、述而篇、志於道章㉚)

このように「徳」とは、「道」(道徳法則)を我が心・我が身に得ている状態、「道」を完全に自己のものとして獲得している状態を指すものであった。実は、このような「徳」の定義は、古代の儒家経典である『礼記』に「徳は、得なり。(徳、得也。)」(「楽記」)、「徳なる者は、身に得るなり。(徳也者、得於身也。)」(「郷飲酒義」)とあるように、儒家に伝統的なものであったのであり㉛、道学の「徳」理解も、儒家の伝統的見解に沿ったものに他ならないわけであるが、それはさておき、「徳」を、このように「道」を我がものとして得ている状態だと考えれば、それは「道」が自己に「本性化」されていることに等しく、この場合、朱子や程子の指摘しているように、あらゆる道徳行為は、「勉強」(意志の力)に依存しなくても、内なる本性の「流出」という形で「自然」なるままに実現されていく。自己の内なる本性が、そのまま現れて道徳行為となるわけであるから、例えば、親に仕えるという状況に至れば、何時如何なる時も必ず「孝」ということになり、今日は「孝」であり得たのに、次の日は「孝」であり得ないなどという一時性は無く、終始一貫して「孝」徳を実現し続けることができるわけである。従って、道学おける「徳」—人間の理想的姿—とは、「道」を完全に体得し、本性化し、

㉚ 中華書局版『朱子語類』867頁。

㉛ 『広雅』(釈詁三)、『釈名』(釈言語)にも「徳、得也」とある。『春秋左氏伝』桓公二年の伝「昭徳、塞違」に対する孔穎達疏には、「徳者、得也。謂内得於心、外得於物。在心爲徳、施之爲行。徳是行之未發者也。」とある。

孔子の所謂「心の欲する所に従って矩を踰えず(從心所欲、不踰矩)」(『論語』為政篇)というような、あらゆる意識的緊張から解放された自由無碍なる状態であったと言えよう。

このような道学的「徳」は、カント的に表現すれば、「格律」(行為を規定する主観的原理)が完全に「客観的法則」と合致し、命法(当為を強制する実践的規則)を超越するものであると言え、カントによれば、それは「最高睿知者」、すなわち「神」にのみ妥当し得るものであり、理性的でありながらも感性界に属している有限な存在者—人間には、その生存の如何なる時点においても絶対に到達できない境地であった。よってカント倫理学においては、篠田英雄氏の指摘されているように「その絶対的完成は、人間においてはついに達成せられ得ない、人間の不完全性は完徳を許さない」との立場から、「人間の到達し得る相対的な道徳的完全性」を以て「徳」と称しているのに対して㉜、道学(儒家思想)においては、このカント倫理学では不可能とされている「心意」と「道徳法則」の一致という「完徳」を可能とし、その絶対的な道徳的完成性を以て「徳」と称したわけであり、その道徳観は決して同質のものではなかったのである。

結語

以上、道学の道徳説が、カントの道徳説とは根本的に異なるものであり、従って、それを単純に「リゴリズム」と称することが不当であることが理解できたのではないだろうか。

山井湧氏は「理(天理)が絶対的な権威ある規範として人を拘束するということがしばしば指摘され、これが権威主義といわれる所以であるが、理とか天理とか言っても、朱子においては、それが既成の規範として固定的に現実に存在したのではなく、何が理であるかを自ら発見し打ち立ててゆく立場にあった。」㉝として、宋学を絶対的権威主義と単純に捉えることを否定しているが、たとえ理を自ら発見し、打ち立てて行く立場であったとしても、その自己によって確立された理が、結局自己にとって規範的なものとなる限り、理の拘束性は消滅しないと言え、宋学をリゴリズムと捉える見方に対する有力な反論とはなり得

㉜ 「徳は、確かに人間の到達し得る相対的な道徳的完全性であるが、しかしその絶対的完成は、人間においてはついに達成せられ得ない、人間の不完全性は完徳を許さないのである。我々はただこの完成に向って無限に進行し得るだけである。」(『実践理性批判』解説、338 頁)

㉝ 『明清思想史の研究』20 頁、東京:東京大学出版会、1980 年。

ていないであろう。友枝龍太郎氏も、朱子の『詩集伝』をもとに、朱子の人情に対する洞察・理解の深さを論じ、「朱子の性理学は、あくまでも人情を踏まえてその上にうち立てられたもの」㉞として、朱子の思想を人情の自然に背いた厳粛主義的なものとして捉えることには反論しているが、『詩集伝』における朱子の態度は、友枝氏自身が述べているように「詩を客観的に外なるものとし、一度我よりつきはなして、詩人の本意に迫ろうとする」㉟純粋に客観的立場からのものであり、これがそのまま朱子が人情に対して寛容であったということにはつながらないであろう。なぜならば、人情の自然な発露として客観的にありのままに捉えられた詩は、決してそのままで済まされるのではなく、次の段階として「読み手」による「倫理的反省」が加えられることが要求されているからである。確かに朱子の理が、人情を踏まえた上で確立したものであり、「情の深奥にしかと喰い込み、その情を単に疎外する」㊱ようなものではなかったとしても、それ故に理の規範性(厳粛にそれに従うことを要求する)が影を薄くするということにはなるまい。朱子学(道学・宋学)が「厳格主義」であるかどうかは、朱子学が理想とした「理」と「自己」の関係が如何なるものであったのかを探ってこそ明らかになるのである。

道学においては、真の道徳行為は、客体としての「理」(道徳法則)が主体としての「自己」に規範の形で迫り、「自己」が「理」に「義務」「当為」として服従することで成立するのではなく、「自己」と「理」が一つになり、「自己」の「理」に対する「義務」「当為」の意識が消滅することではじめて成立し得たのであり、真の道徳行為とは、あらゆる意識的緊張から解放され、本能的に、無為自然の形で遂行されるものであったのである。その意味では、道学の理想とした真の道徳行為は、「リゴリズム」どころか、「リゴリズム」を克服することで始めて実現する性格のものであったとも言えよう。

また、カント倫理学においては、「道徳」の実現は、直接「幸福」(楽しく安らかな境地)とは結びつかず、両者を合致させるために、「神」の存在を要請しなければならなかったわけであるが、道学においては「道徳」の実現そのものが、そのまま楽しく安らかな心境をも

㉞ 「詩集伝をとほして見たる朱子の思想—国風を中心として—」(『朱子の思想形成』、東京:春秋社、1969 年、所収)575 頁。

㉟ 同上、569 頁。

㊱ 同上、574 頁。

たらし、さらには生死を超越した「安心立命」の境地にまで至らしめるものであったのであり、山本命氏も指摘されているように、それは「道徳生活」をそのまま「宗教化」するものであった㊲とも見なすことができよう。

㊲ 山本命氏は次のように指摘している。「張子と伊川の辿りつく絶対的境地―自己において誠実で充実した道徳生活そのものが、同時に、人間の一つの完成された絶対生活、即ち知命悦楽の宗教生活でもあるとみていると解せられる。こうして儒学の世界では、その究極地において、いつも道徳と宗教とを、一つに融合してみていると解せられるのである。……これは道徳生活を、そのまま宗教化する考え方であったとみられる」。(『宋時代儒学の倫理学的研究』、東京:理想社、1973 年、427 頁) 視点は異なるが、湯浅泰雄氏が、東洋的思考の特徴を、西洋的思考と対比して、次のように分析されているのも参考になるであろう。「人間性と神性、『俗』と『聖』の関係は断絶したものではなく、ゆるやかに相互浸透し合っている。要するに二つの秩序は、論理的に明確に区別できるものではなくて、修行の過程で体験される心理生理的―物理的経験の性質や状態の変化を通じて、次第に認識されるものである。理気哲学は、このような仏教・道教の修行論の考え方を採用して、『聖人学ンデ至ルベシ』という目標をかかげた。」 (『身体の宇宙性』、東京:岩波書店、1994 年、183 頁)

循環型社会形成において事業者が分担する責任に関する考察—拡大生産者責任の検討を中心に—

生野正剛

はじめに—大量廃棄社会から循環型社会へ—

今日、廃棄物が量的に急増しているばかりか、その質も大きく変化し、処理しにくいゴミや潜在的には再資源化が可能なゴミが増加している。しかし、この大量廃棄社会では、このことを「豊かさ」の発展のやむを得ない代償と考え、廃棄物の排出を所与のものとして受け入れ、その処理·処分のみに狂奔してきた。その結果、排出量の増大と処理コストの増加·処理能力の限界·処分場の逼迫、処理·処分に伴う生態系破壊や環境汚染問題(例えば、ダイオキシン問題や廃棄物処分場による土壌汚染)などの環境問題の噴出とそこに由来する施設立地·管理をめぐる紛争の多発など、現在、大量廃棄社会の弊害が露わとなっている。しかし、そのより根本的な弊害は、大量の資源を浪費しているということである。資源が有限である限り、このような浪費は資源の枯渇を早めていることになり、社会の持続的発展はとうてい望めないことになる。

しかるに、そのような弊害が生じる最大の原因は、廃棄物のことを考えず商品を大量に生産し、販売し、消費し、廃棄するという大量生産·大量消費·大量廃棄型の社会システムにある。そこでは大量生産·大量販売を行う製造者や販売業者は商品が売れるかどうかだけを考え、物を大量消費·大量廃棄する市民は利便さや価格だけに関心を払い、行政は排出された廃棄物を対処療法的に処理するだけである。

しかも、従来の廃棄物処理システムもこのことを実質的に容認してきた側面がある。すなわち、家庭から排出される一般廃棄物の処理については、市町村の責任とされており(廃棄物処理法第 6 条の 2 第 1 項)、製品に関する生産者の責任は消費者の使用の段階までで、使用された後の廃棄物のマネジメントに関しては、地方自治体が責任を負い、税金で費用負担されることになる。こうした責任分配は、製品のライフサイクル全体でみた場合、いわゆる上流(製品の製造、加工、使用までの流れ)と下流(製品が使用された後の流れ)が分断され、全体的に環境負荷を低減させることはできない。なぜなら上流と下流が分断されている場合には、生産者に下流のコスト(廃棄物処理コスト)を考慮させることは困難であるため、生産者に廃棄物処理を考慮した生産を行うインセンティブが働かないのである。また、消費者たる市民に対しても、排出量に関係なく税金で処理される以上、廃棄物を減量しようとするインセンティブを与えることはできない。かくして、生産者は利潤を最大化しようとし、消費者は価格と利便性のみを基準にして消費・廃棄することになり、結果として、廃棄物処理を考慮しない大量生産・大量消費・大量廃棄社会が成立する。

このような社会システム全体が大量廃棄社会のもたらす諸問題を発生させたのである。したがって、資源の有効利用・最小限化と廃棄物の最小限化そして環境保全のためには、この大量生産・大量消費・大量廃棄型社会システムを、採取から廃棄に向かう資源の流れが循環型になるような資源循環型社会システムに転換していくことが今日の緊要な課題となる。このような認識の下、日本でも近年、循環型社会形成のための法体系の整備が進んでいる(環境基本法、循環型社会形成推進基本法、資源有効利用促進法、容器包装リサイクル法、家電リサイクル法、自動車リサイクル法などの制定)。そこで描かれている循環型社会とは、廃棄物の発生抑制、循環資源(廃棄物等のうち有用なもの)の再使用、再生利用および熱回収をすすめ、それでも循環的な利用ができない場合は適正な処分をすることで、資源消費が抑制され、環境負荷が低減される社会ということになる。

その循環型社会への転換にあたっては、大量生産・大量消費・大量廃棄型社会システムでは、製品の上流と下流が分断され、廃棄物処理や環境負荷を考慮することなく生産や消費がなされていることからみて、製品の上流と下流を分断することなく、生産者や消費者が生産や消費の段階から廃棄物処理、省資源、リサイクルに配慮するようなインセンティブを組み込み、全体として環境負荷が低減されるためのシステムや責任分配が考えられなければならない。その一環として、消費後の廃棄物についても、その処理やリサイクルまで含めて、資源循環の担い手としての事業者の責任を拡大させる方向がある。それが、近時、経済協力開発機構(以下 OECD)によって提唱され、日本をはじめとしてOECD 諸国を中心にその廃棄物管理システムへの応用が進んでいる拡大生産者責任(Extended Producer Responsibility;EPR)である。

循環型社会の形成においては、ライフスタイルの変革も伴う社会全体での取組みが必要となり、「消費者」「事業者」「行政」が協働してそれぞれの役割・責任を果たしていかなければならないことは勿論である。しかし、循環型社会を効率的に、また実効性ある方法で実現するためには、その製品生産についての決定的影響力からみて、これらの三者の中で、特に事業者の責任がより重要となる。そこで、EPR は、従来の三者の責任配分について、事業者、特に製造業者・輸入業者(以下これらのものをまとめて「生産者(producer)」という)の責任をより拡大する方向で再配分するのである。

このような観点の下に、以下では、事業者の役割・責任に焦点をあてて、OECD での議論を中心とし、EPR の目標・意義・核心を整理検討する。ついで、それを踏まえて、日本での EPR 政策の応用状況を再検討する。

1　EPR の定義

2001 年に OECD から出されたガイダンスマニュアル(最終報告であるフェーズⅢリポート)によれば、拡大生産者責任(EPR)とは、「製品に関する生産者の物理的(physical)および/または(and/or)経済的(financia1)責任を、製品のライフサイクルにおける消費段階の後(post-consumer stage)にまで拡大する環境政策アプローチである」と定義されている(OECD,2001,p.18,日本語訳 1 頁)。そして、EPR の役割(function)として、1)地方自治体から上流の生産者に、物理的および/または経済的責任が、全体的にまたは部分的に、シフトすること、2)製品の設計において環境保全上の考慮を含めるよう生産者にインセンティブを与えること、の 2 つを挙げている。

そこでは、EPR コンセプトには以下のような 3 つの共通要素があるとされている。

①生産者の責任を製品の使用済段階に拡大する。

②生産者の責任は使用済製品の環境負荷低減を目的とした物理的・経済的な側面において求められる。

③通常、政府によって、許容されるリサイクル方法および特定のリサイクル目標値が設定され、結果の報告が求められる。

以上から、EPR とは、生産者の製品に対する責任が、当該製品の使用後の段階にまで拡大され、生産者は使用済み製品の回収・リサイクル適正処理などに関して物理的責任やその費用負担(経済的責任)を果たさなければならないということである。これまで、生産者の責任が及ぶ範囲は、生産過程(安全管理や環境汚染防止など)、あるいは消費過程(製造物責任)までであって、製品が使用済みになった段階まで生産者が責任を問われることはなかった。この意味で EPR は生産者の責任の範囲を「拡大」するのである。

2　EPR の考え方の背景

なぜ、製品が使用済みとなった段階にまで生産者に責任を負担させる必要があるのか。

従来、家庭から排出されるいわゆる一般廃棄物のマネジメントについては、製品のライフサイクルにおいて、生産者は製品の製造過程、消費過程までしか責任を負わず、消費後の廃棄物については地方自治体が責任(処理・処分の責任やその税による費用負担)を負うというのがどこの国でも共通した考え方であった。こうした責任分配は、廃棄物マネジメントに、より適正な処理を求めている場合には効率的な考え方であるが、前述のように、製品のライフサイクルでみた場合、いわゆる上流と下流が分断されているために、生産者に製品の設計・製造の段階から環境負荷の少ない製品を作り出すようなインセンティブが働かず、全体的に環境負荷を低減させることはできない。下流でリサイクルや適正処理に努力しても限界がある。問題は供給される製品そのものにあり、過剰包装、使い捨て製品など、使用すれば必ず大量の廃棄物となって現れる製品や、分別不能な複合素材で構成されていたり、分解困難な構造を有する製品それ自体に問題があり、さらに生産者が再生原料、再生部品を積極的に使用しないことに問題があるのである。

したがって、そもそも上流の段階、すなわち原料の選択や設計・製造過程の段階において、資源を節約し、リサイクルしやすい、あるいは環境負荷が少ない製品を設計・製造しない限り、廃棄物による環境負荷を少なくすることはできない。そこで、最も効率的に環境負荷が少ない社会をつくるためには、製品のライフサイクルにおいて上流と下流を分断することなく、生産者(上流)が下流(廃棄物管理)のことも考慮して、環境負荷が低減される製品を設計·製造するようなシステムが必要となる。このように、EPR の背景には、生産者の責任を廃棄物管理の段階まで拡大することにより、生産者が製品の設計·製造において下流のことも考慮せざるを得なくするという、製品のライフサイクル全体の流れにおいて上流と下流の間をつなぐという考え方があるのである。

3　EPRの登場と実施の試み

(1)EPRの提唱

EPR の概念は、スウェーデン、ルンド大学のトーマス·リンドクビスト(Thomas Lindhqvist)教授が 1990 年代初めに提唱したものである。同教授は 1993 年に EPR について以下のような定義を示した。

「拡大された生産者責任」(EPR:Extended Producer Responsibility)とは、製造者に、製品に関わるすべてのライフサイクルに対する責任、とりわけ製品の引き取り·リサイクル·最終処分の段階に対する責任を課すことにより、製品によって生じる総合的な環境負荷の低減を目指す環境保全における戦略である。」

また、同教授は、使用済み製品の環境負荷に対する責任をすべて製造者に課すわけではないが、根本的な責任については製造者に課すとし、その理由として、唯一製品の設計を変更して製品の環境負荷を低減することができる立場に置かれているのが製造者であるからだと述べている。

なお、同教授は、EPR を構成する責任に関して次のような整理を行っている

その EPR の構成要素は、①義務的責任(Liability):法令により定められたことの遵守により製品の環境負荷に対する責任を履行すること、②経済的責任(Economic Responsibility):製造した製品の使用済み段階に生じる費用の全部ないし一部を負担すること、③物理的責任(Physical Responsibility):使用済み製品の引き取り·リサイクルのトータルシステムの提供、リサイクル施設や技術の供与等、使用済み製品に関わる物理的なオペレーションに関する責任の履行、④所有権をベースにした責任(Ownership):

デポジットシステムやレンタル・リースなど、製品に対する所有権を維持した状態で顧客に製品機能を提供し、使用済み段階で引き取り・リサイクル・処分を製造・流通側が行うこと、⑤情報的責任(Informative responsibility):製品の構造、含まれる物質等に関する情報の開示、提供などを行う製造者責任の履行、である。

(2)EPRのドイツのおける実施

1990年にスウェーデンで提唱されEPRは、1990年代初めに、ドイツ、フランスなどにも波及した。そして、EPRの実際の運用という点では、1991年にドイツが容器包装に関して導入したのが最初である。これは包装廃棄物政令により、包装廃棄物を管理する責任は生産者(製品充填メーカー)にあるとして、製品充填メーカーにその費用負担の下での回収・リサイクル義務を課したものである。なお、その義務の履行は第三者に委託できるとされている。その回収・リサイクル義務の委託先は、各家庭や事業所から容器包装廃棄物を回収し、リサイクルする目的で創設された、民間企業のDSD(Duals System Deutschland)である。DSDは製品充填メーカーと契約を結び、契約企業が支払うライセンス料を回収・リサイクルに要する費用に充当する形で運営されている。そしてこのシステムでは、料金を支払うことで契約企業はグリーンのドットを使用するライセンスが得られる。グリーンドットが付いている容器・包装廃棄物は、DSDによって収集・分別されて、リサイクル業者に運ばれる。ライセンス料金は材料と容器・包装の重量に基づき決定され、製品充填メーカーおよび輸入業者(通常製品ブランドネームの所有者)によって支払われ、製品価格に上乗せされる。このような製品価格に使用済み製品のリサイクルコストを上乗せするという概念は、このドイツの包装廃棄物政令の施行を見るまでは存在しなかったのである。

この制度は、従来地方自治体が一般廃棄物として回収・処理してきた製品廃棄物について、その回収・リサイクルの実施および実施費用の負担を生産者・販売者に移行したことで、生産者や販売者に、消費後の段階における製品廃棄物の管理についての責任も課したという意味でEPR制度の初めての導入となる。

ドイツにおいて、このようにEPR制度が導入された最大の要因は、廃棄物の埋立て地不足が顕在化し、廃棄物の減量やリサイクルの促進が急務となっていたことである。そして、容器・包装の分野でまず実施されたのは、家庭系廃棄物に占める構成比が最も大きいのが容器・包装廃棄物であったからである。しかしながら、EPR が導入された本来の目的は、廃棄物の減量もさることながら、むしろ、生産者に廃棄物管理コストを負担させることで、生産者に対して、よりリユース・リサイクルされやすい製品を設計するようにインセンティブを与え、省資源や環境負荷の低減を図ることにあった。

以上の EPR 制度は、後に、ドイツの循環経済法(「循環経済の促進および環境適合的な廃棄物処分の確保に関する法律」、制定 1994 年制定)に体現された。その法での基本は、①使用済み製品の引き取りおよびリユース・リサイクル・処理の生産者責任、②生産者による使用済み製品の無償引取り(実質的価格内部化)、③処理の優先順位化とリサイクル率の目標設定、である。

①は、使用済み製品のブランドを有する生産者(製造事業者および輸入事業者)に、引き取り・リユース・リサイクル・処理を行うことを義務づけるものであり、②は、生産者に、リサイクル・処理のための費用を消費者から徴収しないで、製品価格への内部化によって費用を回収することを義務づけるものであり、③は、生産者に、最優先として、使用済み製品が廃棄物となるのを回避する努力を、続いてリユースを、それができない場合に初めてリサイクルを、そして最後に適正処理をという優先順位をつけた対策を義務付けたものである。そして、リサイクルに関して目標設定および技術への制約を課すことも必要に応じて行うとする。

(3)ドイツ包装廃棄物政令の成果

ドイツでは、包装廃棄物政令の実施により、容器・包装消費量の年々の増加という長期的傾向に歯止めがかかり、減少に転じた。DSD による 1996 年の発表によれば、グリーンドットの付いた容器・包装使用量は国民一人当り重量で 1991 年から 1995 年にかけて 14%削減し、ドイツにおける容器・包装の全体量も 7%削減したと報告されている。1991 年から 1995 年にかけて、百万トン単位の容器・包装消費量が減少したことになる。これは容器・包装の減量化、不要な容器・包装の削減、再充填可能容器の使用、内容物の濃縮化などにより得られた成果である。また、リサイクル困難な複合材容器やプラスチック容器(特にポリ塩化ビニール製容器)から紙容器等の経済的にリサイクル可能な材料への移行も進んだ。さらに、リサイクルも進展し、DSD のアニュアルレポートでは、容器・包装廃棄物のリサイクル率が 1993 年には 52%であったのが、1997 年には 85.8%にまで増加したと報告されている。特にプラスチック容器については、1996 年に前年実績比で大きくリサイクル率が伸びて、68%台に乗り、1997 年では 68.9%となっている。

この EPR の導入で最も影響を受けたのは生産者等である。彼らは、生産者共同責任履行機関である DSD に対して回収およびリサイクルを委託し、それに必要となる費用は、製品価格へ上乗せ(内部化)して調達した上で、手数料としてその機関に支払っている。その支払いの基準は、素材ごとに容量や重量を基本に取り決められているので、この手数料負担を軽減化するために減量化等の工夫を凝らすこととなったのである。

4　OECD での EPR の検討

ドイツにおける包装廃棄物政令での EPR 制度の実施とその成果が契機となって、OECD で廃棄物最小限化策として EPR の検討がなされた。その検討はフェーズⅠ～Ⅲまでに分かれ、これまで 3 つの報告が公表されている。

(1)フェーズⅠ(1994－1995)

OECD 諸国における EPR の実施状況が検討され、EPR に共通する問題点が明確にされた。1996 年のフェーズⅠの報告書(Pollution Prevention And Control: Extended Producer Responsibility in the OECD Area - Phase Ⅰ Report, OECD Environment Monographs No.114, OECD〈1996〉48.)では、1995 年の時点で、OECD 諸国の 3 分の 2 以上がすでに国家レベルでの EPR 政策を実施しているか、あるいは EPR 実施について積極的に検討を行っているとしている。OECD 加盟国で実施されてきた EPR プログラムのほとんどが容器包装廃棄物を対象としているため、その問題点も容器包装廃棄物プログラムに関する指摘ではあったが、EPR は他の製品にも適用しうる内容を有するとしている。このフェーズⅠの提案はその後のフェーズⅡおよびⅢでも再確認されている。また、その報告書は、EPR プログラムが製品ライフサイクルの環で最も弱い部分、すなわち使用済みとなって再び製造の現場に資源として戻るまでの段階に焦点を合わせた政策であることを指摘している。

(2)フェーズⅡ(1996－1997)

クライテリアを用いて経済的効率性や環境面での効率性という観点からオランダとドイツにおける EPR の実施例(ドイツの包装廃棄物政令およびオランダの容器包装廃棄物に

関する自主協定)の検討がなされると同時に、EPR の実施に関する以下のような政治的・経済的・法的な検討がなされた。

すなわち、①EPR の貿易への影響(Trade Implication)の検討、②EPR 手法の経済的分析:EPR と責任分担(Shared Responsibility)の選択肢の経済的分析、③EPR プログラムを実施するためのガイダンスマニュアルの作成、責任分担への法的・政策的考慮である。

その検討結果は、1998 年のフェーズⅡの報告書(Extended and Shared Producer Responsibility (Phase 2) Framework Report by OECD、以下フェーズⅡレポートとする)で報告されている。そこでは、EPR を「製品の製造者および輸入業者が、製品のライフサイクルの最初から最後に至るまで、それが環境に及ぼしている影響に応分の責任を負うべきであるという考え方である。環境への影響には、上流である製品の素材を選定する段階で生じる影響、ついで製造者による生産工程自体からの影響、下流での製品の使用や処分からの影響が入る。生産者が自らの責任を引き受けるとは、自社製品のライフサイクルから環境に与える影響を最小限にする目的をもって当該製品を設計する、さらに、設計では除去できない環境への影響について法律上の責任または物理的責任、社会経済的責任を引き受けることである」と定義している。また、EPR の理念として、「EPR は、廃棄物処理にかかる最終責任を地方自治体から最終生産者(輸入業者も入る)に移行するものである。この最終責任とは、民間セクターの各企業に課される、自社製品の廃棄物処理コストを実質的にまたは完全に内部化する義務である。この義務は消費後の生産物責任の核心あるいは第 1 の基本要素である。(この)生産者の最終責任は、免れたり、遠ざけたりできない。(しかし、)EPR 責任は、生産者だけのものではない。EPR 目標の達成には、社会全体の協力を必要とする。製品のライフサイクルの中では製品廃棄物についての物理的責任が生産者ではなく、むしろ他の関係者に課される場合も数多くあるため、〈拡大生産者責任〉だけを唱えるのでは不正確で、拡大・分担責任とすべきであろう。」と指摘し、EPR における責任の核心は生産者による廃棄物管理費用の負担であり、物理的責任の分担とは区別すべきことを挙げている。

その上で、その報告書は EPR の議論を以下のように整理している。

①EPR は、製品の製造業者および輸入業者が製品のライフサイクル全般にわたり、自

社製品の環境への影響に関して重要な責任を負うという概念である。

②この概念は、使用後製品にかかわる製品の製造業者や流通業者、消費者、行政の責任の配分を従来の形から変えるものである。

③EPR は、従来、生産者に課されていた責任を、製品の使用後の段階(Post-consumer stage)の製品のマネジメントにまで拡大するものであり、EPR はこれにより生産者が原料の選択、製造工程、包装などに関する意思決定を再検討することを促進する。また、使用後の段階まで責任を負うことにより生じる費用を削減するための、マーケット戦略の再検討も促進するものである。

(3)フェーズⅢ(1998－1999)

フェーズⅢでは、EPR の目的、役割と責任、生産者の定義、生産者責任機関(Producer Responsibility Organization;PRO)の役割、フリーライダー、新製品・既存製品、製造者不明製品の問題、EPR が貿易と競争に与える影響が検討された。特に、「生産者とは誰れか」と「生産者は何に対して責任があるか」に関して、また、EPR を実施に伴い起こり得る諸問題、すなわち、PRO 設置による廃棄物市場における独占・寡占、貿易障壁問題、フリーライダー問題や、具体的な製品品目における EPR の適用可能性とその経済性に関して議論された。その上で、EPR に関する最終報告として、2000 年に「拡大生産者責任に関する各国向けガイダンスマニュアル」(Extended Producer Responsibility: A Guidance Manual for Goverments, OECD, 2001、以下ガイダンスマニュアルとする)が公表された。

その報告内容は、前述した EPR の定義等に集約されているが、以下の EPR に関する検討で触れるので、ここでは省略する。

以下では、以上の OECD の検討を踏まえて、EPR に関し、その目標、意義、責任内容、役割分担、生産者の責任などに関して整理・検討する。

5　EPR の目標と核心

(1)EPR の目標

EPR は何を目標としているのであろうか。

OECD の EPR に関する最終報告であるガイダンスマニュアル(フェーズⅢリポート)に

よると、EPR は最終的には次の 4 つの目標を持つものとされている。

すなわち、その目標とは、①資源効率性の向上(天然資源の保全・原材料の保全)、②廃棄物の発生・排出抑制(廃棄物管理)、③より環境に適合した製品の設計の実現(有害廃棄物の減少も含む)、④持続可能な発展を促すための原材料使用の循環利用(リユーズ・リサイクル・リカバリーの促進)、である(フェーズⅡレポートでも、EPR は廃棄物の発生抑制および削減、再生資源の使用の増加、環境コストの製品価格への内部化というOECD 加盟国で共通した目標を促進するものであるとされている)。

さらに、同マニュアルは、前述のように EPR の役割の 1 つとして、「生産者に対し、製品の設計に際し、環境への配慮を組み入れるようインセンティブを与えること」を挙げている。

このように、EPR は、製品のライフサイクルを通じた環境負荷低減の一定範囲を生産者の責任とすることで、製品の設計・製造を環境配慮型に変え、自然資源の保全、有害物質の使用・発生やエネルギー使用の低減、最終処分に至る廃棄物の最小限化を図ることを目的としているのである。

つまり、廃棄物の最小限化等の目的を達成しようとしても、そもそも発生抑制やリユーズ・リサイクル・リカバリーに配慮されていない製品が製造される限り、限界がある。廃棄物を減少させるためには、製品そのものを、生産段階から環境負荷が小さくなるように、そして廃棄後に容易に再生利用できる製品に変えることが有効である。そのように製品の設計・製造を環境に配慮したものへと変えるために、廃棄物マネジメントの責任を生産者に負わせることにより、生産者に対して製品のリサイクル、適正処理を考慮した製品設計や製造を行うようにインセンティブを付与しようというのが EPR である。そのインセンティブは、廃棄物管理費用を生産者に負担(それは製品価格に上乗せされるので、あくまで第一次的支払)させたうえで、それを製品価格に上乗せ(価格内部化)させることによって付与される(この価格内部化により、廃棄物管理費用は最終的には消費者によって負担される)。すなわち、廃棄物管理費用が製品価格に上乗せされることにより、自ずと環境負荷の高い製品は市場価格も高くなる。そういった製品は市場の中で需要が減少することになるので、生産者も需要の拡大を目指して自主的に上乗せ分が少ない製品つまり環境負荷の低い製品を開発・製造・販売せざるをえなくなる。つまり、廃棄物費用負担を価格に上乗せさせることにより、市場競争を通じて、生産者に製品を環境に配慮したものへと変えていくインセンティブを与える、この流れを作ることがEPRの目標なのである。

以上のことは、現に、ガイダンスマニュアルでも、「拡大生産者責任は、生産者に、製品の消費後の環境影響に関するシグナルを与え、消費後の環境影響に伴う外部性を内部化するための手段である」と述べられている。また、同マニュアルでは、拡大生産者責任は「従来製品価格に含まれていなかった製品のライフサイクルにわたる環境コストを製品価格に反映させるための手段」であるとされ、別の部分では、「拡大生産者責任の主たる機能は、地方公共団体と一般納税者から製品の生産者に、廃棄物の処理・処分に係る財政的・物理的な責任を移すことである。そうすれば、処理・処分に関する環境コストは、製品価格に含まれることとなろう。これにより、製品の環境影響を真に反映し、消費者がそれにしたがって選択を行える市場を生み出す条件を作り出すのである」と述べられている。

以上のことから、結局、EPR の目標は、環境適合的な製品の設計(Design for Environment)にあるといえる。つまり、EPR には環境適合的設計を促すインセンティブとなることが求められているのである。

(2)EPRの核心

以上のように、EPR の目標を、生産者に対して環境負荷の低い製品を設計・製造するためのインセンティブを付与することと捉えるならば、EPR の核心は、廃棄物管理費用を生産者に第1次的に負担させ、それを製品価格に上乗せさせること(製品価格への内部化)にあると言える。生産者にインセンティブを与えるための手法が環境管理費用の価格への上乗せ(価格への内部化)だからである。

もともと、OECD での議論では、EPR とは『廃棄物処理において、誰が実際に処理を行うかではなく、誰がそのコストを支払うか』が中心となる考えであった。そしてこの考えを実現するための手法として「製品価格への内部化」が挙げられているのである。したがって、フェーズⅡレポートでも、EPR の本質は「誰が廃棄物を物理的に処理するか」ではなく、「廃棄物の処理費を誰が負担するか」である(The essence of EPR is who pays for, not who physically operates the waste management system)と明記されている。さらにまた、同レポートでは、前述のように、EPR の概念について「EPR は、廃棄物処理にかかる最終責任を、地方自治体から最終生産者(輸入業者を含む)に移行するものである。この最終責任とは、自ら製造した製品に関する廃棄物処理コストを確実に完全に内部化するために、民間セクターの各企業に課せられた義務のことである。この義務は、消費後の生産物責任の核心あるいは第1の基本要素である」と述べられている。さらに、「生産者の(この)最終責任は、免れたり、遠ざけたりできない。(しかし、)EPR 責任は、生産者だけのものではない。EPR 目標の達成には、社会全体の協力を必要とする。製品のライフサイクルの中では製品の物理的責任が生産者ではなく、むしろ他の関係者に課される場合も数多くあるため、〈拡大生産者責任〉だけを唱えるのでは不正確で、拡大・分担責任とすべきであろう」し、「EPR は処理処分の社会的費用の内部化を導く」ものであり、この社会的費用の内部化の実現は、「たとえ、自治体が従来と同じ機能(物理的責任)を実施したとしても、すべての経済的責任が自治体から生産者と消費者へ転嫁されることによって可能である」と述べている。このように、フェーズⅡレポートは、廃棄物処理コストを確実に完全に内部化することこそ EPR の核心であり、生産者の廃棄物管理費用の第1次的支払い責任は免れることはできない必須の義務であることを強調し、一方、生産者が費用を負担する限り物理的責任は分担できるとしている。

しかし、フェーズⅢのガイダンスマニュアルでは、「製品に関する生産者の物理的および、または経済的責任を……消費段階の後にまで拡大する」とか、「廃棄物マネジメントの物理的および、または経済的な責任の全部または一部を地方自治体と一般納税者から上流の生産者に移すこと」というように、「および、または」「全部または一部」などの用語が多用されている。EPR についてのこのような理解に立てば、生産者が消費後の廃製品にかかわる物理的責任と経済的責任の一方でも、あるいは各々の責任の一部でも負担しておれば EPR を実現しているということになる。フェーズⅡにおける EPR の核心の捉え方がガイダンスマニュアルでは後退・変質しているのである。

EPR 理解のこのような変質は、責任分担に関する考え方の変化に起因している。フェーズⅡにおける責任の分担は、主に物理的責任を対象に論じられており、経済的責任に関しては、生産者による廃棄物管理費用の第1次支払い責任とその確実かつ完全なる製品価格への内部化を前提にしている。一方、ガイダンスマニュアルでは経済的責任の分担を地方自治体にも拡張し、これを分担責任の第一モデルと位置づけている。このように、ガイダンスマニュアルでは分担する責任の内容を物理的責任から経済的責任にまで広げ、その経済的責任の分担を生産者と消費者だけではなく、地方自治体にまで認め、「コストの完全な内部化」から「部分コストの内部化」にまで拡張することによって、EPR の核心を変質させてしまっている。前述したように、EPR の目標からみて、フェーズⅡでのEPR の捉え方に立脚することこそが、効率的な循環型社会の形成にとって肝要であると考えられる。

なお、EPR の核心に関しては、製品価格に上乗せするとしても、製品価格に占める廃棄物管理費用の割合が低い製品の場合には、インセンティブは働かないとの批判もある。

6　EPRの意義

生産者に廃棄物管理費用を生産者に負担させたうえで、それを製品価格に上乗せさせることによって、製品の設計・製造を環境に配慮したものへと変えていくインセンティブを生産者に付与することが、EPR の目標であるとすれば、EPR の意義は次のようになる。

(1)生産者の責任が拡大されることにより、上流下流の流れがつながり、生産者による製品の設計製造段階(上流)での環境負荷を低減するための対応が促進されることになり、廃棄物の最小限化や汚染負荷の減少を社会全体からみても効率的に達成できる。

(2)廃棄物管理責任を生産者に移行させ、また、その費用が製品価格に内部化されることにより、地方自治体の廃棄物管理に関する財政的負担を軽減することができる。

(3)従来の行政による製品の廃棄物マネージメントシステムの経済的および環境面での非効率性を減少させることができる。

7　生産者とは

ガイダンスマニュアルでは、「生産者」とは、「廃棄物を未然に防止し、廃棄物処理費用を最小化し、消費後の廃棄物に伴う環境負荷を減らすために、製品を変えることが最もできる立場にあるもの」、すなわち、「材料の選択と製品の設計に最大の支配力を持つもの」とされている。具体的には、製造業者(商標所有者と輸入業者とされているが、容器包装については容器包装製造者よりむしろ容器包装の中身の充填者が生産者と規定されている。

EPR の目標が環境適合的な製品の生産を促すことであるならば、材料の選択および製品設計において決定的な支配力を有するものが生産者とされるべきであろう。このような立場にある生産者に廃棄物管理の責任を付与することが、EPR の目標達成のために最も有効であり、また最も効率的に廃棄物にかかる環境負荷を低減できると考えられる。

もっとも、製品の直接の製造業者でないものについては、条件を慎重に検討する必要があることも指摘されている。これは製品寿命が長く、高価で複雑な製品の場合に特に問題となる。

8　生産者に拡大生産者責任が課される理由とその責任の法的性質

(1)EPRを生産者に課す理由

生産者に対して環境負荷の低い製品を設計・製造するためのインセンティブを付与するという EPR の目標からみれば、生産者に廃棄物管理(回収・リサイクル・適正処理)の費用の負担を行わせるのが最も適切である。その理由は、市場の中で、最も環境適合的な製品を作り出し、製品のライフサイクル全体での環境負荷を最小化する能力・情報を持っているのは生産者であるからである。すなわち、生産者は、①対象となる製品について材料選択や設計段階で環境に配慮することができること、②生産工程においてリサイクル原材料の利用を行うことができることなど、環境適合的な製品を作り出すことが最も可能な立場にある。したがって、製品に関して最も知識と技術を持ち、影響力を与えられるのはその製品の生産者である。EPR の考えには、市場の中で環境負荷低減について決定的な支配力・影響力がある者にインセンティブを付与するのが資源配分にとって最も効率的であるという発想がある。

このように、前述の、ガイダンスマニュアルでの生産者の特定に関する判断には、生産者がその能力・情報の点で製品の設計や材料の選択を変更できる立場にあるという考え方が背景にあることになる。

（2）生產者の責任の性質

では、法的にみて、生産者が負担する回収・リサイクル・廃棄物処理などの物理的責任やとりわけ第一次費用支払い責任の性質はどう捉えられるであろうか。

生産者にそのような責任を課すことができる理由は以下のところにある。

①生産者は、将来廃棄物として環境負荷を与えるものを製造販売しており、その点で間接的汚染者であると捉えることができる。

②生産者は、製品に関して知識、情報、技術力を最も有しており、素材の選択や製品設計について決定的影響力を有している。したがって、生産者が最も環境適合的な製品を設計・製造し、その製品廃棄物を適切に処理する能力・情報を有している。

③生産者に廃棄物の処理やそのための費用の第一次的支払い責任を負担させれば、その費用の製品価格の転嫁を最小限に抑えるために、環境負荷が少ない製品を設計製造せざるを得ない。これと②が相俟って、社会全体において最も効率的に環境負荷を減少させることができる。

④生産者は廃棄物処理費用を製品の価格に転嫁し得る。

⑤生産者は廃棄物となる製品の製造販売で利益を得ている。

以上のような責任が課される理由からみて、生産者の拡大生産者責任は加害者の道義的非難可能性に基礎を置く「責任」ではなく、①〜⑤のような社会的妥当性によって求められる生産者の「社会的責任」であると捉えられる。

なお、商品の引き渡した後も、生産者が製品の所有権を保有しつづけると契約したり(リースあるいは所有権留保)、一旦販売によって所有権は消費者に移転するが消費後は所有権が復帰すると解釈あるいはその旨契約したりして、消費後は製品廃棄物の所有権は生産者にあるとして、EPR 上の責任は所有者としての責任であると構成する考え方もある。しかし、所有権が消費後は生産者に復帰すると解釈することは、現行所有権制度からはなお検討しなければならない諸問題がある。現行法制度では、所有者となった消費者は自らの意思でどのような改良も、どのような利用の仕方もできるからである。この問題については今後も法的観点から検討を継続することにしたい。

9　EPRにおける責任の内容

EPRにおける責任には、物理的責任と経済的責任が含まれる。

（1）物理的責任

物理的責任とは、収集・分別・処理のような製品廃棄物の物理的処理（physical management）のための責任のことである。

この責任に関しては、①生産者は廃製品の引き取り、再利用、リサイクル、再生利用、適正処理を行う、②消費者は分別回収に協力する、③地方自治体は EPR を実現させるための社会整備を行うことが、それぞれの中心的な行動責任と考えられる。

このような種々の物理的責任の形態の中で、消費後の廃製品の引き取りとそのリユースあるいはリサイクルがEPRにとって最も重要である。

（2）経済的責任

経済的責任（Financial Responsibility）とは、製品の排出後の収集、再利用、リサイクル、最終処分など廃棄物管理費用を全部または一部負担することを意味する。

この責任は生産者と消費者に課せられる責任である。つまり、生産者に関しては廃棄物管理費用を第1次的に支払い、価格に上乗せする責任であり、消費者に関しては製品を購入することを通じて、上乗せされた廃棄物費用を負担する責任がそれぞれある。ただし、この最終的な費用負担は、価格の弾力性等によって生産者と消費者とが分担することもある。

この費用負担については、大きく分けて、①誰がどこまで負担するのか、②どの時点で費用を徴収するのか、③販売時徴収の場合、リサイクル費用を明示すべきか否か、という3つの論点が存在する。

①　誰がどこまで負担するのか

費用の負担については、a)生産者が第一次的な負担を行う場合、b)排出者（消費者）が第一次的な負担を行う場合、および c)市町村が第一次的な負担を行う場合の三つの方法がある。

このうち、生産者に、環境適合的な材料の選択や製品の設計の方向へのインセンティブを付与することが EPR の目標であるとするならば、生産者に廃棄物管理にかかる全ての費用を第 1 次的に支払わせた上で、それを製品価格に上乗せさせる(価格内部化)という方法がその目標達成に最も有効である。前述したように、ここに EPR の核心があるのである。

ガイダンスマニュアルでも、「伝統的に市町村の責任であったものを生産者に移行させることにより、生産者が支払うコストを削減する方法を探るインセンティブを、生産者に与えることになる。」としつつ、EPR 政策の下では、生産者は社会的コストを吸収するようインセンティブを与えられることになり、不可避のコストについては製品価格に組み込まれ、生産者と消費者が納税者に代わって、社会的コストを支払うことになるとしている。また、「社会的コストまたは外部費用の内部化は、市町村が以前と同様の機能(物理的責任)を担い続けるとしても、全ての経済的な責任が市町村から生産者と消費者にシフトされたときに可能となる。生産者は使用済製品の処理にかかる追加的なコストを製品に組み入れようとするであろう。(このような)コストの実質的な内部化こそが、生産者に対して、使用済製品の処理および、または処分に伴うコストを削減するために製品の設計を変更するインセンティブを与える。」として、物理的責任は地方自治体と生産者が分担できるとしても、生産者による費用の第 1 次的支払いとその製品価格への上乗せが、EPR の目標達成にとって最も有効であることを指摘している。

② どの時点で徴収するのか

消費者が最終的にしろ廃棄物管理費用を負担するとしても、どの時点で消費者から費用を徴収するのかという問題、すなわち費用を販売時に徴収するか、排出時に徴収するかも重要な論点である。

この消費者による費用の支払時期を検討するにあたっては、不法投棄の防止、長期使用の促進、販売時点でのリサイクル費用の予測可能性、生産者不明製品への対応などの諸点について検証する必要がある。不法投棄を防止するためには、販売時に徴収するのが、長期使用を促進するためには、排出時に徴収するのが有効である。また、製品の使用期間が長い、リサイクルが成熟していないなど、販売時点で排出時のリサイクル費用を予測することが困難であれば、排出時に徴収する必要性が増大するであろう。生産者不明の製品については、徴収金で対応できるので、販売時に徴収することになろう。

しかし、EPR 政策にとって、どの時点で徴収するのが生産者にインセンティブを付与するのに最も有効かという観点からの検討がより重要である。EPR が市場競争を通じて生産者にインセンティブを付与することを目的とする以上、販売時徴収が最も生産者にインセンティブを付与することになるのは勿論である。

したがって、ガイダンスマニュアルも、生産者に直接に経済的インセンティブを与える手法の 1 つとして、販売時徴収をあげている。ただし、販売時徴収自体は、消費者が処理費用を支払うことを意味するので、本来、それだけでは EPR プログラムを構成するものではなく、これが EPR として位置づけられるためには、使用後の段階での生産者のある程度の物理的責任と組み合わせられる必要があるとされている。

③　販売時徴収の場合、リサイクル費用を明示すべきか否か

販売時徴収においては、廃棄物管理費用を製品価格に内部化してしまうのか、製品価格とは別建てで徴収するのか、といった検討が必要である。

費用負担に関しては、廃棄物管理費用を明確化することが、消費者の商品選択の基準となるとともに、生産者にとってはより低コストで環境負荷の低い製品を生産するインセンティブになると考えられる。したがって、製品価格に内部化するにしても、価格の内訳で廃棄物管理費用を明示することが EPR の目標達成のためには有効であろう。

10　EPR における関係者の役割分担

(1)役割分担

廃棄物の最小限化は、製品のライフサイクルに関わる、生産者、消費者、国、地方自治体という関係主体が協力して達成される。EPR は生産者の責任を拡大するものであるが、これは決して他の関係者の責任分担を否定するものではない。関係者が、それぞれの段階ごとに求められる役割を担ってはじめて、EPR の目標は達成されるのである。

しかし、その役割を分担するといっても、廃棄物の最小限化を社会全体として最大化でき、かつ、それに要するコストを社会全体として最小化できる関係者が、決定的役割を担わねばならない。その決定的役割を担うのは、その有する能力と情報から見て、生産者である。したがって、その生産者に、環境適合的な材料の選択・製品設計に向けてのインセンティブが付与されるような役割分担が行われねばならないことになる。ガイダンスマニュアルでも、「どのようなメカニズムが採用されようとも、効果的な拡大生産者責任の実

施は、プロダクトチェーンのすべての主体が参加するかどうかにかかってくる。彼らはすべて、製品に伴う環境上の外部性に何らかの形で責任を有しているのである。政府は、製品の消費後の環境影響を減らすために生産者に与えられるインセンティブを損なわないようなかたちで適切に責任を分担する政策やプログラムを設計することにチャレンジしなければならない」とされている。

OECDでのEPRに関する検討でも関係者間での役割分担は認められている。

フェーズⅡレポートでは、前掲のように、「EPR は、廃棄物処理にかかる最終責任を地方自治体から最終生産者(輸入業者も入る)に移行するものである。この最終責任とは、民間セクターの各企業に課される、自社製品の廃棄物処理コストを実質的にまたは完全に内部化する義務である。この義務は消費後の生産物責任の核心あるいは第 1 の基本要素である。(この)生産者の最終責任は、免れたり、遠ざけたりできない。(しかし、)EPR責任は、生産者だけのものではない。EPR 目標の達成には、社会全体の協力を必要とする。製品のライフサイクルの中では製品の物理的責任が生産者ではなく、むしろ他の関係者に課される場合も数多くあるため、〈拡大生産者責任〉だけを唱えるのでは不正確で、拡大・分担責任とすべきであろう」として、責任分担を認めている。しかし、そこで分担されるのは「物理的な責任」であり、生産者は「経済的責任」を免れることはできないとされている。

フェーズⅢのガイダンスマニュアルは、フェーズⅡに比べて「責任分担」(shared responsibility)をより強調し、EPR の根底に責任分担があるとして、製品のライフサイクル上の連鎖におけるすべての関係者(生産者・小売業者・運搬業者・消費者・地方自治体など)が活力ある役割を演じることは「EPRに本来的なもの」であると述べている。

ガイダンスマニュアルは、この分担責任の第 1 のモデルとして、生産者と地方自治体との間の分担責任を挙げている。このモデルはさらに 2 つのオプションがあり、1 つは、地方自治体が収集や分別等の物理的責任(全部または一部)を負い、生産者がこの活動の費用負担(全部または一部)を行い、さらに分別した廃棄物を物理的に引き取り、処理処分するというものである。もう 1 つのオプションは、自治体はその費用負担の下に従来業務(収集・分別)を続け、生産者は廃棄物を引き取った後の処理処分にかかわる追加費用だけを支払うというものである。リポートでは、この分担責任の方法によって「部分的コストの内部化」が図られるとし、フランスや日本の容器包装リサイクルシステムをその例として取り上げている。このように、ガイダンスマニュアルでは、物理的責任のみならず経済的責任にまで分担責任が広げられているのである。

日本でも、責任分担の考え方が採られている。それは、「関係者の役割分担を定める際には、社会全体として最も効果的かつ効率的なシステムとなるように定めることが望ましく、回収やリサイクル等の行為についての関係者の実際の役割分担は、生産、流通、消費、廃棄等の実態、対象となる製品の特性、関係者間の負担についての公平性のあり方を踏まえつつ、〈実効性〉(取組みの効果を社会全体として最大化できる関係者が役割を担う)や〈効率性〉(取組みに要するコストが社会全体として最小化できる関係者が役割を担う)の観点から判断されるべきである。たとえば、ある製品について既存の回収·リサイクルシステムがある場合はなるべく既存システムを活用することが効率上望ましいと考えられる」という認識に基づいている(産業構造審議会環境部会廃棄物·リサイクル小委員会)。

この考え方は物理的責任に関することではあるが、実際に、容器包装リサイクル法や自動車リサイクル法では、物理的責任さらには経済的責任について分担責任が採られている。すなわち、容器包装リサイクルについては、全く別の回収ルートを新たに構築するよりは、既存の市町村の回収ルートを活用することが実効的·効率的と判断されたため、容器包装リサイクル法においては、市町村がその費用負担の下に分別収集の役割を担い、生産者はその費用負担の下にリサイクル責任を担っている。自動車リサイクルについても、既存の回収·リサイクルシステム(解体業者、シュレッダー事業者)活用という観点から、自動車リサイクル法では、既存の処理システム(解体業者、シュレッダー事業者)を活用し、生産者は、シュレッダーダスト、フロン、エアバッグについてのみ、ユーザーの費用負担でリサイクル責任を負い廃車の他の部分のリサイクルについては既存の処理業者が行うシステムとなっている。

しかし、前述のように、EPR の目標や核心から見て、物理的責任の分担はありえても、生産者の経済的責任(廃棄物管理費用の第 1 次的支払いとその製品価格への上乗せ)は分担できないはずである。

11 生産者の負担する責任

循環型社会を形成するためには、一般的に、生産者には、以下のような責任の全部又は一部が期待されうる。

①物理的責任

a)設計段階での関与:環境に配慮した設計

b)回収への関与:回収の実施、回収拠点の整備

c)リサイクルへの関与:リサイクルプラントの設置、リサイクルの実施

②経済的責任

a)回収費用の第1次的支払い

b)リサイクルなどの処理費用の第1次的支払い

③統括的責任

a)システム全体の運営管理

これまで論じてきたように、これらの責任の中で、EPR の目標、核心から見て、生産者の責任としては経済的責任が中心であり、他の関係者と分担できない生産者に必須の責任である。しかも、廃棄物管理にかかる費用の全てを、生産者は第1次的に支払い、製品価格に上乗せする必要がある。一般的に物理的責任も生産者に課されることが多いが、その責任は地方自治体などの関係主体と分担できるし、物理的責任の履行を生産者責任機関(PRO)など他者に委託できる。その際にも処理費用全てを生産者が第一次的に支払うことが肝要である。

EU においても、使用済み自動車問題に関する政治的決着の際に、EPR としての生産者の責任の内容を次のように再確認した。

①設計への責任(Design Responsibility)

②実質的な回収および処理スキームのオペレーション責任(Operational responsibility)

③無償引き取りによる経済的責任(Financial responsibility)

④製品情報を開示する情報責任(Informative responsibility)

ここでも、生産者に、経済的責任を負担させることによって、環境適合的な製品を設計

するようにインセンティブを付与するというEPRの核心が確認されている。

一方、日本では、「回収・リサイクル等のシステム構築にあたっては、生産、流通、消費、廃棄等の分野ごとの実態に則し、社会的・経済的な実効性や効率性の観点から最も望ましいシステムを、個別に設計・構築していくことが必須である。いずれにしても、EPRとは、生産者等の事業者が廃棄物処理に関して全面的な責任を持ち、費用を全て製品価格に内部化することを直ちに意味する概念ではなく、排出者責任との組合せの中で、さまざまな費用分担、責任分担を包含する概念である。」(産業構造審議会環境部会廃棄物・リサイクル小委員会)という考え方の下に、循環型社会形成推進基本法(以下では循環型社会法とする)では、生産者が物理的責任を遂行することの重要性は認められているが、経済的責任については規定されなかった(後掲、同法第4条)。

12　日本におけるEPRとその問題点

以上のEPRの検討を踏まえて、日本におけるEPR制度の現状とその問題点について検討する。

(1) 日本におけるEPR制度

日本においては、循環型社会法において「事業者の責務」としてEPRの考え方が明示され、個別のリサイクル法においてその具体化が図られているとされている。

すなわち、循環型社会法では、その第11条2項・3項で、事業者の物理的責任が規定されている。すなわち、a)製品・容器器等の耐久性の向上、修理体制の充実など製品・容器等が廃棄物等なることを抑制するために必要な措置を講ずること(発生抑制義務)、b)製品・容器等の設計の工夫、材質・成分の表示など製品・容器等が循環資源となったものについて、循環的な利用が行われることを促進すること(循環的利用の促進義務)、c)製品・容器等の適正な処分が困難とならないような措置を講じること(適正処理困難物の回避義務)、d)製品・容器等の設計および原材料の選択、収集等の観点から、事業者の役割が循環型社会の形成推進にとって重要であると認められるものについて、当該製品・容器等が循環資源となったものを引き取り、または引き渡し、適正に循環的な利用を行うこと(引き取りと再使用・リサイクル・再生利用などの循環的利用義務)が、事業者の責任とされているである。

この中で、廃棄物の引き取りとその循環的利用が事業者の物理的責任の中心であるが、その引き取りとリサイクルなどの循環的利用を事業者に義務付けるためには、(ⅰ)国、地方公共団体、事業者および国民の適切な役割分担が必要であるもの(すなわち、市町村が役割全部を負担していてはうまくいかないもの)、(ⅱ)設計、原材料の選択、循環資源の収集(すなわち、販売の過程を回収に使える)等の観点から、事業者の役割が重要と認められるものという要件を満たさねばならないとされている。さらに、そのような義務を事業者に課す要件としては、上記の 2 つの要件のほか、(ⅲ)当該循環資源の処分の技術上の困難性(たとえば、適正処理困難物か、排出量が多いか、有害物質を多く含むか)、循環的な利用の可能性(事業者が利用できるかどうか)等も勘案するものとされている(同法18条3項)。

すなわち、日本の循環型社会法は、廃棄物の物理的管理については各関係者が責任を分担するという分担責任を前提として、特に、上記(ⅰ)～(ⅲ)の要件を充たすときに、事業者に EPR 上の物理的責任を特に課すという立場をとっているのである。

一方、経済的責任については、循環型社会法第 4 条において次のように規定されている。

「(適切な役割分担等)第 4 条　循環型社会の形成は、このために必要な措置が国、地方公共団体、事業者および国民の適切な役割分担の下に講じられ、かつ、当該措置に要する費用がこれらの者により適正かつ公平に負担されることにより、行われなければならない。」

そこでは、一次的支払いを誰に負担させるかは「適正かつ公平」に判断するとされ、生産者の第一次的支払い義務は規定されていない。この「適正かつ公平」であるかは、公平性、関係者の負担能力、円滑的効率的な費用徴収などさまざまな観点から総合的に判断されることになる。このように、生産者の経済的責任を明確にしていない点で、日本の循環型社会法は EPR の核心を欠いていると言える。

この循環型社会法の規定は、以下のシステムに具体化されている。

①設計·製造面での配慮義務

a)資源有効利用促進法で指定されている製品については、生産者にリデュース·リユース·リサイクル配慮義務がある。容器包装廃棄物については、生産者に、リサイクル費用を負担させることにより、リデュース等のインセンティブが働くことが期待されている。

b)排出源が多様である容器包装と二次電池には、識別表示義務が課されている。

②回収·引取義務

a)容器包装廃棄物に関しては、回収拠点の整備も含めて従来どおり市町村が回収義務を負う。事業者は、市町村が分別収集した上で、さらに中間処理して分別基準に適合させた物のみを引き取る義務がある。

b)廃家電 4 品目、事業系·家庭系廃パソコン、廃二次電池に関しては事業者が回収·引取義務を負う。

c)廃車については、従来からの回収スキーム(ディーラー等を経由)を活用しているため、生産者には、廃車全体をユーザーから引き取る責任はなく、シュレッダーダスト、フロン、エアバックのみを解体業者やシュレッダー業者から引き取る義務がある。

③リサイクル義務

a)容器包装廃棄物に関しては、製造者および中身充填事業者がリサイクル義務を負う。事業者等はその義務の履行を一般的に指定法人に委託してその義務を履行している。

b)廃家電 4 品目、事業系·家庭系廃パソコン、廃二次電池に関しては、生産者がリサイクル義務を負う。生産者は体制を構築してその義務を履行している。

c)廃車については、既存のリサイクル·処理システム(解体業者、シュレッダー事業者)を活用し、生産者は引き取ったシュレッダーダスト、フロン、エアバッグのみにリサイクル義務を負う。

④費用負担

a)容器包装廃棄物に関しては、分別収集·中間処理費用は市町村が負担し、リサイクル費用は製造者および中身充填事業者が負担する。

b)廃二次電池については、生産者が回収費用およびリサイクル費用を負担する。

c)廃家電 4 品目および事業系廃パソコンについては、ユーザーが排出時に回収·リサイクル費用を負担する。家庭系廃パソコンおよび廃車では、ユーザーが購入時に費用を支払う。

(2) 日本の容器包装リサイクル法、家電リサイクル法、自動車リサイクル法はEPRの基本をおさえているか

容器包装リサイクル法では、市町村が容器包装廃棄物を分別収集･保管し、さらに一定の分別基準を満たすまで中間処理を行う必要があり、その費用は市町村によって支払われることとなる。事業者は分別基準適合物だけを引き取り、リサイクルする義務を負う。事業者もリサイクルの費用を負担しているが、それ以上に市町村の負担する分別収集･保管･中間処理は手間ひまがかかるだけではなく、必要経費も大きい。しかも市町村はその経費を税金で賄っている。これでは、事業者は容器包装廃棄物の回収･リサイクルにかかる費用の一部、しかも相対的に低い費用だけを負担してことになる。結局、現行の容器包装リサイクル法は、物理的責任だけではなく、経済的責任も市町村と事業者の分担責任となっており、しかも、市町村の費用負担が重く、事業者の費用負担は軽い(2004 年の環境省の調査によれば、1kg のペットボトルについて、市町村が回収･中間処理に要する費用は 175 円であるのに対して、事業者がリサイクルに要する費用は 75 円)。そのために、事業者には容器包装廃棄物の減量や環境負荷の少ない容器の開発およびそのような容器への切り替えへ向けてのインセンティブがほとんど働いていない。現に、ペットボトルに関していえば、確かにリサイクル率は年々上昇しているが、それに匹敵してあるいはそれを上回ってペットボトルの生産量は増加しており、ペットボトル廃棄物の減量化はすすんでいない。逆に、リサイクル率が高い、アルミ缶･スチール缶･ガラス瓶の生産量は横ばいか、減少気味であり、リターナブル容器は減少の一途を辿っている。

EPR の目標が生産者に環境適合的な製品の設計の方向へのインセンティブを与えることにあり、そのための手法として、生産者に廃棄物管理費用全てを第一次的に支払わせ、それを製品価格へ上乗せさせるのだと、EPR の核心を捉えれば、容器包装リサイクル法では、部分コストの内部化しかされていないという意味で、その EPR は不十分、不徹底である。

また、OECD のガイダンスマニュアルでは、生産者に製品の消費後に発生する費用について生産者にすべて支払わせ、それが価格に上乗せされて消費者に転嫁されるという形を原則としているが、部分的責任のみが生産者に与えられる場合には、EPR 政策を

有効なものとするためには、生産者は全体の責任のうちのかなりの割合を課せられる必要があるとされている。しかし、日本の容器包装リサイクルシステムでは、事業者は責任の一部を分担しているに過ぎないので、生産者が全体の責任のかなりの部分を分担すべきというガイダンスマニュアルの考え方も反映していないことになる。

次に、家電リサイクル法については、容器包装リサイクル法に比べて生産者に廃家電の引き取り義務も課したという点で、生産者の義務が強化されている。しかし、回収・リサイクルを実施するという意味での物理的責任は生産者が負担するとしても、回収・運搬・リサイクル費用は廃家電排出時に消費者が負担することになっている。したがって、生産者は廃棄物管理費用について第一次的支払を全く行わないために、その費用の製品価格への上乗せはなされていない。これでは、生産者に対して環境的適合的な製品の設計というインセンティブはほとんど与えられない。結局、現行家電リサイクル法のシステムでも、生産者にインセンティブを付与するというEPRの目標は達成されていないことになる。

さらに、家電リサイクル法の実際の運用においては、廃家電の回収・リサイクル料金は各メーカー横並びで、市場競争が排除されており、市場競争を通じて生産者にインセンティブを付与しようとしている EPR の目標を逸脱している。また、現行家電リサイクル法では、廃家電の回収・リサイクル料金は排出時に消費者から徴収するシステムとなっているために、不法投棄を招来する可能性があるという問題点もある。

自動車リサイクル法では、引き取り業者(自動車販売業者・整備業者など)がユーザーから廃車を引き取り、さらに、フロン類回収業者や再資源化処理業者(解体事業者・シュレッダー業者)へ引き渡し、フロン類回収業者がフロン類を回収し、再資源化処理業者がリサイクルを行う。自動車メーカーは、回収されたフロン類の引き取り・適正処理、および、再資源化処理業者が回収したエアバックや再資源化処理業者がリサイクルした後の残存物であるシュレッダーダストの引き取り・リサイクルのみの義務を負担する。フロン類、エアバックの回収処理やシュレッダーダストのリサイクルにかかる費用については、新車購入時(既販車は車検時)に資金管理機関がメーカーに代わってユーザーから徴収する。したがって、このシステムでは、メーカーは廃車全体については回収・リサイクル責任は負わず、わずかシュレッダーダストなど 3 品目についてのみ引き取り・リサイクルの責任を負い、その費用もメーカーではなくユーザーが負担することになる。つまり、メーカーは、廃車全体についての物理的責任の一部を分担するのみで、その一部の廃棄物の管理費用についても負担しない。ここでも、生産者にインセンティブが働かないシステムとなっている。

結局、容器包装リサイクル法では、生産者の負担するリサイクル費用より、市町村の負担する回収・中間処理・運搬費用の方がはるかに大きいという点で、家電リサイクル法では、廃家電排出時点で消費者が回収・リサイクル費用を支払わねばならないという点で、自動車リサイクル法では、生産者は回収・リサイクル費用を負担しないという点で、日本ではEPRの核心が実現されていないことになる。

このように、費用の第一次的支払い者が誰であるかを一義的に明確にしていない循環型社会法の規定と相俟って、日本のリサイクル法は、生産者がEPR責任の一部を分担するという分担責任のシステムになっている。前述のように、OECD でのもともとの議論では、物理的責任は分担できても、生産者の廃棄物処理費用全ての第 1 次的支払いは、EPR の目標達成のためには必須であることが前提であった。生産者が費用の一部しか支払わないあるいは物理的責任しか負わないという日本のシステムでは、生産者へのインセンティブは弱い。したがって、生産者へのインセンティブ付与による製品生産の変更を通じて廃棄物の減量化を図るという EPR の目標を達成するためには、生産者の経済的責任のあり方について、EPR 政策の趣旨に沿った改革が望まれる。さらに、EPR を製造物に関する一般的原則にするためにも、事業者にEPR責任を求める製品の範囲を広げる必要もある。

参考文献

生野正剛、「地球環境問題への法的対応ー環境負荷・資源循環型社会の形成」、生野正剛・早瀬隆司・姫野順一編著『地球環境問題と環境政策』(ミネルヴァ書房刊、2003年)所収

大塚直、「廃棄物・リサイクルをめぐる法的問題」、細田衛士・室田武編『循環型社会の制度と政策』〈岩波講座　環境経済・政策学第 7 巻〉〉(岩波書店刊、2003 年)所収

大塚直、『環境法』、有斐閣刊、2002年

大塚直・村上友理・奥真美・高村ゆかり・藤堂薫子・赤渕芳宏、「拡大生産者責任に関する

OECD ガイダンスマニュアル(1)(2)(3)」、環境研究 No.121、122、124、2001～2002年

織朱實、「拡大生産者責任(EPR)」、『平成10年度 世界各国の環境法制に係る邦訳等比較法調査報告書 Part-1 物質循環と土壌保全』、(商事法務研究会刊、1999年)所収

岡崎康雄、「拡大生産者責任」、植田和弘・喜多川進監修『循環型社会ハンドブック』(有斐閣刊、2001年)、所収

木村雅史、「EPRの基礎的概念と日本における誤解」、月刊廃棄物 2000-5、2000年

熊本一規、「EPRの誤解を正す！」、月刊廃棄物 2000-7、2000年

佐野敦彦・七田佳代子、『拡大する企業の環境責任』、環境新聞社刊、2000年

佐野敦彦、「欧州における EPR 政策の進展～日本との比較を通じて、今後の政策議論へ向けての争点化～」、都市清掃 Vol.56、No.252、2003年

清水克彦、『社会的責任マネジメント』、共立出版刊、2004年

田中勝、「廃棄物問題と循環型社会」、田中勝・田中信壽編著『循環型社会構築への戦略』、中央法規刊、2002年)所収

西ヶ谷信雄、「OECD の拡大生産者責任(政府向けカイダンスマニュアル)とは」(その 1)・(その 2)・(その 3)、月刊廃棄物 2001-9、2001-10、2001－12

細田衛士、「拡大生産者責任の経済学」、細田衛士・室田武編『循環型社会の制度と政策』〈岩波講座 環境経済・政策学第7巻〉(岩波書店刊、2003年)所収

細田衛士、『グッズとバッドの経済学』、東洋経済新報社刊、1999年

山口光恒、「我が国の廃棄物政策と拡大生産者責任(EPR)」三田学会雑誌 92 巻 2 号、1999年

吉野敏行、「排出者責任と生産者責任」、山谷修作編著『循環型社会の公共政策』(中央経済社刊、2002年)所収

Reid Lifset・織朱實・田中勝、「拡大生産者責任と廃棄物問題」、田中勝・田中信壽編著『循環型社会構築への戦略』(中央法規刊、2002年)所収

OECD, "Extended Producer Responsibility: Phase 2: Framework Report", OECD Environment Monographs No.114,1998

OECD, *Extended Producer Responsibility: A Guidance Manual for Governments*, OECD,2001〈クリーン・ジャパン・センター(仮訳)『拡大生産者責任ー政府向けガイダンスマニュアル』、クリーン・ジャパン・センター、2001年〉

ドイツ都市ごみ管理における「自由化」の議論―自治体経営と市場競争―

小野隆弘

一　ドイツ都市ごみ管理における循環経済モデルと「自由化」

(一)　循環経済モデルと都市ごみ管理の自由化

都市ごみ管理は循環型社会に向けての政策転換によって大きな構造変化を迫られてきた。循環経済モデルによって、徹底した生産者責任を導入したドイツにおいて特にその影響は著しい。経済全体を見渡してみれば、従来の役割分担は、生産と消費は市場を主舞台にした民間主体による自己責任の体制であり、他方、廃棄過程の制御は、従来から、公衆衛生と生活環境の保全という住民全体の「生存配慮(Daseinsvorsorge)」を保証するために、自治体が行政サービスとして一元的に地域独占的に処理してきた。しかし、リサイクルを担う民間の自己制御システムができたことによって、ごみ処理サービスは公共部門と民間部門との新たな役割分担が求められてきたのである。

ドイツ型の政策転換にはふたつの面が含まれている。

まず第 1 に、循環型社会への移行に不可避的にともなうリサイクルの整備等の課題に関わることがある。ドイツ循環経済法は、まず、リサイクル可能なごみは事業者による引き取り義務を課し、公的処理の枠外で排出者の自己責任にゆだねると規定し、生産者責任のもとでのリサイクルの構築を図った。この政策転換のねらいは環境政策上の目的に向け、外部化されてきたごみ処理を経済原則に則して内部化することを徹底することである。

つぎに、市場化・民営化の方向でのドイツ型の政策展開は、さらに、リサイクルに回る以外の残りのごみに対しても、排出者による自己処理責任原則を基本に据え、それと自治体への引渡義務との関係は、あくまで「原則ー例外関係」という位置づけをしたのである、このごみ管理をめぐる責任ルールの変更によって官・民の役割分担に関する政策転換が生じ、民営化に向けての土台がおかれたとされる。特に事業系の都市ごみについては、その自治体への引渡義務が曖昧になり、自治体の処理に任されてきたごみが、いまや自由市場に委ねられ、多くの自治体に流入する処分ごみの顕著な減少がみられることになった。その結果、以前は処理施設の所有者の力が大きかったのに、現在は、ごみ不足と施設の遊休が問題となるなかでごみ保有者の力が強くなり、ごみ処理事業の市場も独占傾向が顕著になってきたといわれる。

ドイツの環境政策を 2 年ごと総評してきた SRU(ドイツ環境問題専門評議会)は、その2002 年の報告において廃棄物管理に関する箇所の冒頭で次のように述べている。

「公法的処理業者と民間の処理経済との処理市場の役割分担は、1996 年 10 月 6 日の循環経済法の制定以来、廃棄物政策の中心的な秩序問題になり、廃棄物法の最も議論が激しい解釈問題にもなっている。すでに周知の「廃棄物をめぐる闘い」において民間の処理部門は特に事業系のごみにおいて追加的な市場シェアを獲得するのに成功したが、公共的処理者には明白にかなりの処理量の減少がみられるし、したがってしばしばその処理施設が全面稼働されることは近似的にもあり得ない状態である。この動向はしばしば循環経済法の秩序モデルによるものといわれてきた。立法者は循環経済法によって公共的生存配慮からの退去と民間の処理権限への「パラダイム転換」を意識的に導入したからである」。

(二) ドイツ・都市ごみ管理の自治体経営としての制度特性

ドイツの場合には、循環経済モデルの政策理念と並んで、わが国とは異なった次の制度特性に注目しておく必要がある。

一) ごみ財政:原価主義の手数料制度

日独の都市ごみ管理におけるその財源構成は、下記の表のようになっている。

表１　わが国一般廃棄物処理事業財源構成

歳入	合計	特定財源						一般財源
		特定財源計	国庫支出金	都道府県支出金	使用料及び手数料	地方債	その他	
ごみ	1,998,145	542,765	79,643	5,626	112,090	199,738	45,669	1,455,380
		(27.2)	(4.0)	(0.3)	(5.6)	(15.0)	(2.3)	(72.8)

「出典」環境衛生施設整備研究会監修、2001:『日本の廃棄物 2000　循環型社会をめざして』(社)全国都市清掃会議、73 頁

表２　ドイツ手数料制度におけるコスト充足率

公共サービス部門	コスト充足率				
	1987	1990	1992	1994	1996
下水処理	86,0	88,5	87,0	86,4	86,5
廃棄物処理	92,6	90,7	89,1	82,0	85,1
公営墓地	61,4	64,3	65,5	72,5	71,3
街路清掃	55,3	72,5	71,1	61,3	55,8

日本における都市ごみ管理が税方式を基本とするのに対して、ドイツ方式の特徴は、ごみ処理事業に関する財政構造を規定している手数料制度にある。都市清掃事業であるごみ管理と下水道事業は、税方式をとらず、その経費の 8 割以上が手数料によって賄われているという点で、わが国の税方式の財務構造との対照的な違いを示している。つまり、そのコスト全体を手数料によって充足する、ほぼ完全な原価主義を建前としているのである。

二)　組織形態:組織の人事的・財政的自立性が強く、組織選択の多様化が進んでいる。

ドイツ都市ごみ管理の組織形態は、連邦環境庁が 1995 年に全国 435 の公共的ごみ管理当局を調査したものによれば、まず、わが国の清掃事業組織と類似の「ごみ管理局(Amt)」あるいは「専門部局(Regiebetrieb)」が 56 組織で 24.7%、次に、人事的にも財政上も独立性が強い「独立部局(Eigenbetrieb)」が 43 で 18.9%、自治体間の地域連合組織である「目的団体(Zweckverband)」が 17 で 7.5%、以上が公法的組織で半ば半数の処理サービスを担っている。私法的組織では、資本会社形式をとるものが 39 法人で

17.2%であるが、未だ比較的少ないとみられている。残りが 72 団体で 31.7%と最大の割合を占め、多様な経営形態からなる混合型である。その多くは民間の参入がみられるという。

全国的には 3 極構造をとっているとみられる。1)特に大都市を中心にした自治体の処理企業であり、しばしば私法上の企業形態をとる。家庭系ごみの約 39%を占める。2)自治体が過半数の資本を保有した官民連携の企業 Public-Private-Partnership であり、これまでのところ大都市のみでみられ、家庭系ごみの約 6%を占める。3)民間の処理企業に委託する地方と小都市の処理事業であり、家庭系ごみの約 55%を占める。

＊公共セクターにおける効率化の追求は世界的な共通の課題であり、多くの公共セクター、生存配慮の領域をも対象としてきたが、以上のドイツ都市ごみ管理における政策と制度の両面の特徴が、都市ごみ管理における経済性の要請を強くしてきたといえる。さらに、ヨーロッパにおける EU の誕生が、この間に自由化の議論を普遍的な経済的関心をもつ「生存配慮」のすべてのサービスに拡張してきた。

二、ふたつの「自由化」の概念

自由化とは、このような公共管理からの転換を不可欠の政策の課題ととらえたのであり、自由化ということで、「従来から守られてきた地域独占を除去することをめざすすべての施策」が理解されている。ごみ処理は行政が独占的に提供するサービスであることに慣れているわが国の現状からみれば、自由化というテーマ自体が捉えがたいことかもしれない。

ドイツや OECD における公共セクターの自由化は、次の二つの自由化の概念をめぐって議論されてきた。

(一) 「市場の中での競争」:完全な自由化、BDE(ドイツごみ処理業団体)モデル

地域独占の保全を廃止することによる自由化を図るものであり、1)市場参入の制度的障害も、2)排出されたごみを行政に引き渡すという引渡義務や接続・利用強制も存在しない、顧客が処理主体を選択できる自由競争を提唱する。結果として、少数の供給企業と競争制限的な協定の危険が競争を縮小するように作用するし、ごみ輸送に伴う環境負荷の増大など環境政策上の疑念も大きいと考えられ、バイエルン州におけるアンケートにみ

られるように、自治体は約88%が否定的である。

(二) 「市場を求めての(の周辺での)競争」:

地域独占がさらに維持される中でごみ処理サービスを競争入札にする民営化であり、基本的考え方は、「市場のなかでの競争」の欠陥を、継続的に繰り返す「市場を求めての競争」によっておき代えることにある。この場合、地域的に限定された独占市場を使用することを許された権利は一定の期間において繰り替えされる入札競争によって実施される。そのために提示すべきサービスを入札当局によって内容的に明確に特定し、そのサービスに対して最低の料金を要求する供給者に一定時期だけの付加金が要求される。

どの程度「市場を求めての競争」が事実上達成されるかどうかは、次の条件に依存する。1)競争制限的な協定を阻止することと、2)そのサービスが、使用期間が契約期間を超えるような資本財の不可逆的な投資を必要とするならば、契約期間を十分短期に設定することである。

三、ごみ処理サービスの事業特性と自由化の展望

(一) 廃棄物処理サービスの特性

都市ごみ管理は、そのサービスの需要・ニーズ面と供給面につぎのような特徴をもつと考えられる。

まず、ニーズ面では、都市ごみ管理は特定の人を対象にした需要ではなく、すべてのあるいは不特定多数の住民の便益に関わるという普遍性をもつことであり、また、この公共サービスが選択的な欲求ではなく基礎的な欲求を充足するというニーズの必需性をもつ点である。その結果、住民のシビル・ミニマムを保証するためには不可欠な公共サービスであると理解されてきた。また、供給面では、膨大な固定設備を要するインフラ整備が不可欠なものが多いことから、公共財の条件である、費用負担をしたものだけに利用を限定すること(=排除原則)が不可能な排除不可能性や、多くの人が同時にその利用が可能な非競合性を内包すると把えられてきた。

したがって、必要な規模の競争を保証することが構造的理由から可能ではないので、自由化や民営化には経済的な限界があると理解されてきた。インフラ・サービスの提供には、(1)劣加法性のコスト構造と(2)不可逆的な投資が不可避的なので、供給単位当たりの

費用(＝平均費用)が処理サービスの供給拡大にともなって次第に低下するという特徴がある。この(平均)費用低減という現象は固有の公共政策の対象として取り扱われている。それは、平均費用の低減のもとでは、ごみ処理サービスを競争に委ねると、より大規模な供給が有利であるので独占的になる(＝自然独占)か、共倒れになる危険性を含んだ破滅的な競争に陥る恐れがあるからである。それで、民間に任せると処理サービスの安定的な供給が困難になる恐れが強いので公共的規制を必要とするのである。

(二) ドイツ循環経済における自由化の混乱

ドイツにおける自由化の議論が示唆するものは何か。

都市ごみ管理は、その事業特性からみて、簡単には自由化し、市場競争のなかにさらすことは難しい。ドイツ循環経済モデルは、徹底した原価主義という純粋に近い手数料制度をとるために、「ごみと手数料のパラドックス」といわれる事態がおこった。自治体が処理すべきごみ排出量は減少し続けたのに、ごみ処理費用は下がるどころか上昇し続けた。ごみ処理コストの推移をみてみると、近年、日独に限らず多くの諸国におけるごみ処理コストの高騰が著しい。それは、ダイオキシン対策をはじめ環境規制の強化やリサイクル整備のために環境政策上不可欠の出費というのが共通にみられるからである。その結果、ドイツでは原価主義の手数料制度のもとでごみ処理費用がほぼ完全に徴収されるために、手数料は上昇してきた。自治体が処分する廃棄物は少なくなるのに、なぜますます経費がかかるのか。リサイクルの成功にもかかわらず、なぜ手数料はあがらなければならないのか。ごみ抑制･回避策が金銭的に報われないどころか、逆により高い手数料を請求されるというジレンマ、制度の罠に陥ってきたからである。ドイツ手数料方式のもとでは処理経費の増加は手数料に直ちに反映し、住民の負担となるので、ドイツの自治体経営はより一層「手数料の公正さ(正義)」について説明責任を求められてきた。

(三) SRU2002における自由化の限界の指摘と新たな展望

ごみ処理事業は多様な事業からなるが、SRU は、特に収集･運搬と焼却･埋立のインフラ整備とを区分して分析している。

収集･運搬は、それほどの不可逆的投資を必要とするわけではないので、「市場を求める競争」が十分に短期の契約期間であれば実現可能であるとする。

他方で、中間処理･埋立には 1)固定費用割合が高い劣加法性のコストと、2)長期にわたる不可逆的な投資の必要性があるために、市場条件の特性によって二つの自由化の選択肢は競争をもたらすには適当ではないと結論した。

このような民営化措置への控えめな評価は、現状の公共的ごみ処理が変化を必要としないといっているわけではない。むしろ、問われるのは、公共的担い手を保持しながら、効率的なサービスの提供と希少性にもとづく料金設定に近づくためには、どのような可能性があるのかということである。

公共的処理が非効率であるという非難は、実証的には明確ではないとして、SRU は、より包括的な効率性の改善策として、次の三つの可能性を指摘している。

(1) 小規模な処理アウタルキーの廃止に向けた協力であり、広域化を積極的に評価すること。

(2) 経営的弾力性がより大きな目標をもった代替的な組織形態であり、民営化や PPP などの官民連携組織への流れを推し進めること。

(3) 「競争の代理物」として、継続的な経営改善を図るベンチ・マーキングの開発。従来からのもっぱら経営に内在した指標による分析と違って、経営を横断してのベンチマーキングの手法は、その時点での最良のサービスとの直接的な比較を可能にするし、そのことによって現実的な目標設定が引き出されるし、学習効果が実現される。この手法は本来は、民間経済のために発展してきたが、一定の修正を加えれば公的なごみ管理の担い手にも適用できる。

都市ごみ管理における公共サービスの地域的独占が崩れ、外部の競争に晒されてくると、地域公共経営の保持は、今や行政だけにゆだねられる領域ではないことが明らかになると同時に、自治体も自ら市場に即応した解決策をもつことが不可欠になる。

参考文献

Baum, H-G. / Cantner, J. / Ilg, G. / Sprinkart, S., 2002: *Liberalisierung der Siedlungsabfallwirtschaft?! Das Sparkassen – Analogmodell (SAM) für die Siedlungsabfallwirtschaft.* BIfA-Texte Nr.21.

Baum, H-G. / Ilg, G. / Sprinkart, S., 2003: *Liberalisierung in der*

Abfallwirtschaft - Emperiebericht. BIfA-Texte Nr.25.

Bundesministerium für Wirtschaft, 1998: *Kreislaufwirtschaft - ein Leitfaden zur Privatisierung der Abfallwirtschaft und zur Einbeziehung Privater in die kommunale Abfallentsorgung.* Bonn.

OECD, 2000: *Competition in Local Services: Solid Waste Management.* in: http://www.oecd.org/daf/clp/Roundtables/waste.pdf

Rat von Sachverständigen für Umweltfragen (SRU), 2002: *Umweltgutachten 2002.*

食品リスクと消費者センター
―豊かな社会に必要な消費者行政機能―

谷村賢治

一　問題提起

購買行動の意思決定過程において重要なことの一つに、正確かつ正確であると信頼される情報の存在がある。というのも、消費者が買い物の際に商品を比較し検討する時間コストは高くつくからだ。しかも技術が高度化した昨今、そもそも例えば家電製品などに関して言えば、商品の比較と言っても価格が大して違わない場合、性能に大差ないというのが、大方の見方になっているとはいうものの、個々の消費者の力では到底その品質の判断がつきかねる場合が少なくない。そこで消費者の替わりに然るべき検査期間が商品の検査、テストをして、その結果を知らせてくれたら、商品の選択行動に資すること大なるものがあると考える。

とはいえ、問題もある。情報の信頼性が、それである。提供される情報が信頼されるには、それなりの条件が要る。まず提供主体が中立性を保つことが肝要となる。そのためには非営利団体や非政治団体であることが必要となろう。また検査にはコストがかかる。したがって財政的な基盤も大切で❶、かりに生産者側から何らかの支援を得ていれば、やはり生産者に遠慮なくものが言いにくい。そうなれば、情報自体が意味のないものになる。

ところでこのような条件を備えている商品テスト機関と言えば、地方では消費生活センターがまず頭に浮かぶ。本研究では商品テストの現状とその利用について第一次的な接

❶　実際、欧米の商品比較テスト誌は企業広告を載せずに、購買料で雑誌を支えており、その点がきちんとできていると言う。日本経済新聞、2004年月日付け朝刊。

近をすべく、ここに眼を向ける。具体的に観察対象としたのは九州各県の消費生活センターの活動、したがってその状況を記述した各県の『消費生活センタ概要』に多くを負うことになろう。また今回、主たる観察対象は食品に絞ったが、表 1 の最近における食品表示ならびに食品リスク関連事項の動きを一瞥すれば容易に首肯されるように、食の安全性が最近、大きな問題になってきているからに他ならない.

じつは食品以外の商品に関しては昨今、その気になれば思いの外、有用な情報に接することが出来るようになって来ている. 次節ではその辺りから検討をはじめよう.

表1　最近における食品表示ならびに食品リスク関連事項の動き

年	月	事項
2000 年	7 月	生鮮食品のすべてに名称·原産地表示を義務化
2001	4	遺伝子組み換え食品の表示を義務化。対象は大豆などの作物および豆腐類などの加工品
		有機農産物の認証表示スタート
		一般加工食品の原料名などの表示を義務化
	10	一部の加工食品の原料産地表示を義務化。まず梅干し·らっきょう漬けが対象
2002	1	雪印食品が輸入肉を国産用の箱に詰め替えて偽装していたことが発覚。その後、国産牛肉の産地も偽装していたことも発覚(雪印食品偽装牛肉事件)
	4	アレルギー物質を含み食品の表示本格スタート
		そばなど5品目は義務化。サバなど 19 品目は可能な限り表示
	5	ミスタードーナツの肉まんに無許可の食品添加物が使われていることが発覚
		協和発酵工業、無許可の食品添加物を含む食品添加物を出荷
		香料を使用していた各メーカーの製品回収が相次ぐ
	7	林兼産業、丸紅畜産などの食品表示偽装事件多発
		日本ハムが 3 営業部で偽装牛肉を焼却したことが発覚(日本ハム偽装牛肉問題)

	9	西友で食肉の偽装表示が発覚
	12	NPO「日本オーガニック農産物協会」が、不正に有機農産物の認定をしていたことが判明。農林水産省は JAS 法違反として、認定機関の取り消し決定
2003	4	養殖トラフグの寄生虫駆除にホルマリンを使用
	5	食品安全基本法が成立、7月施行
	7	食品安全委員会発足
	12	半年前の卵5万6千個を出荷 米国でBSE感染牛が見つかり、輸入を停止した
2004	1	鳥インフルエンザが山口県の養鶏場で發生
	4	業界大手の浅田農産、虚偽表示

二　考察

(二)一　非食品情報

伊藤(1992)は 10 年余り前、日本における商品情報の乏しさを憂い、その原因を消費者運動の弱さに求めた。依然として消費者運動は低調というものの現在、商品——とりわけ非食品——情報は当時とはいささか異なった様相を呈するに至っている。すなわち、家電や自動車に対して独自の調査に基づいたランク付けを行なう情報誌が現れて、例えば『週刊ダイヤモンド』の「保険ランキング」や『日経ビジネス』の「病院ランキング」を容易に眼にすることが出来るようになった:図 1。

図１　ランク付けを行なう商業情報誌

それればかりではない。このような『日経トレンデイ』のランキングを逆手にとってのマーケティングさえ現れた。それを示したものが図 2 で、これは上記のような情報がどのように、あるいはどの程度利用されているのかを知る 1 つの材料となろう。

1/1 ページ

日経トレンディ2002年7月号

露天風呂付客室で選ぶ【旅館ベスト50】

旅館の構造が変わった。
大勢で入るはずの露天風呂が部屋に備わり始めたのだ。予約もそんな露天風呂付客室に集中。露天風呂付でなければ泊まらない、という客も少なくないという。
結果、新旧の旅館がこぞって客室に露天風呂を増設、あるいは建物ごと改築している。
もはやこれまでの基準で旅館は選べない。
そこで、露天風呂付客室に必要と思われる56の項目を実際に泊って評価し、100満点で評価した。

ホテルニューアワジ【兵庫・洲本温泉】

目の前に海の開放感。
改装間もない客室は清潔感あり。

17位 ホテルニューアワジ【兵庫・洲本温泉】 2万5000円

目の前に海の開放感
改装間もない客室は清潔感あり

閉じる

図２ 『日経トレンディ』情報を逆手に取宣伝

もちろん、欧米の商品情報誌は主に消費者団体が発行し、その影響力は企業も無視できないまでになっている。ちなみに著名な商品比較テスト誌は以下の通りである。

国　名	誌　　名	発　行	発行部数
フランス	『六千万人の消費者』	全国消費研究所(INC)	20万部
フランス	『何を選ぶか』	消費者同盟(UFC)	35万部
ドイツ	『テスト』	商品テスト財団	65万部
イギリス	『フィッチ？』	消費者協会(CA)	65万部
アメリカ	『コンシューマー・レポート』	消費者同盟	400万部
日　本	『暮しの手帖』		20万部

以上から、伊藤が推奨するアメリカの消費者同盟(コンシユーマーズ・ユニオン)の発行する『コンシューマー・レポート』(Consumer Reports)などに比べれば、いまだ信頼性という点等で見劣りがすると言えるかも知れないが、この 10 年あまりの間に一部の商品に限られるとはいうものの、相当程度前進したことは間違いあるまい。

(二)二　食品情報

ところが、である。このような有様とは食品に関する情報の場合、大幅に異なる。例えば、上記の雑誌等への記載情報は管見の限りではあるが、見当たらない。もちろん、われわれは食品情報に触れていないわけではない。むしろ一部の限られた食品ではあるが、テレビ等できわめてよく眼にしていると言っていい。ただその場合、情報の発信源がその分野では大手の食品製造企業であり、したがって情報は一方通行となり、情報の中立性は到底保たれていない、という点が問題となる。

それではなぜ、食品と非食品との間にこのような情報(報道)の格差が生ずるのであろうか。

まずひとつは商品の購買層の違いに因るものと思われる。上記の『日経ビジネス』等の情報誌は購読層が中高年の、主に男子であるから当然、彼らの好みそうな商品、したがって概ね値の張る商品ーその多くは非食品を対象にし、食品はその枠外に置かれるはずである。

つぎに、食品を買いにスーパーに行くときを想像してみよう。まずわれわれの念頭に浮かぶのは、生鮮食料品なのである。まさに“なまもの”であり、”足が速い”から、上記の情報誌の対象にはそもそも無理なのである。かくして食品の場合、最も欲しい情報は朝刊のチラシに載ることになる。

商品自体の単価の違いも考えられる。これは購買層の違いと強い関わりを有するのだが、毎日のこととて、比較的値の張らないものが主流を占める食品の場合、テレビコマーシャルに載るようなものばかりではない。むしろその逆に、伝統的な小さな町工場でつくられる食品も少なくない。それゆえ財政的にそんなところに回せる余裕はなく、ちょっとした宣伝さえも出来かねる、というわけである。

こうした有名無名の食品をわれわれ消費者は、毎日、あるいは二、三日毎にスーパーや商店街等に買いに行く。むろんその際に、なんの商品の情報を持たずに買い物に出かけるわけではない。おおむねチラシという商品情報を片手に、あるいはメモして行くのである。あるいはそれさえも出来ず、立ち寄ったスーパーの店頭のチラシ広告に眼を通すことも多々あるというのが実情のようである。

以上を整理すると、以下のようになろうか.

非食品情報:主に ｛ 情報誌Ⅰ: 発信源 生産企業自体
　　　　　　　　　 情報誌Ⅱ: 発生源 情報企業等
食品情報:主にチラシ

要するに、食品の購買意思決定は、財布と相談しながら、主にチラシなどにより価格と質とを勘案した後、決まる。その際、ブランド(イメージ)こそがニアイクオール質となるはずだから、安心を得るためにはそれを買う、というプロセスをとる。

しかしながら昨今、ブランド食品製造会社による偽装表示等の食品表示に対する無責任な行動が見られることは、表 1 で見てきた通りである。あるいは輸入食品の安全性がまさにいま、問われていると言ってよい。

そこで、安心して食べるためにわれわれ消費者はなにをすべきか、あるいはできるのか。その結果生まれたのが、当世風に言う、いつ、どこで、だれが、どのようにしてつくったのかという情報:「トレーサビリテイ」システムや、生産者から直接に手に入れる「産直」に眼を向けるというやり方である。

その有効性に関しては別稿でも述べたところではあるが(谷村 2004、第 3 章)、如何せん、まだいわば生成期にほかならない。これでは眼前に横たわる数多の「食品リスク」に対して、あまりにもパワー不足だと言えないだろうか。真に豊かな社会とは、単にものが豊富にあり、それが容易に手に入れられるだけではなく、商品の中味が大事である。そのためには商品の確たるチェック機構が不可欠となる。それが利かなくて危ないとなると、例えば、食品を買う場合、10 人中 8 人が安全性を理由に輸入品より国産品を選ぶようになったという「農産物貿易に関する世論調査」のような事態が生ずるようになる可能性は高い。また価格が多少高くついても無農薬・減農薬を求めるとも言う。「安全性神話」が崩れたと言われるとき、口に入れる食品の信頼性が心許なくなったことの意味は大きい.

三　消費者センターの商品テスト——安全、安心な暮らしを求めて——

暮らしの基盤となる安全、安心な社会がいま、大きく揺らぎ始めていることは先に述べた。社会問題と化している、と言っても過言ではない。それでは食品——なかでも日頃、日常的に口にする食品——に関する安全を高め、安心を得る仕組みはないのだろうか。

われわれは、そのための組織そして機能として各地の消費者センターにおける商品テスト機能に着目した。何よりもそれが現存し、また消費者センターは、提供する情報が信頼されるための必要条件である提供主体が中立であるという条件を満たしているからである。さらに、なにか消費者問題が生じたときにただちに消費者窓口になり、消費者にとっての力強い見方になってくれるという、信頼性を有することだ。

そこでまず(三)一では、商品テストを実施しているか否か、しているとすればその程度はどうか。また、実施をしていてもその結果が広くわれわれに伝わらなければ、その効果は乏しいものになるので、次に(三)二でテスト結果の発表の有様にも着目した。

(三)一　商品テストの実施状況

調べ始めて愕然とした、と言うのが正直な感想である。端的に言って商品テストの実施状況は厳しい状況にある、と言っていい。というより実は、商品テストの実施だけではなく、消費者センター自体の存続に黄色信号が点り始めている。例えば、消費生活センターを廃止した県も2県、広島と佐賀が存在する。神奈川県も、全てではないが廃止された❷。

その理由であるが、色川(2004)による静岡県のケースによれば、地方行財政改革により、“最も潰しやすい”ところからということで、消費者センターの縮小ないしは業務の民間委託が行われているようだ。

これでは、昨今の食品に関する消費者被害等の深化拡大に照らすとき、消費者の安全や安心に行政が寄与するところが少ないだけではなく、「自立した消費者」を謳い文句にした改正消費者基本法にもそぐわないと言わざるを得ない。

このような消費生活センターを取り巻く環境ではあるが、それでも安全·安心を希求する県民のニーズにいささかなりとも沿う形で商品テストを実施している県もある。その代

---

❷　国民生活審議会消費者政策部会(2000)p.6。

表例として熊本県では、日頃口にする食品の品質・性能についても県民が不安を感じたり、苦情の対象になった商品について調査を含む苦情処理テストを行っている。平成 14 年度で言えば❸、米、いくら、たけのこ、にんにく、梅干し、こんにゃく、ごま油、そして羊羹で、その件数は 10。この数字が大きいか、小さいかは意見の分かれるところかも知れないが、しかしながら、このような苦情を処理してくれる機関の有無は、食の安全性に揺れ動いている昨今の消費者にとってきわめて大きな意味をもつことは、言うまでもない。

しかも図 3 のように、苦情処理テストはここに来て先細り、という状況を呈していない。

同じ九州でも、先に見た佐賀との違いをどう理解すればいいのか、色川の言うように、首長の日頃からの"暮らしに対するまなざし"の違いの為せる業か、ここら当たりは今後の課題にしたい。

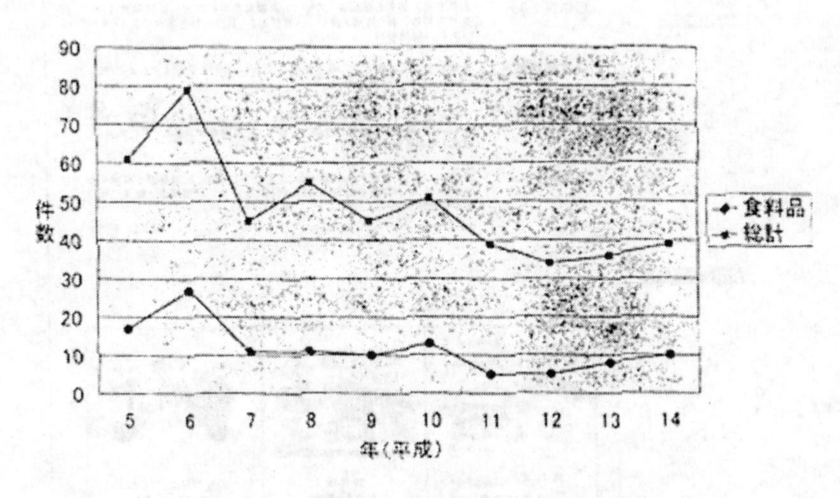

図 3　商品テストの推移　熊本県

(三)二　テスト結果の伝達

いくら立派な科学的処理テストを行っても、その結果情報がわれわれ消費者に速やかに伝わらなければ、その効果は半減すると言っても過言ではない。はたして現状はどうなのか。

❸　『平成 14 年度熊本県消費生活センター活動報告』p. 57。

残念ながら情報に触れることはそれほど容易とは言えない。というのは、消費生活センターを訪ね、きわめて限られた数の『消費生活センター活動報告』を手に入れなければ情報に有り付けないというのが現状だからだ。さらに言えば、『活動報告』が出回るのはテスト実施年の翌年になるから、テストの結果をすぐに知ることはできない。

ただ、昨今、消費生活センターのホームページに必ずしもその全てではないが、掲載されるケースも出てきた。例えば宮崎県の「商品テスト情報」や鹿児島県のそれが、好例である:図 4。

図 4　宮崎県の商品テスト情報(インターネット版)

インターネットの時代になったいま、このような「広報」がますます広がることが望まれる。

実は、そのような格好の広報の一例がある。日本消費経済新聞社のホームページに収載の「テスト・苦情」コーナーがあることはあまり知られていないが、表2に見られるように、全国の『消費生活センター活動報告』から集めたデータを容易に目に触れる形でわれわれに提供してくれている❹。

表2　2005年度:商品テスト結果

使用性など加湿器のテスト（2005/12/12付け日本消費経済新聞収載、以下同じ）
＊　海洋深層水のテスト（2005/12/05）
卓上型食器洗乾燥機のテスト（2005/11/28）
防災用品の性能や使用性のテスト（2005/11/21）
電球形蛍光ランプの性能と演出性（2005/11/14）
26V型液晶カラーテレビ（2005/11/07）
＊　センナ茎を使用した茶類など「健康食品」（2005/10/31）
自転車用ランプの性能に関するテスト（2005/10/24）
HDD内臓DVDレコーダーのテスト（2005/10/17）
＊　「にがり」に関するテスト（2005/10/10）
LED携帯ライトをテスト（2005/10/03）
低反発ウレタンフォーム枕のテスト（2005/09/26）
タイマーの使用性、特性などのテスト（2005/09/19）
＊　ダチアロエを使った「健康食品」のテスト（2005/09/12）
防虫剤(パラジクロロベンゼン)に関するテスト（2005/09/05）
多機能プリンタ5銘柄をテスト（2005/08/22）
防犯ブザーのテスト（2005/08/15）

❹　日本消費経済新聞のホームページの「テスト・苦情」コーナーには、2003年から2004年のデータも記載してある。

＊ カット野菜のテスト（2005/08/08）
＊ カテキンを増量した緑茶飲料のテスト（2005/08/01）
ミル付きコーヒーメーカーのテスト（2005/07/25）
園芸用育苗培土のテスト（2005/07/18）
＊ 持ち帰り弁当のテスト（2005/07/11）
＊ トマトや野菜加工品中のカロテノイドのテスト（2005/07/04）
＊ ビタミンEを含む保健機能食品のテスト（2005/06/27）
500画素デジカメのテスト（2005/06/20）
電動四輪車の操作性と高齢者特性に関する試験（2005/06/13）
子ども用Tシャツのテスト（2005/06/06）
合成皮革製衣料品のテスト（2005/05/30）
＊ 野菜ジュースのテスト（2005/05/23）
輸入片手鍋の商品テスト（2005/05/09）
アルカリ乾電池の商品テスト（2005/05/02）
「アイロンプリント紙」のテスト結果（2005/04/25）
＊ 発芽野菜（スプラウト）をテスト（2005/04/18）
ダンボールで生ごみ処理テスト（2005/04/11）
＊ 表示・使用性・食味についてテスト（2005/04/04）
＊ 食肉中の抗菌物質残留テスト（2005/03/28）
＊ もやしの根の処理状況を調査（2005/03/21）
簡易車いすのテスト（2005/03/14）
乾燥機能付き全自動洗濯機のテスト（2005/03/07）
事故防止テストの結果（2005/02/28）
防犯ガラス、防犯フィルムの性能テスト（2005/02/21）
ハンディスチーマーで事故（2005/02/14）
＊ 豆乳からつくる手作り豆腐のテスト（2005/02/07）
洗濯用洗剤のテスト（2005/01/31）
衣類用洗剤の商品テスト（2005/01/24）
千切り用ピーラー安全性テスト（2005/01/17）

この表から消費者センターにおける商品テストの内容を伺うことができる。46 品目中三分の一近くの 14 品目が日頃よく口にする食品であり、まずその多さに着目したい。またその他の商品も、日常よく使う小物がほとんどだ。このことからも、消費者センターにおける商品テストは家庭における生活者の目線に立ったテストが実施されていることが分かる。かかる小物は値段も安く、先に取り上げた商業商品情報誌に取り上げられることは皆無に近く、ある意味で商品情報の"棲み分け"が行われていると言えるのかも知れない。

ただ、このような商品情報がどの程度消費者に利用されているのだろうか。残念ながら、まだそれほど知られているようには思われない。とすれば是非とも、かかる情報のアナウンスが必要となろう。

ところで日本消費経済新聞社のホームページがいわば全国版だとすれば、「さんそんネット」のような地域情報も生まれ始めている❺。昨今の"地産地消"ブームをうけて、新たな食品情報ルートが開発されつつあると言えよう:松浦(2004)。

その代表的なものとしては、島根の「しまねブランド　おいしさ満載ネット」が挙げられよう❻。

じつは長崎県のホームページ:「e-農林水産ながさき」でも「平成長崎俵物」の生産履歴情報を 2004 年から公開している。180 品のうちわずか 4 品が対象だが、2006 年には 10 品に増やす予定と言う。ただし対象品目の少なさも響いているのか、今のところ、消費者への浸透度は低く、アクセス数は 2004 年 7 月から 1 年間で 800 件程度とある❼。

図 5 は、「e-農林水産ながさき」内の、平成「長崎俵物」のトレーサビリティシステムの一齣を取り出したものである。いかなる情報に接近できるかが、分かる。

---

❺ 谷村(2004)p. 49 を参照されたい。
❻ http://www.chusankan.jp/Brand/
❼ 長崎新聞、2005 年 12 月 25 日付け朝刊。

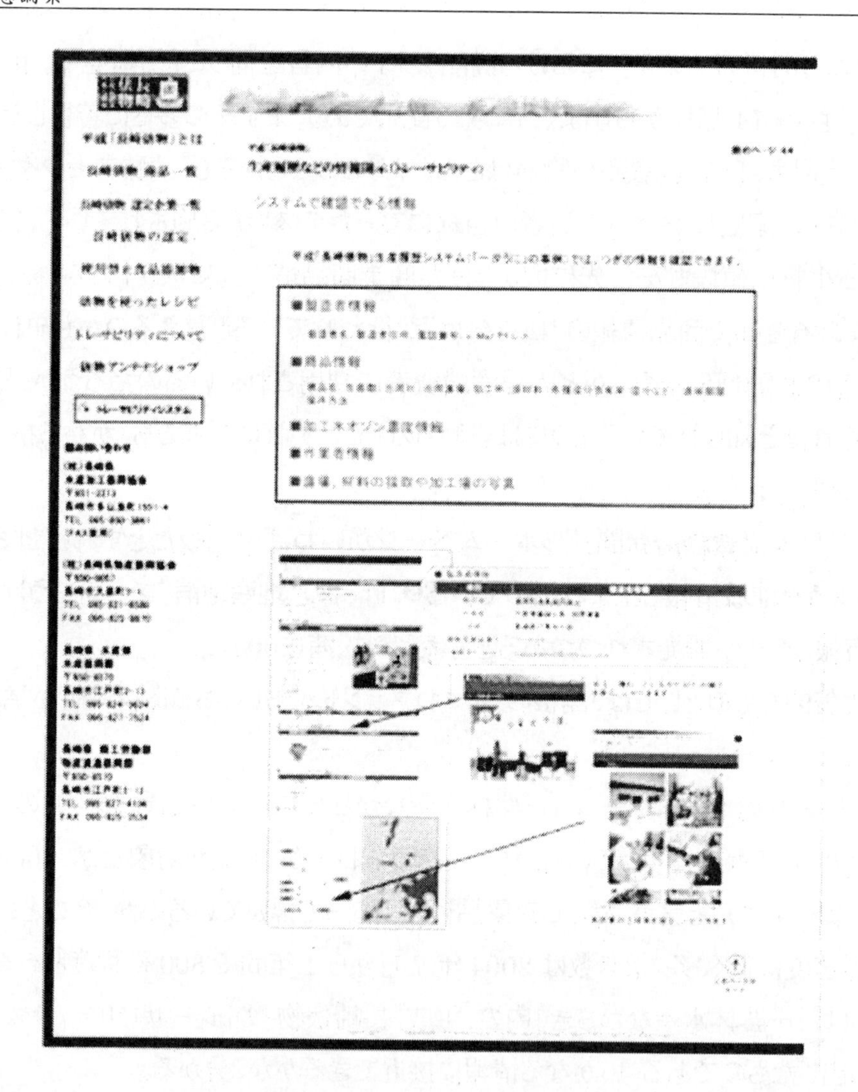

図５　平成「長崎俵物」のトレーサビリティ

四　観察結果と課題

最後に、以上の観察結果ならびに今後の課題について述べる。

1　今日の消費者は、品質や機能において従来に増して複雑化、高度化し、分かりにくい消費環境に直面しており、これらを科学的に知りたがっている。幸いにも近年、家電や自動車をはじめ、保険なども、経済雑誌や商業商品情報誌が独自のテストや調査を行い、商品のランク付けまでも行うようになってきている。ただしその範疇からビールやカップ麺などの一部の工業食品を除き、一般食品は外されていると言っていい。しかしながら今日、むしろ安全や安心という観点から大きな問題となっているのは、このような食品である.

2　とはいえむろん、テストが皆無というわけではない。かかる食品に関しての苦情相談による「商品テスト」や試買テストは地方公共団体の消費者センターで行われている。正確に言えば、行なっている消費生活センターがある。ただ、その件数はニーズとは逆に、しだいに減少している。これは自治体レベルでの消費者政策が、行財政改革の縮小のターゲットになっていることに因ると思われるが、昨今の食品に関する消費者被害等の深化拡大に照らすとき、これでは消費者の安心や安全に寄与するところがあまりにも少ないと言わざるを得ない。しかも「自立した消費者」を謳い文句にした改正消費者基本法にもそぐわない。

3　のみならず、試買テストの結果発表は、テスト実地年の翌年となる。せっかく情報の公開を行うのだから、発表時期やわかりやすさなど検討してみる必要がある。

4　情報の伝達という観点からさらに述べると、消費者センターでの貴重な商品テストの結果を広く市民に知らせることが大切で、この点に関しても現在、心許ない状況にある。このような現況下で、例えば日本消費経済新聞のホームページが、その全国版を提供しているが、このような情報の存在をもっとわれわれは知るとともに、利用することが必要だ。

5　ここに来て、折りからの“地産地消”ブームをうけて、新たな食品情報ルートが開発されつつある。直に生産者と消費者が向き合いながら、いわば“顔の見える関係”を構築しようとする試みは、食の安心、安全という観点に立てば、注目に値すると思われる。

参考文献

伊藤隆敏「第 8 章:日本に消費者運動はあるか」、『消費者重視の経済学』pp. 247-254、日本経済新聞社、1992 年

色川卓男「地方消費者行政の実態」『家庭経済学研究　第 18 号』家庭経済学部会編、2005 年

国民生活審議会消費者政策部会『都道府県と市町村における苦情相談・処理業務のあり方について』2000 年

谷村賢治『生活リスクと環境知』昭和堂、2004 年

松浦さと子、「産直運動における消費者教育の可能性―電子ネットワークを介した産地と消費者のコミュニケーション―」、『消費者教育』第 23 冊、pp. 2004 年

新たな時代の汚染物質管理政策のための制度枠組みについての一考察

早瀬隆司

一、はじめに

環境汚染物質の問題は 1950 年代頃から激しくなった。それまで足尾や別子の例にみるように第二次産業と第一次産業との間の利害の対立、あるいは汚染原因者と周辺被害者との間での補償といったいわゆる民事的な問題として扱われてきた環境問題がこの頃から公共的問題として扱われるようになった。大気汚染や水質の問題が深刻になり、この頃から地方自治体が環境衛生政策の枠内で取り扱うようになってきた。しかし、問題の深刻さ、国の産業政策や開発政策との関係等を考えると予算的その他のキャパシティーに限りのある地方自治体レベルでは到底扱いが困難な問題であることが明らかになり、1960 年代後半からはさらに一歩進めて国の政策として取り上げられるようになった。1970 年 12 月のいわゆる公害国会、1971 年の環境庁の発足などを経て、当時の厳しい汚染状況に対する市民の活力などを背景に我が国はこの産業公害問題の克服に成功してきた。国の政策レベルでみれば、厳しい基準の設定とそれを達成するための税制や融資などの支援制度との組み合わせが効果的に働いたということができる。また現場においてみると、工学的応用技術分野における対策が大きな成果を収めたということができる。いわゆる水処理装置や排ガス処理装置による end-of-pipe 技術による対策である。また、我が国のエネルギー資源はその殆どを輸入に頼っていたため国内の利害関係者が比較的少ないことから、低公害型のエネルギー源への転換に際して容易に合意が形成できたということも成功の要因としてあげることができるであろう。

しかし、その後も、塩ビモノマー、水銀ヒ素等の金属、石綿、ダイオキシン、含塩素系溶剤等多くの問題が世間の認識に揚がったがそのような問題への対策は極めて時間を要した、あるいは講じられるには至らなかった。我が国の場合には主として霞ヶ関における行政のイニシアチブで異業種間のような異なる利害や異なる価値観を持つ者の間での調整が行われる過程を経て政策が形成されるが、このような問題に対しては不幸にして調整や合意に困難を伴ったことを示している。このように合意が困難になった背景には環境政策上無視し得ない重要な要因が存在する。そのような要因の分析を手懸りとして新たな環境政策の必要性とそのニーズを満たすための新たな政策枠組みのあり方とを探ることとする。

二、 従来型の汚染物質管理のための合意形成を困難にしている要因

環境問題において、なかでも汚染物質管理の分野において、環境問題への対応のための合意形成が困難になってきた背景にあるものあるいは要因として、「環境問題を巡る議論のパラダイムの変化」と「汚染物質問題自身の質の変化」を指摘しておこう。

(一)環境問題を巡るパラダイムの変化

環境と開発に関する世界委員会によって 1987 年にまとめられたレポート「地球の未来を守るために」では、よく知られているように「持続可能な開発」というコンセプトが提案された。持続可能な開発は、「将来の世代が自らのニーズを充足する能力を損なうことなく、現在の世代のニーズを満たすような開発」と説明されており、環境保護、公平性、永続性の 3 種の方向性を内包したものである。80 年代後半になって顕在化してきた地球環境の制約を前にして、先進国の大量生産大量消費の浪費的な体質を問いながら、一方では途上国の貧困問題を開発によって解決しなければならないというディレンマのなかで提案されてきた概念である。これが 1992 年の「開発と環境に関する国連会議(地球サミット)」の中心的な主題として取り上げられ、環境問題の解決という課題の中で従来は相反することとされてきた開発との関係のあり方が同時に問われるようになった。

このような流れの中で、環境問題の認識は、従来の環境汚染による健康等への被害の防止による安全の確保や貴重な自然環境の保護保全という現世代のための個別的な環境対策の視野から持続可能性の確保というより広範で長期的な視野へと拡大されること

となった。これは、国内では公害対策基本法と自然環境保全法という両個別法で対応してきた政策領域を環境基本法の世界に統合し、循環、共生、参加という環境基本計画に唱えられた三つの方向性のもとに環境影響評価法やリサイクル関係法等の新たな政策を実現する梃子となった。またこのことは同時に、不確実性が高く、しかもまた将来世代を含めた広範な集団内での公平性を確保しなければならないという新たな課題を背負い込むこととなり、微量な有害化学物質の問題や気候変動問題に典型的に見られるように、多様な利害得失の絡む多くの社会構成員や集団の理解を得ることができるような新たなツールを用いた新たな社会的意思決定過程を必要としているように考えられる。このような変化は、政策の動機を「従来の個別的な物質による被害を立証することによる個別的な対応」から、「持続性への貢献を立証することによるより包括的な環境被害の防止」へと変化させていこうとしている。また、経済的な分野においても、従来の汚染者負担という主に製造工程にのみ着目した外部費用の内部化の観点からの原則から、製品のライフサイクルにわたる環境リスクの低減効果に重点をおいた拡大生産者責任原則や排出者責任原則のような新たな観点をも包含した新たな原則の必要性を認識させるようにもなってきた。また技術の分野でも持続性への視野の拡大は時間節約的な技術から資源節約的な技術への大きな転換を要請している。

表１　環境問題をめぐる主な枠組みの変化

	従来	新たな動向
目標	安全の確保、貴重な自然の保護 環境保全上の支障の防止	持続可能性の確保 環境の保全
法制度	公害関係諸法、自然環境保全法、化審法等 （典型７公害等特定の被害の防止と個別被害への対応） 『特定の行為の規制』	環境基本法（持続性への貢献の立証、持続性の観点からの経済社会の変革と包括的な被害の可能性の削減） 『原則全ての行為を禁止し特定の行為を許可』
経済的原則	汚染者負担原則	拡大生産者負担原則、排出者負担原則
科学技術と産業	時間節約、労働節約、汚染防止（パイプエンド技術からプロセス内技術へ）	資源節約 持続可能な生産（ゼロエミッション、インバースマニュファクチャリング）

1980 年代後半から地球サミットに至る時期に、従来からの「公害の防止と貴重な自然環境の保全」から「持続可能な発展」へと環境問題についての議論の枠組みが大きく変化(パラダイムの変化)したことを述べてきた。そしてその影響は国内の法制度では環境基本法に敏感に反映されることとなった。最も大きな変化は環境基本法において新たに登場した「環境の負荷(第 4 条)」という概念の登場である。これにより、環境問題の認識の範囲は大きく拡大され、対応すべき政策にも変化の圧力を加えている。この「環境の負荷」という概念により、環境基準を満たすだけではなく、なお持続可能性を確保するために「社会経済活動その他の活動による環境への負荷をできる限り低減すること」という新たな行政施策の目標(あるいは方向性)がうちたてられることとなったからである。従来においては「科学的知見に基づくもの」として説明されてきた「環境基準の達成」を目指して行われていた環境行政が、「できる限り環境への負荷を低減すること」を目的として推進されることとなり、それは科学では説明できない分野、強いて表現すれば多様な環境問題のなかで、あるいは多様な環境への負荷の中で、どのような環境要素への負荷を重視するか、どのような負荷を優先的に削減するかといういわば科学では答えの出てこない問題,地域によってあるいは個人によって答えが変わりうる問題、価値付けの問題に真正面から対応しなければならないという課題をあらたに背負い込むことになったと考えられるのである。

(二)汚染物質問題自身の質の変化

対策の進捗のための合意が困難であるような最近の有害汚染物質による汚染問題は、概して次のような特徴を持っている。

第 1 は、影響に着目して環境基準の設定等の対応をとろうとすると、そのような影響を評価するために得ることのできる科学的知見が極めて限定されていることである。発ガン性のような極微量のしかも長期的な暴露が健康に与える影響を予防的にリスク評価するための科学的な知見を十分に得ることは困難で、またこれら化学物質は私たちの日常生活に深く浸透しており多様な利害関係者が関与するこのような物質に対して規制等の措置をとるためには厳しい議論と合意作りを乗り越える必要がある。有害大気汚染物質として懸念される物質の種類は極めて豊富で、しかもそれらの物質が人体に対して与える影響は多様であり、しかも複合的な影響を含めると膨大な情報が必要になる。しかも、このような影響を与える汚染物質の濃度は極めて微量であり、さらに影響の発現には場合によっては一生涯あるいは世代を越えた長期的な観察や視点が必要とされることさえあるのである。このような膨大な要求に対して実際に十分な情報を獲得することは一般に不可能であり、限定された情報の範囲で影響着目型のアプローチを実現することが必要とされる。

第 2 は、その発生源が多様でしかも往々に小規模で分散していることである。大量生産・大量消費・大量廃棄と形容される社会システムのなかで、生産の過程だけからではなく、大量に消費あるいは廃棄される過程からも排出されることとなる。このような物質はまた近代的な生産や生活に深く浸透して役立っていることが多くその対策を講じる際には多様な利害が絡んでくるのが通常である。このような発生源に対する対策の見通しの立たないような汚染物質に対しては、政策行政の目標である環境基準を設定することに行政は及び腰であり、規制的手法も馴染むものではない。このような問題に対して、便益をも考慮して社会のなかでうまく利用していけるような効果的な対策が必要であるが、そのような政策的な仕組みは未だ存在していない。

第 3 に、有害大気汚染物質と呼ばれる物質は難分解性であることが多く、また大気中に排出されたものでも水系や土壌に移動したり、また逆に水系から放散して大気中に放出されたりして、人体に到達するまでに複雑な挙動を示すことである。従って、図 3.1.1 に示すように、1970 年頃のいわゆる米国でクライテリアポリュータントと呼ばれた物質は太線で示したような領域について注視していけば良かったが、これら有害大気汚染物質については環境媒体の全体をいわゆるマルチメディア的な視点から注視していかなければならないのである。この媒体を超えた視点は発生源での対策を講じる際にも必要である。大気汚染対策のために集塵装置などで捕捉された汚染物質が水系へ排出されたり廃棄物として環境へ負荷を与えるようなことはあってはならず、発生源全体を視野に含めた汚染物質対策が講じられなければならない。このような視点になじむ対策として従来からとられていたものには公害防止協定がある。昭和 39 年に横浜市が電源開発株式会社の磯子発電所の立地に際して締結した公害防止協定が最初であったが、企業の進出を選択的に受け入れつつ公害対策を進める新たな手法として全国の自治体に広がることとなった。この方式によれば地域の特性に応じ、また個々の排出事業所の特性に応じ最も適切な対策技術の開発適用を実現することが可能となり、指令統制型の施策を補完するものとして極めて有効であったと考えることができる。排出規制等は排出口での規制であるのに対して、協定による方式では工場の全体を視野に含めながらその特性に応じて製造施設や使用燃料といった生産工程にまで立ち入った合意を実現することができる。今後はこの協定方式や発生原因者の自主的な負荷削減努力を発生源での新たな汚染物質対策のために活性化させていくことも課題として認識する必要がある。

第 4 に、これら汚染物質により影響を受ける客体として、人体の健康だけではなく、生態系への影響も重要な問題として認識されるようになったことである。影響に関しては、健康あるいは医学的な知見だけでは充分ではなくなり生物の存在全体に対しての総合的な知見が必要とされるようになりつつある。

三、新たな政策枠組みの有すべき規範

環境基本法では、「環境への負荷」という新たな概念が法律上明文化され、従来の「環境の保全上の支障を防止」するための政策からさらに一歩踏み出した「環境の保全」のための政策の推進を求めている。つまり、環境基準を満たしても、なお環境への負荷をできるだけ削減することが政策の目標となった。

このような問題に対応するための政策を推進していくためには、他の環境要素や他の価値などとのトレードオフ関係の扱いが重要な配慮事項となり、多様な関係者の多様なリスクシナリオの存在も配慮しなければならない。なお、ここでいう「環境問題」は、認識(認知)に依存するものであり、科学的根拠は重要ではあるが問題自体は必ずしも科学的根拠の有無には拘束されない。

以上のような背景的認識をふまえながら、今後の政策に求められる要件を整理してみよう。まず、政策は「環境基準の達成」のような「支障の防止」を図るためではなく、「環境への負荷をできるだけ低減する」という持続可能な成長の時代の新たな政策目標に合致するものである必要がある。また、パラダイムの変化のところで述べたようにこのような政策は汚染物質同士のトレードオフ、他の公共的な価値とのトレードオフなどを考慮した総合的なものである必要がある。そのためには市民の価値観や地域の特性を反映した政策であり、地方分権の時代に合致した、よりコミュニティに密接した政策である必要がある。こ

のような環境問題の性格を認識し、さらにコミュニティに学ぶ機会を提供し、官民及び企業を含みそれらの間での信頼関係の向上に資するものである必要がある。また、従来の政策が産業から排出される汚染物質の量を削減するために上限を設定するとともに罰則をもうけて企業の活動を制限しようとしたものであったのに対して、今求められている政策はそのような企業対決型のものではなく企業に排出抑制へのインセンティブを与えるようなものでなくてはならない。この際、濃度や量や削減率などの多様な指標のうちどのような指標が適切であるかは検討すべき課題である。また、中小の企業やその他の群小の発生源からの排出に対しても効果的に働くものを考えてみる必要がある。一方、汚染物質は多様になっておりそれら多様な物質を包括的に取り扱うことのできるような仕組みも必要とされている。

このような視点から新たな政策に求められる政策機能を以下のように整理することができる。

① 「リスクの概念に基づく削減のための起動力(政策手段)」
② 「クロスメディアでの統合(トレードオフの調整)機能」
③ 「フィードバックの仕組み(サイクル)」
④ 「住民の参加と情報公開」及び
⑤ 「自発的対策で推進したものが褒められる制度」

四、新たな政策枠組みに必要とされる政策要素

以下では、其々の政策機能を実現するための政策道具について国内外の経験を整理し、将来の政策の方向として考慮されるべきツールについて考察する。ここからの考察は日本における既存の制度を前提としたうえで、新たに構築されていくべき政策枠組みを考察するものであることに留意されたい。

(一)リスクの概念に基づく削減のための起動力(政策手段)

環境への負荷の合理的に達成可能な範囲までの削減(ALARA 原則)という理念を行動に結びつけるための仕掛けのことであり、基底部分からの全ての排出量についてその削減のための行動への動機を与えることができるような制度が必要とされている。

① 認可制度の導入 (例:IPPC 指令、東京都環境確保条例)

新たな施設の立地や施設の変更の際に認可を必要とする制度を導入する仕組みである。認可の要件を拡充することによって削減のための対策を推進することが可能となる。

EU の IPPC 指令は、新規あるいは既設の産業設備の操業許可に関する法的枠組みを規定したもので、対象となる施設は事前の許可がなければ操業を行うことができない(§4)。東京都の環境確保条例では「工場を設置しようとする者は、あらかじめ、規則で定めるところにより、知事の認可を受けなければならない(§81)」とされている。

このような制度の場合には、行政の効率や実施可能性の視点からは比較的規模の大きな工場等に限定して対応せざるを得ない。また認可の要件、あるいは次にあげる協定の場合の削減目標については、一律の要件を国が設定することは従来のナショナルミニマムの排出基準の発想の呪縛にとらわれることになるだけであり、また住民を含めた地域毎の特性を無視することにつながるから不適当である。EU の IPPC 指令のように、また、イギリスの IPC 制度のように EU や国は技術的な視点からのガイドラインを示し、具体的な許認可要件や排出基準の要件はガイドラインに基づいて地域の特性を加味しながら地域において決定していく仕組みが望ましい。その理由は、地域の特性を組み込んだ上で、多様な環境の要素間のトレードオフの問題を解決するためである。

② 協定制度の導入(オランダ、岐阜県環境創造条例)

協定の中で将来の削減目標などを設定し、環境への負荷の削減を目指すもの。国レベルではターゲットグループとしての業界団体との間での協定が、また地方レベルでは地方行政庁と事業所との間で締結される協定が考えられる。オランダでは IPPC 指令に基づく認可と協定とを並存させた制度となっている。ターゲットグループが環境協定を締結すると、傘下の個別企業では企業環境計画(CEP)を作成する。この CEP では企業ベースでの環境目標及び環境負荷の排出削減計画が作成され、これが認可の条件に取り込まれることとなる。

岐阜県環境創出協定では事業者と市町村長と県地域振興局長との三者の間で協定が締結される仕組みになっている。そのなかでは事業者は自主的に目標を定めて環境創出に取り組むことを地域住民に対して明らかにする。ここで、「環境創出」とは「典型七公害の防止に加えて地球環境も含めた全ての環境への負荷を一層軽減させることによって、豊かで快適な環境を保全し及び創出することをいう」と定義されており「環境への負荷をできるだけ低減」させることを目的としたものである。この目標値は事業者ができる限りの努力をもって達成し及び維持するものであって、規制値のような強制力を持つものではないと記されている。先進的な取り組みではあるが、現状の制度では企業に魅力を感じさせるようなインセンチブという点では必ずしも十分とは言えずなんらかの追加的な仕組みが必要かもしれない。

③　経済的手法

「環境に直接・間接に悪影響を与える製品等の生産・消費や環境汚染物質の排出量の行為を削減・抑制することを目的とした多様な税・課徴金」を環境税と呼ぶ❶ことが一般的である。環境税には、税・課徴金、補助金、排出権取引、デポジット制度などが含まれるが、汚染物質問題を考えるときには補助金制度やデポジット制度はなじまない。税・課徴金は汚染に対してかけられ汚染者から徴収するものであり、環境税や炭素税などが該当する。しかし、排出基準値のような客観的な指標を超えていない基底量からの排出を抑制する場合や、そもそも客観的な基準が示せないような有害性がわからないものに対する取り組みを考える場合には、排出者責任を前提とするような排出の断面での課徴金のような制度はそもそも合意が得られ難い。従って、必要性の議論を考慮するならば、かろうじて事業者の社会的責任の観点から製品系の課徴金について制度化することが考えられる。地域住民等の利害関係者の関心の継続を前提としてリスクコミュニケーション活動を実施し、地域の住民の不安に対して安全の立証責任を企業が果たす。

④　環境管理制度

「ISO」や「EA21」などの環境管理システムの実践も起動力でありうる。その場合には汚濁物質の削減計画が位置づけられていることと、地方自治体の参画のもとに進めていくような制度を構築することが必要であると考えられる。それにより、EA21 のような環境管理システムを地域の特性、住民の嗜好と統合することを可能にし、地方自治体が中心になってお互いに協力しリスクの受容拒否についても議論しあえるような地域でのパートナーシップの関係作りにも役立つと考えるからである。

⑤　地域協議会

---

❶　環境庁:「環境白書」(1996)。

地域での優先取り組み課題に対して、具体的にその問題の中味を議論し、課題を定式化するための仕組みである。つまり、地域の特性を踏まえて、優先的な取り組み課題に対する取り組み手段を議論し、地域としての合意を得ることを目的とするものである。例えば、「化学物質の健康リスク」の問題が優先的な政策課題として取り上げられている場合には、「個別の物質としてではなくトータルとして管理が必要な物質」を地域の特性を踏まえた上で特定することが目的である。PRTR データなどを活かしながら地域としての行動計画や手段を具体化するのである。

「環境への負荷をできるだけ削減」することが必要とされているようなこれ以外の問題領域である、気候変動問題や廃棄物問題においても国民運動や県民運動の必要が認識され地域協議会の設立の動きが活発である。この協議会は主権者である市民が主体として運営する組織であり、産業界、地域住民その他の利害関係者が参加することが必要な条件である。そのためには公共の関与や支援が必要である。従来の審議会等の諮問機関と異なるのは、その目的とするところが「地域における多様な主体の相互理解と信頼を構築し、主体的な提案と行動を産み出す場である」ということであり、そのためには「アジェンダの設定も会議の運営も協議会のメンバーにおいて決められる」ことが重要である。ただし、協議会のメンバー以外の市民の声をいかに広く聞き反映させていくかという意味での意見聴取や意見交換の場と市民への頻繁な働きかけが重要である。

「個別の物質としてではなくトータルとして管理が必要な物質」として取り上げられた物質については、自主的な管理強化による対策が進められていく。そのためには、協議会と発生原因者との間での協議、つまりリスクコミュニケーションが推進される。協議に応じるか否かは基本的には発生原因者側の裁量に任される。しかし、社会的存在としての企業等としては協議に臨むべきである。これにより、情報公開と市民の関心を機動力にして自発的な排出抑制への起動力を惹起することとなる。企業の自主的取り組みは、CSR の一環として捉えられ、EA21 や ISO の仕組みと連動させることが望ましい。また、この際重要なことは、対象としている物質の削減対策だけをみるのではなく、対策の実施による他の環境リスクへの影響や社会的影響も同時に勘案することである。ALARA 原則の適用に際しては、環境だけが絶対的な価値であるわけではない。

(二)クロスメディアでの統合機能と住民の関与

「環境保全上の支障の防止」ではなく「環境への負荷の削減」を図るための政策では、大量に集中して排出される汚染物質が直接的に人体等のエンドポイントへ到達して被害をもたらすような形態の汚染物質を想定しているわけではない。むしろ、環境中に放出されてから環境中でいろんな媒体間を移動し、また生物体内に長期的に蓄積していくような形態の汚染物質を想定している。そしてそのような汚染物質の排出をできるだけ削減していくことを狙いとしている。従って発生源レベルでの対策、及び環境中でのリスクの評価の何れにおいてもクロスメディアの統合的な手法が必要になるわけである。

IPPC 指令では排出基準の遵守に加えて、「BAT を活用し環境汚染防止対策を講じること、廃棄物枠組み指令に基づき環境汚染防止対策を講じること、排出された廃棄物がリサイクルされること、技術的経済的な理由からリサイクルできない廃棄物は環境への影響が回避または減少されるよう処理されること、エネルギーの効率的利用、事故を防止するとともにその被害を最小限にとどめるために必要な処置を講じること、施設の操業終了に際しては汚染の発生の危険を回避し当該サイトを安全な状態に復元するために必要な措置を講じること」を一般的義務として規定している。クロスメディアの考え方にとどまらず、さらに一歩進んで環境汚染、廃棄物からエネルギーまで広範な環境の要素が網羅されている。これの実効性については各国での許可制度のあり方に大きく依存する。しかし、EU 加盟国間では地域特性や経済特性あるいは環境対策の取り組みなどに差があるため、個々の排出基準や環境基準設定では EU 全体としての環境質の確保を図ることは困難な現状があり、環境考慮を促進するシステムの導入によってより柔軟に対応するというアプローチが志向されていると指摘されている❷。

ちなみにオランダでは、1980 年代になって、媒体別の取り組みからクロスメディアでの取り組みへと転換が始まった。いまでは、気候変動、酸性雨、富栄養化、化学物質の拡散、廃棄物、騒音悪臭等の公害、エネルギー等の浪費等の大課題を設定しそれに対する統合的アプローチを取っている。

またイギリスでは、1990 年の環境保護法(the Environmental Protection Act 1990)

❷ 織朱実:「有害物質の新たな政策枠組み提案」、平成 15 年度有害物質のための新たな案政策枠踏みについての調査研究業務、平成 15 年オフィスアイリス、p.55。

の制定により、統合的汚染制御の制度(Integrated Pollution Control regime)❸が導入された。指定された製造工程を持つ事業者には同制度に基づき統合的な許可(Integrated Permit)を得ることが義務付けられた。許可の条件は「過大なコストを伴わない最善技術(BATNEEC; Best Available Techniques Not Entailing Excessive Cost)を適用しているか、あるいはそれが不可能な場合には指定された物質の排出を最小化あるいは無害化している」こととされている。指定された物質は表 2 に示すとおりであり、大気、水質、および土壌への排出を統合的に取り扱っている。つまり、指定された製造工程で一定以上の規模の施設は同制度に基づき大気、水質及び土壌への指定物質の排出を統合的に制御される制度となっている。これは発生源の段階でのクロスメディア的視点からの汚染制御を実践するものの一例である。

表 2　英国統合的汚染制御制度における指定物質

	指定物質
大気への放出	硫黄酸化物及び他の硫黄化合物、窒素酸化物及び他の窒素化合物、炭素酸化物、有機化合物及び部分酸化物、金属と半金属及びそれらの化合物、アスベスト、グラス繊維及び鉱物繊維、ハロゲン及びその化合物、りん及びその化合物、粒子状物質
水質への排出	水銀及びその化合物、カドミウム及びその化合物、 他の 22 物質
土壌への排出	金属カルボニル、アルカリ金属及びその酸化物、アルカリ土類金属及びその酸化物、 他の 10 物質

東京都環境確保条例では、「当該申請に係る工場から発生するばい煙、粉じん、有害ガス、汚水、騒音、振動及び悪臭が第 68 条第 1 項に規定する規制基準を超えず、当該工場において使用される燃料及び当該工場に設置される施設が第 69 条第 1 項に規定する基準及び第 70 条から第 77 条までの規定に適合し、当該工場の位置が第 78 条の

❸ Heaton J.; Impact of Integrated pollution Control on the UK Non-Ferrous Metals Industry, OECD Documents on Hazardous Air Pollutants- the London Workshop(1995).

規定に違反せず、並びに当該工場の自動車の出入口が第 79 条の規定に適合するときは、第 1 項の認可をしなければならない。(§81-3)」とされており、具体的な規制規準や構造基準を定めている。クロスメディアでの幅広い環境の要素を対象にしてはいるが、汚染防止のための個々の環境要素ごとに定められた諸基準の遵守という発想の範囲内であるという感は否めず、環境へのトータルな負荷をできるだけ下げるためにそれらの要素間の関係にも踏み込もうとする意図は見られない。

岐阜県の環境創出協定では「県は、豊かで快適な環境の保全及び創出を図るため、次に掲げる事項に関する施策を策定し及び実施する責務を有する(§6)」とし、「公害の防止、自然的構成要素の保持保護増進、資源の循環的利用及びエネルギーの有効利用、廃棄物の減量化及び再利用、地球環境の保全、自然環境の保全」があげられている。

(三)評価及びフィードバックの仕組み

以上述べてきた施策ツールは基本的に発生源に着目した技術着目型のアプローチであり、環境影響あるいは環境の改善効果などには一般に頓着したものではない。環境保全上の支障のあるなしとは必ずしも関係なく、つまり環境影響に関しては十分な情報が得られずに不確実性を有したままであっても、発生源での排出負荷を削減していくための仕組みを導入しようとするものである。従って、このような制度を導入する場合には、発生源での対策が推進確保される一方で環境影響の視点からの評価が行われ、その結果が発生源での対策に反映されるようなフィードバックの仕組みを持っておくことが必要である。

岐阜県においては、事業者が定期的に達成状況を評価(§19)すること、毎年度環境創生活動報告書をまとめ(§20)、それを公開することが決められている。この評価をもとに削減目標値を見直すことができる制度になっている。これは発生源でのフィードバックシステムではあるが、環境ではフィードバックシステムを持っていない。東京都も同様であるが、わが国の場合、施策の目標となる環境の要件は環境基準等で定められたものに限定されることが一般的であるから、それらに対する施策は上乗せ等を含む排出基準で担保されているという実態的な事情がある。その他の環境基準的なものの定められていない物質についての環境からのフィードバックの仕組みについては未だ例がない。

環境でのフィードバックシステムとしては、米国で進められている比較リスク分析の手法

❹を取り入れることも一方である。多様な環境問題のなかでの優先的な取り組み課題を抽出し順序付ける作業である。30 余の環境問題が取り上げられ、それらの健康影響(発ガン及び比発ガンの別に)、生態系への影響、そして生活の質や福利への影響の夫々に独立した三類型のエンドポイントへのリスクが評価され、その結果から問題の重要性の優先順位付けが行われる。米国では、行政官や専門家だけで行われている例もあるが、地域の特性や嗜好を考慮すると基本的には住民の参加のもとに実施することが必要である。このようなリスクのレビューと優先課題の見極めを定期的に実施することによりフィーぢバックの役割を果たすことができる。

また、オランダでは国家環境計画(National Environmental Policy Plan)のなかで二種類の戦略的取り組みが行われている❺。ひとつは、いろんな汚染物質があるなかでの環境影響の視点からの対策必要性の高い物質の優先順位付けであり、このために化学物質のリスクアセスメントが導入されている。これはわが国で行われている化学物質の環境リスク評価の初期評価の実施手順と類似であり、毒性や生産量等の情報から要注意物質(評価対象物質)リストが作成され、これらリストに揚げられた物質に対しては予測モデル等を用いて環境濃度と無影響濃度との比較をすることにより得られるデータの範囲での暫定的なリスクが評価される。特徴的なのはこの結果の扱いであり、「受容できないリスクレベル」と「無視しうるリスクレベル」という二つの概念を設定することにより取り組み課題の取捨が行われている。「受容できないリスクレベル」とは「最大許容リスクレベル」と同じ意味で使われており、人の死亡リスクの場合には年間 10^{-6} の水準で設定されている。また、健康影響に関してのリスクの場合で閾値のあるような影響の場合には NOAEL(最大無作用量あるいは無毒性量)がわかっていれば「最大許容リスクレベル」と考えられている。一方、「無視しうるリスクレベル」とは「目標値」に相当し、そのリスク以下の影響は無視でき、一切の対策が不要と判断される。実際には、NOAEL に相当する最大許容リスクレベルの値の「100 分の 1」の値(死亡リスクの場合には年間 10^{-8})が設定されている。も

---

❹ U.S.EPA, Office of Policy Analysis; Unfinished Business: A Comparative Assessment of Environmental Problems (1987).

❺ Robert J.T. van Lint, etc.; Strategic Planning in the Netherlands Environmental Policy, OECD Documents on Hazardous Air Pollutants-the London Workshop (1995).

し、上記の暫定的なリスクの評価の結果において、「目標値」である「無視しうるリスクレベル」を超えるようなリスクが見積もられた場合にはその物質は「優先物質リスト」に計上される。「優先物質リスト」に計上された物質についてはさらに情報が蓄積され詳細なリスク評価が行われる。その結果「最大許容リスクレベル」を上回ると見積もられた物質については受容できないリスクであるとして対策プログラムの対象となる。多環芳香族化合物、浮遊粒子状物質(PM_{10})、ラドン、ダイオキシン、カドミウム、鉛、クロム、銅及び亜鉛などが対策プログラムの対象となっている。オランダにおけるいまひとつの取り組みは、環境影響に関する知見が十分に活用できる物質等の場合に環境影響の視点からのフィードバックシステムを組み込んでいることである。オランダでは、発生源着目型の対策が駆動力になっており、環境影響に関する知見がいまだ十分ではない物質であっても対策を残念するのではなく、BAT を基本とした発生源での技術着目型のアプローチで削減対策が講じられる。削減の目標や削減施策の厳しさは適用可能な技術を基本として定められる。しかし、環境影響についての知見が十分に得られた場合には、そしてその結果環境の汚染状況が最大許容リスクレベルを凌駕している場合には、技術立脚型の対策だけでは目標が達成されないことが生じうる。このような場合には、産業界と関係機関にはより高度な技術の開発と適用のための対策が求められる。

(四)住民参加と情報公開

地域の特性を政策に反映させるためには、地域における環境の利用と保全のあり方についての住民の意向を集約し、明らかにしておくことが望ましい。あるいはそのような過程を経ることが不可欠である。また、自主的管理計画などによる取り組みをより推進していくためには、公開性や透明性の確保と住民の関心の高揚及び住民の側での主体的な関与を契機付けすることが必要である。住民参加と情報公開はこれらのために欠かせない条件である。

このような手段としては、先に述べた地域協議会のような仕組みがある。環境負荷削減のための起動力として地域協議会のような仕組みを採用すること、またフィードバックの機能を住民参加の上での比較リスク分析の手法によること、などで住民の参加の場を提供することができる。

地域における「環境(負荷)管理計画」あるいは「環境利用(及び保全)ガイドライン」のよ

うなものを市民の参加と合意の上で作成しておくことが考えられる。事業者や住民はこの計画やガイドラインを尊重しながら、事業所の自主的な管理計画やその他の行動計画を準備する。

岐阜県の協定では環境創生行動報告書の公表などを定めることが普通であるが、さらに化学物質の使用、管理に関して事業所のリスクコミュニケーションを進めるように努めることが盛り込まれている。

(五)自発的対策で推進したものが褒められる制度

岐阜県の制度では、事業者からこれらの施策に対する理解は得られるものの、資金的、人材的な余裕がなく、また情報公開に対しては住民にどのように受け入れられるかに対する不安がよぎることから、制度の活性化にまではいたっていない。2005 年 2 月の時点で同協定の締結企業は 1 社に過ぎない。同県では、この協定の仕組みとは別に岐阜県環境配慮事業所(E 工場)登録制度を持っており、環境保全活動に積極的に取り組む事業所を登録公表することとしている。具体的には必要な要件を満たしている事業所か、さらに望ましい活動をしているかなどの視点から有識者による審査会で適合を判断して登録される。現在のところ必要要件が比較的低水準にあり 2004 年 10 月段階で 159 事業所が登録公表されており、協定締結についてはそれが適合の必要要件としてとりあげられていないことからそのインセンチブとしては働いていない。県としても企業の取り組みの努力が社会における評価に結びつく仕組みづくりが課題であると認識しており❻、今後は努力する企業が報われるための制度作りを課題と考えている。なお、協定制度発足の時点でもインセンチブのあり方についてはさまざまな検討が加えられたと聞いている。しかし、協定締結への見返りとして、県の事業への入札資格を与えることなどについては公平性の観点から慎重論に押されることになり実現できなかったと聞いている。また、測定義務や立ち入り調査についての便宜を図ることについても、法令違反の恐れがあるという懸念から実現できなかったと聞いている。

アメリカでは、OSHA の Voluntary Protection Program(VPP)が優良工場の認定制

---

❻ 佐々木隆司、児山知典、各務博人:「岐阜県における環境負荷削減のための新たな施策の推進について」岐阜県環境局大気環境室資料。

度としてある。工場や施設の認可制度をより意味あるものにするためには、事業者等が認可を得ることによるアドバンテージをできるだけ拡大していく必要があり、そのためのいわゆるインセンチブとして次のような事項が準備されている。

・ 認可の際に他の環境関連届出制度による書類の一括受理(ワンストップ制度)
・ 定期的な立ち入り検査対象からの除外
・ 社会及びコミュニティーから名声と信頼感の獲得
・ 職員のモラルと生産性の向上
・ (環境税が導入されれば)税の節減効果
・ 地方自治体や環境省との協力的パートナーシップ関係の発展
・ 違反的事項に対する直罰制度の猶予(改善指示と協働による解決)

五、ALARA 原則の導入のために望ましい政策パッケージについての考察

これまで述べてきたように、環境への負荷をできるだけ削減していくための仕組み(ALARA 原則のための仕組み)については参考になるように先駆的な取り組みの事例がいくつかあることがわかった。これらを、上記の必要とされる政策要素との関係から整理してみたものが表 3 である。必要とされる機能を十分満たすと考えられる要素には「◎」を、何とか満たすものと考えられる要素には「○」を付した。今後は、これらの要素を組み合わせてひとつの政策パッケージとして提案できるよう、より詳細な検討を加えていく必要がある。その際には、「実施可能性」及び「公平性」の視点からの検討も組み込んでいく必要がある。

表 3　ALARA 原則のための政策ツールと必要とされる要素との関係

	汚濁負荷削減の起動力	クロスメディアの統合機能	フィードバックの仕組	住民参加と情報公開の仕組	努力が認められる仕組
認可制度の導入 IPPC、IPC	◎	◎			
協定制度の導入	○	◎			
経済的手法	◎	◎			○
環境管理制度	○	◎			

地域協議会	◎	◎		◎	○
リスク比較分析活動			○	○	
オランダ方式のリスク評価			◎		
特定工場・事業場に対する環境負荷総合管理制度	◎	◎	○	○	○
リスクコミュニケーション			○	◎	

六、さいごに

本稿は、有限会社オフィスアイリスにおいて実施している「有害化学物質のための新たな政策枠組みについての調査研究業務」(環境省請負業務)で実施してきた考察を参考にして取りまとめた。このような機会を与えてくださった環境省及びオフィスアイリスに設置した検討委員会に参画していただいている大歳幸男、岡崎誠、織朱実、角田季美枝、早水輝好、増沢陽子の委員諸氏に謝意を表する。

J.A.ホブスンにおける功利主義および限界主義経済学批判と「人間厚生経済学」の構想

姫野順一

1、 はじめに

ホブスンは1890年代に新しい社会的な貧困に対する独自の「社会経済学」を構想し、その内容は第一に所得分配の不平等分析、第二に余剰(不労所得)の析出、第三に過少消費(過剰貯蓄＝過剰投資)理論の構築と特徴づけられている。❶この内容はジョン・ラスキンの理想主義的な社会観に影響され、またその有機的な人間と社会の把握はハーバート・スペンサーの社会進化の考えから強い影響を受けている。❷その内容は、イギリスにおけるアダム・スミス以来の「政治経済学」Political Economicsの遺産を継承し、同時代における功利主義に立脚する限界分析を中心とする新古典派経済学を批判するなかで形成され、発展させられたものであった。このホブスンに独自の経済学の内容である功利

---

❶ その内容は、『産業の生理学』*The Physiology of Industry*,1889、『貧困の諸問題』*Problems of Poverty,* 1891、『近代資本主義の進化』*The Evolution of Modern Capitalism,* 1894、『失業者問題』*The Problem of the Unemployed,* 1896、『ジョン・ラスキン—改革者』*John Ruskin, Social Reformer,* 1898、『分配の経済学』*The Economics of Distribution,* 1900、『産業組織』*The Industrial System,* 1909、『富の科学』*The Science of Wealth,* 1911、『仕事と富』*Work and Wealth,* 1914といった代表作の中に表明されてきた。

❷ 姫野順一「社会進化論と新自由主義—19-20 世紀転換期における経済(貧困)と政治社会のイデオロギー諸類型」『社会経済思想の進化とコミュニティ』(共編著)ミネルヴァ書房 2003 年 9 月,pp.56-83 参照。

主義経済学(限界分析)批判と独自な「社会経済学」の構想は、新古典派および歴史学派の経済学との区別がこれまで充分に識別されていない。本稿は、ホブスが晩年の 68 歳となった 1926 年に、経済学説批判として諸論文を集成した『社会科学における自由思想』*Free Thought in the Social Sciences* を中心的な素材とし、ホブスンの功利主義経済学(限界分析)批判の論理と、その「社会経済学」の特質を明らかにし、さらにこの理論に基づく第一次大戦後におけるホブスンの社会・経済政策の内容を吟味するものである。

2、 イギリスにおける「政治経済学」の登場

『社会科学における自由思想』の論理構成は、第 1 章「自由思考のアート」、第 2 章「経済科学の形成」、第 3 章「政治学と倫理学における自由思考」の 3 部構成となっている。すなわち、第 1 章でホブスンは「社会科学」に必要な「自由思想のアート」の意義を論じているのであるが、❸ここで「社会科学」Social Science という用語には「社会の学」という特別な意味が込められている。ホブスンは、この意味で社会を学問の対象とする草創期の社会学者であったと評価できる。❹ホブスンはこの社会科学のなかで「知的な作業がその構造の中に最も入り込み、他の社会科学よりも〈利害圧力〉interested pressures が明確に表明される」という経済学の重要性を特筆し、第 2 章の「経済科学の発展」は本書の中核を形成している。そしてこの第 2 章でホブスンは、「人間福祉」の視点から構築された新しい経済学の意義を高調しているのである。❺第 3 章はこれを補完する「倫理と政治」の検討にあてられている。❻このように第 2 章はホブスンの「社会経済学」の特質である「人間福祉の経済学」を学史的に論じていて本書全体のコアを形成しているのであるから、まずこの内容から吟味してみたい。

---

❸ 第 1 章は 1,利害から離れた知識の追求、2,比喩の偏見、3,非利害科学と諸利害、4,社会科学におけるタブー、5,個人的および経済的偏見の節から構成されている。

❹ この時期がイギリスにおける「社会学」の草創期であったことが想起される。

❺ すなわち第 2 章では 1,政治経済学の登場、2,イギリスにおける新古典派経済学、3,新古典派経済学における限界主義、4,人間福祉の経済学、5,プロレタリアの経済学という節に分かれている。

❻ その内容は 1、権力政治学、2、政策としての人種優生学、3、自由倫理への格闘;自由思想の再生力といった構成になっている。

ホブスンはここで「人間活動の科学は人間性を基準にして意味と価値がある」と述べ、人間活動の意味と価値を「人間性」humanity という基準に求めている。ここで科学（知識）は人間性の発揮であるアートと結びつけられる。すなわちホブスンによれば、「経済学というアート」は人間活動および「人間性という福祉」を達成する条件を調整するものに他ならない。それではホブスンにおいて「富」はどのように定義されているのであろうか。ホブスンは「経済的な富」や「真の所得」を「客観的なコストにたいする主観的な稼得による生きた効用や満足」に帰すのは、富の正確な測定の全試みをおとしめると考える。つまり客観的なコストが主観的な効用に対応するという新古典派のフレームワークがまずここで「富の正確な測定」ではないと批判されているのである。

ホブスンにおいて「富」とは人間福祉 human welfare のことであり、これは換言すれば「現代の願望可能な水準」current standards of desirability であり、これはまた「生きた価値の生理—心理水準」とも把握されている。このようなホブスンの富＝生活＝人間福祉という把握は、ラスキンの著書『この最後のものにも』*Unto this last* における、「生活なくして富はない」という見地を経済学の中で継承しようとするものであった。❼

こうしてホブスンによって描き出される「経済学の歴史」は、自由を基調とする「人間福祉」の発展の過程である。ここでまず重商主義は、産業内外の貨幣システムを問い、貨幣・課税・農業経済 rural economy および人口・外国貿易についての科学の収穫を与えた学派と評価されている。他方フィジオクラートは合理主義神学のもとで国家制度に対抗し、自然的自由のシステムとして、一般的福祉のための経済システムを確立した学派であった。アダム・スミスについては、「包括的で公平」な「自然的自由のシステム」（反保護主義・反階級保護）を構想し、労働維持ファンドや有益な労働を動員する利潤および貯蓄を分析し、企業者の能力を重視した人物として評価されている。ホブスンによれば、後世の理論家はスミスが「人の支配」を警戒したことを無視しがちであるが、「科学的公平」こそは『国

❼ このラスキンの言葉は *Unto this last,* 1860 の第 4 章 AD VALOREM の章に書かれたものである（*The works of Ruskin,* Library edition, p.105）が、ホブスンのママリーとの共著彼ので処女作でもあった『産業の生理学』ではこの書におけるillthとwelthの区別に言及している。Cf. *Physiology of Industry,* 1889, p.7. ホブスンは 1898 年に *John Ruskin: Social Reformer,* London を Nisbet 社から著し 1907 年にはロンドンの Cassell 社から National library, new series, 109 巻として *Unto This Last* の復刻版を出版している。

富論』の鍵であるとホブスンは見ていた。❽このようにホブスンは、スミスの公平な自然的自由の体系を高く評価した。このよらに自由な労働、自由な外国市場、自由な土地、自由な貨幣・信用、自由な教育といった「自由意志原理」libertarian principle が企業人とその政治家およびその哲学者の信条となるような、すなわち自由主義が「信条」となる時代を肯定的に認識していたが、彼は産業社会の発展がそのまま自由の発展にはつながるとは考えなかった。

ホブスンは、アダム・スミスの「自由の原理」は、スミス以後の「古典派経済学」の発展の時代に「産業社会」のなかで実現されていないと観察にいる。すなわち成功した企業人や能力ある出版人は「贔屓」をまぬがれないとみるからである。ホブスンによれば地球上のあらゆる自然資源への平等なアクセス、道具や資本の蓄積、知識の継承が「自然的自由のシステム」の前提であるが、「人間の経済的自由」はそれを実現しない。それゆえにオーエンやトムスン、グレイ、ブレイといった多くの急進的な改革者が「権威的な科学」(古典派の政治経済学)に挑戦したとホブスンは見ているのである。いわゆるリカード派社会主義者たちの活躍である。ホブスンは資本主義の階級的な性格を鋭く見抜いていた。かくてホブスンによればジャーナルは支配階級の「選考委員会」となり、「異端」は経済科学の中立性の敵として排除され、歴史の経済的な解釈は「経済的」という用語を生物学的な心理学的な活動に拡大する場合にだけ賞賛されることとなる。

これに対する「労働者の経済学」の形成は、ホブスンが注目するところであった。ホブスンによれば労働者階級は全体として、または都市労働者と農村労働者、熟練労働者と非熟練労働者、手労働者と精神労働者、生産労働者と分配労働者といった各部門で経済学を形成しがちであった。「急進性、国民的性癖、状況」はかれらの「変化する経済学における社会革命の反映」であった。

このようにホブスンはスミス以来の政治経済学の新しい流を「資本の経済学」(マルクスの用語を用いれば「俗流経済学」)と「労働の経済学」という二つの分裂した流れで把握し、前者は「新資本主義における利潤自由追求企業の弁護論」であると見た。この「経済

---

❽ 筆者はホブスンが終身講師を勤めたロンドンの South Place Ethical Society の資料調査で、ホブスン旧蔵のアダム・スミス『国富論』各版を確認した。

人による自然システム」では、労働市場で自然賃金(賃金基金説)が決まり、節約=貯蓄という所有者の節約が固定資本を拡大する。この経済学では「勤勉」、「倹約」、「企画」、「先導」、「正直」、「責任」が成功企業のモラルとなる。資本蓄積は快楽を拡大するものであった。

このようなスシス亜流の古典派経済学に対してホブスンは制度、消費、貯蓄、賃金基金説の面から問題を投げかけている。まずホブスンは、古典派経済学の全構造の基礎を「企業の利潤」と把握し、救貧法、穀物法、団結法、工場法、自治体および国の施策といった実際的問題は現在の多くの困難な論争における「好ましい」企業ラインにそった解決であると看破された。古典派経済学における消費の単純化もホブスンの批判するところであった。「消費は複雑である」にもかかわらず俗流的な古典派理論は分配(消費)理論において「自己利益追求の快楽主義 hedonism」を仮定している。しかしホブスンによれば「消費の水準はアートそのもの」であり、生産と同様に繊細かつ複雑であり、改良できるものであった。ここで、生産と消費のアートについて「技巧と雄弁」を極めたラスキンが改めて再評価されるわけである。

古典派における「貯蓄=雇用」という理論フレームの誤りを鋭く指摘したのもホブスンであった。ホブスンは過剰貯蓄=過少消費があると見る。「俗流」古典派の想定は消費の独自な意義を無視するものであった。ホブスンは、古典派において分配は単位あたりの労働、資本、土地の購買のみに限定されているが、実は「知識」などさまざまな生産資源が生産に充当されているのであり、古典派分配論は未完成であるという。ホブスンはとりわけ知識を賃金、労働時間、雇用の規則性や消費財価格を決定する重要な要素であると見ていた。ところで、ホブスンのJ・S・ミルに対する評価はアンビバレントである。すなわちホブスンはミルを「英知と功利主義の過ちが混合していたが、ベンサマイト功利主義の中核である個人主義を放棄し、さらに賃金基金説を放棄した」と高く評価している。❾ここでベンサムが提唱した効用による経済価値の計測の評価が重要な問題として浮かび上がってくる。

---

❾ ミルは晩年社会主義に傾斜し個人主義を放棄してアソシエーションを強調し、また徐々に賃金基金説の放棄に至った。

3、 イギリス新古典派⑩経済学(厚生経済学＝Jevonian)に対する批判

ホブスンは経済学説を「歴史発展」という観点から評価しているが、ジェボンズの功利主義的経済学もそのような過渡的理論として評価されるものであった。すなわちジェボンズの効用を最大(非効用最小)にするという功利主義における快楽主義は、「人間福祉を満足させるアート」という観点からみれば、「生きた人間」human well being の用語で経済過程解釈する点で科学への大きな前進であり、富は純満足あるいは享楽として価値があるということを高調するものであった。ホブスンはこのような功利計算の歴史について次のような３段階の発展を把えていた。

第１段階　科学的快楽計算(ベンサム)

第２段階　消費の効用に対する、生産の人間的コスト分析(古典派)

第３段階　新しい主観科学における快楽計算法の活力ある変化(新古典派)⑪

イキホブスンが強調するのは、生産費と効用は諸財の組み合わせであり、過程を分離して分析できないということである。これを彼は「有機的構成 organic composition」と呼んだ。すなわちホブスンにおいて「仕事 work」と「消費の水準」の有機的な相互関係、言い換えれば「生活(富)life」が、経済的福祉の主観的科学としてのアートを可能にするものであった。この点でジェボンズの功利主義的な価値理論を批判的に継承したのはマーシャルであった。マーシャルが「両刃の鋏」の論理でジェボンズの効用価値説の一面性を批判し、最終費用と最終効用の両者が需要と供給の唯一の支配法則であることを指摘したことは評価よれる。その結果彼は、富を「効用と非効用の総額の均衡」と見るオーソドックスな新古典派を確立した。しかししホブスンは、マーシャルが「選択」の基礎にある「人間的な満足」といったこれらの選択の背後にまで立ち入らず、従って彼の「選択」概念は不充分であると批判する。

---

⑩　ジェボンズに始まる功利に基礎をおく主流派経済学の流れを早い時期に「新古典派」(neo-classical)と総称したのはホブスンであった。Cf. *Neo-classical Economics in Britain, Philadelphia*, American Academy of Political Science, 1925.

⑪　Hobson (1926) pp.93-95.

ホブスンはピグーの「厚生」welfare についても次のように批判していた。ピグーはこの著書⓬のなかで「生きた人間 human well-being の経済的アート」の完全で形式的な検討を提案している。すなわち彼は、「厚生」を経済学の主題に取り上げ、具体的な生産物の総量だけではなく「満足のかたまり」body of satisfactions に注目し、これに物質的、非物質的な満足を合成していると評価する。すなわちピグーにとって「意識の状態」は「望ましいもの」the desirable であり、それは「人間または社会の真の善」であった。こうしてピグーは経済科学を「規範科学」ought to be ではなく「実証科学」what is と考えていた。がホブスンによるピグーの問題点は、「厚生」を「市場性の事物」marketable things に限定していることであった。つまり、倫理的な価値における重要性は「非経済的」と無視され、「所得は費消されるまたは稼得される」と「費消される所得」のなかに「厚生」の基準をみている。すなわち「倫理」(文学や芸術への関心)は貨幣という尺度で経済厚生に参入されているのである。⓭ここでホブスンによればピグーにおいて「理想的な望ましさ」the ideally desirable は「現に望まれているもの」the actually desired に置き換えられている。ピグーは公共的当局がこの方法で 25% 費消しているとのべているが、ホブスンはこのような貨幣による「実証科学」に基づいた経済的福祉の評価を不充分と考えている。ホブスンによれば、公共支出は貨幣基準とは別の「あるべき」に関わるものであった。ピグーは総福祉と経済的福祉を区別し、総福祉は経済福祉に量的に同じではないが、同じ方向に変動するという。とすれば、「一人当たりのより多い富」が生産や分配の方法に関わりなく「より多くの総満足を満たす」ということになる。これは、ホブスンによれば平均的労働者の日労働や所得分配の均等という「所得の平等」の側面を無視するものである。これは、経済福祉を消費に傾斜して把握するものであり、生産過程と消費過程を同等に見ることに失敗した見解であった。ピグーは「国民的分配」を論じる『厚生経済学』の第 4 章で、経済的厚生は消費で発生する「満足 satisfaction」だけではなく生産により生じる「不満足 dissatisfaction」に関係していると論じでる。その場合、「満足」の実証的な形態は認識さ

⓬ ピグーは *The Economics of Welfare*、1920 により新古典派の「厚生経済学」を確立する。

⓭ ケンブリッジ学派における社会把握の失敗については、Jose Harris, *Private Lives, Public Spirit: Britain 1870-1914*, Penguin Books, 1993, p.224 参照。

れず、「財のストックが与える経済的な厚生」は「生産の純不満足」を超える「消費の純満足」として把握された。こうしてピグーにおいて「国民分配分」は、具体的な年生産において「所得の形態」での「分配の効果」(効用＝消費の満足)を国民分配分として扱われた。これに対にホブスン、ピグーのこのような「経済的厚生」の把握は不充分である。それは、「一人の経済的厚生」、「階級の経済的厚生」、「国民の経済的厚生」のそれぞれが、「生産の諸条件」と消費と同様に一致し、またはそれとともに変化することを認識しないものである。ピグーの「経済厚生」の把握は「現行の望ましさ」だけを評価している点で問題があり、また「消費」の生産と絡む質的な側面(生活の質)に目を向けない点でも不充分なものであった。

ホブスンにとって経済福祉を消費過程で効用が流れ込む具体的財にみるタウッシグも「片面の理論」one-sided theory であった。タウッシグは実際的な改良家として労働時間の短縮、若年や弱者の労働者の制限、歇的な休息や代替的な仕事による改良、筋肉や神経の緊張の緩和、工場衛生の改善により人間的な生産費用を減少させる問題に傾注したが、このタウッシグにおける「福祉労働」welfare work は結局「生産の純人間費用」を減少させようとするものであり、生産と消費の関係を正しく評価するものではなかった。[14]ホブスンはケンブリッジのドクトリンのなかで「諸費用」の問題を純真に提起した若い経済学者としてヘンダーソン H.D. Henderson を高く評価している。[15]

ポスト・ジェボニアンとホブスンが名づけるアメリカ[16]およびイギリスの新古典派の欠陥は、次の4点に集約される。

1, 人間福祉を生産と消費の効用、非効用に含めてしまう。

2, 時と場所で変化する満足・不満足に一律に貨幣尺度をあて、異なる満足・不満足を労働基準や消費基準により分離して測定している。

---

[14] Hobson (1926) p.105.

[15] ヘンダーソンはその著書『供給と需要』*Supply and Demand*で、現実の費用は絶対的なものではなく相対的なもので、これは消費に先行する生産段階で等しい効用に代替できる支払いの費用であり(生産内代替)、事後の交換財の不効用(生産・消費代替)として評価できるものではではないことを明確に指摘していた。

[16] ホブスンは、カッセルの『社会経済』Social Economy においても稀少性から価格が説明され、測れないものが排除されているとこれを批判した。

3, 経済福祉の評価を「現在の需要 desiredness」に限定している

4, 国民分配、個人所得および経済福祉における健康、教育、保険、芸術、リクレーションを過小評価している。⑰

4、 限界主義批判と公共政策の視点

ホブスンはウィークスティードの限界価値理論を所有者の弁護論とみなした。またアメリカの J.B.クラークも限界価値理論を追認し、ジェボンズの主観的効用計算の危険な発展させる「限界主義 marginalism」の流れに属する人物であった。

ホブスンによる「限界分析の非妥当性」は以下の諸点である。⑱

1, 収穫逓減法則は非農業の大企業にはあてはまらない(独占の問題)。

2, 供給価格は平均費用であり、この低落は技術的な要因によるものである(平均費用と技術的要因の問題)。

3, 企業者は関与する事実について確実な知識をもっていない(不確実の問題)。

4, 資源の完全分配が既知であれば最終投入は無意味になる(完全分配の未知)。

5, 客観的·主観的要素の移動は時間がかかり、数学的な微少性で表現できない(時間要素の非連続問題)。

6, 人間を骨格なき体に類比できない(経済人モデルの問題)。

そこでホブスンはこれらに対して独自の「社会経済学」を提唱する。その場合次の各構成要素が重要である。まず供給サイドについては、「経済学の実際の材料」は、量の大きさ·生産の組織単位·分業の組織的構造から構成されていると述べ、生産要素の有機的·構造的な要素構成を説いている。次に消費サイドについて。ここで消費は単なる功利計算ではなく消費水準の制度要因が注目される。すなわち消費水準を決定するのは代表的家族や集団の生活水準の消費単位であり、慣習·伝統·流行といった制度要因が消費水準の変動を決定する。このような変動は「模倣」や「一般的合意」によっても影響される。また「突然変異」mutation が有機体における発展の理論に結びつけられている。(突然変異

⑰ Hobson (1926) p.106.

⑱ このパートは Hobson, *Neo-classical Economics in Britain, 1925* の後半の再録である。

のメタファー)。ここで生活水準は「生きた有機体の積極的な意志」として把握されている。ホブスンによればこの生活水準を実施する主婦は、規則的な家族収入において個々別々の品物で表現された予算を執行するのではなく、「必要 needs あるいは要求 requirement の一定単位、または調和」で予算を執行すると、家計のコレクティブな消費者行動を説明している。家族所得は合成された水準にほかならない。また、企業と生活水準も静態的ではなく週単位で変化する。そして、変化が合理的に予測される場合には、企業や家族の維持プランや水準が達成されることになる。企業の新過程は、生産と消費の有機的性格に規定され、また主婦の出費削減は限界効用ではなく「新しい生活水準」できまるというのがホブスンの生産者・消費者行動論である。ここで消費者行動は、客観的な行為としては観察できない「心理的行為の合成」として把握されている。ここでホブスンの経済構造は動態単位の構成体であることに注目しておきたい。ホブスンはこのような経済構造を公共政策によるプラン変更で「人間厚生」に誘導できると考えていたが、このプランの変更は個々の最終効用に帰せられない「さまざまな諸量の正確な操作」として、「全体としての企画」として実施されるものであった。ここに見られる、「人間厚生」を実現する限界的な調整が「合成と代替」composition and substitition により実行されるという。このような有機的・制度的な公共政策観は、ホブスンにおいてとりわけ重要である。⓳

5、「人間福祉の経済学」の構築―ホブスンの社会経済学

ホブスンにおける人間厚生は、これを原子論的に個々バラバラに取り扱うのではなく、「富の集合 body」が表す「満足量の最大化」として把握されるものであった。それは「生産者=消費者」の視点からする「必要」と「欲求」にもとづく「人間福祉の構成体」すなわち人間活動の充実に貢献し、危害を最小にする社会の実現を目指すことであった。ホブスンは一方で中央集権的な計画経済による社会主義の実現には批判的であった。それは人間の経済人としての共通性質と共通需要を前提にしているが、「享受力の多様性」という重要な質的諸事実を無視しているからである。このようにホブスンはミクロの多様性を承認し、統制経済で福祉の最大化はできないと考えていた。またこのような見地から、同時

⓳ Hobson (1926) p.130.

代の「プロレタリア経済学」も批判された。すなわち、価値の源泉を抽象的な人間労働に還元するマルクスの労働価値説とこの定式化に基づく「搾取の神話」や組織された労働者による財産および利潤に対する要求は、不労所得や財産に固執する所有者の自己防衛と共通する「学者臭い水平的な政策」であり、イギリス人の気質である「コモンセンス」を逸脱する「過剰な偽りの知性主義」と評された。また、土地価値の「ゴスペル」を説き、協力と共有を社会的な救済との道具として強調するヘンリー・ジョージや、経済的統治の魅力的なビジョンを主張するサンジカリズムおよびギルド社会主義や、安い広汎な貨幣信用によりユートピア的な共同体を「新しいエルサレム」として主張するダグラス派の社会信用論、優生学を利用しようとする人口制限、「共通善」を超えた労働者における過剰な階級意識の強調などは、「社会サービス」や「共同性の善」を取り繕っているが、ホブスンによれば事実究明に耐えられないものであった。ホブスンは「プロレタリア経済学」を論じるなかで、ボルシェリズムやファッシズムが、攻撃的な「神話」を脅威ではなく忠誠喚起に用いていることに注意を促している。

とわいえ、ホブスンは自由競争による競争社会の精緻な差別・選択・自由所有が、最大の純利益を実現できるという考えにも反対であった。新古典派の正統であるピグーは、能力差による分け前の不平等を考察から除外し、貧者への富移転は国民分配を損なうと考えていたし、また、ピグーや他のマージナリストたちは完全分配を仮定し、余剰を認めず、独占や不完全な流動性を認める場合も、完全競争の「摩擦」friction として以上にはこれらを認めなかった。しかし、独占を含む質的差異を量的差異に変えて、様々な人間的個性に関わる差異を解消することは妥当でない。市場価格は真の測定ではないのである。質的分配に従った「国民分配の社会的人間価値」が付与されるべきというのがホブスンの主張であった。

その場合のホブスンが「人間厚生」の基準と考えたのは「厚生の物理的指標」と「社会的基準」であった。ホブスンはこれらの厚生指標や社会基準は統計により与えられると考えていた。ここでいう統計とは「 賃金・雇用統計と衛生統計の相関」、「低い死亡率と罹患率の相関」、「高等教育需要とアルコール支出・不衛生住宅との相関」、「労働時間・休息帯と事故率・産出向上の相関」などの統計である。[20]ホブスンはこれらの統計が「生活の客観的基準」になることを強調している。その場合、選択の基準が個人の判断する「他人に対して何が良いか」ということであることが注目される。すなわち「他人善」(公共善)という個人的評価が「最後の頼み」になるというのである。このように、ホブスンにおける「人間厚生」は、福祉統計基準に基づいた個人の「他人善」(公共善)を基礎にしている。[21]このような公共政策の基準としてホブスンがウェッブにおける「コモン・ルール」に注目していることも興味深い。ウェッブは社会的経済善の有機的概念の基礎として「コモン・ルール」を指摘していたが、それは時間・貨幣・客観的エネルギーの支出における割合・賃金の運動・雇用・価格・企業規模・といった「労働・生活基準」を弱めたり、改良したりする公共政策の共通のルールである。これはホブスンにおける「経済学のアート」の準則として援用されうるものであった。この「コモン・ルール」に立脚するアートにより、「人間厚生」は量的尺度を含みながら有機的一体と諸部分が調和に誘導されるということになる。この「コモン・ルール」はホブスンにとって、「人間厚生」を誘導するマクロ調整の論理である。この調整の原理により、「現に望まれている欲望水準」をこえて、より高い社会福祉水準が誘導される。それは現行からそれほど遊離しない「半意識的理想」を導く公共的な政策原理であった。

6、 ホブスンにおける第一次大戦前後の産業・経済政策

それでは、このような「人間厚生の経済学」は具体的な産業・経済政策としてどのように適用されたのであろうか。ホブスンは 1906－16 年の間政権を担当した自由党政府の内部で活動し、具体的な産業・経済政策に関与した。

先ずこの時期の彼のポジションを簡単に見ておきたい。彼は1907－20年の間、自由党の準機関紙的な役割を果たした、マシンガム(H.W. Massingham)の編集する新聞ネイ

---

[20] Hobson (1926) p.141.

[21] ここでホブスンは、個人の質的差異を量に変換する数学的快楽主義は過ちであるが、生活水準のさまざまな内容において同じ経済階級の実際の支出は十分の九までが一致していると、階級的に集計された厚生基準の社会的妥当性を指摘している。

ション(Nation)のスタッフとなり㉒、ナショナル・リベラル・クラブ(National Liberal Club;ネイションの昼食会)や レインボウクラブ(Rainbow Circle;自由党系のサークル)で影響力を行使した。ホブスンはここでロイド・ジョージ派と密接な関係を維持し「人民予算」の考えに影響を与えた。さらに彼は、「社会改革」にたいする自由党のにぶい対応(ジョージは政治的選択としてこれを実施した)に対して「自由主義の危機」を訴え、社会改革に取り組む自由主義すなわち「新自由主義」の立場を堅持した(リブ=ラブ派)。1914 年のアイルランド暴動(Curragh Mutiny)に対処する自由党の保守党との共謀をきっかけに自由党に距離をおくようになる。このことは彼が書いた『反逆における取引』1914 ㉓に詳しい。このときマンチェスター・ガーディアンの編集者で国会議員であったスコット(C.P. Scott)は、ホブハウス(T.R. Hobhouse)にホブスンが労働を基礎とした党の再建を考えていることを伝えている。ホブスンは外交政策についても自由党のパワー・ポリティクス(英露協商)に反対であった。戦争中の 1916 年、党内のアスキス派とジョージ派が結合して保守党と連立内閣を成立させ、自由原理を放棄したのをきっかけにホブスンは党を離れ、この時当時ホブスンが活動の拠点としていたユニオン・オブ・デモクラティク・コントロール(Union of Democratic Control;UDC)の一方の支柱であった独立労働党に傾斜していく。1917 年 2 月にはロシア革命に共感してネヴィンソン(H.W. Nevinson)により結成された「1917 年クラブ」に参加している。第一次大戦終結後、ホブスンは労働党に傾斜しながら、自らの「人間厚生」の「社会経済学」を産業・経済政策の提言に結びつけて活躍した。㉔

(1)新しい産業秩序とホブスンの産業・経済政策

『新産業秩序における刺激』(1922)㉕はその成果を示すものである。それは以下のような内容であった。

㉒ 姫野順一「J.A.ホブスンとジャーナリズム」単著 2001 年 1 月『メディアと経済思想史』MHET Vol.2 pp.43−57 参照。

㉓ Hobson (1914) *Traffic in Treason*, London, T.F. Unwin.

㉔ Cf. Jules Townshend (1990), *J.A. Hobson*, Manchester University Press, Chap. 1.

㉕ Hobson (1922) *Insenntives in the New Industrial Order*, London, L. Parson.

1, 旧秩序の崩壊

2, 経済活動とその刺激

3, 新しい産業秩序の心理的基準

4, 産業の頭脳

5, 労働の効率への刺激

6, 消費者の利害

7, 産業の統治

ここでホブスンは、国家社会主義、サンジカリズム、自発的協同組合、ギルド社会主義と区別される「人間厚生」の産業・経済政策として ①無制限の利潤追求の廃止 ②雇用者の独裁に替わる「代議統治 representative government」 ③生産物の産業の利害関係者への「公平 equitably かつ平和的な合意」による分配という3項目を示している。

ホブスンの観察する戦後の新しい産業秩序とは、「大企業 combination」の登場、国民市場と地方市場の2極化、国際コンビネーションの登場、集合的労働(労働組合の組織率の向上)の増大、基幹産業における非競争的な独占価格の存在と高賃金、労働者の財産権への挑戦、商工会議所、企業庁・賃金庁、仲裁・調停機関といった国家機関の設立、公有化と基幹産業管理、株式会社の普及と雇われ経営者の増加、金融業者の生産的な役割の弱化と資本の証券化という第一次大戦後のイギリス経済の現状であった。

このような新しい産業秩序に対するホブスンの「新しい経済刺激」は、発明・発見能力と結びついた計画・改良・管理の思想に基づいて意志の発達を助長するような、技術的アートによる適合的な産業(国民経済)の誘導であった。それは経営支配者たち directors が株主に責任をもち政策を実行する体制であり、金融業者と投資家は信頼を回復し、ルーティン・ワークにおける指揮労働が重要となるような刺激であった。そこで職階を前提とする非人間的な労働は残るものの、組織力と訓練により「生物学的人間の複雑さ」が力を発揮し、「元気の良い労働者」spirited worker が以前のように人間性を損なわれることのないようにする刺激であった。その場合、財やサービスのマーケティングは雇われ経営者の機能に帰され、保守・安全・規則・市場の充溢は産業企業の外部要素に依存するという。ここで官僚主義と対立する「新しい経済動機としての社会サービス」が提唱され、独占に対する代議制による公共的管理と、社会的浪費である「余剰」の再配分が提唱されている。 ホブスンは以下ような第一次大戦中に実験済みの五つの統制経済を平和時に試みる必要があると考えていた。

1, 社会化された産業への充分な金融㉖

2, 「効率」を実現する最良の投資家へのサービス・科学熟達者・技術・行政・商業・金融能力の向上

3, 労働のゆるみが起こらないような訓練

4, 官僚主義や形式主義に陥らない

5, 消費者保護の重視

総じて、資本を国家が管理誘導する内容となっている。このような国家による資本管理の具体的な政策として第１に国有化、第２に累進課税、第３に価格統制、第４に投資の社会化が推奨されている。先ず第１の「国有化の基準」については、「堅実」a fortiori であること、拡張事業計画は自己統治、独立採算とすること、政府は消費者を考慮することといった原則が謳われている。第2の「累進課税」については、たなぼたや遺産、冒険的稼得へ課税が提唱されている。第 3 の「低価格政策」では、消費が生産よりも保守的であるとみて、一般所得の増加(所得政策)による有効需要が失業を救済すると展望している。この場合ホブスンはケインズの強調する投資需要ではなく直接的な消費需要の喚起、すなわち賃金の上昇と公共事業を推奨している。そのためには国家による賃金への国家介入が必要であり、国家は賃上げに対する拒否権を認められるとともに、人口の 5 分の 4 にあたる労働者の消費水準を上昇させる権限を与えられる必要があった。こうすることで国家は有効需要を管理し、「失業」がでないような水準(完全雇用)へと生産削減を誘導することができると考えた。第 4 の「投資の社会化」は外国需要を期待できないなかで内需を高める今一つの手段であった。ホブスンにとって一方で「過剰貯蓄」の解消が問題であり、他方で教育や福祉への公共事業が問題であった。そこでまず、利子率の低下は比例的に貯蓄を減少させないけれども、利子率は過剰貯蓄の是正に向かってに誘導される必要があった。私的な貯蓄は制限されなければならなかったわけである。リスクが回避される企業は安定した貯蓄(投資)を確保できるが、冒険的な精神は真正な進歩力の制

㉖ ここで「国家による株式所有および固定利子による政府証券」(p.40)は資本の社会化として興味深い。

限内で認められるものであった。中央銀行では安全性が重視され、高度な金融をする「貨幣権力」を監督する、「国民産業金融審議会」(p.65)が重要となり、公共的な銀行や金融はリスクの少ない企業に制限される必要があった。㉗

(2)「産業頭脳」・「労働効率」の回復と産業民主主義

イギリスの企業所有者は企業に無関心であり、経営者も無能力で浪費が多い。また、2世雇用者が多く、科学を懐疑しき、企業を享楽機能に奉仕する道具と考えている。これが経営者に対するホブスンの評価である。そこでトーニ(R.H. Tawney)がいうところの「産業と金融の分離」の必要に同意する。㉘私企業は経営者の満足から資本配分を考えるが、公務員は公共に奉仕する。そこで、経営者の公務員化が必要になる。とわいえ、公務員は怠慢になりがちである。たとえば秘密会議の多い軍は改革されなければならない。そこで、自治体職員の能力に対する期待は高まるが、自治体委員会の水準は低いので高度な普通教育の普及と公共に対する人格的刺激が必要となる。社会化された産業は私的企業の効率および生産性よりも高くなければならない。従って組合の経営要求は「労働者」から「人間」への「地位」status 昇格の要求でなければならない。産業の構造変化は、先ず第1に「社会的所有」=国有化であり、第2に「ギルド的所有と経営」=効果的共同であり、第3に「経営参加」であり、第4に「賃金庁により制限された資本主義」として競争制限とルーティン(単調労働)の制限が必要であり、第5に技術の流動化、季節・流行・周期的景気変動への介入が必要である。

こうして労働者は自由な市民として自治体の統治に発言するが、ホブスンにおいて「ワークショップ」(workshop=職場)に対する注目は大変興味深い。彼はこの「ワークショップ」を経済および人間厚生の単位として重視し、これを「自治の自然的単位」とみていた。このような自由な市民・労働者による自治体管理とワークショップの強調はウェッブの見解

㉗ ホブスンが重視した公共事業は教育と福祉であった。教育投資および福祉投資はイギリス資本主義が知力を軽視しレジャーの時間を奪ってきたことから、労働者を再生させる手段であった。教育投資は労働者の知力を蘇生させ、老齢年金や健康保険、失業保険といった福祉投資は労働者の活力を生み出す。レジャーの拡大は労働力の保全・蘇生につながるものであった。

㉘ Tawney (1921) *The Acquisitive Society*, Chap.VII.

に大変親近性をもっている。この理由は、ホブスンが職場管理の内容として、「密接な接触」と「みえる労働効率」を重視していたからである。ホブスンによればこの「ワークショップ」は「企業重役会」および政府審議会と経営や技術の機能を分有できる単位であった。この「ワークショップ」では、利潤が産業の動機とはならない。「効率」の要素は規模・確実性・時間・集団の力で評価されることになる。また、政治的民主主義は選挙区が大きく政治的目標があいまいという欠陥をもっているのに対して、「産業民主主義」が立脚する「ワークショップ」は選挙区よりも小さく稼得も明白であると、その経済・福祉単位としての適正さを強調している。

それでは、消費者の福祉を保障する単位はどのように評価されているのであろうか。ホブスンは消費者団体として商工会議所や生活協同組合の重要性を認めている。とはいえ、生活協同組合は消費者絶対主義という欠陥を持つとその限界も指摘されている。ホブスンによれば生活協同組合は産業民主主義と協力して独占価格に反対して初めて消費水準の維持が確保できるものであった。文明の進歩のなかでの「多様な消費と高い生産性の結合」というラスキンの理念がホブスンの理念でもあった。

最後に諸産業の統治についてのホブスンの見解を聞いておきたい。彼はトーニやコール(G.D.H. Cole)から影響を受けながら、産業および社会単位の経済的刺激を問題にしている。ホブスンはトーニの「獲得 acquisition」から「倫理の道徳的が重視される社会的機能」へというシェーマに同感し、「獲得」から「必要」needs に応じた分配を「完全な生計」への道として推奨した。ここでギルドや機能会議は権力のバランスにより収奪を行うエイジェントであると批判されているが、これはコール等ギルド社会主義に対する批判でもあった。 ホブスンによれば社会の名に値するのは「一般意志」であり、新しい産業秩序は個々の分離した機能により成り立つ生活ではなく、この「一般意志」を体現する「国家の主権」なくして成り立たないものであった。このようにホブスンにおける産業統制は「一般意思」(公共性)を代表する一つの有機体でなければならず、その有機的な「集合体」body は労働者と消費者を「公民」citizen として代表していなければなければならなかった。ホブスンによれば「人格 person の統一、あるいは一般的な人間性は彼の諸側面あるいは諸機能と共存する」。これは社会的無政府ではなく「調和の外観」semblance of harmony を有し、「国家の調整 adjusting」の目標は国民の一般福祉の充実にある。生産者は一っの機能であり、消費者と結合して人格的な統一と調和が保たれる。消費者国家が新しい生産力の流れを指揮するといっても良い。産業は腐敗を防ぐために会計公開の義務立法に基づいて資産と純益が公開される。ギルド会議や産業議会といった産業の意思決定機能は国民産業審議会から統制される。この国民産業審議会は生産能力を維持し、市民消費者教育を行い知的で秩序だった国家の最高意思を行使するするものとして構想されていた。㉙

7、 結び

以上見てきたように、ホブスンの「人間厚生の経済学」は、同時代のマーシャルやピグー等新古典派経済学の厚生経済学を批判し、経済的厚生とは区別される社会的・人間的な厚生経済学の構築を展望するものであった。このようなホブスンの「人間厚生の経済学」は同時代における自由党や労働党の「福祉国家」プラン形成に大きく貢献するものである。正統派厚生経済学を批判し、貧困に関わる厚生概念を調琢したホブスンの周到さは、現代における A.センの厚生経済学批判と貧困の経済学の吟味に先行し、またホブスンの「人間厚生の経済学」は時代を超えてブレア率いるイギリス労働党の「ニュー・レイバー」の起源を形成するものとも評価できるが、それらの異同については今後の研究課題としたい。

㉙ 1926 年に大規模化したゼネストを伴う労働争議に際し、ホブスンが取った見解は『産業的な平和の条件』1927 および独立労働党からブレールスフォード(H.N. Brailsford)、ジョーンズ(A.C. Jones)、ワイズ(E.F. Wise)と連名で出版した『生存賃金』(1926)のなかで表明されているが、その内容は、労使の平和的な仲裁という先に見たようなホブスンの「人間厚生」の「社会経済学」に基礎づけられるものである。

イギリスにおける気候変動防止に向けた多様な政策手法の統合的活用
—気候変動税、気候変動協定、排出権取引制度—

奥　真美

はじめに

1992年の気候変動枠組条約の調印とそれを受けた97年のCOP3での京都議定書の締結を大きな契機として、気候変動の防止もしくは温室効果ガスの削減に向けたさまざまな対策／手法をめぐる検討が、欧州や日本といった先進国を中心に本格化した。周知のとおり、議定書では、二酸化炭素等6つの温室効果ガスについて、1990年レベルに比して2008年から2012年までの間に、たとえばEUは8%、アメリカは7%、日本は6%を削減することが合意され、それを実現するための手段として排出権取引、共同実施(JI)、クリーン開発メカニズム(CDM)といったいわゆる柔軟性措置や森林などによる吸収源対策等を導入することが決定された。

そして、2005年2月、ようやく京都議定書が発効し、各国／地域には同議定書で合意された排出削減値の実現が求めれられることとなった❶。その実現にあたっては、議定書が規定する柔軟性措置という国際メカニズムはあくまでも補完的手段として位置づけら

❶　京都議定書発効に至るまでの経緯およびわが国、米国、EU、欧州諸国における温暖化対策の動向を紹介するものとして、ジュリスト(特集　京都議定書発効と温暖化対策)No.1296(2005年9月1日)、6—77頁。

れ、これとあわせて各国／地域において各種の国内対策が主として講じられていくことが前提となる(補完性原則)。各国／地域は気候変動の防止に向けて多様な政策手法を相互補完的・複合的なかたちで導入していく(ポリシーミックスを図っていく)必要がある。

こうしたなか、わが国では、地球温暖化対策推進法および省エネ法の制定・改正、新エネ法、新エネ発電法、物流総合効率化法の制定、京都議定書目標達成計画の策定、自主参加型の国内排出権取引制度の開始がなされてきた。しかしながら、わが国における温室効果ガス排出量は、2003 年度実績で 1990 年レベルを 8.3% 上回っており、議定書の目標値である 6% 削減からはほど遠い状況にある。現在検討が進められつつある環境税の導入といった、幅広い主体による取組み促進に資する新たな手法の導入も試みられるべきであると考えるが、加えて、既存の手法についても、それらをよりいっそうブラッシュアップして、互いの長所を生かしながら全体として実効性を高めていくようなポリシーミックスのあり方を模索していくことが求められているといえよう。

欧州に目を転じてみると、具体的な気候変動対策の実施とそのための法整備に取り組む先進的事例がみられる。既に環境税もしくはエネルギー税の類を導入している国々はデンマーク、フィンランド、フランス、ドイツ、イギリスなど 10 以上を数え、さらに、EU、イギリスでは排出権取引制度が始動している。オランダ、ドイツ、デンマークでは協定を合わせて導入する例がみられるが、なかでもイギリスは、排出権取引制度と気候変動税、気候変動協定といった 3 つ(もしくは他の施策も合わせるとそれ以上)の手法が、密接に関連しながら一体となって機能する仕組みを構築しつつある点で注目される❷。

---

❷ イギリスの気候変動政策を紹介するのものとして、たとえば、大塚直・久保田泉「気候変動に関するイギリスの諸制度について―協定・税・排出枠取引」『季刊環境研究』No.122、2001 年 10 月、123－132 頁、中島恵里「英国における気候変動政策について」『季刊環境研究』No.124、2002 年 3 月、4－12 頁、柳憲一郎・朝賀広伸「イギリスにおける気候変動防止対策」『季刊環境研究』No.124、2002 年 3 月、47－61 頁がある。また、奥真美「イギリスにおける気候変動対策－気候変動税、気候変動協定、排出権取引制度の統合的活用」日本エネルギー法研究所月報第 159 号、2002 年 12 月 27 日、1－5 頁は本稿のベースとなっており、本稿はこれを大幅に加筆・修正したものである。このほか、Nicola Steen and Christiaan Vrolijk, United Kingdom: power markets and market policies, Climate Change and Power – Economic Instruments for European Electricity, The Royal Institute of International Affairs, Earthscan, 2002, pp.224-256 も参考になる。

そこで、本稿では、イギリスによる気候変動防止に向けた複数の政策手法の統合的導入の例を紹介することで、わが国が得られる示唆を探ることとしたい。

1. イギリスにおける取組みの流れ

1997年12月に京都議定書が採択されたことにより、2008年から2012年までの間に1990年レベルに比して、EU全体として8% の温室効果ガス排出量を削減するために、イギリスには 12.5% の温室効果ガス排出量削減目標が割り当てられた。翌年 10 月、イギリス政府は、イギリス気候変動プログラムに関するコンサルテーション·ペーパーのなかで、上述の温室効果ガス 12.5% 削減とともに、二酸化炭素の排出量を 2010 年までに1990 年レベルに比して 20% 削減することを国内目標として掲げた。さらに、同月、マーシャル卿が財務省からの依頼を受けて作成した"Economic Instruments and the Business Use of Energy"と題する報告書(通称、マーシャルレポート)において、気候変動対策として税と排出権取引といった経済的手法の有効性を指摘するとともに、税を導入する場合にはイギリス企業が国際競争力を維持できるような制度設計が必要である旨を強調した。

マーシャルレポートの提言を受けて、2000 年 11 月、イギリス政府はイギリス気候変動プログラム(the UK Climate Change Program)を策定し公表した。これは、上述のコンサルテーション·ペーパーで示された目標値を達成するためのもので、このなかでイギリス政府は、同プログラムにより2010年までに温室効果ガス排出量23% と二酸化炭素排出量 19% の削減が可能で、国内目標の 20% が達成できるとした。そして、これらの目標を達成するための中心的な施策として位置づけられたのが、①気候変動税(climate change levy: CCL)、②気候変動協定(climate change agreement: CCA)(これらを組み合わせて「CCL パッケージ」と呼んでいる)、③排出権取引制度(emissions trading scheme: ETS)である。CCL パッケージは 2001 年 4 月、ETS は翌年 4 月に開始された。

なお、2001 年 3 月末時点における指標では、イギリスにおいて、温室効果ガス排出量は 1990 年から 14.5% 減少し、また、二酸化炭素排出量は 1990 年から 1999 年までの間に 9% 減少したという。これは、イギリスのエネルギー源が石炭から石油への転換期にあることが大きな要因である。

2. CCL パッケージの概要❸

(1)気候変動税(CCL)

CCL は、2000 年財政法(Section 30, Schedules 6 and 7)に基づき、2001 年 4 月から導入された。これは、単に二酸化炭素排出量を削減するのみならず、産業部門から公共部門における省エネを促進し、ひいては雇用と新技術の創出につながることを目指したものである。2010 年までに 200 万トンの二酸化炭素排出量の削減と年間 10 億ポンドの歳入が見込まれている。税収は、雇用主が負担している国民健康保険料(NICs)の 0.3% 削減に加え、企業による省エネ対策の推進や再生可能エネルギー源(太陽光および風力)の導入に対して年間およそ 5 千万ポンドの補助(Carbon Trust が実施)として非家庭系部門に還元されるため、全体としては税収中立的なものとなっている。CCL は、VAT(付加価値税)が課される前のエネルギー請求書に加算されて、徴収される。

CCL の課税対象は、非家庭系のエネルギー使用者－生産業(農業を含む)、商業、公共部門－が用いるエネルギーで、税率は以下のように設定されている(p＝ペンス)。

・天然ガス　0.15p/kWh
・石炭　1.17p/kg(0.15p.kWh に相当)
・LPG　0.96p/kg(0.07p/kWh に相当)
・電力　0.43p/kWh

ただし、課税が免除される場合がある。すなわち、家庭や運輸部門が用いる燃料、他のエネルギー形態への転換(発電)または非エネルギー用途に用いられる燃料、登録慈善事業による非営利の用途に用いられるエネルギー、零細企業が用いるエネルギー、再生可能エネルギーからの発電(太陽光および風力)、効率の高いコージェネレーション(CHP)スキーム("Good Quality CHP"-CHP 品質保証プログラム CHPQA で認定されたもの)で用いられる燃料、供給原料として用いられる燃料、電気分解プロセスに用いられる電力、石油(既に課税されているため)、北アイルランドにおける天然ガス(新規ガス市場の

---

❸ http://www.defra.gov.uk/environment/ccl/intro.htm.

育成を目的として5年間のみの措置)である。また、園芸業については、小規模事業者を多く抱えるエネルギー集約型産業であること、著しい国際競争にさらされていること、諸外国では同業界に対してエネルギー税面での優遇装置を講じていることを理由として、政府が同業界に対して講じる省エネ支援策が功を奏するまでのあいだ5年間を限度として暫定的に50%の減税措置を講じることとされた。

(2)気候変動協定(CCA)

CCAは、前述の2000年財政法(Section 30, Schedule 6, Paragraph44)に基づき、エネルギー集約型産業への配慮措置として導入された。エネルギー効率の改善または炭素排出量の削減に関する目標値の達成について政府(旧 DETR、現在は DEFRA)との合意を経て協定を締結した業界に対して、80%の気候変動税(CCL)の減税措置が講じられる。現在のところ、CCAを締結することができるのは、2000年汚染防止管理(PPC)規則の規制対象施設を有する事業者が属する業界団体(主要生産業、養豚・養鶏の集約農業)である。さらに、PPCの規制対象となる規模未満であるが、そうでなければ規制対象となっていたであろう小規模サイトの場合も、CCAに参加することができる。具体的には、10の主要なエネルギー集約型産業(アルミニウム、セメント、セラミック、薬品、食品・飲料、鋳物、ガラス、非鉄製金属、紙、鉄鋼)と30を越える小規模部門がある。当初、政府は、業界団体に加盟していない事業者によるCCAへの参加を受け入れて、非加盟者に不利益な扱いをしない旨に同意した業界団体のみと協定締結の交渉にあたったという。

CCAは契約的な義務を当事者間に生じさせるものではなく、当事者はいつでも協定から離脱することができるとされている。もし協定の目標が達成できずCCLの減免を受けられない場合でも、協定を継続して、その次の期間において目標を達成することにより再び減税を受けることもできる。協定参加者と大臣との間に、たとえば目標達成の評価をめぐり紛争が生じた場合には、参加者は司法審査手続を踏むことができる。また、協定のもとで政府または ETSU(エネルギーに関する研究、調査、助言等を行う政府の外郭機関)に提供されたデータは、法的手続きまたは協定に規定するその他の理由によって必要とされない限り、機密扱いとされる。業界団体も業界内において競争関係にある企業に商業上センシティブな情報が漏れてしまうことのないよう確保しなければならないことになっている。

CCAの対象期間は2001年4月1日からの10年間である。CCAには、2010年までの費用効果的なエネルギー効率化の実施に関する長期目標と、2 年間ごと(2002 年、2004 年、2006 年、2008 年、2010 年)の短期目標とが設定される。短期目標は、エネルギー効率または排出量についてセクター毎もしくは施設毎に、1990 年から 2000 年までの間の年をベースとして、次のいずれかで定量的に表される。

・原単位あたりのエネルギー消費量

・原単位あたりの炭素排出量

・エネルギー消費の絶対量

・炭素排出の絶対量

CCA参加業界／企業には、最初の2年間(2001年4月1日から2003年3月31日まで)はそれに参加したことをもって 80% の CCL の減免を受けられるが、2003 年 4 月 1 日からの減税を受けられるかどうかは協定で設定されている目標の達成状況による。最初の 2 年間における目標達成状況の評価は、図 1 のように、業界／企業が選択する 2002 年 9 月 30 日から 12 月 31 日の間のいずれかの日を最終日とする一年間を対象としてなされ、以降、この周期が 2 年ごとに繰り返されていく。この間に目標が達成されたと政府に認定されれば、次期 2 年間(2003 年 4 月 1 日から 2005 年 3 月 31 日まで)の減税を受けることができる。

図 1

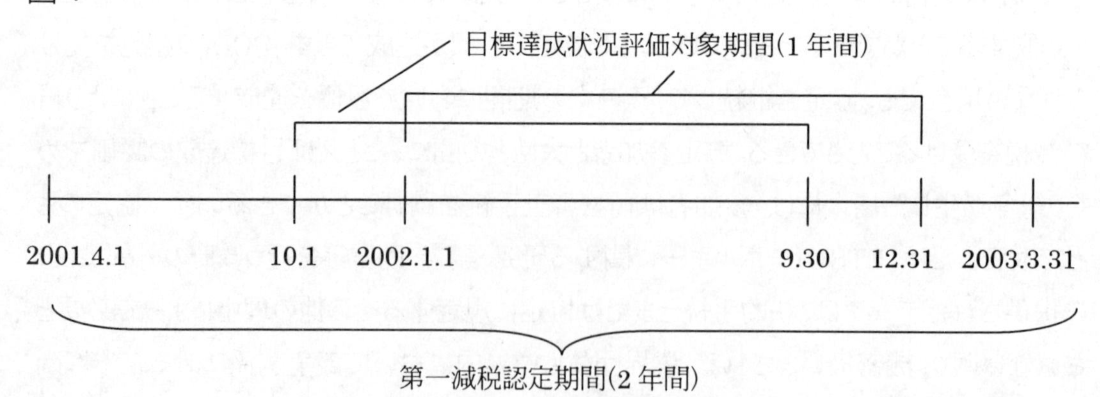

こうした定量的目標に加えて、協定には良好なエネルギー・マネジメントに関する定性的な目標を盛り込むことができる。もし定量的目標を達成することができなかった場合には、定性的目標への取組み状況を考慮した上で、定量的目標の未達成が許容できる範囲かどうかが政府により判断される。その場合、協定参加者は、定量的目標を達成するために良好なエネルギー・マネジメントについてできる限りのすべを尽くしたことを示さなければならない。

CCAには、次の3種類がある。

① オプション1

これは、大臣と業界団体間で締結される協定で、業界全体でひとつの目標が設定されるものである。目標の達成状況は目標期間ごとに業界全体として評価され、目標が達成されていない場合には業界全体が次期の減税を受けることができなくなる。

② オプション2

これは、大臣と業界団体間で締結される上位協定と、大臣と各企業間で締結される下位協定からなる。業界全体として目標が達成された場合は各企業も目標を達成したものとみなされるが、そうでない場合には、各企業ごとの達成状況を評価し、目標を達成していない企業は次期の減税を受けることができなくなる。

③ オプション3

これは、大臣と業界団体間で締結される上位協定がある点ではオプション 2 と同じであるが、下位協定は大臣の承認を受けて業界団体と各企業間で締結されるものである。目標達成状況の評価は、個別企業による達成の有無に関らず、業界団体全体としてなされるという点ではオプション1と同じである。

さて、最初の2年間については、44業界団体が大臣との間で協定を締結し、企業数では約6,000がこれに参加した。そのうちオプション1を選択した業界はなく、ほとんどがオプション 2 を選択した。オプション 2 を選択している業界としては自動車、化学薬品、電子、アルミ業界などがあり、オプション 3 を選択している業界には製紙、ガラス業界などがあった。業界団体と個別企業との関係が密で団体の指導力が強い場合にはオプション 3 を、個別企業の独立性が比較的高い場合にはオプション 2 を選択するという傾向がみられる。第一減税認定期間におけるパフォーマンス評価の結果❹、44 の業界団体のうち 24 団体が短期目標を達成し、5,042 のターゲットユニット(施設または目標値を共有している複数の施設)が次期の減免について再認定を受けることができた一方で、164 が協定を離脱し、219 が再認定を受けることができず、317 が期限内にデータを提出しなかったために協定を破棄された。全体としては 88% のターゲットユニットが再認定を受けたことになる。

また、第二減税認定期間についての評価結果❺は、42 の業界団体のうち 21 団体が目標を達成した。ターゲットユニット数では、4420(10,111 施設)が再認定、228 が協定離脱、23 が非認定、4 がデータ未提出で協定破棄となった。全体では 95% のターゲットユニット(98% の施設)が再認定を受けたことになる。

(3)CCL パッケージに期待される効果と課題

CCL パッケージによって、2010 年までに 500 万 t-Ce(このうちの半分が CCA による)の二酸化炭素排出量の削減につながることが期待されている。一方、課題も指摘されている。たとえば、National Engineering employers' association (EEF)は、CCL 全体の 17% を支払っているが、業界としては経済全体の 8% しか占めておらず、しかも、ほとんどの加盟事業者が CCA 締結主体となる資格も有していないため、減税措置を受けることもできない。EEF は当初から CCL が不公平でありみなおされるべきであることを指摘してきており、今後は CCL パッケージの裾野をいかに拡大していくことにより、こうした状況を改善していくかが課題となっている。

3. 排出権取引制度(ETS)の概要❻

ETS は、運輸、電力、家庭以外のすべてのセクターと 6 つの温室効果ガスすべてを対

---

❹ Future Energy Solutions, AEA Technology, CLIMATE CHANGE AGREEMENTS – RESULTS OF THE FIRST TARGET PERIOD ASSESSMENT, Version 1.2, April 2003.

❺ Future Energy Solutions, AEA Technology, CLIMATE CHANGE AGREEMENTS – RESULTS OF THE SECOND TARGET PERIOD ASSESSMENT, Version 1.0, July 2005.

❻ THE UK GREENHOUSE GAS EMISSIONS TRADING SCHEME 2002. http://www.defra.gov.uk/environment/climatechange/trading/uk/index.htm.

象にし、2002 年 4 月から 2007 年 3 月までの 5 年間のパイロットプロジェクトとして導入されたものである。イギリス政府は、この ETS がうまくいけば、2010 年までに年間 200 万トン-Ce(二酸化炭素換算で 770 万トン)が削減できるものと見込んでいる。ETS に期待される効果には、温室効果ガスの費用効果的な削減のほかに、EU 排出権取引制度が始まる 2005 年以前に、イギリスの企業に対して排出権取引の経験を積む機会を与えること、ロンドンでの排出権取引センターの設置を誘導することがある。

ETS に参加するルートには、直接参加者(Direct Participants)、協定参加者(CCA Participants)としてのものが主要であるほか、温室効果ガス排出削減プロジェクト参加者として、また、上述以外の NGO、個人、企業等で温室効果ガスの排出者であるかどうかにかかわらず、排出権取引庁(ETA)に登録して取引アカウントを開設したうえで取引に参加する者としてのものがある。このうち直接参加者と協定参加者は一定の削減目標値の達成義務を負っているいわゆるターゲット・ホルダーで、残りの二者は削減義務を負わないノン・ターゲット・ホルダーである。ETS 全体の構造は、図 2 に示すとおりである。

図２

排出権取引スキーム(ETS)の構造

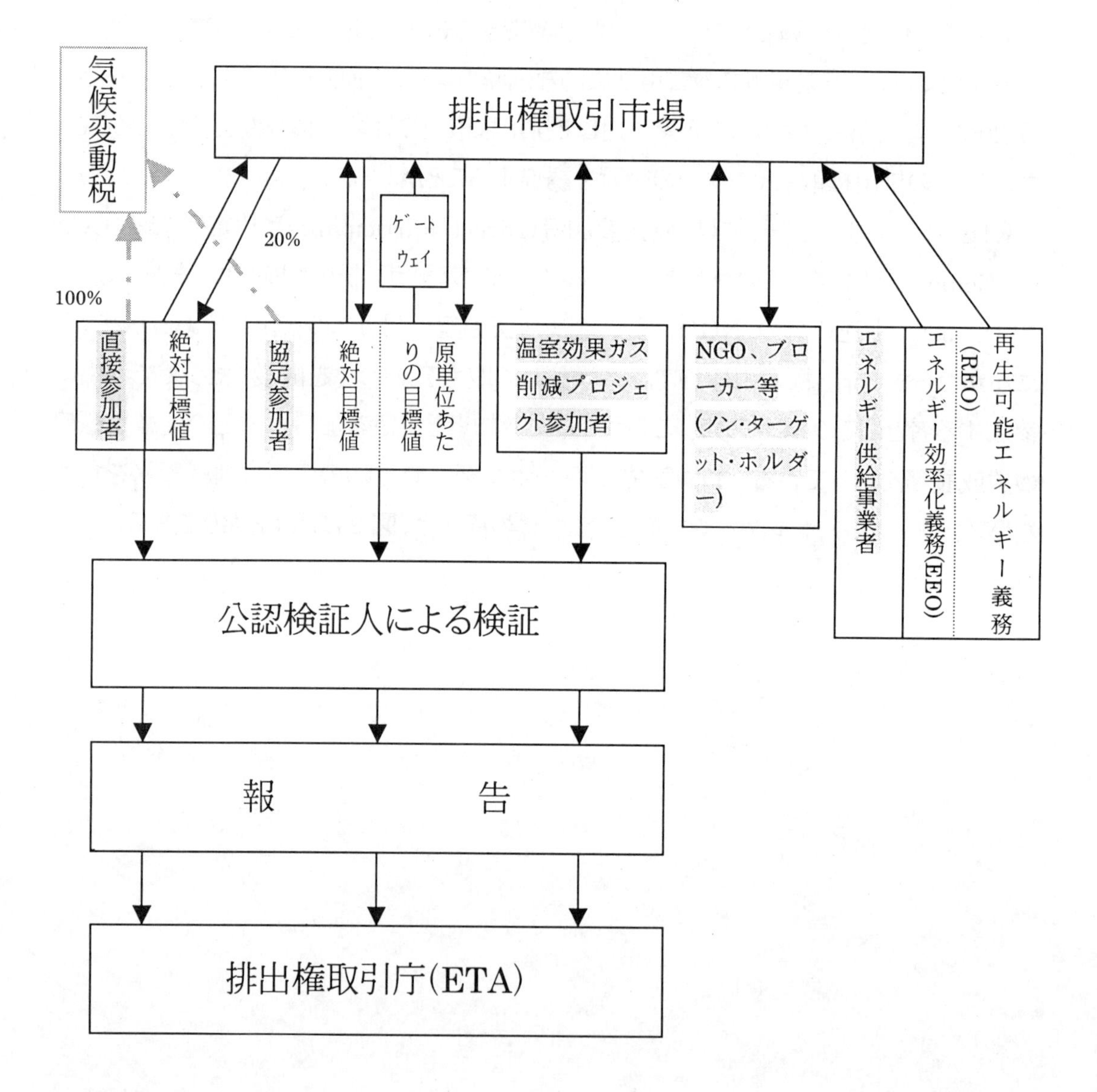

(1)直接参加者

直接参加者とは、政府が提供する財政的インセンティブを受ける代わりに、排出削減に関する絶対目標値の達成義務を負う任意の参加者である。個人または組織のみならず、何人かのもしくはいくつかの組織が集まってひとつのグループを形成して直接参加者となることもできる。直接参加者として ETS に参加する手順は以下のとおりである。

まず、ベースライン排出量の算定である。直接参加者が ETS に参加させようとするすべての排出源リストと、これらの排出源からの 2000 年までの過去 3 年間における平均年間排出量に基づいて、ベースライン排出量を算定する。もし過去 3 年間すべてについてのデータがないことを参加者が証明できれば、1999 年から 2000 年のまたは 2000 年のみの排出量データを用いることもできる。ベースライン排出量は公認検証人による検証を受ける。

次に、オークションによる排出削減目標の決定である。直接参加者は 2002 年 1 月から 2007 年 12 月までの 5 年間にわたる自らの排出削減目標をオークションを通して設定し、この目標を達成することによって政府からの補助金を受け取ることができる。換言すると、オークションは直接参加者が遵守すべき削減目標(アラウアンス)とそれに応じた政府からの補助金額を決定するためのプロセスとして位置付けられている。政府は、直接参加者による ETS への参加を促すためのインセンティブ金として、2002 年 4 月に行われた最初のオークションのために 2 億 1,500 万ポンド(法人税引き後は 3000 万ポンドに相当)を準備した。オークションの具体的な流れは次のようになっている(表 1 と図 3 も参照されたい)。

① 競売人(政府)が二酸化炭素 1 トンあたりの価格を公表(実際には£100 からスタート)。

② 入札者(直接参加者)は二酸化炭素の排出削減量(トン)を入札する。

③ 競売人はすべての入札者によって入札された二酸化炭素の排出削減総量(トン)を公表する。

④ ①の価格に③の総量を乗じた値がインセンティブ金の総額を下回るか、それと同じであればオークションは成立する。

⑤ ①の価格に③の総量を乗じた値がインセンティブ金の総額を上回った場合には、オークションは次のラウンドに進み、競売人は二酸化炭素 1 トンあたりの価格を当初より下げて公表し、②以下の手順を④の状態になるまで繰り返す。

こうした方式を'descending clock' auction(競り下げオークション)という。排出削減目標が決まると、それがそのまま直接参加者が排出可能な上限(アラウアンス)となり、これを遵守するために必要であれば取引を行う。すなわち、キャップ・アンド・トレード方式が採用されている。また、このようにアラウアンスが無償で分配される方式をグランドファザリングという。対象とするガスを二酸化炭素だけにするか、京都議定書にあるそれ以外のガスも含めるかは、参加者が自由に選択することができる。

表 1　オークション(descending clock 方式)の例

		参加者の入札量(二酸化炭素:千トン)						
ラウンド	価格(ポンド/二酸化炭素トン)	A	B	C	D	E	入札総量(二酸化炭素:千トン)	支払い合計額(千ポンド)
1	45	2,200	800	1,500	3,000	1,000	8,500	382,500
2	40	2,000	750	1,450	2,500	975	7,675	307,000
3	35	1,800	700	1,400	2,350	950	7,200	252,000
4	32	1,750	700	1,350	2,300	925	7,025	224,000
5	30	1,750	700	1,325	2,275	910	6.960	208,800
インセンティブ金額合計 (千ポンド)		52,500	21,000	39,750	68,250	27,300		
年間目標(二酸化炭素:千トン)		350	140	265	455	182		
年間インセンティブ金(千ポンド)		10,500	4,200	7,950	13,650	5,460		

図３　直接参加者の５年間にわたる削減目標の例

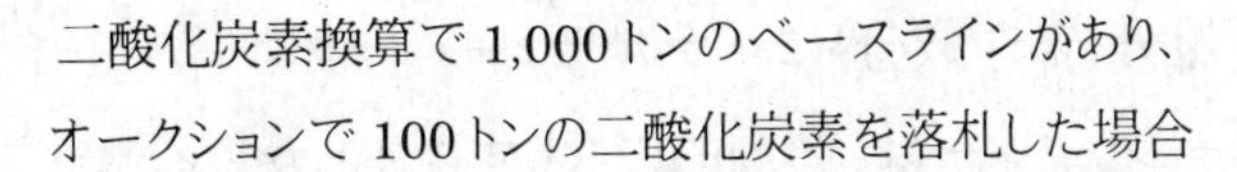

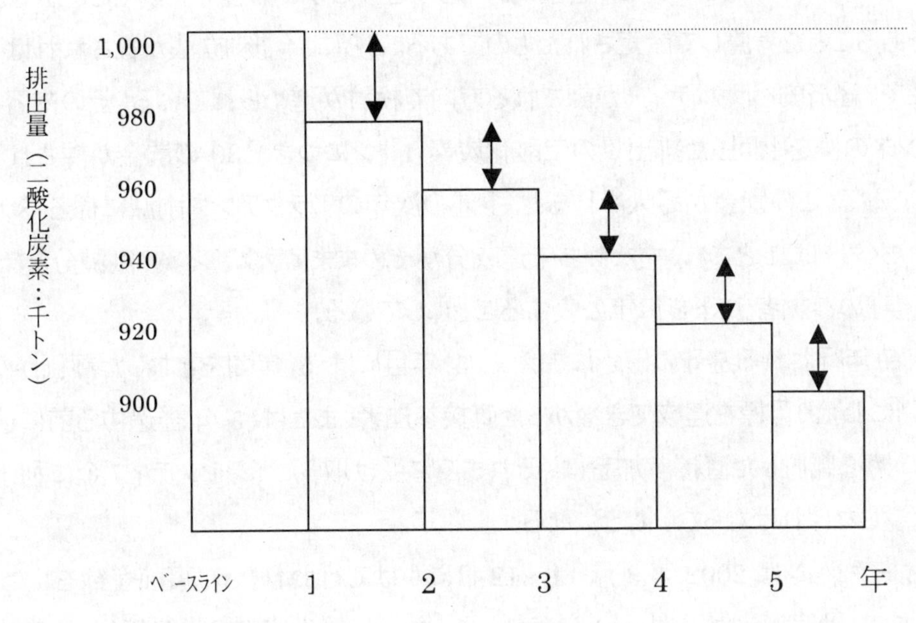

直接参加者による削減目標の遵守期間は、毎年 1 月 31 日からはじまり年 12 月 31 日で終了する。参加者がインセンティブ金と翌年のアラウアンスをフルに受け取るためには、この期間における排出総量をカバーするに十分なアラウアンスを有していることを証明しなければならない。12 月 31 日の時点で、直接参加者は排出データをとりまとめて、公認検証人による検証を受ける。検証を経た排出データは、3 月 31 日までに検証証明書と合わせて検証人から排出権取引庁（ETA）に提出される。ETA は、排出データと参加者のアラウアンスの状況（遵守アカウント）とを照合して、排出枠を遵守していることが確認できれば、インセンティブ金の支払手続を行う。この手順が毎年繰り返される。

では、直接参加者が排出枠を遵守できなかった場合はどのようになるのであろうか。不遵守の場合のペナルティーとしては、次のようなものが準備されている。まず、直接参加者が、3 月 31 日の最終期限に、排出量をカバーするに足るアラウアンスを保持していない(排出目標を遵守していない)場合には、当該参加者はインセンティブ金を受け取ることができない。加えて、次年の遵守期間に配分されるアラウアンスが削られる。削られるアラウアンスの数は、不足分(未達成分)にペナルティー・ファクターの 1.3 を乗じて算出される。このペナルティー・ファクターは、懲罰的になりすぎずしかし不遵守を防ぐことができるレベルであることを考慮して設定されたものである。さらに、今後、立法がなされれば、上述に加えて、経済的ペナルティーが課される方向で検討が進められている。その内容は、アラウアンスの枠を上回った排出量の二酸化炭素 1トンにつき£30 の罰金が課されるというものである。この罰金が導入されると、上述の次年のアラウアンス削減に係るペナルティー・ファクターは 1 とされ、すなわち未達成分がそのままアラウアンスの削減分となる。また、不遵守の参加者リストを毎年公表することにしている。

さらに、毎年行われる遵守の確認に加えて、5 年目には 5 年間をとおした評価がなされ、この間にわたり目標を達成できなかった直接参加者、または、5 年経過する前に途中でスキームから離脱した直接参加者は、それまでに受け取ったインセンティブ金に利子をつけて返還しなければならないことになる。

さて、オークションは 2002 年 3 月 11〜12 日にかけて行われた❼。事前登録をした 47 企業のうち 31 が実際のオークションに参加した。オークション成立の最終価格は、二酸化炭素 1トンあたり 53.37 ポンドであった。数字の上からは、2006 年までに約 400 万トンの二酸化炭素の削減目標値が設定され、これは政府が予想した数値を 60% 上回るものであったが、上位 8 企業だけで排出削減目標全体の 85% を占めた。この結果については、今回成立した削減目標の少なくとも半分もしくはそれ以上が実際のものではないか、何もしなくても自然と減る分であったという指摘がある。たとえば、ブリティッシュ航空(BA)をみると、1998 年から 2000 年の平均排出量に基づいて算出されたベースラインの 12% 減にあたる二酸化炭素 125,000トンの削減に合意したが、近年、BA は国内市場を新規参入の格安航空会社に大きく奪われており、この目標値の達成は BA にとって厳しいものではない。また、排出削減目標が最も高い Ineos Fluor の場合は、HFC などの冷却剤を作っている会社だが、1999 年半ばに 600 万ポンドのフロン焼却除去装置が義務

❼ The ENDS REPORT, No. 326, March 2002, pp.25-29.

付けられ、その結果として1998年の864トンから1999年304トン、そして、2000年には45トンにまでフロン(HFC-23)排出量が大幅に減少している。しかし、DEFRAは、この会社にはすべての揮発性物質を対象に 200トンの年間シーリングを設けたのみで、フロン排出量に関する上限を設けることをしなかったため、この 200トンがベースラインの算定に使われた。フロンのベースラインは148トンとなっており、このまま45トンという2000年と同じレベルで実際の排出量が推移すると、すでに同社は 100トン(二酸化炭素で120 万トン)以上、ベースラインを下回っていることになる。すなわち、同社は何もしなくてもインセンティブ金を受け取ることができる。

このように、これからの 5 年間で排出量がどっちみち減少していくことが予想される企業等がスキームに積極的に参加し、そうでない企業等は参加を思いとどまり、その結果として、排出量の供給が需要を大きく上回るという「ホット・エアー」を生み出すことになってしまう懸念があるといえる。こうした状況が起きるのは、スキームへの参加が企業等の任意に委ねられていることに大きく起因するといえる。

(2)協定参加者

CCA の締結企業は、協定で既に設定されている原単位あたり目標値または絶対目標値を達成するために、任意で ETS を活用することができる。協定締結企業が直接参加者として参加することは、二重のメリットを受けることになるため、原則として認められない。参加のためにベースライン・データや新たな目標の設定などは必要ない。協定参加者は、協定中で設定した目標の達成が困難な場合にはETSに参加して不足分を購入することができるし、目標を超えて排出を削減した場合にはその超過達成分をアラウアンスとして取得する。アラウアンスを排出権取引庁(ETA)から取得してそれをETSにおいて売却するためには、エネルギー利用、排出データ等について公認検証人の検証を受けなければならない。このようにあらかじめベースラインとなる目標が決まっていて、それ以下にエネルギー使用または排出量を押さえた場合には、その分のアラウアンスを取得できるという方式を、ベースライン・アンド・クレジットという。

直接参加者については目標が排出の絶対量のみで示されるが、協定参加者については、エネルギー使用または排出の絶対量と、原単位あたりのエネルギー使用または排出量のどちらかを選択できることになっており、ほとんどの場合は後者を選択しているという。原単位あたりで目標が設定されている場合には、たとえ参加者が目標値を達成したとしても、生産量が同時に増加していたのであれば、絶対量としては必ずしも削減されていないか、場合によっては絶対量が増加するということも起こり得る。そこで、こうしたことによりスキーム全体の環境効果が減少してしまうのを防ぐために、原単位あたりの目標を有しているセクターから絶対量の目標を有するセクターへのアラウアンスの移動にあたっては、必ずゲートウェイを通さなければならないことになっている(前掲図 2)。ゲートウェイは、両セクター間のアラウアンスの移動総量をカウントして、原単位あたり目標セクターに絶対量目標セクターからアラウアンスの正味の流入があった時にかぎり、原単位あたり目標セクターからの絶対量目標セクターへのアラウアンスの移動を許す。協定参加者が目標を達成できなかった場合には気候変動税の 80% の減額措置が取り消されるのみで、ETS のもとで別途ペナルティーが課されるということはない。

(3)イギリス・ベースの温室効果ガス排出削減プロジェクト参加者

政府の承認を受けた UK ベースの温室効果ガス削減プロジェクト(シンクや家庭における省エネは対象外)の実施者が、当該プロジェクトによる温室効果ガス削減分に応じたクレジットを取得し、それをスキームで取引することができるようなしくみが検討されている。政府の承認を得るには、プロジェクト実施者は、プロジェクトによる排出量削減が少なくとも'business as usual'のレベルよりも追加的なものとなることにより、実際に環境効果を生み出すものであることを証明しなければならないという基本原則がある。しかし、何をもって'business as usual'レベルからの追加的削減というのかを明かにすることは容易ではなく、この追加性(additionality)を定量的に評価する手法の開発は難航している。このため、プロジェクトを通した参加がいつ可能になるかの見通しは立っていないという❽。

(4)その他の参加者(NGO、ブローカー、個人、企業等)

たとえば、NGO が取引アカウントを開設して、市場からアラウアンスを購入してそれをキャンセル(抹消)することで、ターゲット・ホルダーが排出権取引に頼らずに実際の排出削減策を講じざるを得ないように仕向けるということができる。または、企業や個人も温室効果ガス削減に寄与する目的で、アラウアンスを購入・抹消するということも可能である。

❽ The ENDS REPORT, No.328, May 2002, p.26-28.

2002 年の時点で、50 以上の参加者が取引アカウントを開設している。そのなかには、今後導入される EU および国際的な取引制度のもとでもイギリスのクレジットが有効になるであろうことを期待しているイギリスと海外の企業が含まれている❾。

(5)取引の実績❿

最初の 2 年間で、直接参加者とそれ以外の参加者を含む 946 の参加者が、1 から 220,000 までのアラウアンスの取引に少なくとも一回以上参加した。取引がなされた回数は、2002 年には 2001、2003 年には 322 で、このなかには同じ組織が保有する複数の口座間の取引も含まれる。同一組織間の取引を除くと、2002 年は 1331 回、2003 年は 242 回の取引があった。その結果、2002 年には二酸化炭素換算で 280 万トン、2003 年には 170 万トンが取引され、これはそれぞれ年間の総アラウアンス量の 9% と 6% にあたる。したがって、最初の 2 年間で、総アラウアンス量の 8% にあたる、450 万トンの二酸化炭素が取引されたことになる。

また、直接参加者の 1/3 はまったく取引に参加せず、他の 1/3 は純購入者で、残りの 1/3 は純売却者であった。直接参加者全体では、2 年間で、直接参加者以外の参加者に二酸化炭素換算で 100 万トンを売却する一方、これを上回る 150 万トンを購入している。1 年目には、31 の直接参加者のうち 22 者がそれぞれの削減目標を達成したが、9 者は未達成となった。2 年目も初年とほぼ同様の傾向であった。直接参加者による達成分全体の 95% は 8 者による達成分が占めていた。全体としては、2 年間で、980 万トンの二酸化炭素相当分が削減され、これは削減目標値を 750 万トン上回っており、このうち 100 万トンが協定参加者に売却されて、残りの 650 万トンがバンキングに回された。

4. エネルギー供給者に係る施策との関連

(1)再生可能エネルギーに係る義務(Renewable Energy Obligation)

イギリスでは、2002 年より電力小売事業者を対象とする RPS(Renewable Portfolio

❾ The ENDS REPORT, No.327, April 2002, pp.3-5.

❿ NERA Economic Consulting, REVIEW OF THE FIRST AND SECOND YEARS OF THE UK EMISSIONS TRADING SCHEME, Prepared for UK Department for Environment, Food and Rural Affairs, August 2004, pp.5-8.

Standard)制度を導入している。これは、再生可能エネルギー源を用いて発電された電力の供給量を総電力供給量の一定割合以上とする義務(REO)を、電力供給事業者に課す制度である。イギリス政府により 2015 年までの目標が設定されており、当該目標の達成に向けて、各事業者に対しては毎年達成すべき義務量が割り当てられる。当該義務量が達成できなかった事業者は、未達成分について一定の金額を支払い、この徴収額は義務量を達成した事業者に対して達成比率に応じて払い戻されるという、いわゆるバイアウト制度が導入されている。事業者が REO を上回って達成した分については、グリーン証書または RO 証書(ROCs)として保有して、これを二酸化炭素量で表されるクレジットに換算して(換算レートは 0.43kgCO2/kWh)、スキームにおいて取引することが可能となっている(前掲図 2)。ただし、逆に、REO を果たすためにスキームからアラウアンスを購入してくることはできない。

また、再生可能電力には、RO 証書に加えて、CCL 免税証書も発行される。再生可能電力と RO 証書が分離して取引される場合、再生可能電力に CCL 免税証書をつけて売却し、当該電力の購入者が CCL の免除を受けることができるしくみとなっている⑪。

(2)エネルギー効率化に係る義務(Energy Efficiency Commitment)

家庭における省エネ推進は、すでに省エネルギーに係るパフォーマンス基準(EESoPs)を通してなされてきたところであるが、2002 年 4 月からはこれに代わり EEC が 2005 年までの間について導入された。EEC は、2000 年公益事業法に基づいて、消費者に対して省エネルギー対策を講じることを促したり支援したりする義務を、電力またはガス供給事業者に課すものである。これらの事業者は、たとえば中空壁や屋根裏の断熱性、エネルギー効率の高いボイラー、機器、電球を導入するなどの措置をとおして、家庭における省エネを支援し促進させなければならない。この場合、支援対象となる家庭のうちの 50% は、特に何らかの保障や税または年金にかかる優遇措置を受けている者といった低所得層でなければならない。このように EEC は、温室効果ガスの削減に加えて、燃料/エネルギー貧困の克服も視野に入れている。2004 年秋には、政府により 2005

⑪ 中島恵理「EU 諸国における再生可能エネルギー推進政策」前掲注 1、ジュリスト 59 頁。

年から2011年までのEECについての新たな提案が議会に出されている⑫。

事業者が EEC のもとでの義務量を上回って達成した場合は、その分をスキームに売却できるようにする方向で検討がなされている。現在のところ、エネルギー供給事業者間で、義務単位またはパフォーマンス単位の取引をすることは可能である。

おわりに

イギリス政府は、上述したスキームがうまく機能すれば、2010 年までに気候変動税パッケージにより炭素換算で 500 万トン、排出権取引により炭素換算で年間 200 万トン(770万トンの二酸化炭素に相当)の排出削減が可能であるとしている。スキーム全体の効果を評価するには時期尚早ではあるが、これまでに指摘されている課題としては、以下のような点がある。たとえば、気候変動税パッケージについては、協定への参加資格がなく税の減免措置を受けることのできない業界団体が存在しており、パッケージの裾野をどこまで拡大して業界間の公平性を確保していくことができるかという点がある。さらに、協定参加者による排出権取引の積極的な活用を促進するための方途を検討する必要があるという点がある。また、排出権取引については、既述のように、オークションに参加した企業の大半は特段の努力をせずとも排出量を容易に削減できる状況にあることが、ホット・エアーを生み出すことにつながるという点である。このように今後克服すべき課題はあるものの、イギリスが、世界に先駆けて、気候変動防止に向けて果敢にポリシーミックスを図っていこうとしていることは評価できる。

わが国では、2005 年度から企業の自主参加型国内排出量取引制度が開始されたほか、環境税の導入に向けた具体案が環境省より示されているが、現行法に基づく各種施策も含め、これらが有機的に結合し、全体として高い実効性を確保し得るようなポリシーミックスのあり方を探っていこうという姿勢が弱いことは否めない⑬。わが国が税、協定、排出権取引等の複数の手法を統合的に活用していくためのスキームを描くうえで、イギリス

---

⑫ DEFRA, Energy Efficiency Commitment from April 2005, Consultation Proposals, May 2004. http://www.defra.gov.uk/environment/energy/eec/index.htm.

⑬ この点を指摘するものとして、大塚直「EUの排出枠取引制度とわが国の課題」前掲注 1、ジュリスト43頁。

の経験は貴重な検討材料を提供してくれているといえよう。

*本稿は、平成 17 年度環境省地球環境研究総合推進費による「中長期的な地球温暖化防止の国際制度を規律する法原則に関する研究」の研究成果の一部である。

環境学と平和学

戸田　清

1. はじめに

20 世紀は「戦争と環境破壊の世紀」であった。21 世紀は「平和と環境保全の世紀」でなければならない。そうでなければ、22 世紀の人類の文化は破滅的な事態になっているであろう。

2. 大衆消費社会と南北格差

20 世紀初頭に成立した「アメリカ的生活様式」は、「自動車の大衆化」(クルマ社会)に典型的に見られるように、「大量採取、大量生産、大量消費、大量廃棄」(見田, 1996)を特徴としている。この「豊かな社会」は、主として欧米と日本に成立しており、空間的な普遍性がなく(米国人や日本人のような浪費生活を地球全体に普及させようとすると「数個の地球が必要になる」)、時間的な普遍性がない(資源浪費を 22 世紀まで続けることは不可能である)。1 人当たりの資源消費には大きな南北格差がある(戸田, 2003;アースデイ日本編, 1994)。地球の「キャリング・キャパシティ」(地球上の資源で何人を養えるか)は、中国式生活様式(中国人の平均消費量)では 79 億人であるが、米国式生活様式では 12 億人にすぎない(Chambers, Simmons and Wackernagel, 2000＝2005:166)。100 億人が米国式の食生活をすると、「地球が 5 個」必要になる(ibid.:167)。

1 人当たりの資源消費の格差をみる指標としては、カナダで開発された「エコロジカル・フットプリント」が有益なもののひとつであろう(Wackernagel and Rees, 1996=2004; Chambers, Simmons and Wackernagel, 2000＝2005)。直訳すると「生態学的足跡」

であるが、資源消費を面積に換算したものである❶。1 人あたりの資源消費が同じでも、人口密度が小さかったり、国土が広大だったりすれば、環境負荷が小さくなる。狭い国土で大量消費すれば、環境負荷はますます大きくなり、「生態学的赤字」となるが、日本、香港、シンガポールなどはその代表例である。米国は国土が広大であるが、それでもなお過剰消費が激しいので、「赤字」になる。先進国では、人口密度の低いフィンランドやニュージーランドが「黒字」である(Chambers, Simmons and Wackernagel, 2000＝2005:157)。

1 人当たりの環境負荷❷は、1 人当たりの資源消費にほぼ対応している(Weizsäcker, 1990＝1994:5)。中国やインドが温室効果ガスの排出大国であるのは人口大国であるからで、京都議定書を離脱した米国政府が、「中国やインドに削減義務がないのは不公平だ」とあげつらうのは適切であろうか。そうした批判は、自国の 1 人当たり排出量を削減する真剣な努力を行ってから言うべきである。

とはいえ、人口大国の環境負荷が大きいことは事実である。環境負荷の要因を考えるうえでは、まず米国の生物学者ポール・エーリックの有名な公式を念頭におくべきであろ

❶ エコロジカル・フットプリント(以下 EF と略す)の解説としては、「サステイナブル・ライフデザイン研究所」のホームページ(http://www.sustaina.com/zoushi/)などがわかりやすい。EF では、あるエリア(注:たとえば日本)の経済活動の規模を、「土地面積(ヘクタール)」に換算する。土地面積とは、食糧のための農牧地・海、木材・紙供給や炭酸ガス(発電所や自動車などから排出される)を吸収するための森林などであり、エリア外からの輸入物の生産に要する面積も含まれる。その面積をエリア内人口で割って、1 人あたりの EF(ha/人)を指標化する。2000 年度の日本の EF は 5.94ha/人であり、世界合計(実際に供給可能な面積)では 2.18ha/人になる。世界中のひとびとが日本人のような暮らしをはじめたら、地球が約 2.7 個(5.94÷2.18)必要になる。米国の EF は 8.84ha/人であり、世界中のひとびとが米国人のような暮らしをはじめたら、地球が約 4.1 個(8.84÷2.18)必要になる。また、世界自然保護基金(WWF)の『生きている地球レポート』2004 年版によると、EF にもとづく試算で、日本並みでは 2.4 個の地球が、米国並みでは 5.3 個の地球が必要になるという(Chambers, Simmons and Wackernagel, 2000＝2005:167)。なお、「世界中が平均的米国人並みの消費をしたときに何個の地球が必要か？」という設問で、4 個だったり 5 個だったり数字は様々だが、資源統計の年度や計算の前提となる仮定などで数字は違うだろう。細かい数字にこだわらず、数倍(4 倍前後)とみておけばよい。

❷ 環境先進国と言われるドイツでさえ、1992 年の時点で、人口当たりのエネルギー消費量、温室効果ガス排出量、オゾン層破壊フロン排出量、道路延長、貨物輸送量、乗用車による人の輸送量、乗用車台数、アルミニウム消費量、セメント消費量、鉄鋼消費量、生活系廃棄物排出量、有害廃棄物排出量で比べると、アルゼンチン、エジプト、フィリピンの約 10 倍になる。したがって、いわゆる最貧国と比べると、比率はさらに大きくなる。

う。I＝PAT(エーリックの公式)において、I(impact)は環境負荷、P(population)は人口、A(affluence)は豊かさ(1 人当たり消費)、T(technology)は技術の質(消費量当たりの環境負荷)である。つまり、P、A、T のいずれか 1 つ以上が大きければ環境負荷が大きくなり、P、A、T は足し算ではなく、かけ算で効いてくる。A は言うまでもないだろう。「米国人 1 人の環境負荷はバングラデシュ人 50 人に匹敵する」などと言われるのは、1 人当たり消費(石油であれ、紙であれ、自動車であれ)を念頭においているからである。T の例をあげると、電力消費量が同じであっても、原子力や石炭火力や大型ダムであれば環境負荷は大きいし、天然ガス火力や自然エネルギー(風力、ソーラー、バイオマスなど)であれば環境負荷は相対的に小さい。冷戦時代で見ると、米国は A が突出しており、技術革新の停滞するソ連・東欧では、T に苦慮していたと言える。当時の西ドイツの自動車公害は台数の大きさが主要な要因であり、東ドイツでは 1 台あたりの排ガスが大きな要因であったと思われる。

「世界人口の 2 割を占める先進国が世界の資源消費の 8 割を占める」と言われる状況であり、先進国の「豊かな社会」は、発展途上国の「貧困」を代償とし、将来世代から資源を奪うことによって成り立っている。もちろん先進国にも貧困層がおり、発展途上国にも特権階級と中産階級がいる。米国でも中国でも、国内の貧富の格差は大きい。米国は、先進国のなかでも貧富の格差が大きいほうで、「米国のブラジル化」などと言われている。「北のなかに南があり、南のなかに北がある」という状況である。先進国の階級階層構造は、中産階級が肥大した「ダイアモンド型」であり、発展途上国は貧困層が多い「ピラミッド型」である。インド 10 億人のなかで数百万人の特権階級と「2 億 5000 万人の中産階級」が欧米や日本の自動車資本によって「有望な市場」として狙われているが、7 億人近い貧困層はなかば放置されている。世界社会を 1 国にたとえるならば、貧富の格差は、貧困層が多いという意味ではやはり「ピラミッド型」であるが、上位階層に所得や資産が集中するという意味では、国連開発計画(UNDP)の文書(『人間開発報告』1992 年版)で有名になったように「ワイングラス型」とも言われる(アースデイ日本編, 1994:8)。ワイングラス型というのは、世界人口を所得階層として 5 分割すると、上位 5 分の 1(富裕層)が所得の 82.7% を取得し、下位 5 分の 1(貧困層)が 1.4% を取得するので、グラフがワイングラスのような形状に見えるということである。

3. 「石油のための戦争」

2003 年に米国が開始したイラク戦争は、大量破壊兵器の疑惑、アルカイダとのつながり、民主化という開戦理由がすべて破綻して、泥沼状態になっている。古代文明の遺産もツワイサ核施設も略奪が放置されるなかで「石油省」だけは米軍が厳重に警備しているエピソードに象徴されるように、「石油のためだけの戦争」ではないにしても、「石油のための戦争」という側面が重要であることは否定できないであろう。フォード(自動車の大衆化)とゼネラルモーターズ(モデルチェンジの導入による無駄の制度化)に主導された「クルマ社会化」が典型的に示しているように、「20 世紀文明」は「石油文明」である。20 世紀初頭において、世界最大の産油国は米国であった。1970 年頃に米国の石油採掘量はピークを迎え、その後は石油の輸入依存度が増大を続けている。世界の石油採掘量も 2010 年頃にはピークを迎えるのではないかという「石油ピーク説」❸がひとつの有力な学説となっている(McQuaig, 2004＝2005:45)。それなのに、米エネルギー省は、米国の石油消費量が少なくとも 2020 年までは増加し続けると予測している(Klare, 2004＝2004:36)。

中国やインドをはじめとする新興工業国の石油需要も増大するなかで、先進国が石油浪費文明を維持しようとするならば、中東などの石油資源の争奪が大きな「課題」とならざるをえない。1953 年のイランのモサデク政権(民族主義)の倒壊とパーレビ独裁政権(親米)の成立に米国が CIA(中央情報局)などを通じて関与した動機は石油であったが、米国が中東の「死活的国益」(その中心は石油資源)を確保するためには軍事力の発動を辞さないことを「公式に」決めたのは、カーター政権末期のことであった。イラン・イスラム革命とソ連のアフガニスタン侵攻を契機として策定された、いわゆる「カーター・ドクトリン」である。ここで設置された「緊急展開部隊」がレーガン政権によって現在の「中央軍」に再編された。湾岸戦争でもイラク戦争でも、その中央軍が「活躍」した(宮嶋, 1991;Klare, 2004＝2004)。

「アメリカ的生活様式」と軍事政策の関連を示唆するものとしてよく引用されるのは、著

---

❸ 石油生産量が釣り鐘状の曲線を描いて推移し、ピークを過ぎると採掘が困難になって費用もかさむという理論は、1956 年にシェル石油の地質学者 M・キング・ハバートによって提唱された。米国が 1970 年頃に石油ピークを迎えるという彼の予測は適中した。

名な国務省官僚、故ジョージ・ケナン(ソ連地域を専門とする外交官)の匿名論文(1948年)のなかの次の一節である。西山俊彦の著書から引用しておこう。

> 1948 年、第二次大戦直後に米国国務省の G・ケナンはこう指摘した―「アメリカは世界の富の 50%(2001 年に 31%)を手にしていながら、人口は世界の 6.3%(2001 年に 5.0%)を占めるにすぎない。これではかならず羨望と反発の的になる。今後われわれにとって最大の課題は、このような格差を維持しつつ、それがアメリカの国益を損なうことのないような国際関係を築くことだろう。それにはあらゆる感傷や夢想を拭い去り、さしあたっての国益追求に専念しなければならない。博愛主義や世界に慈善をほどこすといった贅沢な観念は、われわれを欺くものだ。人権、生活水準の向上、民主化などのあいまいで非現実的な目標は論外である。遠からず、むき出しの力で事に当たらねばならないときがくる。」 第二次大戦に勝利して新しい覇者となったアメリカが、自己の「生活様式 American Way of Life」を冷徹なプラグマティズム実利主義でもって貫こうとする、明確な国家意思がこの言葉に示されている。これに対照して見れば、昨今のアメリカ政府の言動は、「人権」とか「親善」とかの美辞麗句を取り去って少しく正直になっただけなのかも知れない(西山,2003:212～213)。

梅林宏道もこのケナン発言を引用し、続けてクリントン大統領が 1997 年に「われわれは世界の人口の 4% を占めているのに、世界の富の 22% を必要としている」と述べたことを指摘する。梅林の著書では、ケナンやクリントンを引用した部分に、＜「不平等を維持する」ための軍隊＞という小見出しがついている(梅林, 1998:25)。

現在、米国の人口は世界人口の約 20 分の 1 であるが、世界の GDP、エネルギー消費量、石油消費量、炭酸ガス排出量、自動車保有台数といったものに占めるシェアは 5 分の 1 から 4 分の 1 程度であると推測される。米国の自動車保有台数(1995 年に 1000 人あたり 766 台)は世界平均(114 台)の 6.7 倍になる(戸田, 2003:173)。

この 21 世紀には地球温暖化や工業化の世界的進展などとも相まって水問題(水不足、水汚染、洪水、水浪費など)も深刻化するであろう。石油、水、金属など、さまざまな資源をめぐる紛争の多発が予想されている(Klare, 2001＝2002)。

4. ガルトゥングの暴力概念

梅林が指摘するのは、「構造的暴力(資源消費の不平等)を維持するために直接的暴力が必要になる」という論理である。

ノルウェーの平和学者ヨハン・ガルトゥング(1930〜　　)は、1969 年に「直接的暴力」と「構造的暴力」の概念を提出した。1980 年代に「文化的暴力」をつけ加える(Galtung, 1996; Galtung・藤田編, 2003)。従来の平和研究は「戦争と平和の研究」であったが、「戦争さえなければ、飢餓や差別や人権侵害や公害があっても平和と言えるのか」という問題提起がなされ、1970 年代以降の平和研究は「暴力と平和の研究」という色彩が強くなった。戦争は暴力の頂点として位置づけられる。

暴力とは、「潜在的な可能性が人為的に妨げられること」である。古代・中世における感染症は天災であったが、医学の発達した現代において、第三世界で予防・治療可能な感染症によって多くの人命が失われるのは、医療資源の不平等な配分がもたらす暴力である。直接的暴力とは、戦争や殺人や強姦のように、加害の意思をもって相手の生命や健康を傷つけることである。構造的暴力(間接的暴力、暴力の制度)とは、たとえ加害の意思がなくても(被害が予見できる「未必の故意」に相当する場合はあると思うが)、社会の構造によって生命や健康などが侵害されることである。飢餓、差別、人権侵害、公害、浪費と貧困の並存などがその例である。国家や国際機関の政策では、世界銀行・国際通貨基金の「構造調整プログラム(SAP)」やイラク経済制裁(1990〜2003)も構造的暴力である。イラク経済制裁では、子どもを中心に 100 万人以上の罪なき市民が死亡した(Pilger, 2002＝2004;戸田, 2003)。「イラク経済制裁でたくさんの子どもが死ぬのは、かわいそうだけど、仕方ないのですよ」などと教育の場で言うことは許されないであろう。資本主義世界システムの構造は不平等なものであり、その犠牲は第三世界の低所得層の子どもたちに集中する傾向がある(Werner and Sanders, 1997＝1998)。ウラン開発(軍事利用と民事利用の共通の出発点)から核兵器、劣化ウラン兵器、原発、核燃料再処理工場などに至る原子力開発(大庭, 2005, などを参照)は、最も射程の長い構造的暴力である。危険な核廃棄物のなかの長寿命核種を、人類は今後数十万年以上にわたって管理しなければならないからだ。煙草の合法的販売(煙草病の死者は世界で年間 500 万人、日本での煙草病の死者は年間に能動喫煙で 11 万人、受動喫煙で 2 万人)もまた、典型的な構造的暴力である。環境、平和、人権などの研究や運動に取り組みながらなお喫煙習慣から離脱できない人も少なくない。近代世界システム＝資本主義世界経済(Wallerstein, 1995＝1997)そのものが、格差拡大の論理を内包しており、構造的暴力であると言ってよいであろう。文化的暴力(暴力の文化)とは、直接的暴力や構造的暴力を正当化、合法化しようとする言説などを言う。侵略戦争を正当化する靖国の思想や、福祉の切り捨てを正当化する新自由主義も、文化的暴力であろう。

ガルトゥングは、戦争の不在を「消極的平和」、戦争と構造的暴力の不在を「積極的平和」と呼ぶ。彼の主著の書名は「平和的手段による平和」(Galtung, 1996)であり、平和の実現(直接的暴力、構造的暴力、文化的暴力の削減)は平和的手段(非暴力的手段)によってなされるべきだと示唆するものである。直接的暴力(軍事介入)という手段で構造的暴力(独裁政治)を除去しようとするならば、新たな犠牲(誤爆による市民の殺傷など)が生じるに違いない。

公害・環境問題は、構造的暴力の典型的な事例を提供する。水俣病でいえば、食品衛生法の運用の仕方(魚の汚染がわかっても、摂食が禁止されなかった)、水俣病の認定基準(改悪によって多くの被害者が切り捨てられた)、不十分な疫学調査、被害が生物的弱者(子どもなど)と社会的弱者(低所得層、零細漁民など)に集中したこと、などが構造的暴力であり、背景にある経済開発優先の思想(開発主義)は文化的暴力であろう(戸田, 1994;戸田, 2005)。じん肺対策や石綿対策の遅れも構造的暴力である。地球温暖化問題では、主たる原因は米国や日本のような浪費文明であるが、真っ先に被害を受けるのは、一人当たり資源消費の少ない低地国(バングラデシュなど)や島嶼国(ツバル、バヌアツなど)である。

5. 歴史認識

21 世紀の世界は「20 世紀文明」を引き継いだが、20 世紀文明は石油文明、工業文明、情報文明であり、その「豊かさ」を享受しているのは地球人口の約 4 分の 1 であり、浪費と貧困が共存する不平等な構造をもっている。この構造は、15 世紀以来の約 500 年間で形成されてきたものである。歴史の流れを大まかに見ると、次のようになろう。

13世紀　モンゴル帝国による「世界史の誕生」(東洋史と西洋史の結合)
14世紀　ペスト流行、ヨーロッパ中世の終焉
15世紀　ルネサンス、大航海時代、ヨーロッパによる新大陸の征服
16世紀　ヨーロッパの膨張、資本主義世界経済の成立
17世紀　科学革命、ウエストファリア体制(国際政治)
18世紀　産業革命
19世紀　欧米文明による世界の分割支配
20世紀　大衆消費社会の成立、世界戦争と「戦争の工業化」、地球環境危機
21世紀　近代世界システムの矛盾の激化

高校の世界史では19世紀末から20世紀前半までが「帝国主義の時代」とされるが、この見方は適切であろうか？　ラス・カサス神父の『インディアスの破壊についての簡潔な報告』(1552年)などに見られるように、ヨーロッパ文明の膨張の500年は、当初から直接的暴力(大量殺戮、奴隷化など)、構造的暴力(資源収奪、環境破壊、文化破壊、差別など)、文化的暴力(人種主義、オリエンタリズムなど)に満ちているが、帝国主義が継続しているのではないだろうか。カナダの政治学者レオ・パニッチの所説をふまえて渡辺雅男は近代500年の帝国主義(領土支配を通じた公式帝国と自由貿易を通じた非公式帝国の両者を包含する)を次の三段階に区分するが、こちらのほうが、リアリティがあるように思われる(Panitch and Gindin, 2005＝2005:116)。

重商主義的帝国主義　スペイン・ポルトガルの覇権
産業主義的帝国主義　英国の覇権
金融主義的帝国主義　米国の覇権

21世紀のブッシュ政権時代になると、ネオコン論者などで「帝国」という言葉を肯定的に使う人もあらわれるようになった。19世紀以来、米国にとっては公式帝国(フィリピン、キューバ)よりも非公式帝国(ラテンアメリカの裏庭化)のほうが中心的な戦略であり、1970年代以降、特にソ連崩壊以降は、「米国を盟主とする米欧日の集合的帝国主義」(渡辺治・

後藤道夫編, 2003;Amin, 2003)の様相を強めている❹。1970 年頃を境に、西側世界は「ケインズ主義と社会民主主義の時代」から「新自由主義の時代」に移行してきた。新自由主義(市場原理、規制緩和、民営化、勝ち組と負け組の分極化)を主導したのは、ピノチェット(チリ)、サッチャー(英)、レーガン(米)、中曽根(日)であった。新自由主義のもとで、グローバル資本主義は「貧富の格差、環境破壊、戦争」という矛盾を激化させている。米国の「軍事的ケインズ主義」(高額軍事予算の恒常化)は戦後 60 年を通じて変わらないが、新たに「戦争の民営化」(民間軍事会社の活躍、兵站や高度兵器管理の外注など)が加わってきた。大統領選挙の資金に典型的に見られるように、米国のデモクラシー(ブルジョワ民主主義)は、プルトクラシー(金で買える民主主義)の様相を強めている(Palast, 2003＝2004)。他方、旧ソ連では、デモクラシー(プロレタリア民主主義)がほとんど実現しないままにオートクラシー(権威主義的社会主義)の様相が強まり、崩壊に至った。

地球温暖化などにかかわる環境政策も、現在の南北格差と歴史認識を組み込んだものでなければ、環境保全と公正・正義を統合(環境正義＝environmental justice)することはできないであろう。宇沢弘文の「比例的炭素税」構想(宇沢, 1995)は、1 人当たり国民所得に比例した税率を適用しようというもので、炭酸ガス排出トンあたりの課税が、日本は 190 ドルであるのに対して、インドネシアは 4 ドルになる。これは経済の豊かさに応じて負担を大きくして「共時的正義」を実現するものである。碓井敏正は、これに「通時的正義」の要件を満たす要素を追加すべきだと指摘する(碓井, 2005)。「比例的炭素税をベースとしながら、歴史的責任をもうひとつの変数として加味した新たな公式を考案する」ことであり、「歴史的に産業化を早く遂げた先進諸国は、それぞれの近代化の時期に応じて、現在の国民所得の比例部分に上乗せした税率を課す」というものである。京都議定書で発展途上国が 2012 年まで排出削減義務がないのは、先進国の歴史的責任を考慮したからである。ただし、産業革命の母国である英国の税率が 1 世紀遅れて産業革命を

---

❹ 私はマルクス主義者だったことはないが、ブッシュ政権の単独行動主義(京都議定書離脱、国際刑事裁判所設立条約の署名撤回、アフガニスタン侵攻、イラク侵攻、新型の「使える」小型核兵器開発、先制攻撃ないし予防戦争を認めるブッシュ・ドクトリン、など)のおかげで、30 年前の左翼用語の亡霊のような「アメリカ帝国」「アメリカ帝国主義」と言った言葉が復活してしまったように感じられる。サミール・アミンやレオ・パニッチのようなマルクス主義者や、ノーム・チョムスキーのようなアナーキストの言説も注目されている。

行った米国やドイツより相当高いというのも必ずしも適切でないので、調整は必要であろう。

あるいは、環境 NGO の「地球の友(FOE)」の「環境空間」方式で言うように、地球環境が安定するために受け入れ可能な炭酸ガスの総量(推定値)を地球人口で割って「個人割り当て量」を出し、各国の人口に応じて配分するという現時点での「完全平等主義」のやり方もある。この方式では、先進国は京都議定書のような数%どころではなく、8 割以上の大幅削減が求められる(Chambers, Simmons and Wackernagel, 2000＝2005:39; 碓井, 2004:197;碓井, 2005)。ただし、人口増加率が大きい国が極端に有利になってもいけないので、基準年(幅があってもよい)を設けるべきであろう。なお、「先進国の大幅削減は無理だ」という言説もまた、不平等社会の既得権を正当化するものであるから、文化的暴力である。

6. もうひとつのグローバル化

グローバル資本主義がもたらす貧富の格差、環境破壊、戦争を克服しようとする先進国と発展途上国の社会運動(労働運動、農民運動、環境運動、女性運動、人権運動など)が、「世界社会フォーラム」(Fisher and Ponniah eds 2003＝2003)などを結集軸として広がりつつある。こうした運動をマスコミは「反グローバル運動」と呼ぶが、これは必ずしも適切でないとして、運動の側は「もうひとつのグローバル化」とか、「グローバル正義運動」(George, 2003＝2004)と呼んでいる。有害廃棄物やウラン鉱山の被害が黒人や先住民に集中する環境不正義を正そうとすることから始まった「環境正義運動」(Dowie, 1995＝1998)も、「グローバル正義運動」の一環とみてよいだろう。

グローバル化には様々な次元がある。マスコミなどで「グローバル化」という言葉が使われるときは、「新自由主義的な経済のグローバル化」をさすことが多い。経済成長と開発主義に固執する「経済グローバル化」を越えて、人類の生存基盤の持続性を基本とする国際連帯が必要であろう(郭・戸崎・横山編, 2005)。資源利用効率の向上も不可欠である(Weizsäcker et al. 1995＝1998)。米国の核兵器への固執や、日本のプルトニウム経済への執着(核燃料再処理工場、軽水炉のプルサーマル運転)は、安全性、経済性の確保に逆行し、核拡散を助長している(大庭, 2005)。米国などは、「経済のグローバル化」には熱心であるが、「人権のグローバル化」には消極的だと指摘される(上村,2001)。子どもの権利条約の未批准、死刑制度の存置などをさしている。ブッシュ政権の京都議定書離脱や核軍縮への消極姿勢は、「政治のグローバル化」や「環境政策のグローバル化」からの逃避であろう。「文化のグローバル化」というと、「マクドナルド」や「英語支配」が思い浮かぶかもしれない。英語を国際語とすることは、英語圏に有利となるので不平等を強める。平等と共通理解を両立させるには、英語よりもエスペラントのほうが適切である。

7. 環境学と平和学の連携

「戦争と環境破壊の世紀」を克服するために必要な「環境学(environmental studies)と平和学(peace studies)の連携」の必要性は、次のようなことによって示唆される。

① 戦争は最大の環境破壊(環境汚染、自然破壊)である。原爆投下、ベトナム枯葉作戦、絨毯爆撃、劣化ウラン兵器などがその典型である。

② 先進国の大量浪費社会、南北格差という構造的暴力を維持するために軍事介入がなされる。

③ 先進国の大企業の投資や利益を守るために軍事介入がなされる。

④ 軍事占領によって資源の不公平分配がなされる。イスラエルとパレスチナの水問題はその典型である。

⑤ 乏しくなっていく資源をめぐる武力紛争が発展途上国間や内戦という形でも起こりうる。

⑥ 戦争がないときでも軍事基地、車両、航空機、艦船などが日常的に環境汚染をもたらす。軍用車両、航空機、艦船は燃費が悪いので資源浪費を加速する。

⑦ 有害物質規制などで軍事利用と民事利用の二重基準がある。発癌物質プロピレンオキサイドを例にとれば、民事利用では排出を厳しく規制されるが、燃料気化爆弾としての大量排出は許容される。劣化ウランなども同様である。

⑧ 軍事利用の民事転用(原子力潜水艦から原発へなど)や民事利用の軍事転用(枯葉作戦での農薬利用など)が大きな役割を果たしている。ビキニ被爆者を「人柱」として原発技術は導入された(日本政府の対米交渉の姿勢は、ビキニ被災者には補償

金でなく見舞金でよい、米国の今後の核実験にも反対しない、その代わりに原発技術を恵んでほしい、というものであった)。

⑨ 科学者技術者、研究資金などが軍事に動員され、環境や福祉への資源配分が少なくなる。

8. おわりに

グローバル資本主義がもたらす貧富の格差、環境破壊、戦争を克服するためには、ガルトゥング平和学の暴力と平和の概念、コロンブス以来の 500 年についての歴史認識をふまえて、グローバルな視野での環境学と平和学の連携、環境運動と平和運動の連携が、必要条件のひとつであろう。「環境学と平和学」(2003 年の同題の著書はその中間報告)は私のライフワークであるが、今後とも考察を続けていきたい。

引用および参考文献

アジア太平洋資料センター編, 2004,『徹底解剖 100 円ショップ』コモンズ。

芦野由利子・戸田清, 1996,『人口危機のゆくえ』岩波ジュニア新書

アースデイ日本編, 1992,『豊かさの裏側』学陽書房。

アースデイ日本編, 1994,『ゆがむ世界ゆらぐ地球』学陽書房。

池上彰, 2005,『そうだったのか！　アメリカ』集英社。

石弘之, 2005,『子どもたちのアフリカ』岩波書店。

上村英明, 2001,「グローバル化時代と国際人権法の歴史的役割」勝俣誠編『グローバル化と人間の安全保障』日本経済評論社。

宇沢弘文, 1995,『地球温暖化を考える』岩波新書。

碓井敏正, 2004,『グローバル・ガバナンスの時代へ』大月書店。

碓井敏正, 2005,「地球環境問題は人類共通の課題か－持続可能な地球のための正義論」『日本の科学者』(日本科学者会議)40 巻 11 号。

梅林宏道, 1998,『アジア米軍と新ガイドライン』岩波ブックレット。

大庭里美, 2005,『核拡散と原発　希望の種子を広げるために』南方新社。

鬼丸昌也・小川真吾, 2005,『ぼくは 13 歳　職業、兵士　あなたが戦争のある村で生ま

れたら』合同出版。

郭洋春・戸崎純・横山正樹編, 2005,『環境平和学　サブシステンスの危機にどう立ち向かうか』法律文化社。

北村元, 2005,『アメリカの化学戦争犯罪　ベトナム戦争枯れ葉剤被害者の証言』梨の木舎。

纐纈厚, 2005,『戦争と平和の政治学』北樹出版。

戸田清, 1994,『環境的公正を求めて』新曜社(韓国版は金源植訳、創作と批評社 1996)。

戸田清, 2003,『環境学と平和学』新泉社(韓国版は金源植訳、緑色評論社 2003)。

戸田清, 2005,「水俣病事件における食品衛生法と憲法」『総合環境研究』(長崎大学環境科学部)第8巻第1号。

西山俊彦, 2003,『一極覇権主義とキリスト教の役割』フリープレス。

福地曠昭, 1996,『基地と環境破壊－沖縄における複合汚染』同時代社。

藤岡惇, 2004,『グローバリゼーションと戦争　宇宙と核の覇権めざすアメリカ』大月書店。

見田宗介, 1996,『現代社会の理論』岩波新書。

宮嶋信夫, 1991,『石油資源の支配と抗争』緑風出版。

山田正彦, 2005,『アメリカに潰される！日本の食　自給率を上げるのはたやすい』宝島社。

渡辺治・後藤道夫編, 2003,『講座戦争と現代1　「新しい戦争」の時代と日本』大月書店。

Amin, Samir 2003, *Obsolescent Capitalism*, Zed Books.

Bartell, Rosalie, 2000, *Planet Earth: The Latest Weapon of War: A Critical Study into the Military and the Environment.*(＝2005, 中川慶子・稲岡美奈子・振津かつみ訳『戦争はいかに地球を破壊するか－最新兵器と生命の惑星』緑風出版。)

Chambers, Nicky, Craig Simmons and Mathis Wackernagel, 2000, *Sharing Nature's Interest: Ecological Footprint as an Indicator of Sustainability*, Earthscan(＝2005, 五頭美知訳『エコロジカル・フットプリントの活用』インターシフト。)

Chomsky, Noam, 2003, *Hegemony or Survival: America's Quest for Global Dominance*, Henry Holt and Co.(＝2004, 鈴木主税訳『覇権か、生存か－アメリカの

世界戦略と人類の未来』集英社新書。)

Dowie, Mark 1995, *Losing Ground*, MIT Press(＝1998, 戸田清訳『草の根環境主義』 日本経済評論社。)

Fisher, William and Thomas Ponniah eds 2003, *Another World is Possible: Popular Alternatives to Globalization at the World Social Forum*, Zed Books (＝2003, 加藤哲郎監修『もうひとつの世界は可能だ』日本経済評論社。)

Galtung, Johan, 1996, *Peace by Peaceful Means*, Sage.

Galtung, Johan &藤田明史編, 2003,『ガルトゥング平和学入門』法律文化社。

George, Susan 2003, *Another World Is Possible, If*……(＝2004, ジョージ著、杉村昌昭・真田満訳『オルター・グローバリゼーション宣言』作品社。)

Klare, Michael 2001, *Resource Wars*(＝2002, 斉藤裕一訳『世界資源戦争』廣済堂出版。)

Klare, Michael, 2004, *Blood and Oil: The Dangers and Consequences of America's Growing Dependency on Imported Petroleum*, Henry Holt and Company.(＝2004, 柴田裕之訳『血と油－アメリカの石油獲得戦争』NHK 出版。)

McQuaig, Linda, 2004, *It's the Crude, Dude: War, Big Oil and the Fight for the Planet*, Doubleday.(＝2005, 益岡賢訳『ピーク・オイル　石油争乱と 21 世紀経済の行方』作品社。)

Palast, Greg 2003, *The Best Democracy Money Can Buy*, Pluto Press(＝2004, 貝塚泉・永峯涼訳『金で買えるアメリカ民主主義』角川文庫。)

Panitch, Leo and Sam Gindin, 2004, *Global Capitalism and American Empire*, Merlin Press.(＝2004, 渡辺雅男訳『アメリカ帝国主義とはなにか』こぶし書房。)

Panitch, Leo and Sam Gindin, 2005, *Finance and American Empire*, Merlin Press.(＝2005, 渡辺雅男・小倉将志郎訳『アメリカ帝国主義と金融』こぶし書房。)

Pilger, John 2002, *The New Ruler of the World*, Verso(＝2004, 井上礼子訳『世界の新しい支配者たち－欺瞞と暴力の現場から－』岩波書店。)

Wackernagel, Mathis and William E. Rees, 1996, *Our Ecological Footprint*, Testermale(＝2004, 和田喜彦監訳　池田真里訳『エコロジカル・フットプリント　地球

環境持続のための実践的プランニングツール』合同出版。）

Wallerstein, Immanuel, 1995, *Historical Capitalism with Capitalist Civilization*, Verso.（＝1997, 川北稔訳『新版　史的システムとしての資本主義』岩波書店。）

Weizsäcker, Ernst 1990, *Erdpolitik*（＝1994, 宮本憲一ほか監訳『地球環境政策』有斐閣。）

Weizsäcker, Ernst et al. 1995, *Faktor Vier*（＝1998, 佐々木建訳『ファクター4』　省エネルギーセンター。）

Werner, Klaus & Hans Weiss, 2003, *Das Neue Schwarzbuch Markenfirmen*, Franz Deuticke Verlagsgesellschaft.（＝2005, 下川真一訳『世界ブランド企業黒書　人と地球を食い物にする多国籍企業』明石書店。）

Werner, David and David Sanders, 1997, *The Politics of Primary Health Care and Child Survival*.（＝1998, 池住義憲・若井晋監訳『いのち・開発・NGO』新評論。）

長崎の中国人強制連行裁判
—訴訟提起に至る経緯—

高實康稔

本資料は、「長崎の中国人強制連行裁判」(2003 年 11 月、長崎地裁提訴)の審理の過程で、長崎地方裁判所へ書証として提出した私の「陳述書」の全文および添付資料の注記(本文に概要説明のあるものは略)である。中国人強制連行裁判のみならず、いわゆる戦後補償裁判の争点が、戦前の国家権力行為は民法上の責任を問われないとする「国家無答責論」と、加害者の時効(10 年)や被害者の訴える権利行使の期間(20 年)について定めた「除斥規定」(民法 724 条)であることは周知のとおりであるが、この二大争点が判決のなかでどのように結論づけられるかによって原告の勝敗も分かれる。「国家無答責論」は「慰安婦」裁判および朝鮮人や中国人の強制連行裁判において猛威を振るってきたが、大江山ニッケル鉱山訴訟の地裁判決(原告中国人、京都、2003 年)以降、明らかな違法行為を免罪するには無理な法理として斥けられる傾向が強まっている。「除斥規定」については、中国人強制連行裁判の判例を追跡すれば、規定の無条件適用は却って法の正義・衡平の原則を阻害するとして適用を斥けた三井鉱山訴訟の地裁判決(福岡、2002 年)は例外的といわざるをえず、その後の各地の判決では無条件適用ではないまでも結論として適用を免れないとする原告敗訴が相次ぎ、福岡地裁判決自体、同高裁において逆転判決(2004 年)を下されている。ただし、この状況に抗するかのように、加害者の「安全配慮義務違反」を重くみて時効を排斥し、原告の実質勝訴とした判決が 2004 年になって現れたことを見逃してはならない。すなわち、新潟港湾訴訟の新潟地裁判決と西松建設訴訟の広島高裁判決がそれであり、「除斥規定」も今や杓子定規な適用は後退を余儀なくされつつあると言って過言ではあるまい。

本資料は長崎県内の炭鉱に強制連行された中国人が損害賠償請求訴訟を提起するに至った経緯を述べたものであるが、提訴への困難な道程は他のすべての中国人強制連行裁判にも共通するといってよく、国際犯罪である強制連行・強制労働が「国家無答責論」や「除斥規定」によって免罪されることがいかに法律的かつ倫理的に不合理であるかを糾明することを目的としている。「国家無答責論」や「除斥規定」は国内法的には通用しえても、かかる国際犯罪に適用されてはならないからである。

長崎の中国人強制連行裁判はなお一審段階であるが、2006年3月14日に結審することが決まっている。私の「陳述書」が多少とも寄与して、原告の勝訴判決を迎えたいと願ってやまない。

陳　述　書

高　實　康　稔(自署、押印)

長崎の中国人強制連行の真相を調査する会　共同代表

長崎の中国人強制連行裁判を支援する会　会員

2005年1月28日

長崎地方裁判所　御中

三菱鉱業株式会社(現・三菱マテリアル株式会社)に強制連行され強制労働を強いられた中国人の生存者および遺族が訴訟提起に至った経緯と、彼らの権利行使を難渋させた障害要因について、「長崎の中国人強制連行の真相を調査する会」の活動を踏まえて陳述いたします。

一　被連行者および遺族の調査と訴訟提起への経緯について

(一)郵便による調査

(1)発起人と調査の方法および目的

1990 年代に入り中国人強制連行に関する報道が次第に目につくようになりましたが、この問題に強い関心を寄せて長崎における実態の調査を思い立ったのは木村英昭氏(当時、朝日新聞長崎支局記者)と平野伸人氏(全国被爆二世教職員の会代表)でした。

1998 年春のことで、その方法は判明している被連行者名簿を頼りに郵便で質問状を送付するというものでした。それは、秋田の花岡鉱山や広島の安野発電所工事における悲惨な実態が明るみに出るなかで、地元長崎での実態を調査することもなく放置しておくことは許されないという問題意識に迫られた結果であり、返信に対する予測もつかないまま、ともあれ郵便調査をしてみること以外に具体的な目的はありませんでした。

⑵調査の時期と対象者

名簿は高島炭鉱(三菱鉱業)と鹿町炭鉱(日鉄鉱業)の分が公開されており(田中宏・内海愛子・新美隆編『資料 中国人強制連行の記録』明石書店、1990 年)、高島炭鉱の姉妹坑である端島坑についても民間団体が入手し公表した名簿があり(長崎在日朝鮮人の人権を守る会発行『さびついた歯車を回そう』、1994 年)、発起人はこのうち三菱鉱業の 2 坑に絞って合計 409 名を対象に郵便調査を行うことを決め、同年 6 月実行に移しました。その際、長崎在日朝鮮人の人権を守る会代表である私にも事前に協力の依頼があり、私は調査に伴う責任の大きさに不安を覚えながらも二人の熱意に動かされて協力を約束しました。

⑶質問状の内容

質問状は添付の資料①❶のとおりです。

⑷調査結果

返信は年末までに 59 通、最終的には 67 通(うち生存者 22 名)を数え、大まかな住所の記載しかない手紙が多くの本人ないし遺族に届いたことに驚かされるとともに、名簿の信憑性の証明としても意義がありました。回答内容は生存者も遺族も悲痛な体験を具体的に切々と訴え、加害者の謝罪と補償を強く要求するものでした。すなわち、この時点ですでに以後究明されていく真相の大要が示されていたといって過言ではありません。生存者の記述(代筆を含む)は強制連行の暴虐と強制労働中の劣悪な待遇や暴力を告発し、遺族は家の大黒柱を突然失った家族の辛苦を記述し、本人の「消息不明」が長崎の炭鉱での死去であったことを初めて知る遺族もありました。加えて、差出人である平野伸人

❶ 強制連行や強制労働の実態、家族の蒙った被害等について、本人または遺族・親族に記入を求めた簡潔な質問状。

氏に訪中調査を要請する文面が多数の回答に熱く書き添えられていました。

(二)訪中調査の開始

(1)現地受け入れ態勢の構築

1999 年 8 月、訪中調査を開始しました。訪中するには入国査証が必要であり(不要となったのは SARS の沈静後の 2003 年 9 月以降にすぎない)、当時は日本の旅行社を通して査証を取得できるようになっていました。しかし、これは 1995 年からの取得条件緩和によるもので、それまでは中国のしかるべき公的機関の招請状が必要でしたし、その招請機関は調査活動に対する公安部門の許可を得た上で現地案内も引き受けるものでなければなりませんでした。自由に活動できる対外開放地区と許可を要する未開放地区とがあり、被強制連行者の大半は未開放地区の農村出身であったからです。この間の事情については老田裕美氏の「意見書」を参照していただきたく存じますが、緒についた長崎関係の訪中調査が秋田花岡や広島安野関係の調査に比して査証取得の労が大幅に削減されたことは、先行調査が公安当局の信頼を得て条件緩和に貢献した側面のあることを忘れてはならないと思います。

長崎の場合、木村記者の同行取材の許可には骨を折りました。この点では現在よりも遥かに厳しい制約がありました。結局、日本語の堪能な元外交官の常時同行という条件で河北省人民政府外事弁公室外国新聞文化処の許可が降りましたが、このようにジャーナリストの取材には一般の査証とは異なる取材査証が必要となります。

郵便調査を基に証言聴取を行うとしても対象者の絞り込みと日時、場所の了解を得ておく必要があります。実は郵便調査の発起人は中国人強制連行問題の研究者であり活動家でもある老田裕美氏に当初から協力を求め、氏は翻訳者としてのみならず助言者としても協力を惜しまれませんでしたが、現地調査に臨む際も受け入れ態勢を整えてくださったのは老田裕美氏でした。それは研究者同士として交流のあった中国の何天義氏(石家庄市党史研究会会長)と連携して証言者たちを河北省の 4 都市(石家庄、邯鄲、衡水、滄州)に集めるという方法でした。これによって短期間に多数の証言を得ることが可能になりました。また、老田氏は第 1 回訪中調査のみならず以後も毎回事前準備と案内役および通訳を務めてくださり、氏の協力なくしては私たちの調査活動が暗礁に乗り上げたであろうことは明白です。

(2)第1回訪中調査の意義

①待たれていた調査

訪中調査の開始に先立ち、同年 7 月、「長崎の中国人強制連行の真相を調査する会」が結成され、8 月 22 日から 30 日にかけて 6 名の訪中団を派遣しました。私は同会の共同代表の一人として訪中団長を務めましたが、中国侵略の史実を思うとき、証言者たちから罵倒されることも覚悟した上での緊張した出発でした。しかし、実際には調査団に対する非難は一切なく、拍手をもって歓迎されました。それは彼らが忘れ得ぬ被害を訴え、加害者の謝罪と補償を要求する機会を待ち望んでいたからに他なりません。4 都市の合計で生存者 16 人、遺族 22 人と面会しましたが、生存者の証言は昨日のことのように鮮明で迫力に満ち、遺族は涙ながらに数々の受難を訴え、私たちは加害者の責任のみならず問題を未解決のまま放置してきた日本国民の責任をも痛感せずにはおれませんでした。また調査対象としていた 5 名の方の他界を知らされたのも大きな衝撃でした。

②原告 5 名との出会い

原告のうち半数の 5 名と初めて出会ったのはこの時です。すなわち石家庄で王白旦氏と王樹芳氏、邯鄲で李如生氏、衡水で連双印氏と李慶雲氏に出会い、その印象は今も脳裏に焼き付いています。

③長崎以外の被害者も来場

邯鄲では総勢 50 名もの人々が私たちの来訪を待機していました。調査対象者とその付き添い人は 10 数名にすぎず、なかには崎戸炭鉱への被連行者も一人おられましたが、他は長崎ではなく別の地に連行された人たちとその家族でした。そして彼らも口々に訴えを聞いてほしいと私たちに迫りました。強制労働させた企業が三菱系列か否かも分からないまま駆けつけた人もいました。残念ながら私たちには高島と端島の被連行者しか調査の対象とする余裕がなく、他の方々には退場をお願いする他はありませんでした。崎戸炭鉱への被連行者にのみ若干の時間を割いたのにすぎません。しかし、この状況はいかに多くの被害者たちが賠償や遺骨の返還を要求する手立てを探し続けているかを如実に示すものでした。また、多数の人々が一同に会した邯鄲では、公安当局が結集の目的を質すために会場を訪れたことにも触れておきたいと思います。何天義氏が対応し、約 1 時間後には退去しましたが、集会・結社には公安当局の許可が必要である現実を垣間見ました。

④自主的な活動の証

高島への被連行者の一部は連絡を取り合っていることが証言聴取の過程で判明しました。生存者の一人、李万喜氏がよれよれの黄色い紙に書かれた名簿を見せました。今から思えば、被害者の自主的な活動の証としてそのコピーをいただいておくべきであったと悔やまれます。

⑤連行の現場も一部検証

会場での証言聴取だけではなく、李如生氏と李万喜氏のお宅を訪ねるとともに、二人が拉致・連行された近くの現場で当時の状況を説明してもらいました。広大な田畑を貫いて行く遠い道程の果てに鶏や豚が放し飼いされた農家を目の当たりにした時、日本軍の暴行をいっそう罪深く思いました。

⑥「万人坑」を彷彿とさせる炭鉱跡も訪問

調査団は石家庄の郊外にある井径炭鉱跡も訪問しました。ここには 1 万体といわれる遺骨の山があり、なかには少年や虐待の跡が明らかな遺骨もあり、中国東北部での「万人坑」(強制労働を強いられた中国人の死体や労働不能となった者の捨て場)を彷彿とさせるものでした。一同絶句し、日本の強制連行・強制労働政策が中国国内でも大規模に行われたことを一つの証拠によって思い知らされました。

⑦三菱マテリアル(株)への「申し入れ」を約束

調査団は証言してくださった方々に調査の続行と三菱マテリアル株式会社への調査協力・謝罪・賠償の「申し入れ」を約束して帰国しました。

⑧残留調査の成果も大

木村記者と老田氏は 9 月 11 日まで残留して調査を続行し、文化大革命時代に迫害を受けた体験を持つ端島への被連行者を訪ねて本人および家族の証言を聴取するとともに、天津の「抗日殉難烈士骨灰室」を訪れて崎戸炭鉱の原爆犠牲者 27 名の遺骨箱の存在を確認しました。

(三)三菱マテリアル(株)への要請と同社の回答

「長崎の中国人強制連行の真相を調査する会」(以下、「真相を調査する会」という)は、第 1 次訪中調査の結果を受けて、三菱マテリアル(株)に対し実態解明の主体的な調査と補償を含めた適切な対応、全名簿の公開、生存者や遺族との連絡等を要請する「申し入れ書」(資料②)❷を郵送しましたが、これに対する同社の回答(資料③)は九州支店の所管事項と断った上で「社内資料及び聞き取り出来る生存者が見当たらず、回答できません」というものでした。以後、「真相を調査する会」は関連資料の公開、原爆犠牲者に関する調査と公表、さらには「長崎三島中国労工受害者聯誼会」(後述、以下、「聯誼会」という)の代表来日時の誠実な対応等を追加要請する「要望書」(資料④⑤⑩)を郵送ないし直接本社へ持参(資料⑥)しましたが、同社の回答(資料⑦⑪⑭)は上記の繰り返しに加えて、当時の「会社を清算結了し、消滅していること」や「一企業の責任を論ずべき問題ではないと思料」等を理由に「聯誼会」代表との面談を拒否するとともに、「過去の書類一切が焼失」、「既に 10 年の消滅時効又は 20 年の除斥期間が経過」などと述べ、到底納得のいくものではありませんでした。「真相を調査する会」および「聯誼会」の三菱マテリアル(株)への要請行動と同社の対応を順を追って示せば次のとおりです。

2000 年 3 月 29 日	長崎の中国人強制連行の真相を調査する会「申し入れ書」(資料②)
2000 年 4 月 28 日	三菱マテリアル九州支店「回答」(資料③)
2000 年 5 月 22 日	真相を調査する会「要請書」(資料④)
2001 年 1 月 23 日	真相を調査する会「要望書」(資料⑤、本社へ持参)(交渉報告書:資料⑥)
2001 年 5 月 29 日	三菱マテリアル九州支店「回答」(資料⑦)
2002 年 1 月 16 日	長崎三島中国労工受害者聯誼会「公開書簡」(資料⑧)(同訳文:資料⑨)
2002 年 1 月 25 日	真相を調査する会「要望書」(資料⑩)
2002 年 4 月 23 日	三菱マテリアル九州支店「回答」(真相を調査する会代表宛)(資料⑪)
2002 年 4 月 30 日	真相を調査する会訪中団、三菱マテリアル九州支店訪問折衝

❷ 資料②～⑭は、本文に概略挿入により、注略。

2002年6月21日　三菱マテリアル九州支店「回答」(聯誼会会長宛)(資料⑫)

2002年3月12日　真相を調査する会代表、三菱マテリアル本社訪問折衝(訪問報告書:資料⑬)

2002年7月29日　長崎三島中国労工受害者聯誼会代表団、三菱マテリアル九州支店訪問折衝

2002年8月30日　三菱マテリアル九州支店「回答」(真相を調査する会代表宛)(資料⑭)

(四)訪中調査の継続と「長崎三島中国労工受害者聯誼会」の結成

(1)訪中調査の継続

「真相を調査する会」代表団の訪中調査は訴訟提起前に第 7 次まで行われ、証言聴取を中心に据えながらも、三菱マテリアル(株)との折衝経過を踏まえて「聯誼会」と対策を協議することを常に重要な課題としました。第 2 次から第 7 次の概要を①日程、②訪中人数、③場所、④証言者数、⑤証言者のうち原告となる者の氏名、⑥特記事項ないし了解事項、の順に整理すれば以下のとおりです。

第2次　①2000年1月5日～8日、②5人、③北京、④5名(生存者4名、遺族1名)、⑤なし、⑥原爆犠牲者遺族の初証言

第3次　①2000年8月11日～13日、②6人、③北京、④なし、⑤なし、⑥「長崎三島中国労工受害者聯誼会」(準)の結成と役員人事

第4次　①2001年3月30日～4月1日、②3人、③北京、④1名(生存者)、⑤李之昌氏、⑥いわゆる「アメリカ訴訟」について意見交換

第5次　①2002年4月26日～30日、②7人、③石家庄、④10名(生存者9名、遺族1名、⑤王松林氏、賈同申氏、⑥「聯誼会」代表団との面談を拒絶した三菱マテリアル(株)の「回答」(資料⑪)に対する検討、同代表団の同年7月来日招聘を決定

第6次　①2002年12月21日～23日、②3人、③北京、④なし、⑤なし、⑥訴訟提起を翌年7月に予定するとともにその具体的内容について協議

第7次　①2003年10月18日～20日、②7人(弁護士2名を含む)、③石家庄、④9

名(生存者 6 名、遺族 3 名)、⑤張世傑氏と喬愛民氏の他は再証言で前出、⑥訴訟提起の具体的内容に関する協議と了解

以上の経過に加えて、「聯誼会」代表団の来日時には強制労働現地において必ず証言を求め、訪中調査の確認と補充に努めたことを付記しておきます。なお、提訴が予定より 4 カ月遅れたのは SARS の影響によるものです。

(2)「長崎三島中国労工受害者聯誼会」の結成とその活動

「聯誼会」の結成は「真相を調査する会」の第 3 次訪中の際に伝えられました。そして探索の成果としての「会員名簿」も手渡され、役員人事が告げられました。ただし、対外的に正式に「聯誼会」を名乗ることには躊躇があり、「聯誼会」(準)とされていました。それは正式な結社とするには公安当局の許可を得る必要があるからです。「準備会」とするこの形式は三菱マテリアル(株)への「公開書簡」(2002 年 1 月 16 日付)でも変わらず、強制連行問題に対する中国国内の関心と理解が高まるにつれて事実上「公認」の結社として活動しているとしても、形式的には現在も(準)のままです。 「真相を調査する会」の活動が「聯誼会」の存在なしには難渋したであろうことはいうまでもありません。絶えず緊密な連絡を取り合いながらいわば共同作業を続けましたが、提訴前の「聯誼会」の活動のなかで主なものは次のとおりです。

①被連行者の生存者および遺族の探索と証言聴取

名簿の累積補充と証言の録取。名簿の人員は現在約 500 名。証言は文字と CD-ROM によって保存。

②三菱マテリアル(株)への「公開書簡」(原文、資料⑧、翻訳文、資料⑨)

同社の「回答」(資料⑫)には承服できないものの、礼節と理をもって説けば相手に通ずるとの信念を堅持し、直接折衝を決意。

③代表団の訪日と三菱マテリアル(株)との直接折衝

2002 年 7 月 26 日、連双印会長(当時)をはじめ 4 名の代表団が訪日、強制労働現地訪問・証言と浦上刑務支所跡(平和公園)での原爆犠牲者追悼の後、29 日、三菱マテリアル(株)九州支店(福岡市)を訪問。押し問答の末、為広正司総務課長が会見に応じたが、同社の加害事実に基づく謝罪・賠償の義務を縷々説いても、「仮に言われるような事実が

あったとしても謝罪や賠償の義務はない、裁判になれば争うほかない」との趣旨の一言があった他は沈黙に終始し、その姿勢に交渉による解決の限界を痛感して帰国。

④訴訟提起の決断

訪日団の帰国後、訴訟以外に解決の余地がないとの結論に達し、「真相を調査する会」に訴訟支援を要請。同会にはなお交渉による解決をめざすべきとの意見も強く即答を得られなかったが、同会の第 6 次訪中団と協議の結果、翌年 7 月に提訴を予定し、そのために準備態勢を整えることを双方了解。

二　被連行者および遺族の権利行使の可能性について

中国人強制連行の被害者が謝罪と賠償を要求する権利を行使するためには幾多の障害を乗り越えなければなりませんでした。そしてその障害は今なお除去されたとはいえない状況にあり、多くの被害者は権利行使を果たせないまま苦しんでいます。長崎県内の三菱系列の炭鉱に強制連行された被害者本人と遺族にとっても、権利行使としての使役企業との折衝や訴訟提起に至るためには障害との闘いが避けられなかったことはいうまでもありません。障害にはすべての被害者に共通のものと個別の企業や事業場に関するものとがありますが、以下に前者を踏まえまがら原告たちに関する障害について述べたいと思います。

(一)日中間往来の国家間および中国国内の制限

被害者の権利行使を 50 年以上にわたり阻害してきたこの根本的な障害については、老田裕美氏の「意見書」に詳しく解説されているとおりです。

(二)加害者立証の困難性

(1)使役企業の不知

原告たちは三菱鉱業という社名を「郵便調査」もしくは「真相を調査する会」の活動に接するまでは知らなかったと口をそろえて言っています。ましてやこの企業の戦後の変遷や三菱マテリアル株式会社が資産を承継したことなどについては知る由もありませんでした。連行の船上で「造船所へ行く」と聞かされた人はいますが、行き先も告げられないままでしたし、炭鉱の島に到着しても企業名は知らされなかったのです。これは何も原告たちの場合に限られることではなく、被告以外の企業においても共通に見られることと思われます。強制連行した中国人を厳重に隔離収容し、奴隷労働を強いた企業が正確な自社名を教える理由などないからです。

しかし、問題はむしろ社名不知のまま半世紀以上もの年月を経過したことにあります。それは次節で述べるように日本政府と使役企業の関連文書·資料の隠蔽に最大の原因がありますが、日中間往来の不自由と情報不足が災いして日本国内の関連書籍に触れることさえ至難の状況におかれていたことも決して小さくありません。要するに使役企業の特定すら困難な状況が長い間続いたわけですが、加害者の特定なしには権利行使は不可能であり、この障害は甚大であるといわざるをえません。

(2)日本国と使役企業の関係に関する不知

使役企業の特定はできなくとも、自らの被害事実のみをもって日本国の加害責任を問うことは可能と考えられるかも知れません。しかし、現実には使役企業と日本国との関係を立証できなければ、ただ漠然と日本国を被告としても因果関係不明として請求を棄却されるだけでしょう。原告たちは今でこそ両者の因果関係を明確に認識し、法廷でも立証しているところでありますが、ここに到達するためには関連情報の取得が必須要件であったことはいうまでもありません。そして、その関連情報自体、日中両国における研究の成果として 1980 年代後半から徐々に提供されたのにすぎず、情報不足の条件下にあった原告たちのもとにそれらの研究成果が届くのにはさらに年月を要したことは無理からぬことです。元はといえば、日本国も使役企業も史実を隠蔽して責任放棄を図ってきたところに起因していることを見逃してはならないと思います。

(三)被連行者証明の困難性

(1)日本国の公的文書·資料の隠蔽

原告たちは少なくとも提訴の段階では公的資料によって原告の適格性を立証することができ、被告もそれについては争わないと答弁しています。それは生存者原告の氏名または遺族原告の父親の氏名が 3 炭鉱の「事業場報告書」(華人労務者就労顛末報告書)に記載されているからです。しかし、提訴の 4 カ月前までは高島炭鉱の被連行者名簿しか確認できない状態でした。それも書籍(田中宏他編前掲書)によるもので、未だ政府公認の資料に基づくものではありませんでした。「郵便調査」の節で述べたように、端島炭鉱に関する名簿は「さびついた歯車を回そう」(1994 年刊行)によって知られていましたが、これは公的資料といえるものではありません。3 炭鉱分そろって被連行者名簿を確認できたのは、2003 年 7 月、外務省が「事業場報告書」の公開に踏み切ったからに他なりません。私はこの公開を報じた新聞記事(資料⑮)❸を老田裕美氏から伝達された時の興奮を今も忘れることはできません。「国は同報告書については中国人強制連行訴訟などで一貫して『存在を確認できない』と答弁してきたが、外務省地下書庫で存在を先月公式に確認したとして公開した」とあり、「地下書庫にあるのは分かっていたが、事業場報告書と確認できなかった」(外務省中国課)との理由は信じ難いにせよ、ともあれ公開される「事業場報告書」のなかに崎戸炭鉱と端島炭鉱の分が含まれているかどうか急ぎ問い合わせることにしました。そして、「ある」との回答に感動を禁じえませんでした。 因みに田中宏他編の前掲書は東京華僑総会が保有していた「事業場報告書」の名簿に関する部分の公表・出版であり、端島炭鉱と崎戸炭鉱については死亡者名簿しかなかったのです。東京華僑総会はその 4 年後、日中関係の一定の進展を考慮して、いわゆる「外務省報告書」(華人労務者就労調査報告書)も公表に踏み切り、日本政府もそれが実物であることを認めたのですが(1994 年 6 月 22 日参院外務委員会外相答弁)、この「外務省報告書」の刊行(現代書館、1995 年)が被連行者の歴史的事実の立証に果たした貢献は計りしれません。「事業場報告書」の公開を報じた先の記事に「外務省は(中略)強制連行の事実を立証することになるため、両報告書とも存在を否定してきた」とあるように、日本政府は強制連行の事実立証を妨げるために自己の調査結果を隠蔽したといわざるをえません。そして、この隠蔽という不誠実な態度こそが原告たちの権利行使を遅らせた最大の障害となったことは否定できない事実です。

(2)被連行者名簿の探索

「郵便調査」以来、とりわけ崎戸炭鉱については死亡者名簿しか知ることができませんでしたので、私は手を尽くして名簿の探索に努めました。結局それは徒労に終わり、「事業場報告書」の公開によって幸い問題は解消されましたが、もしも「事業場報告書」によって原告の適格性を証明できなかったならば、もはや本人の証言や証人探し以外に道は残されていないことを明らかにするために私の探索の跡をここに記しておきたいと思います。

---

❸ 毎日新聞、2003 年 7 月 18 日夕刊。

①厚生年金保険被保険者期間を照会

朝鮮人の場合、厚生年金保険の加入期間を社会保険事務所で証明してくれますので、中国人の場合も同様に証明されるものと考え、「聯誼会」会長(当時)の連双印氏と副会長の李慶雲氏の二名に絞り本人の依頼状(資料⑯ー1)❹を添えて、長崎北社会保険事務所に「照会書」(資料⑯ー2)を提出しました。結果は「三菱鉱業(株)高島鉱業所(端島坑)名簿に氏名が見当たりません。生年月日索引に氏名が見当たりません。」という回答(資料⑯ー3)でした。その後、厚生年金保険法について調べたところ、1944 年 2 月 15 日の改正「厚生年金法」第 16 条 2 項に「帝国臣民ニ非ザル者」は被保険者としないという規定(資料⑯ー4)❺のあることが分かりました。なお、この法改正は本格化する中国人強制連行に備えて、中国人を厚生年金保険から除外することを一つの目的としていたと解されます。

②「GHQ 資料」の入手ならず

「大阪・中国人強制連行をほりおこす会」発行の「大阪・かわら版」第 14 号(2002 年 3 月 17 日)に寄稿し、崎戸炭鉱の名簿がないことを書いたところ、研究者の猪八戒氏から、「中国人『大量連行』の原資料・GHQ 文書発見」という見出しの産経新聞(1992 年 8 月 13 日)のコピー(資料⑰)❻が届けられ、発見資料のなかには三菱鉱業 9 事業所の「華人労務者調査報告書」が含まれていることが読み取れました。また熊本日日新聞(1994 年 4 月 22 日)の記事「三池炭鉱への中国人強制連行・GHQ 資料でも裏付け」(資料⑱)も同封されており、「大牟田市の炭鉱研究家、武松輝男さん(64)がこのほど三池炭鉱に関する部分を調べあげた」との一節に目を奪われました。猪氏の助言に従い、私はかねて面識のあった武松氏に早速「GHQ 資料」のなかに崎戸炭鉱や端島炭鉱の「報告書」があるのか否か調べてほしい旨頼みました。しかし、産経新聞記事中の元 GHQ 職員二人のうち一人はすでに故人で、他の一人は外部との接触を一切絶っており、「とても無理」との返事でした。資料の保管者と接触できない以上、諦める他はありませんでした。

---

❹ 資料⑯ー1～3は、本文に概略挿入により、注略。

❺ 昭和 19 年 2 月 15 日「官報」(詔書)の写。

❻ 資料⑰～⑱は、本文に概略挿入により、注略。

③東京華僑総会保存資料の再点検

「強制連行·強制労働フォーラム in 花岡」(2002 年 9 月 14 日～16 日)に参加した折りに長崎関係の名簿発掘への協力を求めました。また、この機会に面識を得た杉原達氏(岩波新書「中国人強制連行」の著者)が川原洋子氏(中国人強制連行·西松建設裁判を支援する会事務局長)とともに、2003 年春ごろ、東京華僑総会に保存されているすべての「事業場報告書」の再点検をしてくださいましたが、やはり高島炭鉱の分しかありませんでした。

(3)三菱マテリアル(株)の対応拒絶

被告·三菱マテリアル(株)は「真相を調査する会」および「聯誼会」の要請に一貫して拒絶姿勢を崩しませんでした。まず本社が対応することなく、九州支店の所管として当事者責任から逃避し、その上、内部資料も当時の会社関係者も不在として調査への非協力を表明したのみならず、「聯誼会」代表団との面談さえ拒みました。これらの経緯については前述のとおりですが、内部資料皆無というのは疑わしいにせよ、会社関係者の生存者が一人も見当たらないというのは到底信じられないことです。それは被連行者自身なお少なからず存命しているからだけではなく、崎戸炭鉱管轄の警官(木下丈四郎氏、当時 30 歳)が「中国人強制連行の事実証言」(長崎新聞、2002 年 8 月 15 日、資料⑲)❼を寄せていることからも無理な主張だからです。同社のこれらの主張が偽りでないとすれば、同社は日本政府にも東京華僑総会にも照会して欠落部分を補う努力をしたでしょうし、「真相を調査する会」の要望に応えるまでもなく同社自ら被害者の調査に乗り出したに違いありません。結局、同社の主張は責任を回避するための口実にすぎず、その不誠実な拒絶的対応が原告たちに被害事実の立証を遅延させ、権利行使を妨げる結果となったことは誰の目にも明らかです。

(四)日本側協力者の不可欠性

被連行者や遺族が賠償請求等の権利を行使するためには、日本側に協力者を有することが絶対不可欠です。以下、その理由を列挙したいと思います。

---

❼ 同記事の小見出しには、「捨てたカボチャもロに」、「『坑内爆破計画』を摘発」、「狭い宿舎、老人も無理やり··」、「かわいそうだった」、「被爆死者の遺骨受け取りも」、「実態解明へ貴重な手掛かり」とある。

(1)加害者と被害者双方の立証のために

使役企業の特定さえ困難な被連行者たちが自己の被害者証明をするためには何らかの根拠がなければなりません。最も確実な根拠は「事業場報告書」ですが、それが手に入らない場合は、使役企業の特定も自己の被害者証明も非常に困難なことになります。仮に企業の方は特定できている場合でも、今度はそこで使役されていたことを証明する必要があります。さらに原告たちのように事業場が複数にまたがる場合、事業場ごとに証明する必要が生じます。権利行使の入り口ともいえるこれらの難関を突破するためには、現在でも中国国内での情報や協力者だけでは困難が大き過ぎます。少なくとも国内の協力者が日本の協力者と連帯して問題の解決に当たることが求められます。中国人強制連行被害者の権利行使は現に日中双方の協力者によって支えられてきましたし、原告の場合も例外ではありません。

(2)日本国入国查証の取得のために

現在では出国許可の必要はなくなりましたが、訪日するためには查証を取得しなければなりません。この查証申請には日本からの招聘が必要であり、招聘人(個人または団体)が作成する書類(身元保証書、招聘理由書、滞在予定表)を在中国日本国大使に提出しますが、招聘理由書には招聘に至る経緯を詳細に記すことが求められます。原告たちの権利行使には訪日が避けられないのですから、この点でも日本側の協力は不可欠です。

(3)使役企業との直接折衝や訴訟提起のために

被連行者たちが日本側の協力者なしに使役企業を訪問して折衝することは、企業が事前の連絡によって誠実な対応を約束しない限り不可能でしょう。過去にそのような例はないばかりか、原告たちの場合も、「真相を調査する会」が間に入って直接折衝に応じるように申し入れても拒絶する旨通告されました。曲がりなりにも一度会見できたのは日本の協力者たちと力を合わせて相手を説得したからと考えられます。そして、やむなく決断した訴訟提起に際しても、日本側の協力が欠かせなかったといって過言ではないと思います。まず日本の弁護士が訴訟代理人となることが必要です。次いで裁判を支援する日本側の市民の活動もなくてはならないでしょう。敢えて言えば、訴訟という権利行使に必要な費用は原告たちにとって決して容易に出せる額ではなく、現金収入のきわめて少ない農民や退職者が大半を占める原告たちは「聯誼会」の活動だけでも生活を切り詰めて懸命に支えている現状です。日本側の経済的な支援が絶たれれば本人尋問等のための来日も不可能です。

私は鹿町炭鉱（日鉄鉱業）の被連行者の遺族、王小伏氏が訪中調査の会場に二度も駆けつけて「同じ長崎の炭鉱なのだから調査も提訴も一緒にしてほしい」と切々と訴えられたのを忘れることができません。彼女だけではありません。三菱鉱業飯塚炭鉱の被害者代表からも支援を求められました。しかし、調査団は彼らの要望を断らざるを得ませんでした。その余力がなかったからです。義務感だけで応ずれば却って無責任に陥ることは目に見えています。飯塚炭鉱の方はその後幸い協力者を見出しましたが、日本側に協力者を得ることができないために権利行使を果たせないでいる王小伏氏の無念さはその表情とともに私の脳裏を離れません。

（以上）

日本環境思想史の構想・再論

佐久間正

はじめに

私は 2003 年の「日本環境思想史の構想」❶において、現在、環境学 environmental studies の一翼を占める環境思想史学の学問的確立が強く求められていること、特に欧米に比して遅れている日本環境思想史研究の水準を引き上げていくためには、相対的に進んでいる欧米の環境思想史研究から学びつつ、従来の日本思想史研究の成果も踏まえながら、思想家別あるいは課題別等の個別環境思想史研究を進めることの必要性を指摘し、私論＝試論として次のような日本環境思想史の構想を示した。

日本環境思想史を構想する場合、南方熊楠(1867～1941)が基軸的な位置を占めることを先ず指摘した。それは、彼の生涯が近代日本の歩みと重なっており戦後をひとまずおけば日本環境思想史の終点に位置する思想家であるということ、さらにより積極的な理由として次の 4 点を挙げた。第 1 に、彼は西欧の最新の学問であるエコロジーを日本に紹介した。第 2 に、彼は神社合祀反対運動の指導的存在となる中で、エコロジカルな視点からの環境保全、民俗の尊重、地域の重視といった立場を明確にした。第 3 に、彼は生物学を中心に当時の西欧の科学に精通していたが、西欧近代の科学的論理に拝跪することなく、仏教的論理を踏まえた東西思想の融合を主張した。「南方曼陀羅」と称される彼の記した認識論的枠組みは仏教的論理の新たな可能性を先駆的に示すものである。第 4 に、彼は日本環境思想史の起点に位置付けられる熊沢蕃山(1619～91)に言及している(この点は従来の研究において注目されることがなかった)。こうして日本環境思想史

❶ 長崎大学環境科学部編『環境と人間』(2003、九州大学出版会)所収。同書は前年に開催された「文化と環境国際会議」(台湾・淡江大学)への日本研究者の報告を中心にまとめたものである。

研究は、17 世紀の蕃山から熊楠に至るほぼ 250 年の時期をその対象とし得ることを指摘し、続いて個別環境思想の具体例を次のように略述した。

① 「環境保全論の嚆矢」として熊沢蕃山の所説を取り上げ、その特有の治山･治水論と新田開発批判を紹介した。

② 「列島の実態に見合った農業生産の主張」として最初の刊本農書であり徳川前期の代表的な農書である『農業全書』(1697 刊)を取り上げるとともに、それとの関連で陶山訥庵(1657～1732)の主導した対馬における猪(彼は自給自足を実現する集約的対馬農業の確立のためには猪こそ最大の害獣と捉えた)の駆除について言及した。なお、2001 年の「環境認識の歩み—日本—」❷では、これらとの関連で琉球王国の蔡温(具志頭親方文若、1682～1761)の『農務帳』(1734 公布)に言及している。

③ 徳川日本の代表的思想家の 1 人である荻生徂徠(1666～1732)の「有限の資源の身分的消費」の主張を紹介し、特に資源の有限性の自覚に注目した。この点については以下の点を補足しておきたい。従来、儒教の「入るを量りて出るを制す」という経済原理は生産力拡大の視点から批判されることが多く、その身分的消費も限定された(低位の)生産力における資源節約の面から捉えられるのが常であったが、有限なる資源の有効利用という点から改めて考えるべきではないかと思う。この点は次の石田梅岩の思想を考える上でも大切である。

④ 徳川日本特有の庶民的教育思想運動である石門心学の祖である石田梅岩(1685～1744)の「正直」と「倹約」をめぐる所説を検討し、消費の抑制が人の生き方の根本として捉えられていることに注目した。また、「天道」のダイナミックな「生々」作用に基づく共生的世界観について言及し、生物の相互依存性と殺生の不可避性を自覚し、それゆえの謙虚な消費態度を主張する彼の所説は、まさに「ホリスティックな世界描写と人間把握の一例」であることを指摘した。

⑤ そのエコロジー思想が近年指摘されるようになった安藤昌益(？～1762)について、彼の思想における米の根源性(根源的形象としてのアーキタイプ＝元型と言うべきかもしれない)を指摘するとともに、『統道真伝』人倫巻における「食道」(食の法則)

---

❷ 長崎大学文化環境／環境政策研究会編『環境科学へのアプローチ』(2001、九州大学出版会)所収。

をめぐる所説を紹介し、そこに親－子、大－小、多－少の概念を駆使した生物の相互依存性の理解が見られることを指摘した。

⑥ 後期経世論を代表する海保青陵(1755～1817)と本多利明(17441～821)の商品経済と開発･交易に関する所説を取り上げ、商品生産のための開発の対象としての自然観及び重商主義的な交易論がその後の日本の進路を先取りするものであることを指摘した。

⑦ 商品経済が一層進展するなか荒廃しつつある農村の復興をめざし、農村における具体的実践を踏まえ自らの主張を展開した二宮尊徳(1787～1856)と大原幽学(1797～1858)の所説を取り上げ、その特有の自然－労働観について略述した。労働と自然の関係づけ方は 2 人の間で異なっているが、労働対象としての自然の根源性あるいは自然の調和的あり方は彼らの主張において重要な位置を占めている。

⑧ 「公害反対運動の先駆者」としての評価が既に定まっている、その生涯をかけて足尾銅山鉱毒問題の解決に取り組んだ田中正造(1841～1913)が組織した「下野治水要道会」を取り上げ、それが現代の公害反対運動及び環境運動において重要な役割を果たしている市民的調査研究活動の嚆矢であることを指摘した。

以上の内容を踏まえるとともに、その後の研究状況にもふれながら、日本環境思想史の構想について再論してみたい。

一　環境思想史研究の展開

(一)現代の環境運動の始まりと環境思想史研究

1964 年の Rachel L. Carson の *SILENT SPRING*❸の刊行は、多くの人々によって現代の環境運動の始まりと考えられているが、同書は合成化学殺虫剤の大量散布による環境汚染を鋭く告発しており、冒頭の「明日のための寓話」に描かれた、生態系を破壊されたとある町の〈沈黙の春〉の情景はまさに現代の黙示録と言えよう。とともに、同書の「五　土壌の世界」にイメージ豊かに描かれているように、様々な生物の複雑多様な結び

❸ 邦訳は青樹簗一訳『生と死の妙薬』(1964、新潮社)、『沈黙の春』と改題し、1984、新潮文庫。以下邦訳のあるものは同様に示す。

つきによって成り立っている自然界のホリスティックなあり方をわかりやすく示していることも同書の魅力である。環境運動の進展に促されて出発した環境学のあり方を考える上でも、同書のこの二つの側面を押さえておくことは大切である。

本格的な環境思想史研究は 1967 年の Lynn White Jr.の *The Historical Roots of Our Ecological Crisis* ❹から始まると言ってよい。彼は、現代の生態学的危機は「西欧の中世世界に始まる精力的な技術と科学の産物」であり(95 頁)、その思想的淵源として、人間による自然の搾取を神の意志であるとするキリスト教的世界観の「人間中心主義」を剔抉する(87～88 頁)。このような主張に対して、例えば John Passmore の *MAN'S RESPONSIBIRITY FOR NATURE*(1973 刊)❺はホワイトの主張を批判し、環境破壊に対する西欧の伝統の二面性を指摘する。すなわち、西欧の伝統には、自然に対する「専制君主としての人間」を肯定する側面と、「世界の世話をまかされた神の代理人として実質的な責任を有する「スチュワード」、つまり農園管理者」として人間を捉えたり、あるいは「自然を完成させるためにこれに協力する者として人間をみる伝統」(48～49 頁)の両側面が存在するというのである。ただし、パスモアにあっても、ホワイトの指摘を全面否定しているのではないことが注意されなければならない。

カーソンの *SILENT SPRING* の刊行も大きく貢献したアメリカにおける環境問題への関心の高まりの中で、60 年代半ばいわば再発見され急速に注目されるようになったのが、Aldo Leopold の *A SAND COUNTY ALMANAC*(1949 刊)❻である。同書は現在では環境倫理学の古典の位置を占めるものであるが、倫理規範は個人と個人との関係から個人と共同体との関係、さらには「個人と土地との関係」を律するもの＝「土地倫理」land ethic へと拡張させねばならないとする倫理の発展段階説は一種の思想史的把握と言うこともできよう。また、従来ほとんど注目されていないけれども、生態学的視点から

---

❹ 同氏著 *MACHINA EX DEO*(1968)に収録。同書の邦訳は青木靖三訳『機械と神』(1972、みすず書房、1999、「みすずライブラリー」)。その第五章が「現在の生態学的危機の歴史的根源」である。同論文の引用は「みすずライブラリー」版により頁数を示す。以下邦訳のあるものからの引用は、邦訳書により頁数を示す。

❺ 間瀬啓允訳『自然に対する人間の責任』(1979、岩波書店、1998、特装版)。引用は特装版による。

❻ 新島義昭訳『野生のうたが聞こえる』(1986、森林書房。改訳し、1997、講談社学術文庫)。引用は講談社学術文庫版による。

見れば、歴史は「人間と土地との、生物を媒介にした相互作用の結果」であり、「土地の特性は、そこに住む人間の特性と同じように」歴史的出来事に強い影響を及ぼすと彼が指摘し(320頁)、いわば環境史への視点が同書に先駆的に見られることも留意したい。

1973 年に刊行され、日本でもベストセラーとなった E. F. Schumacher の *SMALL IS BEAUTIFUL* ❼は現代経済や発展途上国への開発援助を考える上でも興味深いものだが、同書第一部の「第四章　仏教経済学」では、消費(物質的欲望)の拡大ではなく消費の抑制に意義を見出し、「適正規模の生産努力で消費を極大化しようとする」「唯物主義」を基調とする「現代経済学」に対して、「適正規模の消費で人間としての満足を極大化しようとする」「簡素と非暴力」を旨とする「仏教経済学」(75 頁)の積極的意義が指摘されている。現代の環境思想への仏教の寄与という視点は彼から始まると言ってよい。

ホワイトは生態学的危機すら生み出すに至った「人間中心主義」を厳しく指弾し、レオポルドは「土地倫理」を人々の新たな倫理規範として要請しており、シューマッハーは物質的欲望の拡大の方向とは異なった消費を抑制する方向に人間的価値を見出しているが、いずれにせよ彼らにおいて、人間と自然との関係を再定義しつつ新たな人間観の確立が模索されているのである。それは現代の環境思想の最重要の課題であり、1973 年にその歴史的なマニフェスト *The Shallow and Deep, Long-range Movement* ❽を発表し、その後欧米の環境思想の主要な潮流の一つとなったディープ・エコロジーを創唱した Arne Naess においても同様である。

(二)欧米における環境思想史研究の展開と日本環境思想史研究の模索

1980 年代に入ると欧米において重厚な思想史的研究が現れてくる。その口火を切ったのは 80 年に刊行された Carolyn Merchant の *THE DEATH OF NATURE* ❾である。同書は、現代の生態学的危機をもたらした西欧の科学技術の歴史を遡り、機械論的世界観と家父長制度に基づく近代の価値体系を批判するエコフェミニズムの立場からの

---

❼ 斎藤志郎訳『人間復興の経済』(1976、佑学社)。小島慶三・酒井懋訳『スモール イズ ビューティフル』(1986、講談社学術文庫)。引用は講談社学術文庫版による。

❽ 同論文は Alan Dregson・井上有一編 *THE DEEP ECOLOGY MOVEMENT*(1995)に収録されている。同書の大部分は、井上有一監訳『ディープ・エコロジー』(2001、昭和堂)に邦訳されている。

❾ 団まりな・垂水雄二・樋口祐子訳『自然の死』(1985、工作社)。

浩瀚な思想史的研究であり、現在では「エコフェミニストの古典」と評価されている⑩(同書の副題は *Women, Ecology and the Scientific Revolution* である)。彼女は、有機的自然観－世界像の破壊の上に成立するベーコンに始まりデカルトによって確立する近代的な機械論的世界観－自然像を厳しく批判するが、彼女によって明確に把握された近代的世界観－自然像の問題性はその後の環境思想研究に大きな影響を及ぼしていくことになる⑪。同書は、「未来を生きのびるためには、歴史的に有機的世界観と結びつけられてきた価値や抑制を再評価することが、不可欠ではないだろうか」(534 頁)と結ばれている。

1983 年に刊行された Keith Thomas の *MAN AND THE NATURAL WORLD* ⑫は 16 世紀から 18 世紀に至るイギリスにおける自然観の変遷を論じた重厚な思想史的研究である。関連文献の博捜を踏まえた「一種の戦慄さえ感じる」徹底した実証主義⑬、現代の文化人類学や文化記号学の成果を踏まえた方法的自覚など、日本環境思想史研究においても学ぶべき点が少なくない。同書における現代の生態学的問題への言及に見られるように、従来の観照的な自然観の研究とは異なったアクチュアルな問題意識によって研究が支えられていることも看過してはならない。

1985 年に刊行された Hans Immler の *NATUR IN DER ÖKONOMISCHEN THEORIE* ⑭は、重農学派(フィジオクラート)からイギリス古典経済学、マルクス経済学に至る経済理論の読み直しを「自然」を軸に行い、マルクス経済学を含む近代経済学において確固とした位置を占めるようになった労働価値説に対して、自然価値説を唱えたフィジオクラート(「自然の支配」が原義)特にケネーの主張を再評価しようとしたものである。

---

⑩ Irene Diamond・Gloria F. Orenstein 編 *REWEAVING THE WORLD*(1990)、奥田暁子・近藤和子訳『世界を織りなおす』(1994、学藝藝書林)37 頁。

⑪ Morris Berman、*THE REINCHANTMENT OF THE WORLD*(1981)、柴田元幸訳『デカルトからベイトソンへ　世界の再魔術化』(1989、国文社)や Vandana Shiva、*SATAYING ALIVE*(1988)、熊崎実訳『生きる歓び』(1994、築地書館)は著者自らマーチャントの近代的世界観批判を踏まえたものであることを述べている。

⑫ 山内昶監訳『人間と自然界』(1989、法政大学出版局)。

⑬ 同上書、「訳者あとがき」。

⑭ 栗山純訳『経済学は自然をどうとらえてきたか』(1993、農山漁村文化協会)。

彼は、ロック、スミス、リカードゥらイギリス古典経済学及びマルクス経済学における自然は、労働に従属しており、具体的で有限な社会的生産力として把握されず、抽象的で永遠に存続する単なる経済活動の手段にすぎなかったと批判する。労働価値説が近代の主体的人間観を根底から支えていた価値説であったことを考えると、このような理解は自然−人間関係の再定義に基づく新たな人間観を要請するであろう。いずれにせよ、労働価値説の前提にある上述のような自然観の形成が、ベーコン、デカルト、ニュートンによる近代的な機械論的自然観の形成に続くものであることも留意される。同書における経済学の古典の読み直しは、環境思想史研究のあり方を考える上でも示唆的である。

1989 年に刊行された Anna Bramwell の *ECOLOGY IN THE 20'TH CENTURY* ⓯は、1880 年から現在に至る西欧のエコロジー運動の起源とその運動の背後にある諸思想を考察したものであり、これまで私たちに知られることの少なかったエコロジー思想の西欧的特徴の指摘など、エコロジーの思想的背景を包括的に知ることができる。同じく 89 年、Roderic Nash の *THE RIGHTS OF NATURE* ⓰が刊行された。同書はアメリカにおける「革命思想としての環境倫理思想」の形成過程について思想史的に概観したものであり、現代の環境運動における環境倫理の意義についても言及している。人間における権利の拡大の延長上に動物をはじめ自然の権利を捉えようとする著者の立場には異論が提出されているが、欧米の環境思想史(著書、思想、運動)を学ぶ上では極めて有益である。

「本邦初の「環境倫理学」の入門書である」という宣伝文句を有する加藤尚武の『環境倫理学のすすめ』(丸善書店)が刊行された 1991 年、長年にわたって反公害運動−環境運動に取り組んできた宇井純の編集した「エコロジーの源流」という副題を有する日本の環境思想に関する資料集『谷中村から水俣・三里塚へ』(社会評論社)が刊行された。前稿(2003)でも既に紹介したが、同書の「まえがき」に述べられた編者の述懐を改めて引用しておこう。「元来日本思想史の専門家によって用意されているはずのこの巻を、社会運動に関係した一介の技術者が今まとめなければならないところに、問題の大きさの一

⓯ 金子務訳『エコロジー』(1992、河出書房新社)。

⓰ 松野弘訳『自然の権利』(1993、TBS ブリタニカ、1999、ちくま学芸文庫)。

端があらわれている。私自身も、運動の中で歴史をふり返ることが大切だと感じ、人にも伝えながら、この規模で系譜をたどる仕事に取組んだのは初めてであった。ここに集めたものは、編者が無から出発して、運動の中で考えるために必要と思われる記述であるが、全く頼るべきもののないところで、やむなく自分用に作った見取図のようなものである。(中略)批判を前提としてこの時期に見取図を用意することを決心した」。同書に収録された資料は多くが明治以降の文献であり、それ以前のものとしては徳川期の『農業全書』凡例、『百姓伝記』(17 世紀後半に成立した農書)巻七防水集、蔡温の『農務帳』、幕末に成った大蔵永常の『広益国産考』砂糖の事の 4 のみである。

翌 92 年、ベストセラーとなった中野孝次の『清貧の思想』(草思社)が刊行された。同書についても、改めて「まえがき」の一節を引用しておこう。「日本には物作りとか金儲けとか、現世の富貴や栄達を追求する者ばかりでなく、それ以外にひたすら心の世界を重んじる文化の伝統がある。(中略)現世での生存は能う限り簡素にして心を風雅の世界に遊ばせることを、人間としての最も高尚な生き方とする文化の伝統があったのだ。(中略)わたしはそれこそが日本の最も誇りうる文化であると信じる。今もその伝統－清貧を尊ぶ思想と言っていい－はわれわれの中にあって、物質万能の風潮に対抗している」。「いま地球の環境保護とかエコロジーとか、シンプル・ライフということがしきりに言われだしているが、そんなことはわれわれの文化の伝統から言えば当り前の、あまりに当然すぎて言うまでもない自明の理であった、という思いがわたしにはあった。かれらはだれに言われるより先に自然との共存の中に生きて来たのである。大量生産＝大量消費社会の出現や、資源の浪費は、別の文明の原理がもたらした結果だ。その文明によって現在の地球破壊が起ったのなら、それに対する新しいあるべき文明社会の原理は、われわれの先祖の作り上げたこの文化－清貧の思想－中から生まれるだろう、という思いさえわたしにはあった」⓱。そして同書のⅠでは本阿弥光悦、鴨長明、吉田兼好、芭蕉、良寛、池大雅、与謝蕪村らの「清貧の思想」が外国人読者を想定して紹介され、Ⅱでは「清貧の思想」の内容及び諸相

⓱ シューマッハーも「工業時代の到来する前」の「土着の「貧困の文化」」を「本物の文化」として評価している。*THIS I BELIEVE and other essays*(1997)、酒井懋訳『スモール イズ ビューティフル再論』(2000、講談社学術文庫)114 頁。引用文は Conscious Culture of Poverty「貧困の意識的文化」(1975)の一節である。なお同書には「仏教経済学」が再録されている。

が述べられるのである。

『谷中村から水俣・三里塚へ』は資料集であり、『清貧の思想』は研究論文とは必ずしも言えないものであるが、両書はその問題意識、扱っている資料の包括性からいってまさに日本環境思想史研究の先駆と言ってよい。これらが日本思想史の専門研究者ではない人々によって成ったことは、日本思想史研究の側からの環境思想史研究が立ち後れていることを端的に示している。70 年代に既に農業史家古島敏雄の「公害と蕃山の自然破壊観」(1971)⓲、社会学者鶴見和子の注目すべき『南方熊楠』(1978 刊)⓳や人文地理学者西川治の「江戸時代の環境思想に関する覚書」(1979)⓴があるにもかかわらず、私が 90 年代初頭から日本環境思想史研究が本格的に始まると理解するのは、何より両書の研究史的意義を重く見るからである。

漸く欧米でも 1991 年、環境思想の文献を抄録した Andrew Dobson 編の *GREEN READER* ㉑が刊行されたが、95 年、英語文献を翻訳した小原秀雄監修の『環境思想の系譜』全 3 巻(東海大学出版会)がそれぞれ「環境思想の出現」「環境思想と社会」「環境思想の多様な展開」と題して刊行された。各巻の解説は欧米の環境思想の歴史と現状を俯瞰する上で参考となる。またこの頃から現代社会の諸問題に実践的関心を持つ哲学研究者の集団的研究が現れてくるが、それらの中には環境思想史研究を進める上で示唆的なものも見られる㉒。

1990 年代後半から中国をはじめとするアジアの研究者との環境思想に関する共同研究が目立ってくるが、99 年に刊行された日中両国研究者によるシンポジウムの記録である農山漁村文化協会編の『東洋的環境思想の現代的意義』(農山漁村文化協会)は全 4 章のうち 3 章が「東洋思想における自然と人間の関係」「東洋の伝統的宗教と自然保護」

⓲ 『日本思想大系月報』14(『日本思想大系 30　熊沢蕃山』、1971、岩波書店)所収。

⓳ 『日本民俗文化大系　第 4 巻』の同書は、熊楠の文章の引用を省略して、1981、講談社学術文庫。同書は今なお環境思想家としての熊楠に関する最適の入門書であるとともに、最初の本格的な研究書である。

⓴ 『東京大学教養学部人文科学科紀要』69 輯、人文地理学Ⅳ。同論文は日本環境思想史に関する研究の早い例である。

㉑ 松尾眞・金克美・中尾ハジメ『原典で読み解く環境思想入門』(1999、ミネルヴァ書房)。

㉒ 例えば、尾関周二編『環境哲学の探究』(1996、大月書店)、同氏編『エコフィロソフィーの現在』(2001、大月書店)など。それらに参加している亀山純生の『環境倫理と風土』(2005、大月書店)も参考となる。

「東洋の伝統的民衆思想における自然観」をタイトルとするものであり、孟子、荀子、老子、荘子、墨子、風水等における環境思想の指摘は資料的にも教えられる点が多い。日本の思想では、神道、熊沢蕃山、安藤昌益、二宮尊徳、南方熊楠、今西錦司等が取り上げられている。同書はこのような包括的研究の嚆矢と言えよう。同年、日本仏教学会編の『仏教における共生の思想』(平楽寺書店)が刊行され、日本関係では、叡尊、忍性、明恵、法然、親鸞、道元、日蓮及び横尾弁匡が取り上げられている。仏教を環境思想としてどのように捉えていくのかは極めて重要な課題であるが、同書はそのような取り組みへの本格的な一歩と言えよう。

2001 年に刊行された Joy A. Palmer 編の *FIFTY KEY THINKERS ON ENVIRONMENT* ㉓は、「環境保護運動に影響を与えた批判的な考え方と行動に関係のある「重要人物」と、環境哲学およびそれに関連した分野の思想の歴史とに、関心をもつ読者の役に立つことを意図して書かれた」(序文)ものであり、紀元前 5 世紀頃の仏陀から 1952 年生まれのヴァンダナ・シヴァに至る 50 人が生年順に取り上げられている。環境思想史に関するこのような著作としては初めてのものである。1936 年生まれの前述のキャロリン・マーチャントが入っていないこと、アジアから取り上げられている者は仏陀、荘子、王陽明、芭蕉、タゴール、ガンジー、ヴァンダナ・シヴァの 7 人、全体の 14%に過ぎないことや、日本から芭蕉のみが取り上げられていることなどに異論があるが、この 50 人の選択には欧米の研究者の関心のあり方が反映していると言ってよい。日本環境思想史研究においても同書のようなものはいずれ書かれなければならないであろう。

2005 年に刊行された海上知明の『環境思想』(NTT 出版)は、欧米の環境思想の歴史の概略を記述し、その体系化を試みたものである。先駆的とはいえ、環境思想史研究の蓄積がいまだ十分とは言い難い現在、恣意的とも思われる細かな体系化を試みることにどれほどの意味があるのか疑問を禁じ得ない。同書の「第十一章　日本における環境思想の系譜」では、天武期のいわゆる肉食禁止令(675)が評価され、「江戸時代に、リサイクルが徹底されることになる大本が、天武天皇時代の宗教政策によって作り上げられたのである」とし、日本の環境思想として「一般民衆におけるアニミズム信仰」と「聖職者にお

㉓　須藤自由児訳『環境の思想家たち』上・下(2004、みすず書房)。

ける内面回帰」を指摘し、最澄と空海が「日本におけるディープ・エコロジーの源流」とされる。また、徳川期の鎖国は「エコシステムの完成」として評価され、生類憐れみ令を出した5 代将軍綱吉は「動物解放派にとって名君」とされる。熊沢蕃山の思想は「儒教エコロジー」と評され、彼とともに安藤昌益が「江戸時代のエコロジスト」とされている(以上、228〜234 頁)。これらはあまりに安易な類推に基づくものであり、このような内容が「日本における環境思想の系譜」として論述されることに対しては、日本思想史研究を踏まえ日本環境思想史を構想する者として複雑な思いに駆られる。そもそも環境思想史研究においても思想史研究の基本は押さえられなければならない。自らの論述に都合のよい語句を資料から断片的に拾い上げ、それらをあらかじめ描いておいたストーリーの中に当て嵌めていくのではなく、思想的文脈に留意しつつ語句の意味を定め、思想全体との関連の中で個々の所説の意義を明らかにしていくことは思想史研究の学問的前提である。その意味では環境思想史研究はあくまで思想史研究の一領域なのである。

二　日本環境思想史の課題と構想

一の考察から判るように、欧米の環境思想史研究の問題意識は、自然観－環境認識の変遷の理解を踏まえて、第 1 に、現在の環境破壊＝生態学的危機の思想的淵源は何かというものであり、そこからキリスト教的世界観の「人間中心主義」、機械論的な近代的世界観や労働価値説などが批判される。日本の場合、この点は、思想的・文化的伝統が欧米とは異なるので欧米の場合よりも複雑になるだろう。第 2 に、第 1 の裏返しであるが、環境破壊＝生態学的危機をもたらすことなく社会を持続させ得る思想的基盤の構築に有効な過去の思想的遺産は何かというものであり、そこからアジアの諸思想、近代化される以前の伝統思想や植民地化あるいは同化される以前のネイティヴの思想に関心が向けられる。これらの考察をも踏まえて、現代の環境思想の課題である自然－人間関係の再定義に基づく新たな人間観(人間論)が構築される必要があろう。そのような人間観こそ社会を持続させ得る最も強力な思想的基盤となるに違いない。以上の理解を踏まえ、日本環境思想史の課題と大まかな構想について改めて述べてみよう。

第 1 に、日本における自然観－環境認識の発生とその歴史的展開を明らかにすることが求められる。この場合、自然観の観照的な考察ではなく、自然観と人間観の相互媒介に常に留意しなければならない。環境認識の発生をめぐっては、前稿(2001)において次のような粗いデッサンを描いた。「人間が自然の恵みである食糧を求めて移動する生活を止め、何らかの程度において定住したとき、その原初的な居住の場こそ環境の成立であった。そして、その居住の場を中心とした労働圏－生活圏の範囲が身近な環境として意識されたであろう。こうして、人間にとって疎遠で非相関的であった自然が何らかの意味において人間と相関的な関係に入ったとき、自然は環境となった(自然の環境化)。しかしそこでは、いまだ人間は自然に埋没しており。自然は生活の糧を与える恵み深いものであるとともに、無慈悲に惨禍をもたらす畏怖すべきものでもあった。自然環境の認識(それはまた自己認識の発展であり、環境認識の展開と自己認識の展開はパラレルである)において決定的な意味を持ったのは、原野を恒常的な労働対象としての耕地に改変した農耕の登場であろう。山野・川海からの自然の恵みの採集・狩猟・漁撈によって生活していた段階とは異なり、原初の自然を人間の労働によって改変した第二次的自然としての耕地が出現したのである。／労働圏－生活圏、そして交易圏の拡大とともに環境は拡大する。それに伴い環境認識もしだいに豊かなものになっていったであろう。最も身近な居住の場からの距離に応じて人々に対する環境の親疎の度合いも異なったが、それはまた環境に対する知識の多寡の相違でもあった」(40～41 頁)。列島の基幹的な生業である農業における生産力の発展は、耕地面積の拡大と単位面積当たりの収穫量の増大(集約化の方向)の二つによって実現されるが、特に前者の場合、耕地面積の拡大＝開発を促した自然観－環境認識を具体的に明らかにしつつ、神道・仏教等がいかなる思想的役割を果たしたのかが問われなければならない。またこの時期は、13 世紀の『方丈記』や 14 世紀の『徒然草』をはじめ数々の和歌を含む文学作品に見られるように、日本的自然観の形成に大きな影響を与えた審美的・観照的自然観が形成された時期でもあり、そのような自然観の特質についても従来の研究を踏まえながら環境思想という新たな視角から明らかにする必要があろう。

第 2 に、開発が進むとともに農業技術の発展によって上述の集約化の方向が顕著になってくると、治山・治水論を含め農書をはじめとする生産技術に関する記述が現れてくるとともに、新田開発に対する反省的認識が見られるようになる。それは 17 世紀の熊沢蕃山に明瞭である。また 17 世紀以降、従来の神道・仏教に加え、儒教さらには南蛮学－蘭学

－洋学的知識が自然観－環境認識に大きな影響を及ぼすようになる。こうして、日本環境思想史は新たな段階に入ると言えるが、徳川日本の環境思想を考える場合、例えば次のような論点を指摘することができる。

① 儒教の影響の下に広く存在する、「天」ないしは「天地」のあり方を基軸として人間や自然のあり方を捉えようとする傾向に関してである。思想的範型としての自然をめぐる問題と言ってもよい。この問題については、ケース・スタディとして三で具体的に論述してみよう。

② 農書をはじめとする生産技術に関する文献に見られる自然観－環境認識についてである。徳川日本においては、前期を代表する『農業全書』及び後期を代表する大蔵永常の諸書など多くの農書が著され、さらに農書以外の多くの技術書が著されるようになる。それらについて、生産技術の展開という技術史的視角からのみではなく、個々の生産技術の前提にある自然観－環境認識の特質を把握する必要がある。それは治山・治水論の場合も同様である。そしてそのような考察は、在来技術をどのように評価するかという問題とも密接に関連している。

③ 徳川日本においては、〈倹約の時代〉と言ってよいほどに、法律の条文から庶民の生活記録に至るまで「倹約」が強調されるが、その「倹約」の思想的意義に関してである。それは、低位の生産力段階に規定され、身分制的な支配秩序によって強制されたものとして捉えるだけではなく、石田梅岩の思想に鋭く見られるように、物質的欲望＝消費の拡大ではなくその抑制を人間の基本的あり方としてどのように捉えるのかという問題である。

④ 南蛮学－蘭学－洋学によってもたらされた世界知識により、従来の三国的世界像（日本・中国・インド）は大きく修正され、世界は著しく拡大し世界像は変容する。地球体説は知識人を中心に受け入れられ、恒星系や他の天体における人間の存在を想定する者さえ現れてくる。そしてほぼ現代につながるような世界認識が登場してくるが、そのような西欧の（自然科学の発展に裏付けられた）近代的世界観－宇宙観の受容に伴う自然観－環境認識をめぐる問題である。

⑤ 都市及びその近郊を中心とする商品生産の進展と商品流通の発達を前提に、都市を中心に消費社会が成立する。そのような社会的変化を背景として、鎖国下であり

ながら、後期経世論に見られるように、明治以降の近代日本の歩みの先駆と言ってよい、徳川日本の政治社会体制とは齟齬する経済思想や国家構想が登場してくる。それらにおける自然観－環境認識をめぐる問題である。

第 3 に、近代日本の環境思想であるが、ここでは前稿(2003)で指摘したように南方熊楠と、さらに田中正造の環境思想が基軸的位置を占めると言ってよい㉔。それは、足尾銅山鉱毒問題及び神社合祀問題において地域住民の立場から文字どおり身を挺して闘い抜いた両者の思想には、次のように現代の環境思想の論点のほとんどが含まれているからである。

① 環境保全の重要性。これは、上述の二つの闘争(要求実現という視点から見るとこれらは明暗を分ける㉕)を闘った両者には明瞭に見られるが、特に生物学者である熊楠においては、神社合祀反対運動における「神林」(鎮守の杜)の意義(彼は神道の意義についても述べている)や彼の住んだ田辺の湾上に浮かぶ神島の環境保全の意義(彼の尽力もあり 1936 年史跡名勝天然記念物に指定された)などを論ずる中で学問的に展開されている。

② 国家権力への抵抗と人権の擁護。熊楠における自覚的な人権意識の究明は今後の課題と言ってよいが、自由民権運動をくぐり抜け衆議院議員の経験もあり地域住民の生活を守る立場から国策に抗した正造には明確に見られる。

③ 地域生活の重要性と民俗の尊重。後者は、柳田国男と並んで民俗学の創始者と評される熊楠により明瞭に見られる。

④ 非戦と軍備撤廃の思想。これは環境思想の重要な内容であるが、正造に先駆的な主張が見られる。

⑤ 仏教的論理の再評価。当時有数の学僧であった真言宗の土宜法竜と親交のあった

㉔ 環境思想という視角からは、熊楠については鶴見和子の前掲書をはじめとする一連の研究が参考となる。正造については分厚い研究の蓄積があるが、環境思想という視角からの研究はこれからである。最近の重厚な正造研究として、小松裕『田中正造の近代』(2001、現代企画室)がある。

㉕ 足尾銅山鉱毒の渡良瀬川封じ込め策である谷中村遊水池化計画により、谷中村は 1907 年栃木県の強制執行により破壊された。一方、神社合祀令は 1918 年廃止される。その意味では熊楠の闘いは勝利したのである。

熊楠は、仏教学者の中村元の名付けた「南方曼陀羅」[26]なる認識論的枠組みの図示に見られるように、生物学を中心に彼が熟知していた西欧近代科学の方法に拝跪することなく、仏教的論理の新たな可能性を示している。

⑥　両者は近代日本の人間像をめぐる重要な論点の一つである天皇と宗教に対する態度に関する特徴的なケースでもある。正造はよく知られているように、衆議院議員を辞したのち足尾銅山鉱毒被害を天皇に直訴し(1901)、この問題を闘う中でキリスト教に接近する。困窮の中で斃れた正造の許には擦り切れた聖書が残されていたと言われる。熊楠はロンドンを中心とする 15 年の外国遊学にもかかわらずキリスト教には近づくことなく、上述のように仏教には極めて深い造詣があり神道にも肯定的に言及している。また彼は粘菌研究を中心とする生物学者として知られるようになるが、田辺湾に来航した御召艦長門において紀州の植物や粘菌について天皇に進講した(1929)。のち熊楠は神島に「一枝も心して吹け沖津風わが天皇のめでましし森ぞ」の歌碑を建て、彼の歿後の 1962 年田辺に隣接する白浜を訪れた天皇は熊楠の進講を想起し、「雨にけふる神島を見て紀伊の国の生みし南方熊楠を想ふ」と詠んだ。

三　「天」「天地」と人間　——徳川日本の環境思想の一側面——

徳川思想の特徴として、上述のように、儒教の影響の下に広く存在する、「天」ないし「天地」のあり方を基軸として人や自然のあり方を捉えようとする傾向を指摘することができる。従来の研究では、そのような所説は、範疇的に異なる人と自然を連続的に捉え、人の主体性を把握し得ない前近代的な思想の典型として批判的に理解されることが多かった。しかし、環境思想史の立場からすれば、そのような理解こそ自然の根源性を捨象した近代特有の人間中心主義として批判されなければならない。

ところで朱子は経書中の「天」字の意味について、「蒼蒼」「主宰」「理」の三つの場合があることを指摘している(『朱子語類』巻一理気上)。「蒼蒼」は自然的・物理的天、おおぞ

[26]　鶴見前掲書(講談社学術文庫)、82 頁参照。

らを指し、西川如見(1648～1724)の言う「形気の天」㉗であり、「天地」と熟する場合はほぼ私たちの自然の概念に近いものとして捉えることができよう。また「主宰」は「天」の主宰的性格、すなわち『書経』などに現れる「上帝」の概念に近いものであり、「理」は「天理」と熟するようにまさに朱子学の特徴的理解である。以上を踏まえながら、「天」ないし「天地」をめぐる特徴的な言説のパターンを見てみよう。

(一)「天地につかへ奉るを以て人の道とす」

貝原益軒(1630～1714)は『大和俗訓』において次のように述べている。「人は天を父とし地を母として、かぎりなき天地の大恩を受けたり。故に、常に天地につかへ奉るを以て人の道とす。天地につかへ奉る道はいかんぞや。およそ人は天地の万物をうみそだて給ふ御めぐみの心を以て心とす。此心を名づけて仁と云ふ。仁は人の心に天より生れつきたる本性なり。仁の理は人をめぐみ物をあはれむを徳とす。此仁の徳をたもち失はずして、天地のうみ給へる人倫をあつく愛し、次に鳥獣草木をあはれみて、天地の人と万物を愛し給ふ御心にしたがひ、天地の御めぐみの力を助くるを以て、天地につかへ奉る道とす。これすなはち人の道とする所にして仁なり」㉘。すなわち、万物を根源的に支える大父母としての「天地の大恩」に対する報恩としての「天地につかへ奉る」ことこそ「人の道」であるとされる。それは、具体的には、人の心に「仁」として内在する「天地」の「万物をうみそだて給ふ御めぐみの心」あるいは「人と万物を愛し給ふ御心」にしたがって「人倫をあつく愛し、次に鳥獣草木をあはれ」むことであった(この愛の差等性は儒教の特質である)。このような論理構成は朱子学的論理に基づくものであるが、万物の根源的母胎たる「天地」＝自然のあり方を範型として、人のあり方が捉えられているのである。この場合、「天地」の根源性により、「天地につかへ奉る」という宗教的敬虔さえ感じさせる表現によって「人の道」が捉えられていることに注意しよう。

前稿(2003)で指摘したように、朱子学的用語を用いて「性学」を主張した大原幽学は『微味幽玄考』において、「天地の和則性、性則和」と述べ、自然の調和的あり方によって

㉗ 如見は朱子の言う「理」の性格を有する「命理の天」に対して「形気の天」を言うのであり(『天文義論』)、それを対象とする学問を如見の次子正休は「形気の天学」と称している(『大略天学名目鈔』)。

㉘ 『益軒全集　巻之三』(1973、国書刊行会)47～48頁。

人間を把握し、「人は天地の和の別神霊(わけみたま)(神道用語。分霊ないし分身)の長たる者故、天地の和の万物に之(ゆ)き及ぼす如くの養道を行ふこそ人の人たるの道とす」と指摘する㉙。彼においてもまた、万物の根源的母胎たる「天地」=自然のあり方を範型として人のあり方が捉えられているのである。

(二)「政を以て(天地の)造化を助くる」

上述のように、『大和俗訓』の一節では、「天地の人と万物を愛し給ふ御心にしたがひ、天地の御めぐみの力を助くるを以て、天地につかへ奉る道とす」と述べられていたが、同じく益軒の『君子訓』では、それは次のように敷衍され為政者の統治行為のあり方が論じられている。「天地は人を生じ出し養ひ恵むを以て心とし給へども、天もの言ざれば、自ら命令を下して人を治むることあたはず。君子を取立て、官禄をあたへ、其の地の人民を預け給ふなり。然れば、凡国土人民を司り治むる人は各その主君より命を受くれども、その実は天より立て給へる代官なり。故に天職といふ。君子と称するは、国に君として民を子とすといふ義なり。天職とは天に代りて民を治むることを司るなり」㉚。為政者はいわば天の代理人として捉えられているのである。

このように「天地」の根源的なはたらき=万物の生成(それは「造化」「化育」などと称される)を助けることが、人のなすべきこと(政治はその重要な一部である)であった。だから例えば、熊沢蕃山は『孝経外伝或問』において、「徳を以て造化を助くるは聖賢の事也。政を以て造化を助くるは人才也」㉛と指摘し、政治の理想態である聖賢による徳治政治と区別された現実の政治を「政を以て(天地の)造化を助くる」ことと定義し、現実政治もまた自然的秩序のうちに包摂して捉えているのである。前稿(2003)において、蕃山を「環境保全論の嚆矢」として位置付け、彼が山々が荒廃し河川が浅くなったことを批判し、環境保全の根本は「山林茂り、川深くなるにあり」、従って「政にて山茂り川深くなる事」を考えねばならないとする彼の所説を紹介したが、そのような彼の治山・治水論は上述の政治観に支えられていたのである。

㉙ 『日本思想大系 52　二宮尊徳　大原幽学』(1973)238 頁。

㉚ 『益軒全集　巻之三』391 頁。

㉛ 『蕃山全集　三』(1979、名著出版)68 頁。

(三)「万民はことごとく天の子」

「天地」の根源的なはたらきとして人をも含む万物の生成作用が指摘される以上、「ばんみんはことごとく天地の子」(中江藤樹『翁問答』)あるいは「万民はことごとく天の子」(石田梅岩『倹約斉家論』)などと指摘される人間把握が登場することも論理的に頷けよう。このような人間観は徳川日本における人間の価値的平等の意識を支えるものであった。中江藤樹(1608～48)は端的に、「ばんみんはことごとく天地の子なれば、われも人も人間のかたちあるほどのものはみな兄弟なり」[32]と指摘し、貝原益軒は『五常訓』において次のように述べるのである。「此世ニムマレテ、高キモイヤシキモ皆同ジク天地ノ子ニシテ同ジ人ナルニ、不幸ナル人ハ、家マドシク財ナクシテ、ツネニ衣食トモシク、朝夕ウレヒクルシメリ。且年アシク、衣食トモシク、ヤシナヒタラズシテ、世ヲワタルヨスガナキ人多シ。ワガ身幸ニシテカヽルクルシミナク、カレハ不幸ニシテカヽルウレヒニシヅメリ。彼貧民、タトヒ疎遠ノ人ナリトモ、其モトヲタヅヌレバ、同ジク皆ワガ兄弟ノワビシキ人ナレバ、アニカナシマザランヤ」[33]。

確かにこのような人間観は徳川日本の体制的秩序である身分制を直ちに否定するものではない。しかし別稿[34]で論述したように、このような人間の価値的平等の意識は特有の職分論と結びつき、例えば石田梅岩などに鮮明に見られるように、武士及び農工商三民のそれぞれの社会的役割＝職分の相違は認めつつ、職分自体に価値的な差別を認めない主張を生み出したのである[35]。徳川日本の文化の特質である庶民的性格の思想的意義の一つはこの点にあると言ってよい。徳川社会を含む階級社会を否定し、稲作農耕を基本とする無差別平等の社会である「自然の世」を構想した安藤昌益は、「不耕貪食」の支配者を厳しく指弾しつつ農民を「直耕の転子」と捉えた。「転子」(天子)を農民のみに限定するのは昌益独特の理解であり、しばしばその思想の思想史的孤立性が指摘される昌益だが、このような彼の農民把握は上述の人間観の流れの中に位置付けることができるように思われる。

---

[32] 『日本思想大系 29　中江藤樹』(1974)40 頁。

[33] 『日本思想大系 34　貝原益軒　室鳩巣』(1970)110～11 頁。

[34] 「徳川期の職分論の特質」(1992、玉懸博之・源了圓編『国家と宗教』、思文閣出版)。

[35] 拙稿「石田梅岩の思想」(2004、『季刊日本思想史』65 号)参照。

おわりに

日本環境思想史の研究課題は、相対的に研究の進んでいる欧米の環境思想史研究に学びながら、第 1 に、列島における自然観－環境認識の変遷に関する考察、それを踏まえ、第 2 に、現在の環境破壊＝生態学的危機の思想的淵源の究明、特にこの点では欧米の場合とはやや異なり、欧米の世界観－自然像の影響を強く受けている明治以降の近代日本の思想が主要な対象となろう。そして第 3 に、第 2 の裏返しであるが、環境破壊＝生態学的危機をもたらすことなく社会を持続させ得る思想的基盤の構築に有効な過去の思想的遺産の発掘である。

環境思想史研究は、自然と切り離された人間の主体性に重きを置き、そのような主体の確立に近代的思惟の歴史的意義を認めようとするものなどとは異なった立場、換言すれば自然－人間関係の再定義に基づく新たな自然観－人間観(人間論)に基づく方法的立場を前提としている。そして、このような新たな自然観－人間観の理論的構築こそ現代の最重要の哲学的課題であると言えよう。それは環境哲学の課題であると言ってもよい。本稿を終えるに際して、そのような環境哲学の構築に関して若干私見を述べておきたい。

井筒俊彦は「東洋哲学の共時的構造化のために」という副題を有する『意識と本質』[36]において、「東洋哲学全体を、その諸伝統にまつわる複雑な歴史的聯関から引き離して、共時的思考の次元に移し、そこで新しく構造化しなおす」(7 頁)ことをその研究の課題とした。それに倣って言えば、これまでの環境思想史研究によって見出された、自然と切り離された地平で主体を論じる思考ではなく、キリスト教や近代的世界観に見られる「人間中心主義」とは異なった自然－人間関係を提示し、それゆえ還元主義的認識を絶対化することなく、常にホリスティックな視点を堅持する、そのような特質を有する諸思想を「共時的思考の次元に移し、そこで新しく構造化しなおす」ことが環境哲学の課題であると言えよう。すなわち、本稿において、「環境思想への仏教の寄与」に言及し、徳川思想において、「万物の根源的母胎たる「天地」＝自然のあり方を範型として人のあり方が捉えられて

---

[36] 1983、岩波書店、1991、岩波文庫。引用は岩波文庫版による。

いる」ことや「現実政治もまた自然的秩序のうちに包摂して捉えられている」ことを指摘したが、環境破壊＝生態学的危機の思想的淵源とは異なった社会を持続させ得る思想的基盤という次元において、それらの「共時的構造化」を図ろうというのである。その具体的究明はもはや環境思想史研究の課題を超えてはいるが、環境思想史研究もまたそのような問題意識を抱きながら遂行されなければならないと言えよう。

付記　本稿は、2004－2005 年度科学研究費補助金(研究課題:日本環境思想史の構想に関する研究)による研究成果の一部であり、また日本思想史学会 2005 年度大会(10・30、東京大学教養学部)において発表した「日本環境思想史と南方熊楠」を敷衍したものである。発表の際、議論に参加していただいた諸氏に感謝する。

「袖珍孛語訳嚢」についての実証的研究

園田尚弘

はじめに

本稿は山本松次郎編「袖珍孛語訳嚢」(シュウチンフゴヤクノウ)についての総合的研究である。この辞書に関する疑問点を時間と手間をかけて実証的に解明したつもりである。今では題名を正しく読むのも難しい本辞書は独和辞書のはしりとも称されるべき辞書である。この辞書について本稿で、筆者は辞書の体裁、記述の特徴、編者について調査をし、また「袖珍孛語訳嚢」のもとになった外国語辞書についても調査をすすめた

一、明治初期の独和辞書

「袖珍孛語訳嚢」は(1872 年、明治 5 年 9 月)に長崎で刊行された。この年には本格的体裁をとったドイツ語辞書が 5 点も出版された。19 世紀末からの独逸の隆盛を知っていた日本人は、ドイツの先進的学問、技術を学ぶ必要性を痛感していた。そうした思いが噴出するように、明治 4 年から 6 年にかけて、5 点の辞書が出版された。「孛和袖珍字書」(1872 年、明治 5 年 8 月)、「袖珍孛語訳嚢」(1872 年、明治 5 年 9 月)、「和訳獨逸辞典」(1872 年明治 5 年 10 月刊)「和訳獨逸辞書」(1871－73 年明治 4 年－6 年)、「獨和字典」(1873 年明治 6 年刊)がそれである。

「袖珍孛語訳嚢」はそれら 4 点の辞書と比べると、収録語数や日本語訳の正確さの点で、ほかの 4 点より劣るものの、従来のドイツ語関係の出版物に比すると格段に今日の独和辞書に近づいた洋綴じの独和辞典である。

それゆえ『日独言語文化交流大年表』のなかで、田中梅吉は、この辞書について、「ともかく簡単ながら、一通り辞書の体裁を備えたものが、かくも早いころに長崎の一角から現れた」❶とゴチックで強調している。また『洋学史事典』ではこの辞書について「明治 5 年には、独和対訳辞典が一斉に出版されたが、長崎で出されたものとして注目される。」❷と述べられている。

二、「袖珍孛語訳嚢」の体裁、単語表記

「袖珍孛語訳嚢」は長崎で出版されたためか、二冊が長崎大学図書館経済学部分館武藤文庫に収められている。また長崎県立図書館にも同書は所蔵されている。ここでは武藤文庫所蔵の辞書を使って、その体裁、内容の特徴などについて述べていきたい。なお孛語とは「孛漏生」の言葉つまり今日のドイツ語の意味である。

「袖珍孛語訳嚢」は洋綴じの本で、約 19.5cm×13cm ほどの本で，西洋活字印刷，一ページに横組み 19 段、ドイツ語単語はもちろん横書き、日本語訳は縦書き、タイトルページと題辞あわせて 6 ページ、本文部は 501 ページである。(ページの終わりは 499 であるが、実際はこれより多い❸同時期に出た独和辞書には添付してある不規則動詞の変化表はない。見出しになっている単語の総数は 7,835 個である。この数は同時期に出た独和辞典に比べて少ない。

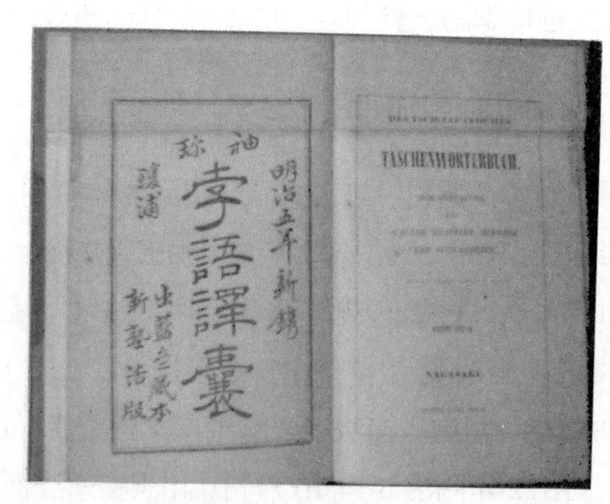

写真 1　袖珍孛語訳嚢

辞書の単語を眺めていてすぐに気づくのは、ウムラウトが落ちている単語が多いことである。略語の解には、語形変化をしたままの形で

❶　田中梅吉:日独言語文化交流大年表、三修社 1983 年 518 ページ。

❷　洋学史事典、日蘭学会編、雄松堂出版、337 ページ。

❸　『日独言語文化交流大年表』も『洋学史事典』も 499 ページと書いている。

出ているものがある。単語表記と単語説明に関して、この辞書はどのような方針に立っているのか整理してみよう。

単語はアルファベット順にならべられている。単語は名詞だけでなく、全ての単語の頭文字は大文字である。これはこの辞書に特有なのではなく、当時の辞書は選定された単語すべての頭文字が同じように大文字で書かれている。大文字の Ä,Ö,Ü はそれぞれ、Ae,Oe,Ue で代用している。しかし小文字の a,o,u にはウムラウト記号が添えられている。ß は sz で代用している。

このほか C の部には 122 個の単語が見出し語となっているが、C のすぐ後に、「此ノ部ニ不足ノ語ハ K ニテ見ヘシ」と書かれている。これは外来語がだんだんドイツ語式のつづりかたにかわっていることをしめしているが、この指示の書き方は辞書の原典となったロテック Rotteck の辞書の特徴を示している。

その他、現在の独和辞書と比べて、目につくのは、アクセントの記載が一切ない、分離動詞を示す記号がない、語の用例や、熟語の記載が一切ないことである。しかしこれはこの辞書に限った事ではなく、他の当時の日本人による辞書に見られるところである。品詞については、個々の単語について、記し、動詞については、他動詞、自動詞、非人称動詞、再帰動詞の別を記す。名詞については、複数形が示されていない。(複数形が見出しの単語として出ているものはある)

見出し単語の綴りのまちがいがウムラウト記号の脱落以外にもみつかる。例えば Ankunft とあるべきところが Ankunst となっている。たんなる印刷ミスかと思ったが、Oeffnen が Oessnen となっていること, Schrift が Schrist となっていることで、フラクトゥア(亀の子文字)の f を s と読み間違えたのだと推測できた。これなどは編纂者のドイツ語の力の弱さをしめしている。全体的にみて多くのつづりの間違いがある。また日本語訳のない単語、単語から一文字空白になっているものもある。

訳語についても相当にまちがいが目につく。例えば Pfanne(なべ)を詩と訳しているのはフランス語訳 poêle を poète(詩人)と読んだためとしか思えない。Schlaf(眠り)が殿堂という間違った訳になっているのは首をかしげざるをえない。見出し単語のつづりの間違い、日本語訳の間違いの多さを見るにつけ、こうした語学力の不足にもかかわらず、あえて辞書編纂に取組もうとしたのはなぜだろうかという疑問が湧く。そこで次には編纂者がどのような人物であったか紹介する。

三、「袖珍孛語訳嚢」の編纂者について

題辞の最後に火州後学の名前が記されている。郷土史の資料によれば、この名前は山本松次郎の号である。1845(弘化 2 年)に生まれ 1902(明治 35)に死亡している。山本松次郎は「明治初期の語学者。父は儒家山本清太郎(春海)、その第五子である。諱は良木。または晴茂のち貞幹・霞松・鶴湊・藍水訳史・火州後学・観瀾舎等の号がある。また晩翠とも称した。幼くして父に諸子百家を学び、万延元年(1860)から大村藩医村瀬杏庵、長与専斎、広島藩医三刀玄寛、備中足守藩医緒方郁蔵、小島養生所の二代目外国人教師ボードウィンなどに従って蘭学・医学を習得した。また維新前後の語学研修の場であった新町の済美館(洋学所の後身)の教師プチジャン、平井希昌、志築龍三郎らについてフランス語を学び、慶応三年(1867)には、自ら済美館教授助になった。以後、明治二年(1869)長崎広運館(済美館改め)でフランス語を教授し、翌年には語学力を買われて外務省に招聘された。(この時は母の喪中で辞退している)その後は、以文会社新聞の編集にたずさわり、脩立社産業雑誌編集者となるなど新聞界に進出した。後、長崎県師範学校で一等助教諭として、教える事もあったが辞職して明治 16 年(1883)、私塾・楽山堂を紺屋町に開き、子弟教育に専念した。塾生は数百人に及び明治初年の長崎の教育に大いに貢献した。人となりは率直で、ひとを憚らず、言行も時としてひとの意表をつくことがあったため、畸人などと称せられることもあったようである。」❹。この経歴からすると、山本はドイツ語を十分に解したとは思われない。自分でもそのことを認めているが、英語、フランス語に比べて、ドイツ語学習の機会が少なく、学習者の少なきを憂え、その原因のひとつに適当な辞書がないことにあると考え、自ら辞書の編纂を思い立ったのであろう。辞書の題辞に次のようにある。

「方今洋学日新ノ気運ニシテ而シテ孛語未タ世ニ洽カラサルモノハ蓋シ辞典ノ邦言ニ解スル者乏シキヲ以テナラン因テ自ラ量ラス粗此ノ編ヲ述ヘ題シテ

❹ 長崎事典、歴史編、長崎文献社、222 ページ。

袖珍孛語譯嚢ト曰フ所謂ル滄海ノ一滴僅ニ童生ノ採閲ニ便セント欲スルノミ若シ夫レ珠淵ヲ総括スルニ至リテハ則チ應ニ大方ノ撰アルヘシ而シテ浅学ノ敢テ任スヘキ所ニ非ス況ヤ吾徒頗ル多事ニ苦シミ而シヲ臣責ヲ探リ隠ヲ索ムルコト能ワス是ヲ以テ最モ謬誤遺漏多シ然シモ看官若シ執筆ノ微労ヲ察シ幸ニ改正増補ヲ加エ而シテ覆甕ノ具ト為ルコト莫ラシメハ則チ豈啻吾徒ノ慶而巳ナラン乎」

題辞に述べられた「改正増補」の機会は、これまでの調査によれば、おこなわれなかったようであるが、多忙を省みず、ドイツ語の世に広がることを望んで、辞書を編纂したことはこの題辞から読み取ることができる

さて山本は本書の末尾(付言)に「原書孛国ロトック氏ノ孛仏対訳辞典に因ると雖モソノ和解ヲ施スヤ傍チエム孛英対訳ボムホフ孛蘭対訳辞典ヲ用イ勉テ確実ヲ主トス」と書き、執筆の際参照した外国語辞典を列挙している。参照した辞書がどのようなものかわかれば山本の意図がより鮮明になるので、筆者は辞書の特定を試みてみた。まずボムホフの辞書はBomhoff: Neues vollständiges Deutsch-Holländisches und Holländisch-Deutsches Wöterbuchであることがわかった。幸い、この本は長崎大学武藤文庫に収められている。次にチエムはFriedrich Wilhelm Thiemeフリードリヒ・ヴィルヘルム・ティーメであり、このひとの編纂した辞書 Neues und vollständiges kritisches Handwörterbuch der englischen und deutschen Sprache が参照された辞書であろう。山本は巻末の文章のなかで、原書としてロトック氏の辞書をあげている。この文からロトックの辞典の役割は非常に大きいだろうということが予想される。というのも「ロトック氏の辞典に因る」と書かれているからである。このRotteckの辞書を見れば、山本の辞典の性格も、参照された辞典との関係で相当に明らかになりそうに思われる。

四、ロテックの『独和・和独新辞書』

記述したように、長崎の人山本松次郎が編纂し、1872(明治 5)年に出版した独和辞書『袖珍孛語訳嚢』の巻末には、「ロトック氏の孛仏対訳辞書による」という記述がある。

山本がロトックと呼んでいるのはRotteckと綴り、これををフランス語風に発音している

のである。Karl Rotteck が正式の名前である。このひとに Nouveau diccionnaire allemand-français, français-allemand と題した対訳辞書があり、山本はこの辞書を独和辞書編纂の際に使用したのである。そのため、山本はこの辞書から単語を適宜選択して、独和辞書を編纂したと、筆者は当初考えていた。そのことを確かめるという意図もあって、Rotteck の辞書を日本、英国、ドイツで探してみたが、他の手が加わった版しか見つからなかった。これらの他人の手が加わった辞書には見つからない見出し単語が『孛語訳嚢』のなかにあるので、これらの単語が Rotteck のみが編纂した辞書にはあるのかという疑問が生じた。すでに調査によって、Rotteck のみによる辞書がフランス国立図書館に所蔵されていることはわかっていたので、パリを訪れた際に、この辞書の調査をおこなった。その結果 Rotteck の辞書に見つからない単語が、かなりの数『孛語訳嚢』の見出し単語になっていることがわかった。しかしさまざまの特徴から、山本が原典としたのが Rotteck のこの辞書であることは間違いない。Rotteck の辞書にある重要な単語が『孛語訳嚢』にとられていない一方で、どうして Rotteeck にない単語が見出し単語になっているのか、新たな疑問が生じた。これに答えることはあとまわしにして、まず Rotteck の辞書について報告しておきたい。

『孛語訳嚢』には現在の表記法とは異なるものが見られるが、これは Rotteck の辞書の表記法と一致することがわかった。

フランス国立図書館に所蔵されている Rotteck: Nouveau diccionnaire allemand-fransais は 4 冊あり、どの版が『孛語訳嚢』に近いかという問題も生じるが、調査した 4 冊の内容にはほとんど変化がなく、あまり問題とならないことが判明した。

次に『孛語訳嚢』には多くのつづりの間違い、訳語の間違いがみつかるが、その原因の一つには本の体裁もかかわりがあるのではと考える。そこで Rotteck の辞書の体裁について述べておきたい。

どの版も縦 14cm、横 9cm の小型本で、装丁はそれぞれ異なるものの、前半部にフランス語・ドイツ語辞書、後半部にドイツ語・フランス語辞書が合わさったものである。巻末の不規則動詞変化表を含め、ドイツ語・フランス語が 410 ページ強、フランス語・ドイツご部分をあわせると 800 ページ強である。活字は小さく、筆者はルーペを使わざるを得なかった。ドイツ語に慣れないものが、この大きさでいわゆる亀の子文字を判読するのはかなり難しかったと思われる。ドイツ語が十分にわかっていないものがこの辞書を使用する場合は、時間を十分にとっていかないと間違いが生じるだろうと予想される。この辞書の小さな活字も、『孛語訳嚢』に多くの間違いが見つかる原因のひとつかもしれない。

フランス国立図書館所蔵の Rotteck の辞書 4 冊のそれぞれについて報告する。FRBNF31252040 の表示がある辞書は、赤の厚紙で表装されていて、背に K. Rotteck Nouveau dictionnaire のタイトルと 1860 年という発行年が記してある、FRBNF31252041 の標示がある辞書はフランス装で、表紙と背に Nouveau dictionnaire と記してある。フランス国立図書館はこの辞書の発行年を 1865 年としているが、表紙に明瞭に 1860 年と書いてあるので、図書館の間違いであろう。

次に FRBNF31252042 の標示がある辞書について述べる。この辞書は暗い緑色の厚紙の装丁で表紙に K. Rottteck Nouveau Dictionnaire Français-Allemand et Allemand-Français のタイトルが記されている。しかし見たところ辞書のどこにも発行年は記されておらず、国立図書館でなぜ 1868 年を発行年としているのかわからない。内容的にも 1860 年版とほとんど変わらない。

最後に FRBNF31252043 の標示がある辞書は、青い色の紙を表紙にしているだけで、背文字もなく、表紙にもタイトルはない。仏独部が変化表を含め、412 ページ、仏独の部が 423 ページで総計 835 ページである。図書館の記録では、発行年が 1871 年 5 版と成っている。第 5 版は本に記してあるが、発行年は印刷されていない。どのようなてがかりに基づいて発行年が確定されているのか疑問である。総じてこの辞書は、100 年以上にわたって発行されているにもかかわらず、発行年がかかれていないものが多い。これまで見たもののうちで、英国図書館の所有する辞書(P. Gister の手が加わっている)、神戸大学図書館の所有する辞書(P. Gister の手が入っている)にも発行年が記されていない。

内容的な変化を調べるため、Jの項目とQの項目を 1860 年版と 1871 年版を比較したが、1860 年版と 1871 年版はドイツ語の訳語が 2, 3 増えているだけでほとんど変わっていなかった。

1860 年版巻末の出版社の広告によれば、元来この辞書は Garnier Frères 社が出版していた Collection de Petits Dictionnaire en deux Langues のシリーズの一冊である。英仏・仏英、仏独・独仏、仏西・西仏が出されている。仏独・独仏を K. Rotteck が担当していたのである。著者はベルリン出身であることが辞書に明記してある。

なお Karl Rotteck については、パリで教授を務めたこと、生没年はわからない旨の記載がフランス国立図書館の著者注にはある。調査目的が、Karl Rotteck の人物調査にはないことから、これ以上の探索はしていない。

五、『孛語訳嚢』の見出し単語の問題

『孛語訳嚢』の見出し単語がどこからきているかの問題を考えてみる。ほとんどの見出しが Rotteck の辞書から来ていることはすでに紹介した編者の言からもあきらかである。そのまま引用すると次のようである。「原書孛国ロトック氏ノ孛仏対訳辞典ニ因ト雖モソノ和解ヲ施スヤ傍チエム孛英対訳ボムホフ孛蘭対訳辞典ヲ用イ勉テ確実ヲ主トス」。

これにより孛語訳嚢は Rotteck の翻訳のようにおもわれるがそうではない。Rotteck にない見出し単語が出てくるのである。それらの単語はどこから持ってきたのか。

具体的にいくつかの字母を選んで単語を調べてみる。掲載されている単語が少ないものが調べやすいので、X,Y,Q の部をとりだしてみる。

『孛語訳嚢』では X, では Xenie, Xereswein のに語、Y の部は Yacht, Ysop の二語のみが掲載されている。これらは Rotteck の辞書からとられたと考えてよい。次に Q の部を調べてみると、32 個の単語が見出しになっている。これらの単語のなかで、Qualität,(特質)quarantaine,(検疫)Quehle(タオル)の 3 語のみが Rotteck の辞書にない。そこで編者が名をあげている Thieme の辞書を開いてみる。❺ Qualität, Quehle は見出し単

❺ Thieme, Friedrich Wilhelm: Neues und vollständiges krutisches wörterbuch der englishen und deutschen Sprache. を同志社大学の社史資料館で閲覧、調査した。正確な発行年は辞書にはしるされていないが、編者の序言によって山本が同辞書を読むことが可能であったことがわかる。第 1 版の序言が 1846 年に、第 2 版への序言が 1849 年に書かれている。この辞書は大学の創設者新島襄の所蔵になるものであり、表紙裏には新島のアルファベットのサインがあり、さらに江戸、1872 と鉛筆で記されている。おそらく東京で 1872 年に購入したのであろう。貴重な辞書を閲覧させていただいた同志社大学社史資料館に感謝する。

なお Thieme の英独・独英辞書については Neues und vollständiges Wörterbuch der englishen und deutschen Sprache. Berlin Schöneberg 1905 も参照した。もちろんこの辞書を山本が参照することはありえないが、正確を期すために参照した。

語として出ている。さらに Quarantaine という単語が出ている。Bomhoff の独蘭辞書ものぞいてみたが、3 つとも載っていない。これらの 3 語は Thieme の独英辞書からとられていると考えられる。これではあまりに調べた単語が少ないので、あと少しほかの字母で調査をしてみることにした。

I の部では Ignorant, Infant, Infanterie, Inwärts が孛語訳嚢の見出しにあって Rotteck の辞書にない単語である。そこで Thieme の辞書で調べてみると全部見つかった。次に J の部で調べてみる。ここではほとんどが Rotteck からとられている。Justiren だけが Rotteck の辞書ではみつけられないが Thieme の辞書で見出し単語となっている。

P の部には 262 個の単語が見出しとなっている。Päckhen, Page, Pantalon, Papa, Pararell, Parmesankäse, Pathe, Patriot, Pavillon Pech, Perode, Perspektive、Pflaumenmuss, Pikant, Polirstahl, Pricke, Probierstein, Profil, Profitt, profitieren, protestiren, が Rotteck の辞書にみうけられない単語であった。これらの単語を Thieme の辞書であたって見たところ、全部記載されていた。このほか J と O の部でも同じ操作をした結果、Rotteck の辞書に見つからない単語を Thieme の辞書で見つけることができた。(ただし「孛語訳嚢」は綴りの間違いが多いので、訂正して想定した単語も含まれるが)これによって、「孛語訳嚢」は Rotteck の辞書からほとんどの見出し単語を取ってきていて、そこにない単語を Thieme の辞書で補っていると結論付けることができる。編者山本が参照したと述べているボムホフの「孛蘭対訳辞典」すなわち Bomhoff, D.: Neues vollständiges Deutsch-Holländisches und Holländisch-Deutsches Wörterbuch の役割は見出し語選定に関する限り、ごく小さかったといえる。

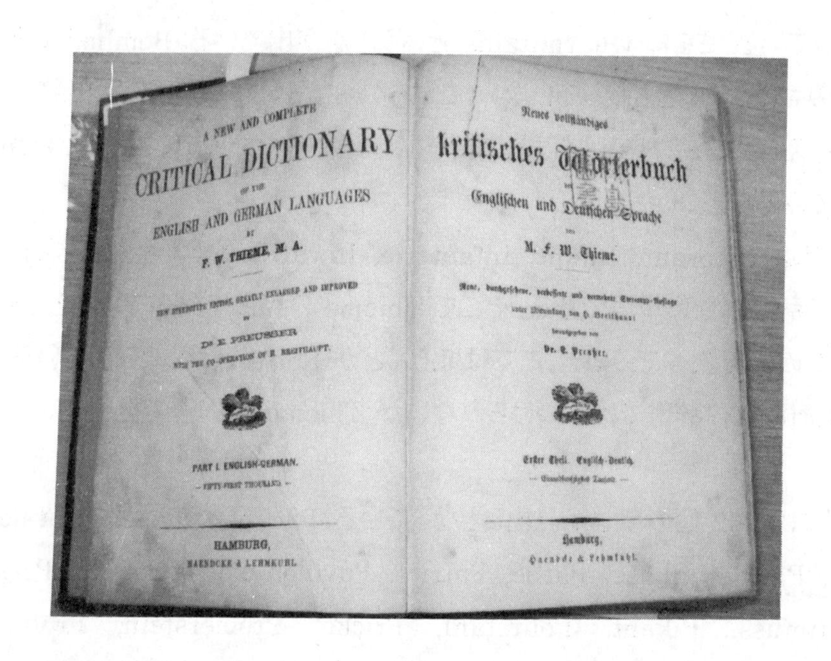
A NEW AND COMPLETE
CRITICAL DICTIONARY
OF THE
ENGLISH AND GERMAN LANGUAGES
BY
F. W. THIEME, M. A.
Dr E. PREUSSER
PART I. ENGLISH-GERMAN.
HAMBURG,
HAENDCKE & LEHMKUHL.

Neues vollständiges
kritisches Wörterbuch
Englischen und Deutschen Sprache
M. F. W. Thieme.
Dr. E. Preußer.
Erster Theil. Englisch-Deutsch.
Hamburg,
Haendcke & Lehmkuhl.

写真 2 Neues und vollständiges krutisches wörterbuch der englishen und deutschen Sprache.(同志社大学社史資料館所蔵)

付記　本稿には、「明治初期に現れた独和辞書の研究」園田尚弘、若木太一編『辞書遊歩』九州大学出版会　2004年、と一部内容が重複している箇所があります。

日本における森神信仰
—対馬、壱岐を中心にして

福島邦夫

はじめに

この小論では日本において(もちろん日本だけではないが)森の持つ重要性について一つの証明をしたいと思う。多くの人にとって森が人類にとって大切なことは自明なこととして片付けられようが、昨今の若い人(私は今五十代であるが、それよりも若い人たちあるいは同輩)のなかには、森が大切だということを自明なことと考えない人がいるのではないか。「大木切ります」という看板が国道のあちこちに見られる現状を見るにつけ私の心は痛むのである。もはや今環境教育の第一歩として森の重要性を教えていくことが必要な時代になってきているのではないだろうか。そんな問題提起から本論は出発している。

森の研究はかつて林学や農学によってなされ、木材や薪、キノコなどを森の恵みとして人間が享受するという有形的な働きのみが重視されてきた。しかし、平成十三年(2001)日本では森林·林業基本法に伴う新森林計画が策定され、そこでは無形の環境保全という働きがようやく重視されるようになった。

森林の効用は大きく次の二つに大別される。一つは森林が人間の精神と肉体の両面に直接働きかけることによって豊かな人間性育成と向上に寄与し、人間生活の福祉と健康を増進するものである。それには、風致、情緒、快適性、保健、心理·教育的働きがある。もう一つは森林がその周辺の環境にたいして防護的、保全的に働き、間接的に人間生活の健康や安全に寄与するものである。これには大気汚染や気象の緩和、防音、防火、災害

防止、水源涵養などの物理的･科学的な働きがある。❶

森林の無形の効用については、鎮守の森を守ることを目的とした社叢学会なども設立され、様々な観点から検討がなされている。しかしそこでは、たとえば、古典、神話学、あるいは考古学、建築学からの言及は多いが、なぜか民俗学からの言及は野本寛一のみからでそう多くはないのが現状である。また、一方梅原猛、安田喜憲などが縄文文化における森林の重要性から、森の文化の再生と重要性を現代に説いているが❷、現代から縄文文化に一気に帰ることは不可能であり、それは現代人にはアナクロニズム(時代錯誤)的な考え方として一蹴されてしまうであろう。そんなに遠くまで帰らなくても一世代、二世代までさかのぼった生活を考える民俗学(神話学に関わる民俗学を参照すれば、民俗学の射程はさらに古い時代にのびると考えられるが、ここではあまり深入りしないこととする。)から森の大切さを明らかにすることは可能なのである。

一、 森神信仰

日本の民俗学では森林保護の思想に関していくつかの貴重な成果がある。まず、民俗学における森林保護について、かつて南方熊楠が明治三十九年神社合祀令によって古社や社叢が減じていくのを憂い、和歌山県の地方紙『弁婁日報』等に神社合祀反対の意見を出し、反対運動を盛んに行ったことはよく知られている。柳田国男は明治四十四年には南方熊楠の松村任三宛の二通の書簡を「南方二書」として刊行し、これを識者に配布して運動を側面から応援した。南方は明治四十五年『日本及日本人』に「神社合祀反対意見」を発表した。南方は森の重要性と神社合祀に反対する理由として七項目をあげている。第一に、神社合祀は人々の信仰を破壊する。第二に、人々の和の精神を破壊する。第三に地方を衰微せしむる。第四に合祀は庶民の慰安を奪い、人情を薄くし、風俗を乱す。第五に合祀は愛郷心を損ず。第六に合祀は土地の治安と利益に大害ある。第七に合祀は勝景史跡と古伝を湮滅する。要するに建築がヨーロッパの神殿であるのに対し、森林

---

❶ 只木良也 2004 年、p.220~221。

❷ 梅原猛「環境と文明」『季刊仏教—森の哲学』No.28 ,1994 年 7 月には多くのこの立場の論文がおさめられている. 安田喜憲『森の日本文化—縄文から未来へ』1996 年、新思索社や朝倉書店『講座　環境と文明』など

巨樹は日本人の神殿であるとし、神社合祀が信仰を破壊し、さらに愛郷心をも破壊し、人民の労苦を慰め、世を休める場所を破壊すること、史跡と古伝を破壊するなど精神的な影響を説くとともに、貴重な生物も失われるなど今日のエコロジーに通じる先見的な意見を述べている。❸

次に本稿の課題とする森神信仰について述べよう。西日本を中心としたモリ(民俗学上のフォークタームとして扱う場合はカタカナで表記される)に共通する特質として谷川健一はいくつかをあげている。ここではそのうちの七つについて紹介する。

一、そこには神社に相当する立派な建物が見られない。あっても石祠など小祠がある程度である。(もっとも最近は神社が後から建てられている例が少なからずある。—福島註)

二、祭神は『記紀』の神統譜につながるものはない。

三、祭地は種子島のガロー山のように開拓者の霊、あるいは開拓したときに土地の悪霊を移し祀ったとされるものがある。あるいはニソの杜(若狭大島)❹やモイドン❺のように先祖を葬った墓地と関係があり、先祖たちを祀ったとするものがある。

四、山の神と祖霊がつながっていると考えられるものに山陰地方の荒神森❻や蓋井島の山の神の例がある。

五、祭祀を行うものは同族集団が多い。モイドンは門(かど)と呼ばれる薩摩の農村の同族集団により祀られる。ニソの杜は宗家を中心にしてニソの講員が集まって祭りをする。

六、モリの神はタタリの烈しい神である。勝手に聖地に足を踏み入れたり、木を切ったりすると様々な災厄がおそいかかる。(中略)天道地と関係がある対馬のシゲ地はそこを

❸ 南方熊楠「神社合祀反対意見」『南方熊楠全集』第七巻 p.566~p.594 1985 年、平凡社　初出、明治四十五年四、五、六月『日本及日本人』580,581,583,584 号。

❹ これについては、金田久璋『森の神々と民俗』1998 年、白水社、佐々木勝『屋敷神の世界』1983 年、名著出版などが詳しい。また、古くは安間清『「ニソの杜」調査』『民俗学研究』三 1952 年を参照。

❺ これについては古く、小野重朗「モイドン概説」『薩南民俗』10、1957 年、同「指宿神社の母胎」『鹿児島民俗』、4—3、1958 年、同「大隅のモイドン」『民俗研究』三などを参照のこと。いずれも『森の神の民俗誌』—日本民俗文化資料集成　三一書房所収、1995 年。

❻ 沖本常吉「荒神森—石見津和野川地方」『民間伝承』14-11、1950 年、白石昭臣「山陰地方のモリー荒神・大元神」『森の神の民俗誌』—日本民俗文化資料集成　第二十一巻 1995 年　三一書房所収、など。

荒らすと急に海や山が荒れ、また家内に病人が出たり、不運が訪れて家がシケる(傾く)とも信じられている。(中略)山陰地方の荒神もきわめてタタリの強い神であった。伯耆地方の荒神でも西伯郡大山町の荒神は恐ろしい神であるとされているが、それは玉垣の中に祭られている神木である。地区の人びとは十二月二十八日には、口に榊の葉をくわえ、交互に拝むが、始終無言で拝礼後は後ずさりして、その後は振り向かないようにようにして帰る。このことからダンマリ荒神といわれている。対馬の天道信仰と関係のある淺藻の卒土(そと)の浜は、昔、船でそこを通るとき、浜の見える間は舟底にひれ伏していなければならなかった。浜沿いに通るときも、浜の石には手を触れてはならず、落とし物を拾うことなども絶対にゆるされなかったという。

七、こうしたタブーはもとより、死霊や土地の悪霊への恐怖心から生じているものであるが、さらにその根底には森や山の霊に対する畏敬の念が存在しているからだと谷川は強調している。❼

さらに谷川はこう述べる。かつて日本の各地に森がうっそうと茂り、人びとはその傍らでくらしていた。先祖の死骸を特定の木のほとりに埋めた記憶はすでに失われたが、その木を祀る習慣はながくおとろえなかった。たとえば島根県八束郡美保関町万原の荒神の祭りでは祭典の前に人びとは共食をする。これは葬式の前の食い別れを想起させると谷川は述べる。❽

そして谷川は以下のように結論づける。モリの信仰は日本の信仰の原型である。その分布は広範囲にわたっており、たとえばヤブサ神(本論後述)の信仰は壱岐、対馬から、肥前、肥後、薩摩と九州西海岸一帯を南北につらぬき南端は沖縄にまで及んでいる。(卑見では一番今までで資料の数の多いのはこの長崎県である。しかし今後の調査によっては資料数は変動するかも知れない。)さらに谷川は「琉球国由来記」を引き、沖縄の東南部に藪薩(ヤブサ)の信仰があるという。沖縄にはモリと称する聖地も多く残っているとし、日本の信仰の原初的形態の解明に寄与するのはまさしく森の神の信仰であるといっても過言ではな

❼ 『日本民俗文化資料集成　第二十一巻　森の神の民俗史』三一書房、1995年。

❽ 前掲書 p.4。

いとまで言い切っているのである。❾

二、対馬の森神―天道地

対馬は周知のように九州の北端と韓国の間に位置する島で本土から約 132km、韓国からは約 50km の距離にある国境の島である。対馬は南北に長く、南北約 82km、東西 18km で、全国で六番目に大きな島である。その北端の佐護と南端の豆酘に天道地がある。中でも豆酘の天道地は有名で次のような伝承がある。

「天道菩薩縁起」

対馬州醴豆郡内院村に照日某というものあり。一人の娘を生ず。天武天皇の白鳳十三甲申歳二月十七日、此女日輪の光に感じて妊み、男子を生す。其子長するに及び聡明俊慧にして知覚出群、僧と成て後巫祝の術を得たり。(中略)

霊亀二丙辰年、天道童子三十三歳の年、元正天皇不豫有り、博士をして占はしむ。占に曰う

対馬州に法師有り、彼れ能く祈る。召して祈らしめて可なりという。其言を奏問す。天皇詔して之を召さしむ。勅使内院へ来り、言を宣ぶ。天童、内院の飛坂より壱州の小牧へ飛び、それより筑前国宝満嶽に至り、京都へ上洛す。内院之飛所を飛坂と云、又御跡七つ草つみとも云也

天道吉祥教化千手教化志賀法意秘密しゃかなふらの御経を誦じ、祈念して御悩み平復す。是において天皇大に感悦し給いて賞を望みにまかせ給う。

天道其時、対州の年貢を赦し給わん事を請い、また銀山を封じ止めんと願う。(中略)また州中の罪人天道地へ遁入の輩を悉く罪科を免れるよう願い上げ右の通り許容さる。

また宝野上人の号を賜りて帰国す。其時行基菩薩を誘い、同行して対州へ帰国。行基、観音の像六躰を刻む。今の六観音すなはち佐護・仁位・峯・曽・佐須・醴豆、是なり。

其後、天道は醴豆の内卒土山に入定すという。母后今のおとろし所に地にて死と云又久根之矢立山の葬之と云。其後また、天道は佐護の湊山に出現ありという。今の天道山こ

---

❾ 前掲書 p.4。

れなり。又母公を中古より正八幡と云俗説有り。

右之外俗説多しといへども難記、仍略之不詳也❿

天道山に関する禁忌はすでに谷川が述べたところである。

此の天道(天童)について対馬の碩学永留久恵は次のように述べている。⓫テントウといえば太陽を神とした所謂「日神」の信仰である。それに対し、天童とは仏教の用語で仏法を護る鬼神や天上界にすむという美女が少童と成って現れたものであるという。対馬神社誌でも天童と天道は混用されているが、此の縁起に現れた「天道童子」は天道と天童とをあわせた和製の称号で、天童とは三品彰英の云う太陽の子であり、「真聖な樹木に来臨する神的存在がすなわち天童である。」⓬これは新羅の始林に天降った神童「閼智」と同じに考えることができるとし、閼智(ar-chi,a-chi)は童子(a-ki)を意味していたことから考えれば天童という名の原義も類推的に理解できるという。神壇樹下に天降った古朝鮮の壇君も又童子であった可能性が高いという。⓭

天道山の雄竜良山のふもとに先に谷川が述べたように「おそろしところ」があり「卒土(そと)の内(うち)」と称される所がある。その浜辺が「卒土の浜」である。現在では浅藻といい、人家ができているが明治の初め頃まではここは不入の地であり、人が入ることは許されなかったという。三品彰英によれば峠のくだりくちで、「卒土の浜が見えるところを浅藻壇と呼び、村の人たちは「ソト見」と云うことを行なった。忌中があけて、吉日を選び、家人の代表がここへ来て忌み明けのことを報告する。卒土の浜を拝して「ソト見にまいりました」といって小石をその方へ投げかけ、後を振り返らずに帰るのである。」⓮(傍点は三品)この「ソト見」が

❿ 「対州神社誌」、鈴木棠三 1972 年、所収、p.345~346,原文は貞享二年刊。

⓫ 永留久恵『海童と天童』大和書房 2001 年。

⓬ 三品彰英「対馬の天童伝説」1980 年所収、p.368。

⓭ 三品彰英　前掲書　p.370　神壇樹下に天降った壇君について三品は『三国遺事』の巻第一、紀典第一、古朝鮮の条を引き、「都於阿斯達(中略)移於蔵唐京　後還隠於阿斯達　為山神」この阿斯達(a-si-tar)は童地(阿斯は aki, 達は古代新羅の地名に用いられた□・梁に通じ、特定の地域を指す語)と訳すことができるとし、従ってこの朝鮮の山神のいる「童地」すなわち阿斯達は天童入定の地である天道地を連想させると述べている。傍点は三品による。『三国遺事』については朝鮮史学会編『三国遺事』1974 年、国書刊行会を参照のこと。

⓮ 三品彰英　前掲書 p.364~365。

済まない間は絶対にこの浜を通ることができなかったし、また、遙か海上を航行するときでもこの浜の見える間は舟底にひれ伏していなければならなかったということはすでに谷川が述べたとおりである。「卒土（そと）の内（うち）」は筆者もそこを訪れたときは今なお鬱蒼とした樹林が見られ、恐ろしい感じの伴う場所であった。そこには天童法師の墓と呼ばれる高さ約2、7m、奥行き約 6、7m の平石を積んだ累積壇があった。⑮ここはまた「八丁角」⑯ともいわれるところでもあり、付近の樹林一帯はいわゆる「おそろしところ」であり、三品によれば、土地の人たちに最も畏怖されたところで、もし過って足を踏み入れた時には草履を頭の上にのせて、「インノコ」「インノコ」といいながら後ずさりでそこから出なければいけない。それは自分は人間ではないといってかみに申し開きをする意味であり、土地の人達が争いをした場合「豆酘の天道榊ばねじるろ」という恐ろしい呪いの言葉をかけると、相手のものは必ず病気になると信じられていたという。⑰(写真 1)

天童信仰は対馬南端の豆酘のものが一番整っているとされる。北端の佐護にも天童を祀るものとしては大きなものがあるが、ここではそれに詳しくはふれないことにする。

天童(道)の祭祀についてそれがまた穀霊を祀るものであることは永留久恵が指摘している。豆酘の赤米神事はよく知られているが、ご神体の赤米のたわらは「テンドウサマ」として祭主の家の客間に一年を通して祀られる。土地の人々はこれを「カミサンツクリ」と素朴に呼んでいる。また、赤米の餅を臼型についてこれを年の神とする。赤米の神事は穀霊の象徴であるテンドウを作り出す行事である。また、ヤクマまつりといわれる小麦の収穫祭は志多留、三根、吉田、櫛など対馬の各地で六月初午の日に行われるが、これもまた天道の祭りと呼ばれている。⑱

対馬の天道の信仰お本質を永留は七シゲ(樹林)、七ダケ(山)、七淵(川)などを祀る聖

⑮ 三品彰英の計測による。

⑯ 竜良山中にある「裏八丁角」と呼ばれる所には天童法師の母の墓がある。

⑰ 三品彰英　前掲書 p.365~366。

⑱ ヤクマ祭については和歌森太郎「伝承的信仰の由来、六、テントウとヤクマ」が詳しい。それによると六月初午の日の八日前に麦甘酒をつくる。それを祭りの前に煮た麦と合わせて混ぜ、またクサビを釣る。クサビ二尾と小麦団子とを小麦がらのうえに神社境内のオテントウサンに供える。それを持って、浜に行き三人の頭が石を積むのである。六尺くらいの高さでピラミッド状に積む。御幣を中心にたてる。塔を作り終わった後、酒を酌み交わし、直会となる。木坂の浜にはそれが今でも見られる(写真 2)和歌森太郎,1981 年。

地信仰と佐護の天道女躰躰宮が日輪をはらんだ女房神の像で表され天道童子と対になって考えられていること、及び豆酘の天道信仰も母神を伴うことから、母子神信仰であり、上に述べた穀霊信仰であること、佐護、仁位、安神、などの各地で嶽参りで朝日を小正月の日に拝むことをもとに日の神信仰であること、先に述べた「ソト見」に見られるように祖霊信仰をも示唆するものであることをのべている。また、対馬の各家々の台所に祀られる家の神「ホタケサマ」とも関連があり、ホタケサマはやはり穂を祀る穀霊の信仰によるものとしている。穂懸けがホタケサマのご神体である。また年頭の占いの行事である亀卜との関係も指摘している。それは天道を祀る所は古い村であることが多く対馬では十カ所の村で亀卜が行われていたという。[19]

対馬の天道地と呼ばれる所をいま対州神社誌に記されたものを表にしてみよう。[20]

番号　所在地　名称　祭場　祭祀位置(山、森など)　その他

1　上県町佐護・湊　天道菩薩　天道地(雄嶽)雌嶽、御手洗川、神体無　杉椎木
石積塔　祭礼、霜月朔日、命婦神楽

これは対馬神社大帳には天神多久頭神社(てんじんたくずたまじんじゃ)と記され、大小神社帳には天道山の神と記されている。

2　佐護・湊、天道地、天道女躰宮　廟社　天道妊みの女躰像　住持観音坊等(卜部)

対馬神社大帳には神御魂神社、場所は天神多久頭神社境内、祭礼霜月朔日、六月晦日
命婦神楽をもってこれをまつる。

3　佐護・井口　シゲノカミ　神体幣　住持観音坊等　祭礼正月四日

4　佐護・恵古　女躰神　天道地　神体石(大小神社帳)
天神　亀卜　天童母神天道六観音　天諸羽神

5　佐護・仁田内　若宮　神体石　天道茂之山

---

[19] 永留久恵「天道の祭祀」『日本民俗学』149号1983年。

[20] 永留久恵「対馬の天道地」および対州神社誌に拠る。なお神社誌の内容は現代語に直し、補ったところもある。永留久恵1988年。

亀卜　住持観音坊等　　命婦神楽

6　志多留・茂　　シゲノカミ　　神体御幣(三宝荒神)　天道地(不入地)

火難のため法者四郎兵衛初めて之を祭る。亀卜　祭礼は三月二十八日　法者市左右衛門これを祭る　麦三斗村より出す。金倉山有り、カナグラダン有るという。

7　伊奈・茂　　シゲノカミ　　神体かめ　天道地　松榎有り。祭礼六月朔日

(傍点—福島)　　十一月朔日

8　足見　　天道地　　平地　松椿雑木有り。祭礼正月四日　麦一斗村より出す

9　三根　　天道　　神体自然石の大岩

10　木坂　　天道　　神体石　　六月初午　ヤクマ祭り

11　吉田　　天道　　神体無　森の一番大きな木に御幣をたて、祭る

吉田村清左衛門を以て之を祭る。麦一斗村より出す。ヤクマ祭

12　賀佐(かさ)　　天道　　神体無　麦一斗程の山、松雑木有り

祭礼六月初午　十一月朔日

佐尾村命婦を以て之を祭る

13　田(た)　　天道　　神体並びに社無し　麦一斗程の地　巨木の元

六月初午日の出家を以て之を祭る

14　銘　　天道　　神体並びに社無し　麦七舛程の地　松榎有り、小川の淵

祭礼六月初午　小綱村　巫おとを以て之を祭る

15　佐保　　(イ)天道　　神体無　村中に有り(別名シゲノダン)祭礼六月初亥

(ロ)天道　　神体並びに社無し　神所は百姓五次右衛門屋敷の中に有り。　　祭礼六月初亥　巫ふくを以て之を祭る。(後述実地調査)

16　貝口　　天道　村より卯方一町ほどの所にあり　祭礼六月初申

円錐形の天道山の頂上に伐木を許さない照葉樹の叢林がありその中に円礫を敷いた祭祀の跡があるという。(写3参照)

善之允を以て之を祭る。嶽の神と祭礼が同じで一体化していると考えられる。

18　内院　前出の豆酘の天道童子の母親(神体阿弥陀―新正八幡宮、現在は奈伊良神社)

宮九尺角、午方に向き、内院村より亥方、社は寛永十二年乙亥年　義成公御建立。

社壇の地は天道領なり。　　　　　　　祭礼正月八日、住持方より之を勤む。

白米五升、餅三重ね、ご飯一舛之を出す。

宮より十八間午方に当たって大石塔有り、天道母公の塚という俗説有り。

19　豆酘　　　　天道　前出、天道菩薩縁起に記された伝承を参照のこと。

天道山のこと。神崎より、内院地蔵堂まで三里余り、内院より豆酘までの間は一里余り、その内、内院の天道地は辰方に向かって二町程、横四十間程、この所が天道の出生の地である。上の山戌方に向かって八町角があるがこの所は行をなされた所である。

卒土の内の午方に向かって八町角があるが、この所は御入定された所である。この三所は往来することができない。この山には樫椎の雑木がある。

天道祭、十月乙卯日より、十一月初酉日、焼占有り、焼占より前三日、後三日以上七日府内(厳原)より豆酘の間の往還は無かった。内院村と豆酘の間も同様である。精進が行われ、魚類は食べなかった。(中略)厳しい服忌令も決められていた。父母は十五ヶ月、祖父母は五ヶ月、兄、同、弟は三ヶ月、姪甥は二十七日、夫婦三ヶ月など。

また、御祭礼の忌みごとがあった。妊婦は正月より所を去る。夫も同様。産婦は親子ともに二十日前より村を出ること。(中略)府内中の旅人十四年未満のものはその当日より府内を立ち去ること。九月より明年四月府内より下山の分の狩りはできない。

豆酘郷の者は十一日より、明年二月中は万事御公役は許されること。咎人は十月より明年四月までは助けられること。十一月朔日より府内ならびに久田・内山・豆酘内院・久保小路まで癩瘡の輩、および犬は立ち去ること。

20　豆酘　　　　行宮(ゆきみや)権現　神体鏡(本地阿弥陀高さ一尺五寸)この神は天道童子の母なり、十一月十五日に誕生すという俗説がある。

宮三間角、午方向を向いている。村より寅方三町程行った所にある。宮屋敷八間角、平地、観音の地内なり。

永留は対州神社誌にあげられた二十カ所の外にもいくつかの天道地をあげている。それを引用しておくと、

21 府内の天道　厳原の中には『津島記事』に記されたように町屋二十四町中に天道茂町があり、現在も厳原天道茂という地名が残っている。永留によれば、この地は享保十七年(1732)の「府中大火之図」(対馬歴史民俗資料館蔵)天道茂松原と記して民家のない一郭が図示されているところからこの区画が人の居住を許さない聖地であることが見て取れるという。㉑(写真4)

22 阿連(あれ)の天道　『津島記事』には「天道の社。所祭之神一座、天神多久頭魂(たくずたま)命」とある。この村には永留によれば、「阿連の七茂、七淵」という七カ所の茂(森)と淵が聖地とされており、その中の第一のシゲには石で囲った祠があり、これを天道と呼んでいる。淵は川の蛇行により形成された突端と流れのよどんだ淵をいい、そこには小祠は見られない。なお、この阿連には「お日照り」と称する日神と雷命神社と若宮があることから、「アレ」という地名は御子神(天道)がここで生まれたことをさすという。このことについては後述する。

このほかにも、永留は仁位、櫛、飼所(かいどこ)、五根緒(ごねう)、青海(おうみ)、貝鮒(かいふな)、佐須、雞知(けち)、加志、唐州(からす)、小綱、西泊、大増(おおます)と合計三十七カ所の天道地をあげている。いずれも山や森、淵、磐座(いわくら)などを依りましとしている。

私のささやかな調査でも木が太陽神の依りましとして信仰されて来た事実を聞くことができた。(写真5)

佐保

(イ)天道地(話者長郷正男氏、86歳、2005年現在)

以前はここは低い土地であった。先住者が少し高い奥まったところにある楠を樟脳をとるために切り倒した。そこには何かのお堂があったが、これを壊した。樟脳をとった人はすぐになくなった。カミさんにかかったら、タタリを受けていたという。十年ほど前に土地を替えて長郷氏はここに住んだ。㉒(1994年)その時に楠の元にあった石を榧(かや)のもとに石を移し

㉑　永留久恵「対馬の天道地」『海神と天神—対馬の風土と神々』p.127~128。

㉒　祈祷をしたり、判じをしたりする宗教者のことである。

天道を祀っている。木の周りを半円形に石礫で囲ってある。天道地には大きな木があって、それを目印に太陽神が降りてくる。もともと天道地はお堂も何もないところが本当の所である。この榧の枝を切る時には神様にオコトワリを言って切らしてもらう。そうしないと「(ばちにあたり)、あたると腹のセク」と言って腹が痛むという。(写真 5)

(ロ)現在は地主様と呼んでいる。敷地の入り口に小さな藪があり、木の周りにやはり石礫が散在している。タブの木が生えていて、この土地は井幸澄氏の屋敷地である
(写真 6)

このように見てくると対馬ではいかに聖なる森が信仰されて来たがわかるであろう。そして天道地にはタタリの厳しい神であったことが分かるであろう。神体がある場合でも、石やかめであり、普通は何もなく、ほとんど樹林そのものがご神体であった。木を切ることはもちろん、一定の期間は全くの不入の地であり、その祭りには厳しいタブーが伴った。そしてさらに天道は穀神でもあり、祖先神でもあり、聖地信仰であることはすでに永留が指摘したとおりである。また母子神の神話伝説は朝鮮本土と似た点をもつ古式ゆかしいものなのである。

次にヤボサ神について見ていこう。

三、西九州の森神―ヤボサ

天道地は対馬によく見られた。森神信仰といってよいが、谷川が述べるように西九州全体に広く見られる森神がヤブサである。中山太郎が一部に累積壇がみられることからこれを古墓であると論じたことがあり㉓、また折口信夫はこれを畑の神と言ったりしたが、その本質はやはり森神であると考えるのがよいであろう。これはまた折口信夫、山口麻太郎がのべたように壱岐の巫女イチジョウや陰陽師の念じる神でもあった。㉔

非常に濃密な分布を見せる壱岐のヤボサについて山口麻太郎の整理した結果を次に引用しよう。

㉓ 中山太郎『日本巫女史』1984 年パルトス社 p.125~126。

㉔ 折口信夫「壱岐民間伝承採訪記」1984 年 p.413~478,山口麻太郎「壱岐におけるヤボサ神の研究」『同著作集Ⅲ歴史民俗篇』p.295~336。

壱岐におけるヤボサ神による。[25]

ヤボサ神には次のような大まかな傾向が見られるようである。小森、坂、畑　背山、坂、井戸、門、にある。石、木、石壇などに祭られる。神体の無いものも多い。他の神社境内に祭祀されている場合もある。神社、社家と関係がある。祭神は無いものが多いがあえて言えば大己貴神が多い。神木はタブや榎の木が多い。天台野菩薩と呼んでいるものもある、個人祭祀が多いが、家組中で同族神として祭る例がある　祭祀されている所は南向きが多い。祭礼は十一月に行われるところが多い。壱岐では天道とは、共存的対立関係にある。壱岐では黒崎、渡良、住吉村に天道神がある。さて、以下一覧を山口の整理によって見てみよう。[26]（説明には山口の記述にもとづき福島が順番を変えたり、説明を補ったところがある。）

番号	社名	所在地	現在町名	祭祀位置(木、畑等)
1	矢保左社	片原、神鳥(かんとり)	武生水町	
2	矢保左神社	注連ノ尾(しめのお)	武生水町	小森　部落神
3	ヤボサ	中尾	武生水町	高所の小藪大松の下、深見姓が祭る
4	矢保左神社	南触坂	渡良村	坂　塚本鎮守
5	矢房社	桜江村高坂	柳田村	宝満大明神神社境内
6	与宇毛社	柳田村柳田	同上	上川？　辻
7	矢保左社	医道村袴田	半城村	
8	矢保左社	医道村伊道	同上	
9	矢保左社	医道村植木	同上	
10	矢保左社	大浦村本方	同上	
11	矢保左社	大浦村大浦西	同上	
12	矢保左社	大浦村西	同上	
13	同上	大浦村西	同上	

[25] 山口麻太郎、前掲書。

[26] 山口麻太郎、前掲書。

14	同上	大浦村大畑	同上	大畑
15	同上	大園	同上	大園
17	矢保左社	御津浦(みつうら)	同上	人家の背戸の山
18	養母神社	野志村門	沼津村(長嶺村)	
19	矢保左社	野志村桑籠(くわごもり)	同上	桑
20	野保左社	百次郎村(もじろう)	同上	
21	加志大明神	樫尾村	同上(有安村)	
22	養母神社	尾越村馳道(ばば)	同上	馬場(境内)
23	養母神社	成次郎村松山	同上	
24	養母神社	尾越村久保	同上	久保
25	矢保左社	久保内村	鯨伏村(立石村)	
26	矢保左社	布代谷(ふしろだに)	同上	谷
27	矢保左社	黒竜山	同上	黒竜山
28	同	同	同上	黒竜山
29	矢保左社	大西山	同上	大西山
30	黒男大明神	矢坂	同上	坂
31	也輔佐社	百合畑触高山	同上	高山(布気村)
32	矢保左社	浦海	同上(本宮村)	
33	矢保左社	須多礼	同上	
34	矢保左社	内籠山(うちごもりやま)	同上	
35	矢保左社	道岸(どうぎし)	同上	
36	矢保左社	葛籠原(つづらばる)	勝本町(可須村)	
37	矢保左神社	坂本	同上	人家の背戸の山
38	矢保左社	比屋坂畑中	同上	畑中人家の背戸の山(饅頭状)
39	矢保左社	比屋坂	同上	坂
40	矢保左社	小栗(ささぐり)	同上	背戸山、作神　山内十軒 祟る
41	矢保左社	大石山	同上	大石山、大松の下
42	矢保左同上	西戸(サイト)	同上	

43	矢保左	西戸	同上	
44	矢保左社	原村中下	角	同上
45	矢保左社	本村大谷川角(かわすみ)	同上(新城村)	同上
46	也保左社	志源田(しげんた)村柚木	同上	
47	矢保左社	本村阿久津	同上	
48	矢保左社	本村多利恵	同上	
49	矢保左	才方村後	同	
50	矢保左社	高松	同上	
51	矢保左神社	本村門川	箱崎村	門川
52	矢保左社	本村西籠	同上	西籠
53	也保左	塩屋？(？印は山口による)		同上
54	矢保佐	本村？山田	同上	(？印は山口による)
55	養母神社	溜水(たまりみず)	同上	
56	屋保左社	本村釘ノ丘(くぎのおか)	同上	丘
57	矢保左	江隅村	同上	
58	矢保左社	江隅村貝畑	同上	畑
59	野法者社	江隅村胡椒畑	同上	胡椒畑
60	矢輔左社	谷江村中園	同上	
61	矢保左社	大久保	同上	
62	矢保左社	本村辻	那賀村	(国分村) 辻
63	矢保左社	牟漏村平原(ひらはる)	同上	
64	矢保左社	当田村可須坂	同上	坂
65	矢保左社	鯨伏村鯨伏(いさふし)	同上(住吉村)	
66	矢保左	下山信村	同上	
67	矢保左社	下山信村山方	同上	山方
68	矢保左社	上山信村上川	同上	
69	矢保左祠	白坂	同上(湯岳村)	坂
70	矢保左社	神石	同上	

71	山神社	岩谷村	同上(中の郷村)	
72	矢保左社	今屋敷	同上	背戸山　社家屋敷
73	矢保左神	西村原山	同上	原山
74	矢保左社	西村帯田	同上	
75	夜保左神社	内坂村沓石	田川村(諸吉村)沓石(境内)	
76	野輔左神社	横田村殿川	同上	殿川(井戸)
77	也保左	横田村殿川	同上	殿川
78	矢保左神社	八幡浦東白橋田		同上
79	矢保左社	芦辺浦	同上	住吉神社境内
80	夜保左神社	本村宮尾	同上	宮山、背戸山
81	也保左	本村臼井	同上	
82	矢保左神社	須気村引地	同上	
83	矢保左社	切方村牛丸	同上(川北村)	
84	矢保左社	屋坂	同上	坂
85	山神社	本村切方	同上(深江村)	
86	矢保左社	山方村	同上	
87	矢保左社	山方村	同上	
88	矢保左神社	山方村大多気(やまがたむらおおたけ)	同上	
89	矢保左社	西	石田村(筒城村)(写真 7)	
90	矢保左社	山中	同上	山口
91	矢保左神	飯森	同上	森
92	矢保左社	蓬莱山	同上	
93	矢保左社	平田	同上	小藪
94	矢保左社	辻	同上	
(95)	八武素神社	山崎	同上	背戸山
96	矢保左社	注連尾	同上	注連尾、斉藤氏神、(写真 8)(福島)
97	矢保左社	西	同上	
98	矢保左社	村山	同上(池田村)門口	

99	矢保左社	田原村	志原村	篠崎一族神、大国玉神社
100	矢保左神社	鳥山村出口	同上	出口
101	矢保左社	野子村坂	同上	門口
102	矢保左社	野子村山方	同上	
103	矢保左神社	有田村殿川	同上殿川	

山口はこれに基づいて細かく各村ごとの分布を出しているが、それについては省略する。要約すると多く分布するのは半城村（十一）箱崎村（十一）可須村（八）諸吉村（八）新城村（七）立石村（六）筒城村（六）志原村（五）などであり、この分布を見ると祭祀に流行・盛衰があったことがわかるという。また、ヤブサ神は海岸にもなく、奥山にも無く、また高山の頂上にもなくいずれも人里にある。また、私見であるが祭祀位置を見ても丘、畑、辻、背戸山、坂などにまつられていることがわかるであろう。また、私の調査では壱岐で神体を素焼き甕としているのを見たことがあった。（天道にも神体カメとあったとのを想起されたい。）

次に対馬のヤブサについて見てみよう。

対馬のヤブサ（対州神社誌による）[27]

場所	名称	祭祀	備考
唐舟志	氏神山房	六月	豊崎郡
嶋の浦	氏神山房	六月	同
五根緒	氏神曽根山房	六月	同
大増村	氏神天台山房	六月	同
比田勝	天台山房	六月	同
和泉	山房	同	雑木
三宇田	山房	同	雑木
豊	山房	同	榎木
大浦	天台山房	六月	同
女連村	天台山房	六月、十一月	伊奈郡神体徳利

[27] 鈴木棠三「ヤブサ考」『対馬の神道』三一書房 1972 年、所収。

犬が浦	天台山房	六月、十一月	同　神体小瓶
瀬田村	天台山房	六月、十一月	三宝,山形を含め権現末社
賀谷	やふさ神	与良郡	神体石
大船越	そばえやぶさ	六月	同
大山	やぶさ神	六月	同　巫小船越村キク　八幡宮
野部	野夫鼓嶽神	祭(神)大山祇	
竹浦(敷)	森の神		

以下は対馬島誌による。

吉田村	峯郡	対馬島誌	
賀佐村	峯郡	対馬島誌	
嵯峨村	仁位郡	対馬島誌	
阿須	矢布佐神社	原厳町	対馬島誌

巫小船越村キクとあるのは祭礼に巫女が関与したものであろう。山口の言うように賀佐と五根緒が重なってはいるが、天道のある村にはヤブサはなく、ヤブサのある村には天道はない。両者は対立的共存関係にあるといっていいだろう。神体徳利、神体小瓶とかかれたものがあることに注目しておこう。しかし、ヤボサ神をすべて拾っているとはいえず、山口の指摘には、現在得た資料からはそう言えるという留保がいる。

次にそのほかの佐賀県のヤボサの例を見ることにしよう。㉘

佐賀県のヤボサ

小城郡三日月村	養父神社	3例	
北山村	矢房社	1例	
高木瀬村	養父神社、矢房社各	1例	野武神社　各2例
佐賀郡川上村	養父社	1例	
本庄村	矢房社	6例	
西与賀・嘉瀬・中川副	矢房社各	1例	
兵庫村	養父神社	1例	

㉘　明細帳による。鈴木棠三「ヤブサ考」を参照した。『対馬の神道』三一書房 1972年、所収。

神埼郡西郷村　　　養母神社　　　1例

松浦拾風土記による(松浦拾風土記は文化年間の成立、いずれも一例のみの記載である。)

名場越村	氏神藪佐神社
中尾村	氏神藪佐神社
大友村	氏神矢房大明神
高野村	氏神神屋布佐明神
厳木村	ヤフササン(山村生活の研究による)㉙

そのほかにも記載漏れがあるだろうと鈴木は述べている。

福岡県のヤブサの記載は著しく少ないと鈴木はいう。㉚

貝原益軒の記した筑前国続風土記志摩郡(現在の糸島郡)桜井村の条に「天台藪佐石の叢祠なり、霊験ありといふ」と記したものと、筑後では三潴郡青木村の流鏑社があるのみである。豊前の例は見あたらず無いと鈴木は述べている。㉛

長崎県下(下松浦)のヤブサ　㉜

名称	所在		
矢保佐	佐世保市柚木	三本木	
矢保佐	大野	藪田	境内老樹
同	同	松原町淀姫神社境内社	
同	皆瀬	野中町十文野	
同	同	田代神社末社	
同	中里	上木場	
同	同	八幡神社境内社	
同	佐々	市ノ瀬熊野神社末社	
同	南田平	田平町赤木	

㉙ 民間伝承の会、柳田国男編『山村生活の研究』1938年杉浦健一報告、同族神の項 p.380。

㉚ 鈴木、前掲書 p.180~181。

㉛ 鈴木、前掲書 p.181。

㉜ 三間十郎「矢保佐神社考」松浦党研究連合会編、『松浦党研究』 第2号 昭和56年。

同　松浦市御厨　ギシャノ木

同　同　西木場村社剣社境内社

矢輔佐　調川

矢輔佐

矢房　今福

矢保佐　星鹿　宮崎村村社淀姫神社境内社

矢輔佐　福島　清水

同　同　辻川

同　同　八久保より

野輔佐　鷹嶋　神崎

矢保佐　平戸島平戸　亀岡神社境内社(宝童矢保佐神社)

同　同

矢保佐　紐差　創建寛永二年　祭礼十二月十六、十七日

矢保佐　宝亀　祭礼十二月十一日

同　前津吉　万祢吉神社境内社

同　同　鎮守神社境内社

同　同　創建明治四年津吉村郷土誌

同中津良　志々伎神社境内社

同　同　同

矢保佐　佐世保市白岳町日宇

計二十九社

これを見ると三本木、田平町赤木、 ギシャノ木、境内老樹など木に依って祀られていることが知られる。また、神社の境内に祀れているものが多いことが分かるであろう。なお、杉浦健一の報告によれば、長崎県萱瀬村にも先祖祭をおこなうヤボソ神(八房神社)があったという。㉝

㉝ ㉜民間伝承の会、柳田国男編(1938 年)に p.377 に杉浦健一の報告として、長崎県萱瀬村萱瀬の某氏の家には家の裏に祖霊神と書いた石塔が立ててある。これをヤボササンと呼んでいる。この由来は母が毎夜汗をかいて、

さて、さらに九州のヤボサを鈴木によって見ることにしよう。㉞

熊本県・鹿児島県のヤボサ　（神社明細帳による）

菊池郡花房村　　　矢房神社１例

八代郡高田村　　　矢房神社１例

上松球磨村　　　　八房神社１例

下松球磨村　　　　八房神社１例

球磨郡渡村　　　　八房神社１例

神瀬村　　　　　　矢房神社２例

下益城郡豊福村　藪佐菅原神社　元荒神森

以下は本田親盈、神社誌による

鹿児島郡伊敷村　八房大明神二社

日置郡布施村　矢房大明神

薩摩郡求名村　箭武佐大明神

伊佐郡本城村　矢房大明神

薩摩郡　川内村　３例

同大村　５例

日置郡　串木村１例

地理纂考による

薩摩郡下甑嶋村瀬々浦　矢房神社

沖縄にもその例があることから㉟、谷川や山口の言うようにヤブサ神は西九州一帯に

変な夢を見るので多良岳の行者に聞いたら先祖が祭つて貰いたいと云つていると云うたので建てて祭っていると云う。原著は昭和十二年（1937）刊、復刻の国書刊行会、昭和五十六年（1981）に依った。

㉞　鈴木、前掲書。

㉟　中山太郎、前掲書、p.126　伊波普猷に中山は直接このことを聞いたと記している。伊波普猷は石垣島のヌーヤを紹介しているが、四角形の石積みの壇で壱岐のヤボサを連想させると書いている。また、「琉球国初の神アマミキヨが四番目に創造したというシマの名に藪薩の浦原というのはがあって、『琉球国由来記』にはヤブサツノ嶽となっているが、壱岐のヤボサと多少音韻上の類似があるから、そこは古く貴人をハフつた藪であったような気がしてならない」とかいている。

伊波普猷「南島古代の葬制」『をなり神の島』、昭和13年（1938）刊 p.30 復刻 1973年、平凡社。東洋文庫。

広く分布を示しているといえる。ちなみに琉球国由来記には「此藪薩、阿摩美久、作りたまふとなり。詳に中山世鑑にみえたり。」と記されていることを鈴木は紹介している。㊱

鈴木はその神名から、法者との関わりを論じているが、こうした民間宗教者が小祠の信仰の流布に関わることはあり得ることであり、著者はその点について稿を改めてまた論じたいと思う。

本論考はいままで主要な文献を整理しただけのものでフイールド調査を行ったのはごくわずかである。今後は実際のフィールドにおもむく調査が必要であろう。

四、オヒデリ様の祭り

最後に対馬の天童信仰に関連して阿連のオヒデリ様の祭りを見ていこう。

オヒデリ様は『対州神社誌』には「日照大明神、神体無之、楠を祭る。勧請歴不相知。祭礼之義は十一月九日、村中より巫を以て神楽仕る。」㊲とある。

私が調査したの 1989(平成元)年であるが、その頃は新暦で十二月十七日に行われていた。その様子を鈴木の記述を参考に述べていこう。

天道祭は簡単に言ってしまえば、オヒデリ様を阿連川の上流にある聖地までお送りする祭りである。参詣者は雷命神社の神前に、ゴサイ(鯛・鰤などの頭付き)、甘酒、トロクマ(供米)などを上げて神主により、祝詞が奏上され、神事が行われる。神事が終わると一同は隊列を作って阿連川を川上に向かって出発する。行列が出発する以前に五人の若者を選び、各一本ずつの御幣を持たせて、競争をさせる。これを先発させてから、行列が歩き出すのであるが、この五人の若者のことを「ゴシカ」と呼び、オヒデリ様の聖地の二,三十間手前の下流にある石の関の手前の右岸に到達したならば、そこの石を体の回りに積んでその中にかがんでいる。ゴシカは早く走れる血気盛んなものが良いとされ、「シカになって飛べ」と指名するときに言いつける。行列の中心となるものは「オーカナグラ」と呼ばれるもので、一本の御幣を真ん中にして、竹を月の数だけの対にくくってこの幣の周囲に結わ

㊱ 鈴木、前掲書、p184。

㊲ 鈴木前掲書、なお読者のために、鈴木のこの本には『対州神社誌』がそのまま復刻されて収められていることを付け加えておく。P.338。

え、これをユリ(木のまるおけ)の上にのせたもので、大きさは一抱(うだ)きもある。参拝者の中の年長者、あるいは御願のあるものがオーカナグラ持ちとなる。

この者は着物の上に注連の襷をかける。オーカナグラのほかにタカゴヘイといって長さ五尺もある竹に御幣をたてたものを五本作り、タカゴヘイモチという五人の男がおのおのこれを一本ずつ持つ。また竹の先に一文銭を挟んだ物を五本作り、これも一本ずつタカゴヘイモチが持つ。一般の参拝者はサンペイゴヘイといって普通の小さな御幣を各自に持ち、(私の場合はこれを背中に挿したと記憶する。)オーカナグラを先頭に神官をしんがりに行列は出発する。ゴシカの出発後、一行はオーカナグラモチがまず、「いざやー、いざやー、とのばらやー、とのばらを元の山に送り申す」と高声で唱えると、一行のものすべてが「ホイホイオー」と応え、鉦(かね)持ちがドンガンドンと打ち鳴らし、山伏姿の会吹きが貝を吹き、これを繰り返して、畑の中、川の中を例年決められたコースを通ってオヒデリ様に向かって進む。この道筋の付近には七茂のヤブ神がある。七つの内でもヤクマサマだけに名があり、そのほかには名が無く単に天道地と言っている。(天道地がいかに多いかがわかるであろう。－福島註)(写真 9, 10)

これら七茂のヤブ神に対しては行列は立ち寄ることはなく、足の速い若者だけがチュウーカナグラという御幣を一本ずつ供える。このようにして、行列はゴシカのこもっている場所まで来るとゴシカは行列にく加わり、水のない石ころだらけの川をさかのぼってオヒデリ様につく。ここで全ての御幣を収め神主が祝詞をあげて祭りは終わる。私の調査ではゴシカは最初行列をおそって行列の行進を妨げること。また、祭りの後三日は七シゲに近づかぬこと等を聞き得た。楠の下でお供えをしたが、それはそばの粉であった。鈴木によると祭りの前は「山の口止め」といって、一帯が不入の地となる。山の口を開くには御籤によって、日数をきめる。天道祭の終わった直後、オヒデリ様の前で神官が米粒を掌にのせ、その数が丁ならば二日、半ならば三日と占うのだという。私の行った時は半と出たのかも知れない。㊳

㊳ 鈴木棠三「対馬神道記」鈴木、前掲書所収、p.21~22　同じく佐須村樫根、下原の両村でも天道祭をおこなう。これについては、三品彰英、「対馬佐須村見聞記—天道祭」に記述があり、とのばらはとうめばらであり、専女(とうめ)すなわち、穀霊の依りまし、穀母であろうという本稿にも関わりの深い指摘をしている。三品彰英(1980年a)。

さて、阿連にはオヒデリ様と並んで雷命神社がある。阿連川の下流、大楠並んだ山の根にある。『対州神社誌』には「八竜大明神。神体無之、椢木祭り来たる也。勧請之儀不相知。祭礼の義は六月八日、十一月八日、村中より巫を以て神楽仕る。」とある。永留は椢の木は鋭いとげのあることから雷神を祭るにふさわしいものであるとし川渕から山にのぼるイメージが読み取れるという。さらに永留はお日照りは日を照らせる神、雷命は雨を降らせる神であり、長雨が続くと日照りに祈り、干魃(かんばつ)が続くと雷命に祈る。それを調節するのは司祭の人徳にかかっていた。『魏志』東夷伝の夫余国では干魃が続いて作物が実らないとき、王が殺されたことを引いている。

九月末日、雷命が出雲に出発する。そして十一月朔日に帰るまでは、出雲に行かないお日照りが山から降りてきて、雷命の神社に入って村を守るという。十一月朔日は対馬ではどこでも、お入座(いりませ)の祭日であった。その日の七日後の霜月八日雷命の社で大祭があり、翌九日オヒデリ様をお送りする「元山送り」の行事があった。このとき、お日照りは懐妊されているという。雷命は男神、お日照りは女神ということになり、雷命の杜(もり)に若宮明神があるのはその御子神であると永留はいう。㊴

地名をアレ(阿礼・阿連)ということは御子神の「誕(あ)れ」であろうと言われている。

以上のことから推して阿連の場合は雷命が入座した霜月朔日から八日の大祭までの間、お日照りは雷命と同居していたわけであるから、八日の大祭は神婚の祝儀にほかならず、お日照は大日霎でもあったことになると永留はいう。

さらに豆酘にも雷神社があり、これは対州神社誌には「嶽之大明神」とあったもので、神体は岩であるという。正月三日に殿主と郡主のために焼占を行ったとある。焼占とはいわゆる亀卜のことで亀の甲で作った卜甲の裏を清火で灼(や)き、生じた亀裂を読んで吉凶を判断したものである。この年頭の年卜(としうらない)は上県の佐護と下県の豆酘で明治四年まで行われてきた。㊵

この亀卜に関して一言述べて置かなければならないのは大和朝廷がなった頃(五世紀

㊴ 永留久恵『海童と天童—対馬から見た日本の神々』p.191~193。

㊵ 永留久恵、同上 p.198、亀卜についてより詳しくは「対馬の亀卜」同『海神と天神—対馬の風土と神々』前出参照のこと。

後半)、西国から壱岐五部·対馬十部の卜部それに伊豆から五部」の卜部が中央に進出していることである。大和朝廷には神部と卜部害置かれ、神部は巫官として、卜部は卜官として、亀卜を行ったものと永留は推測している。

ここで気にかかるのはオヒデリ様と天照大御神との関係である。永留は日照る神が天照る神で自然神であるのに対し、天照神が人格神であり、皇祖となったとしている、きわめて重要な指摘である。日本では天皇もまた新嘗祭や大嘗祭において穀霊の司祭となることはよく知られている。

対馬には由書正しい神々が多い。それらが大和朝廷に後に中臣氏などによって進出したことを永留は『海童と天童』の中で立証している。

竹内理三は長崎県史古代編の中で島々の亀卜と神々という節を立てて次のように述べている。少し長くなるがそのまま引用しよう。

「この(鹿骨による占法)がやがて亀甲にかわると間もなく、対馬·壱岐の亀卜は中央に進出するようになる。その時期は『日本書記』の顕宗天皇三年、月神の神託によって高皇産霊に山城国葛野郡の地を献じて、壱岐県主の祖神押見宿禰に祀らしめ、日神の神託によって同じく高皇産霊に大和磐余の地を献じて、対馬下県直に祀らしめたという説話ができたころであろう。(より詳しく竹内は日本書紀をひく。)この壱岐·対馬からの高皇産霊の遷祀は、わが国の古代史にかかわるいろいろ重要な意味を持つ。そのことを考えるために『日本書記』のその条の全文をあげよう。

顕宗天皇三年の春二月の丁巳の朔に、阿閉臣事代、命をうけて、出でて任那に使いす。是に、月の神、人に著りて謂りて曰はく、「我が祖高皇産霊、預ひて天地を鎔ひ造せる功有します。民地と以て、我が月神に奉れ。若し請の依に我に献らば、福慶あらむ。」とたまふ。事代、是に由りて、京に還りて具に奏す。奉るに歌荒樔田を以てす。歌荒樔田は山背の葛野郡に在り、壱岐県主の先祖押見宿禰、祠に侍ふ。

夏四月の丙辰の朔甲に、日神、人に著りて阿閉事代に謂りて曰はく、「磐余の田を以て、我が祖高皇産霊に奉れ」とのたまふ。事代便ち奏す。神の乞の依に田一四町を献る。対馬下県直、祠に侍ふ。

大和朝廷が任那に派遣した使いが対馬·壱岐を通過した際に、たまたま現地で神託があり、それを使が大和朝廷に取り次いだことによって、高皇産霊が対馬·壱岐から、中央に遷祠されたというのである。元来高皇産霊は『古事記』」には神代巻の初頭に、天地はじめの時、高天原になりませる神として天御中主神・高産巣日神・神産巣日神の三柱の一人として、国土生成の最初にあらわれる神である。さらにこの神は高木神ともいわれ、いわゆる天孫降臨の条にも、天照大神とともに重要な役割を果たしている。『日本書紀』にも一書に曰くとして天地開闢の初めに天御中主神の次に出現した神とされ、さらに次に出現した神皇産霊神とも併せて造化の三神といわれ、この神の女栲幡千千姫(たくはたちち)と天照大神の子天忍耳命とが結婚して、瓊々杵尊(ににぎ)が生まれた。この瓊々杵尊(ににぎ)が高天原から日本の国土に天降りして今日の天皇家の国家統治の基を定めた、という重要な神である。最近の神話学の解釈によれば、高木神すなわち高皇産霊神こそ本来の祖神であって、それは朝鮮の王朝起源説話と同様な、天神の子の山上降下すなわち天孫降臨の神話をもち、この信仰を奉ずる大陸系の民族が、母神天照大神を奉ずる先住農耕民族を征服支配しこれと通婚した結果、天照大神をも皇室の祖先と考えるようになったもの、という説もある。この説によれば高皇産霊こそ天皇家の本来の祖先ということになる。日本神話としてはまことに重要な地位を占める神である。それが、壱岐・対馬から遷祠された、というのである。」[41]

また、高皇産霊神を高木神と呼んでいることが注目される。三品彰英によれば「高木神(たかきの)」という名そのものが樹上降臨を意味し、そうした垂直的世界観を北方大陸系のものであると指摘している論者も一、二にとどまらない。[42]大陸系との関わりもここでは注目される。

ただ、この小論で述べたかったことは天道地という森の信仰の背後には我々の生命にとって欠かせない穀物を育てる、穀霊が生まれる場所であり、古くはその祭儀も行われたこと、また、近世には巫や法者がその祭儀に関わっていたこと、ヤボサ神の信仰もそれに似て、巫女や陰陽師によって広められたことである。天道、ヤボサ神ともに厳しい禁忌を伴い、森の木を切ることはもちろん、森に入ることさえ禁止されていた時代が長崎県をはじめとする西九州には一世代、二世代には確実にあったことを強調しておきたい。森に木はわれわれの生命のシンボルであり、それを伐ることに罪悪感を感じることは民俗学から

---

[41] 長崎県史　古代・中世編(竹内理三担当、第一章 p.26~28) 1980(昭和 55)年、吉川弘文館。

[42] 三品彰英 p.418　1980 年 b。

みて当然のことなのだということを最後に強調してこの小論を終わろうと思う。

おわりに

最後に一言だけ話題は異なるが長崎における民俗学の可能性について記しておきたい。柳田は一国民俗学を標榜して安易な比較を許さなかった。しかし、今やそうした呪縛から民俗学がその身をほどく時が来ていると思う。この小論でも少しふれたが、朝鮮の神話と日本の神話は共通性が高い。対馬は日本と朝鮮をつなぐ土地として大切なところである。三品彰英はすでに日鮮神話の比較を行い、興味深い成果をあげている。今や時遅きに失したといえるかもの知れないが、しかし、まだ比較は始まったばかりともいえるのである。今後の研究の課題もその辺においていきたい。

参考文献

只木良也『森の文化史』2004年、講談社学術文庫
梅原猛「環境と文明」『季刊仏教―森の哲学』No.28 ,1994年7月,
安田喜憲『森の日本文化―縄文から未来へ』1996年、新思索社
『南方熊楠全集』第七巻 1985年、平凡社
金田久璋『森の神々と民俗』1998年、白水社
佐々木勝『屋敷神の世界』1983年、名著出版
『森の神の民俗誌』－日本民俗文化資料集成　三一書房所収、1995年
鈴木棠三『対馬の神道』三一書房 1972年
永留久恵『海童と天童』大和書房 2001年
三品彰英「対馬の天童伝説」『増補日鮮神話伝説の研究』1980年a
三品彰英『古代祭政と穀霊信仰』、同論文集第五巻、p.418　平凡社　1980年b
朝鮮史学会編『三国遺事』1974年、国書刊行会
『和歌森太郎著作集10巻　歴史学と民俗学』弘文堂 1981年
永留久恵『海神と天神―対馬の風土と神々』白水社、1988年
中山太郎『日本巫女史』パルトス社,1984年

『折口信夫全集　第十五巻』1984 年
『山口麻太郎著作集Ⅲ歴史民俗篇』1974 年
民間伝承の会、柳田国男編『山村生活の研究』 1938 年、復刻 1973 年、平凡社
東洋文庫
長崎県史　古代·中世編 1980(昭和 55)年、吉川弘文館
上田正昭編『探求「鎮守の森」—社叢学への招待』2004 年　平凡社
上田正昭·上田篤編『鎮守の森は甦る』2001 年　思文閣出版
上田篤『鎮守の森の物語』2003 年　思文閣出版
論文
永留久恵「天道の祭祀」『日本民俗学』149 号 1983 年
松浦党研究連合会編、『松浦党研究』　第 2 号　昭和 56 年

写真１　累石壇

写真２　青海のヤクマ

写真3　天道山

写真4　現在の厳原小学校
天道茂

写真5 (イ)佐保の天道

写真6 (ロ)佐保の天道

写真７　筒城ヤブサ

写真８　ヤブサ神社

写真 9　オヒデリ様の行列

写真 10　オヒデリ様の行列

環境倫理学のひとつの課題
―自然の制約を超える労働力の導入と人間存在の変容―

吉田雅章

一、はじめに

「人間と自然との間にある諸関係」を対象とするのが環境倫理学であると言えば、それはそれで間違いではあるまい。ところが、そこに登場する「人間」と「自然」という二つの概念をどのように理解するかによって、いかなる環境倫理学が構想されることになるかは大きく異なってくる。

よく知られているように、1970 年代前半欧米、とくにアメリカを中心に、環境保護問題における「人間中心主義」から「人間非中心主義」ないし「環境主義」への転換というかたちで成立してきた環境倫理学がその対象として中心に据えたのは、「原生自然」としての自然であった。しかし「原生自然」のみを自然と捉え、この「原生自然」に対する人間の態度を問題にする環境倫理学は、「原生自然」が殆ど残されていない、日本を始めとする他の地域にそのまま適用できるものではないことはすでにいろいろなかたちで指摘されている。むしろ、これまでに人びとがさまざまなかたちでかかわり、しかもそこで生業と生活を営んでいるような自然こそが環境倫理学の考察の対象となるべき自然であろう。勿論このことは、原生自然や原生的自然を無視してよいと主張することにはならないが、われわれがさまざまな関係を取り結び、そこから多くの資源を得ることによって、われわれの生が全面的にそこに依存しているような「自然」との関係が何よりも重要であると考えられる。

しかしでは、すでに人びとがさまざまな関係を取り結んでいるような「自然」が環境倫理学の対象となるとして、そうした「自然」と「人間」との諸関係を環境倫理学はどのようなかたちで問題にしようとしているのだろうか。この問いに答えていくことは、環境倫理学が一体どういうものであるか、その全体を明らかにすることであり、勿論そうした大仕事をここで取り上げることはできない。ここで注目しようとするのは、環境倫理学の対象であると言われた「人間と自然との関係」の内、「人間」という概念である。もとより、「人間と自然との関係」が環境倫理学の対象であれば、「人間」という概念のみを問題にすることは到底できないわけであり、その関係の中で「人間」も「自然」も考察されるべきであろうが、ただここでは「人間」に少しく重きを置くかたちで、環境問題を惹起してきた社会にあって、またその環境問題の解決や自然保護の必要性をこぞって口にする中で、自然の異変と同様に、われわれの存在そのものも大きな異変を蒙っているのではないかという点を検討してみたいと思う。

以下、なぜわれわれの存在そのものが取り上げられなければならないかを、問題提起というかたちで簡単に考えてみたい。

二、問題提起

環境倫理学が「人間と自然との諸関係」を考察する学だとすれば、環境倫理は「人間と自然とのしかるべき関係」として確立されるべきものであろう。換言すれば、それは「人間が自然に対して取るべき態度」ないし「しかるべき振舞い」として、われわれが身につけなければならない「ある種の作法」の定着であるということになる。そうした「環境倫理」の必要性というものが声高に取り上げられ始めたのは、現代社会において人間と自然との関係が、或いは人間の自然に対して取るべき態度が決して健全なものでなくなっているということがあるからに他ならない。とりわけ第二次世界大戦後の社会にあっては、経済活動の拡大によってその社会構造が激変し、人間と自然との関係も大きな変貌を遂げ、健全さを失ってきたことに伴い、「環境問題」が現出し、環境保護或いは自然保護の必要性が叫ばれるようになった。

例えば『環境白書』に、「まず、基盤として、環境を守るための新たな責任の考え方の枠組み、「環境倫理」ともいうべきものを確立し、社会に定着させていく努力が求められる」と語られ、「環境倫理はこれまでの経済性、効率性といったわれわれの価値判断の基準を環境の観点から考え直そうという一つの取組みとして、今後の発展が期待される」と述べられるように、環境倫理は環境問題を解決し、環境保護の必要性を根拠づけていくための、基本的な「ものの考え方」と理解され、現在は存在しないが、今後何らかのしかたで作り上げられ、確立されるべきものと考えられていると言えよう❶。

確かに、人間と自然との関係が「健全ではなく、歪んだものとなった」ことによって、その内実は未だ必ずしも明確でないにもかかわらず、「環境倫理」が求められているわけだが、しかし「環境倫理」そのものは、環境問題の現出や環境保護の必要性の訴えによって全く新たに求められることになったのかと言えば、必ずしもそうは考えられない。それは確かに「環境倫理」と呼ばれることはなかったが、環境倫理の内実に相当するものはあったと考えるべきである。

というのは、環境倫理が「人間と自然との適正な関係」であり、そして人間が全面的に自然に依存している以上は、かつての社会の中にもその関係は、現在と比較して「ずっと濃厚に、しかも健全なものとしてあった」と考えねばならない。そうでなければ自然の支えを失った人間はとうの昔に姿を消していたであろう。すなわち、環境倫理学の対象となる「自然」とは、人びとがこれまでにいろいろなかたちで関係を取り結んでいる「自然」であるとすれば、そこにはすでに、何らかのかたちで自然との適正な関係があったと見なければならないということである。

そうした意味での「環境倫理」のなかには、明示的な事例として「入会」と呼ばれる制度があった。入会とは、かつての日本の村落共同体において、私有地ではないにもかかわらず、比較的限られた一定の地域(共有地)において、一定の限られた人びとが、その地域の生物資源を一定の慣習や掟の下に利用することのできる権利である。こうした入会の制度は、それが当初から意図的であったかどうかは問わないにしても、結果的には「環境

❶ 平成5年度版『環境白書』(総説　第4章「環境と共に生きるための新しい役割分担と協力」第1節－1)および平成6年度版『環境白書』(総説　第1章「環境にやさしい生活文化への模索」第3節－1)。なお、公文書である『環境白書』への「環境倫理」という言葉の登場と消滅の経緯に関しては、川本隆史「環境倫理の消滅？——モラルとルールの《つなぎ目》をめぐって」(淡路剛久他編『リーディングス環境　第1巻　自然と人間』(有斐閣、2005)の「Ⅴ　環境学としての自覚」の43)がある。

保護」或いは「生物資源の枯渇」を防ぐ方向で働いていたことが多いのである。その意味で入会は、現在「環境倫理」と呼ばれているものと同じ役割を、その村落共同体において果たしていたと考えられる❷。

この「入会」は極めて明示的な事例であるが、「入会」のみならず、かつての日本の「伝統的な人間と自然とのかかわり」は全般的にそれ自身のうちに、現在「環境倫理」の名で呼ばれるその内容を含んでいたと考えられる。それは当然で、人間の伝統的な自然とのかかわりは概ね適切であったからこそ、そこに「持続的な人間と自然の関係」が保たれてきたのである。

しかし今、改めて明示的に「環境倫理」が求められているのは、すでに述べたように、そういう伝統的に保たれてきた「人間の自然とのかかわり」が大きく変化し、また変化しつつあるからに他ならない。しかもそれは単に「変化」というよりもむしろ、「濃厚なかたちで存した人間と自然との関係」が極めて希薄なものとなり、或いはその関係がひどく歪み、健全さを失ったものとなっているのである。したがって、「環境倫理」は、「環境問題」や「自然保護の必要性」という新たな問題に対して、従来は存在しなかった新たな領域に対応する「環境倫理」が求められているわけではない。むしろわれわれの生活や生業が従来の伝統的な環境倫理(に相当するもの)を喪失してきたことによって生じた問題なのであり、或いはわれわれの社会や生活のあり方が変貌を遂げるに応じて、その変貌に対応する環境倫理を生みだしてこなかったという問題である。

すなわち、近代化社会を作り上げていくに当たり、近代化以前の社会が、意図的であったか否かは別にしても、「自然との関係で安定的に社会を維持する機能」をなんらかのかたちで備えていたまさにその点を、むしろ前近代社会の汚点や近代化の障害と見なし、近代化のなかで排除してきたが、しかし「それに代わりうるもの」を生み出してこなかったところに、現在「環境倫理」が求められている理由がある。

以上、簡単に見てきたところからすると、そうした「人間と自然との安定的で適正な関

❷ 「入会」のもつ、「環境倫理」および「世代間倫理」にとっての意義をめぐっては、旧稿「世代間倫理と持続可能性」(長崎大学環境科学部編『環境と人間』(九州大学出版会、2004 年)の第 2 章(p.33-56)として所収)において、「個と全体」、「権利と責務」という二つの面から手短ながら考察を加えているので、参照されたい。

係」が近代化のなかでどのような変容を蒙っており、それが人間存在にいかなる影響を及ぼしているかということが、当面考えてみなければならないこととして浮かびあがるのではないだろうか。

環境問題および自然保護問題が取り上げられるなかで、その関心は殆ど「自然の異変」へ向けられ、さらにそれが現時点で、或いは将来的にもたらす「人間や社会への影響」に集中している。しかし、自然の異変をもたらしたものが人間や社会の活動であり、生業や生活のあり方を含む社会の変貌であるのなら、すでにわれわれの存在の様態もまた大きな変貌を蒙っているのではないだろうか。私のここでの主要な関心は、近代化、特に第二次世界大戦後の科学技術の飛躍的な進展に伴う近代化のなかで、社会のあり方が大きく変貌し、自然との関係で見れば、その関係が切断され、或いは極めて希薄になっていったときに、人間存在もそのあり方を大きく変えたのではないかという点にある。

というのは、われわれの存在は、どのような社会の内にあって、人間と人間との交わりをいかに取り結び、自然とどのような交わりを取り結んでいくかによって、その様態は大きく左右されると考えられるからである。そうであるならば、「人間と自然との安定的で適正な関係」が大きな変容を蒙ってきたとき、さらにまた「人間と自然との安定的で適正な関係」が生みだされるのに密接なかかわりをもつ「人と人とのかかわり」が変容するとき、それによってまた「人間存在のあり方」にはいかなる異変が生じているのかを見とどけなければならない。私にはそこに環境倫理学のひとつの大きな課題があると思われる。

三、ゆらぎゆく時間と時計の時間

内山節氏は、近代化のなかで生じた現代人の人間存在の変容を、時間論として展開し、人間が自然と関係するときに生まれる円環をなすゆらぎゆく時間が、いかにして客観的で等速の時計の時間に組み換えられ、そしてそこに本来時間的存在であった人間存在から時間が外化することになったかということを、労働や生産という人間の営みを中心にして論じている❸。そこでこの内山氏の論述をひとつの手掛かりとしながら、「人間と自

❸ 内山節『時間についての十二章——哲学における時間の問題——』(岩波書店、1993 年)。以下の概要は、本書の、特に第 7 章「商品の時間」および第 9 章「不均等な時間」を中心にまとめたものである。

然との安定的で適正な関係」が近代化のなかでどのような変容を蒙り、それが人間存在にとっていかなる意味をもつのかについて、その思考の歩みを一歩前に進めてみたいと考えているが、以下において、まず内山氏の所説を概観しておきたい。

19 世紀から 20 世紀初頭にかけて、アメリカの工場(資本制商品生産の現場)では、工場経営者にとって画期的な工場管理法が生みだされた。テーラー・フォード・システム(生みの親たるテーラーの呼び名では科学的管理法)がそれである。これがなぜ工場経営者にとっては画期的であったのか。当時の商品生産はすでに資本制商品生産といえども、それは職人的な熟練労働者によって支えられていたが、彼らを時間単位の労働力商品として雇いながら、彼らの実際の労働が適切な方法で能率よく行われ、作られる商品が時間を単位にして価値を生みだしているかどうかが判らないという悩みを工場経営者たちは抱えていた。そこでテーラーは、工場から職人労働者を一掃するために、熟練労働者の職人仕事の分解に着手し、どんな複雑な労働もいくつかの単純労働の組み合わせの上に成り立っていることを発見し、この組み合わせを科学的に編成しなおすことにした。これによってテーラーは熟練労働者の職人仕事に依存した生産形態を排除し、単純労働によって営める工場を創り出すことを可能にしたのである。

テーラーはさらに、工場労働者を無駄なく働かせるために、標準作業時間を設定し、労働時間が価値を生み、時間を管理できる工場の創出を行った。フォードはこれをさらに徹底するため、工場へベルトコンベアを導入し、コンベアの速度が作業時間を決定する合理的な時間管理を実現した。こうして、それまでの工場における職人の労働時間を解体させることによって成立した「商品の生産過程」における時間世界が近代化社会の成立の基盤となった。というのは、こうした時計の時間を基準とした「商品の生産過程」はさらに、農業、林業、漁業などの第一次産業へと浸透していくことによって、かつての様々な労働・仕事の形態のもっていた時間世界が壊され、しかもこうした第一次産業がその基盤を自然にもっているが故に、こうした商品の生産過程のもつ時間世界(時計の時間)は、自然のもつ時間世界、或いは人間の自然とのかかわりにおいて存在した時間世界(ゆらぎゆく時間)と対立し、自然の時間を破壊し、自然の時間も商品生産の時間に支配されるようになったからである。こうしてわれわれは「自然との交わり」のなかで生みだされた「ゆらぎゆく時間」を離れ、外化された「時計の時間」の世界に棲まうようになったのである❹。

以上が内山氏の所説の概要である。時間論から見た、人間存在の変容に関するこうした内山氏の近代化社会の問題点に関する指摘について、その方向性においては決して間違ってはいないと考えるが、しかし人間存在の変容の意味を十分なかたちで見て取るためには、さらに次の二つの要因に目を向ける必要があると思われる。そのひとつは、(1)「自然の制約を超える労働力」の生産現場への導入であり、もう一点は、(2)そうした「自然の制約を超える労働力」の日常生活への浸透である。

そもそも近代社会において合理的な時間、すなわち時計の時間が成立したのは、労働力商品の成立にあり、そしてなぜ労働力商品は成立したのかと言えば、テーラーの科学的管理法やフォードの導入したベルトコンベア方式が実現したからというのが内山氏の主張である。ではさらに「なにゆえに科学的管理法は成立しえたのか」、或いは「なぜ工場は職人仕事を排除しえたのか」と問うなら、どう答えたらよいであろうか。

私はそこに「自然の制約を超える労働力とそれを駆動するエネルギー」の導入があったと見るべきではないかと考えている。それ以前の労働力であった、人力、畜力、或いは風力、水力などの自然物の労働力はそれぞれに応じた一定の制約をもっており、その制約を乗りこえることは原理的に不可能である。ところが、この自然の制約を超える労働体およびそれを駆動するエネルギーが導入されたからこそ、テーラーの科学的管理法やフォードのベルトコンベア方式も成立しえたのである。テーラーが職人仕事をいかに細分化して、単純な労働に分解してみても、その労働力が人力(或いは馬力、水力、風力)であったら、その制約を乗りこえることは不可能であるし、また単純な労働を分解して、組み合わせたものは、再び元の職人仕事になったと思われる。それを職人ではなく、素人にもやらせることができたのは、自然を超える労働力が導入され、人間の労働力はその労働力

❹ 内山氏は、時間の科学でもなく、伝統的な哲学のテーマである時間と空間の関係でもなく、また時間意識の問題でもなく、「人間の存在をそれ自身時間的な存在」と見て、時間を主体との関係によって変容する存在として捉えようとしている。彼のこの時間論では、「ゆらぎゆく時間」はまた循環する時間、横軸の時間、関係的時間、不均等な時間、円環の時間などの多様な表現をもち、「時計の時間」は等速で進む時間、直線的な時間、均等な時間、縦軸の時間、客観的な時間などとさまざまに表現されるが、ここではそれぞれを「ゆらぎゆく時間」と「時計の時間」に代表させた。

のいわば補助的役割を担うようになったからではないだろうか。すなわちここに、化石エネルギーや電力を駆動力とする労働力が主役を務め、人間の労働力はいわば補助的なものになったのである。これによって人間の労働力が自然を超える労働力に従属するようになったのである。

この点はここで問題としようとしている「人間と自然との安定的で適正な関係」の変容、およびそれによってもたらされた人間存在の変容の意味を検討するにあたり、極めて重要な意義をもっていると思われるので、先に掲げた二つの要因についてもう少し立ち入った考察を試みることにしたい。

四、「自然の制約を超える労働力」の特質

化石エネルギーや電力を駆動力とする「自然の制約を超える労働力」の特質は一体何であろうか。勿論、すでに述べたように、それは人力、牛馬の力、風力、水力等の自然の制約を超える労働力であるということである。その際、問題は自然の制約の超え方にあると考えられる。ひとつは自然の力にはない「等速性ないし持続性」であろう。人力や牛馬といった労働力は、一定の休息を必要とするし、等速性を維持することはかなり困難である。風にも風の息つく時があり、たえず揺らいでいる。最も等速性をもち、持続性をもつと思われる水力でさえ、季節に応じて水量(水力)に変化が生じる。自然の力は、労働力として見た場合、つねに揺らぎ、疎密をもっているのである。

しかし、化石エネルギーや電力の場合には、このエネルギーを用いる蒸気機関、タービン、モーター、内燃機関などは等速性と持続性をその特徴としている。化石エネルギーなどを労働力とするこうした機械の類は、エネルギーが供給され続ける限り、そして部品の磨耗や故障が生じない限り、等速で持続的に働き続ける。したがって、人間の労働を三交替制にして、昼夜工場を操業するといったことも可能になる。ここに等速性と等速の持続性を特徴とする、時計の時間が近代社会で採用され、それが圧倒的な絶対的力を有することになる要因があるのではないだろうか。つまり、等速で持続的に働くことが可能な労働力ないし労働体の導入が、それに対応する時間の世界を要求したのである。

近代社会以前にも、日時計や水時計など、時間を等速のものとして捉える思想と道具は存在していた。日本でも古代の奈良時代において、すでに水時計が設置されていたこ

とが知られている。ところが、そういう時計の等速の時間が、人びとの仕事や生活の基準にならなかったのは、労働力である人力や畜力が自然のもつ時間のなかでしか用いることができなかったからである。人力や畜力は明るくならないと用いることができないし、また暗くなれば用いることができなくなる。そして明るくなり、暗くなるのは、季節によってその時間が大きく変化する。であれば、労働力という面からすると、等速を刻む時計の時間よりも、自然の時間の方が基準となる❺。

さらに、たえずゆらめく蠟燭や行灯の炎心の光や松明や篝火の光に代わって、つねに一定の明るさを保ち、ゆらめくことのない電球や蛍光灯の光は、それまでは闇に制約されていた、人間の夜間の行動を昼間と同様のものにした。それは闇に制約されていた人間の労働が等速で持続的な労働力に従属することを一層加速することになる。

このように見てくると、時計の時間が近代において社会の基準となっていく過程には、「自然に制約されない労働力」の投入があったと言わなければならないだろう。勿論それを押し進めたのは、等速性とその等速の持続性ばかりではない。化石エネルギーなどを駆動力とする労働体は、等速であると同時に、その速さが自然的労働力を遥かに超えるものでもあった。この場合の「速さ」とは、一定時間内の仕事量のことであるが、化石エネルギーの場合、その仕事量が自然的労働力に比して遥かに高い。これを高能率(ないし高工率)と呼ぶとすれば、高能率性は、等速性および持続性と並び、化石エネルギーを駆動力とする労働力の最たる特徴である。

この高能率性は「秒、分、時間」といった単位時間で計られる以上、均等で均質な時間、即ち等速の時間がその基礎として要求されることは言うまでもない。均等で均質な等速の時間が前提されなければ、高能率性ということは意味をもたないのである。化石エネルギーや電力を駆動力とする労働力については、こうして均等で均質な等速の時間を前提とし、その前提の上で能率性を高めていく方向でさまざまな技術上の工夫が行われていったのが、近代科学技術のひとつの歴史であるとも言えよう。一定の単位時間内でどれほど多くの労働・仕事ができるか(すなわち高能率性)ということ、これが化石エネルギーや

❺ 例えば、江戸時代に一般に用いられていたのが「定時法」ではなく、「不定時法」であったことを見ても、そのことは容易に理解できよう。

電力を駆動力とする労働力の特徴を定めるものであった。勿論、これが今日の高消費社会、大量消費社会を形づくったひとつの大きな要因であることは言うまでもない。単位時間内により多くの仕事･労働を行う、近代科学技術の生みだす工夫や仕掛けはそれだけ多くのエネルギーの投入によって支えられている。

これに比べると、自然的労働力の場合、能率はそれぞれの労働力で定まっており、それぞれが自然的労働力であることによって、当然それぞれには自然の制約がある。そしてこの制約を超えることは如何にしても不可能である。それ故、一定時間当たりの能率はさほど問題にはならない。単位時間当たりの仕事量･労働量は自然的に定まっているからである。例えば、人力や畜力による移動の速度、あるいは一度に運べる量などは、個体差はあるにしても、その範囲は概ね定まっており、それを超えることは不可能である。

さらにわれわれは、化石エネルギーのもつ汎用性にも注目しなければならない。化石エネルギーや電力は、多種多様な機械という工夫･仕掛けを通じて、さまざまな労働力になりうる。これも、自然的労働力と比較したとき、化石エネルギーの大きな特徴となる。それは質の異なる労働力の間でのエネルギー比較を可能にする。自然的労働力の場合は、その労働力を生みだすエネルギーに質の違いがあり、それを乗りこえることはできない。しかし化石エネルギーの場合には、それが多種多様な機械という工夫を通じて、さまざまな労働力になりうるが、そのさまざまな労働力の根底にはこの化石エネルギーという単一の駆動エネルギーがある以上、すべての労働力をこの単一のエネルギーで計ることが可能である。そこに労働力を生みだすエネルギーの質の違いは見られない。すると、先に見た単位時間内にどれだけの仕事を行えるかという「能率」が大きな意味をもつことになるのは当然であろう。

このように見てくると、化石エネルギーを駆動力とする機械のもつ等速性と持続性、そして高能率性、さらに駆動エネルギーの汎用性が、労働力商品の成立を支えていたことが判る。そしてそれこそが等速で直線的な時計の時間を成立させている要因であると考えるべきであろう。

五、「自然の制約を超える労働力」の生活への浸透

しかしこの問題は、労働力商品の成立の場面のみで考えるべきではないと思われる。

つまり生産の場面のみではなく、生活の場面でも考えるべきである。先に見た「自然の制約を超える労働力」が生産の場面に導入されるようになるのは、言うまでもなく、イギリスに端を発する産業革命期においてであり、年代的に見れば 18 世紀末ということになる。

河宮信郎氏は、イギリスに始まるこの産業革命を現在まで続く動力革命と見て、この潮流を 4 波に分け、それぞれの波における動力革命の特徴や限界、或いはその進展の意味を熱力学的観点から極めて的確に指摘している。この指摘はわれわれが科学技術を評価する場合の重要な指標となるが、特にここで注目しておきたいのは、第 1～3 波の動力革命と第 4 波のそれとの間の異なりである❻。この第 4 波が第 1～3 波と決定的に異なるのは、第 1～3 波では、先に見たような自然の制約を超える労働力は専ら生活の外にあったわけだが、これが生活や家庭の内部に侵入し始めたという点にある。いわば「生活動力革命」であることがこの第 4 波の特徴であり、この特徴を充分考慮する必要がある。

それまでは、工場や船舶や鉄道などの動力を支えていた機械が、動力革命の第 4 波には石油という低エントロピーで運搬にも優れた資源を得て、また石油を用いて生みだされる電力の増加によって、電機製品等の耐久消費財を主流とする機械としてわれわれの生活内に侵入し始めた。つまりわれわれの生活そのもののなかに、「自然の制約を超える労働力」が取り込まれていったのである。手押しポンプやつるべで水を汲む作業はモーターに取って代わられ、人力や畜力による運搬・輸送も自動車やバイクに置き換えられ、盥と洗濯板は電気洗濯機に、薪とかまどと羽釜は電気炊飯器に、箒と塵取りは電気掃除機に、団扇や扇子は扇風機やエアコンに、牛馬や人力による耕起は耕耘機へ、といった具合に、それまで人力によって、せいぜい畜力によっていた労働力は、化石エネルギーや電力を駆動力とする労働力に代替されていったのである。われわれの生活場面にそうした自然の制約を超える労働力が投入されたことが、われわれの生活の主要な時間秩序を時計の時間にしていったと見るべきであろう。

---

❻ 河宮信郎『必然の選択――地球環境と工業社会』(海鳴社、1995 年)の第 5 章「成長の主導産業と科学技術の進歩」を参照されたい。河宮氏の第 1～第 4 波における動力革命の特徴や限界、或いはその進展の意味をめぐる熱力学的観点からの指摘は当然、生産の現場におけるものであるから、以下に指摘する第 1～第 3 波と第 4 波の異なりを河宮氏が指摘しているわけではない。

すなわちここに、先の生産現場(労働力商品の成立)の場合と同様の事態が生じたのである。そうした化石エネルギー、とりわけ石油を駆動力とする労働力(機械)の導入によって、われわれは労働から大きく解放され、人力という労働力はスイッチをひねったり、ボタンを押したりするだけの、いわば補助的な労働力となった。もとより、前述したように、こうしたエネルギーを用いる機械は高能率性をその特徴とし、高能率性は単位時間を基準にしている。したがってわれわれの生活もまた、時計の時間をその時間秩序としなければならないことになったのである。

人力の代替としてのエネルギーとそのエネルギーを用いた労働力の導入が、一方ではわれわれを労働から大きく解放するとともに、しかし他方でわれわれは時計の時間を単位とする時間世界のなかで生活することになったのである。とするならば、時計の時間のわれわれの生活のなかへの侵入と支配は、決して労働力商品の成立のみで説明できるものではないだろう。或いは時間を基準として成立する労働力商品とその商品によって生産される商品、或いはそれに支えられたそうした商品の流通からなる資本制商品経済によってのみ説明できるようには思えない。

以上のように見てくると、労働力商品の場面のみならず、われわれの生活の現場においても、時間が均質で均等にして直線的な時計の時間が現代社会の時間秩序となったことが判る。われわれはそこに自然の制約を超える労働力の導入を見るべきである。しかもそれは近代市民社会の成立と軌を一にしてはいない。時計の時間を単位とする労働力商品の成立は、確かにこの近代市民社会においてであろうが、既に見たように、われわれの生活のなかに自然の労働力を超える労働力が侵入するのは、第二次世界大戦以後の「動力革命の第4波」である。

以上の考察に間違いがなければ、労働力商品の成立とそれに依拠した資本制商品経済の成立から、現代社会の時間秩序が時計の時間を基準とすることになったと語る、内山氏の所説の基本的な枠組にはなお欠落している部分がある――しかも重要な部分において――、と言わざるをえないだろう。内山氏の所説には、これまでに確認してきたような二つの点で重要な要因の追加を行う必要がある。ひとつは、(1)労働力商品の成立を支えた「自然の制約を超える労働力」の導入であり、もう一つは、(2)「自然の制約を超える労働力」の生活への浸透である。この二つがあってはじめて、内山氏の言うような、われわれの社会の構造として「時計の時間」が時間秩序となったのである。

六、労働力の代替が意味するもの

内山氏の所説を検討することによって、剔出したいと考えたのは、自然の制約を超える労働力の、生産と生活における浸透が「人間と自然との安定的で適正な関係」に及ぼしている影響と人間存在の変容の意味である。次に、この点に関してさらにいくらかの検討を加えておきたい。

これまでの考察からすれば、何よりも注目すべきは、自然とのかかわりが深い農林漁業という生業(生産)を含むわれわれの生活において、人力や畜力を「自然の制約を超える労働力」に代替することによって、われわれから労働が大きく失われてきている点である。それは一面から見れば、われわれの労働からの解放であり、戦後社会の近代化のなかで「ものの豊かな社会の実現」として、われわれが切望し、押し進めてきたことでもあった。しかしそれは別の面からすると、われわれの労働が自然の制約を超える労働力に代替され、われわれから労働が消え失せることによって、「自然とのかかわり」を極めて希薄にし、或いは切断してきたものなのである。このことのもつ意味をわれわれは十分見極めなければならないのではないか。

一体「人間と自然との関係」を生みだしてきたものは、自然を相手にした生業や自然のなかでの生活における労働であるが、この労働が生みだすものは二つの側面をもっていると考えられる。ひとつには、勿論その労働によって生みだされる労働生産物であるが、もうひとつは、その労働が「人間と自然との関係」それ自身を生みだしているということである。即ち、われわれは自然がもつ潜在的な価値を労働によって人間にとっての価値へともたらす——それが生産ということに他ならない——が、しかし同時にこの労働の過程は「人間が自然と如何なるかかわりを結ぶのか」という「人間と自然との関係」そのものを生んでもいるのである。

例えば農の営みは、当然その労働によって農作物を生みだすが、同時にこの労働は人の、田や畑といった自然(人手の加わった自然)への関係そのものなのである。そしてそこに生みだされている、その関係は具体的には、例えば「青々と茂る稲田」、「黄金色の絨毯を敷きつめた稲穂の波」、「整然たる矩形に整えられた、あるいは棚田の緩やかな曲線を描く畦畔」などとして表現されている。勿論これは生業としての農の営みに限られるものではないことは言うまでもない。田んぼや里山から採取された藁や竹や木材などを用いて、生活を支える様々な日用品を製作し、さらにそうした道具類を生業や生活の場で使用する場面においても、ほぼ同様に言えることである。

とすれば、われわれがそうした自然とのかかわりのなかで行われる労働を自然の制約を超える労働力に代替していくことによって、われわれからこうした労働が消えていくとき、それによってわれわれは「自然とのかかわり」を大きく失っていくということに気づくだろう。しかもこの労働は大なり小なり、技術･技能を支えとする労働主体を必要するものである以上、個人的なレヴェルにおいても、ひとつの社会全体として見ても、われわれが技術･技能を喪失していく過程でもある。

この労働の放棄および労働の主体としての技術･技能の喪失は、実は人間存在の希薄化あるいは平準化に他ならない。このことの意味を、先に見た内山氏の時間論を少しく敷衍したかたちで見るならばどうであろうか。彼の言う「ゆらぎゆく時間、不均等な時間」とは、正確には「時＝刻(とき、こく)」と言うべきであろう。第 9 章の劈頭で、内山氏は彼が第二の棲まいとしている上野村での生活に触れ、「夕方の時間が戻ってくると村人は川に戻ってくる」という話を紹介しているが、この「夕方の時間」とは勿論、量として計測される時間のことではなく、「ことを行うべき(渓流で釣をすべき)時＝刻」である。すなわち、それは「時宜、好機」という意味での時間である。同章の 2 節や 4 節に語られる「凝縮された濃密な時間だけが漁の時間である」、「ここ(漁民たちの漁)では突然訪れる幸運がすべてを変革する。…。時間のなかにときどき閃光が走り、その閃光がすべての時間を安定させるのである。漁民たちはこの輝いた一瞬の時間を待ちつづける」と語られる時間も「釣るべき時、網を入れるべき時、網を上げるべき時」という、労働の時宜、機会、好機なのである。

野良仕事や山仕事においてもこの時宜がある。種を蒔くべき時、苗を植えつけるべき時、刈り取るべき時など、一日という日々の循環のなかでも、一年という季節のひとめぐりのなかでも、あるいはそれよりもずっと長い時間のなかで成育していく森林においても、こうした時宜があり、それぞれの労働や仕事はそれぞれの自然のもつ時宜との関係で成立する。時宜を逸しては作物は芽を吹かず、苗は成長せず、実りはだめになる。さらにそうした時宜までの「間」を計ることにおいても、自然相手の労働や仕事の時間は存在する。時宜を的確に捉えて、労働するためには、時宜までの「間」を計り、その準備を整える必要がある。内山氏が紹介しているカキ養殖漁民は、稚貝をホタテ貝の殻に定着させて筏から下げると、後はカキが成長して出荷の時宜となる時＝刻を計って、春から秋までその「間」をじっと待つ。従って、内山氏の語っている「ゆらぎゆく時間」とは、自然相手の労働や仕事の主体と自然との関係のなかで生みだされる時間であり、労働主体の、労働を介しての自然への関係がなければ生みだされない時間なのである。それは、いわば「人間と自然とが交歓する」ときに生みだされる時間でもあると言うことができよう。

労働を支えている労働の主体たる技術・技能は、この時宜を的確に捉え、そして時宜までの「間」を計るかたちで存在しうる。勿論これは時間論の観点から見られたものであるので、より一般的なかたちで言えば、労働の主体がそれぞれの自然のもつ特質を十分理解し、それぞれの特質が輝き出るようにそれを引き出し、そしてそういうかたちでそれぞれの自然の実在に触れ、その自然の実在を何らか捉える場合に、そこに労働の主体たる技術・技能が成立するといえる。そのことは、換言すれば、その労働を介して自然とのかかわりをもつことによって、労働の主体がそれとして作り上げられていくことを意味しているのである。

そうだとすれば、われわれの労働が自然を超える労働力に代替されていくことが、われわれ人間存在のあり方をいかに大きく変貌させてきたかは明らかである。生業の場面でも生活においても、われわれは自然のもつ潜在的な価値を労働によってわれわれにとっての価値としていく力を失い、自然から取り入れていた様々な道具類を放逐することによって、そうした道具類を巧みに使用する力も喪失しつつある。それは総体として見れば、われわれが自然を自らの内に取り入れ、それによってさまざまな自然と多様な関係を取り結ぶ力を自ら放擲してきたことを意味するであろう。

第二節の問題提起の最後に述べたように、われわれの存在は、如何なる社会を形成し、自然との交わりをどのように作り上げ、人間と人間がどんな交わりを取り結ぶかによって、その様態が変容するのだとすれば、少なくとも「自然との関係」において人間存在のあり方は明らかに大きく変貌している。人間存在の契機として「自然へのかかわり」が不可欠のものであるにもかかわらず、その自然と濃密な関係を結ぶ力を失うことによって、自然は人間存在にとっての具体性を欠くものとして、いわば単に「緑」と称される抽象的なものになっているという意味で、それは人間存在の希薄化であり、また多様な様相を見せる自然に応じて、さまざまな対応を求められるその力を失っているという点で、それは人間存在の平準化でもある。

しかし、そうだとすれば、そのことは「人間と自然との安定的で適正な関係」として確立されなければならない環境倫理の構想にとって極めて大きな問題となるのではないか。事実として「人間の自然へのかかわり」が極めて希薄で乏しいものになっているのみならず、われわれ自身がすでに自然と関係を取り結ぶ力を喪失しているのであれば、環境倫理学は単に、如何にして「人間と自然との安定的な適正な関係」を作り上げるかという観点からのみ構想されるのではなく、人間存在の基底まで遡り、その人間存在にとって「自然へのかかわり」は一体いかなる契機となっているのか、ということを確認するところから出発する必要があることをわれわれに告げている。

七、労働における「共同性」の喪失

以上に加えて、次のような点にわれわれは目を注ぎ、十分考慮にいれておく必要がある。それは、上記のような労働および労働の主体は決して一個人において成立するものではなく、その成立や実践は「人間と人間とのかかわり」である共同性を前提にしている点である。それを如実に示すのは、そうした労働のひとつひとつを学びとる場面であろう。われわれは親や年長者や先達の労働のやり方を手本にして、それぞれの労働を学びとったのである。従って労働および労働主体にはその成立の時点からすでに、他者との関係がそのうちに含まれており、「人間と人間の交わり」という共同性を前提にしているのである。そしてこの共同性はまた歴史性も意味している。というのは、われわれは親や年長者や先達からそうした労働を学びとるが、われわれが学んだ親や年長者や先達もまた、その親や周りの先達からその労働を学んだのである。それは個々の工夫や改変を色々なかたちで少しずつ含みながら、しかし連綿として継承されてきたものであり、その意味において過去の人びととの関係の上に成り立っているものなのである。

またそうした労働の実践においても、複数の人びとが共同する労働の形態もある。かつての村落共同体における灌漑、田植、収穫など、さまざまの共同作業は当然、他者との関係を前提にしなければ成り立たないし、またそうした共同の労働に従事することによって、「人間と人間との関係」は生みだされ、かつその「人間と人間との関係」を通じて労働主体は作り上げられたのである。

先に、労働が生みだす「人間と自然との関係」は具体的には、例えば「青々と茂る稲田」、「黄金色の絨毯を敷きつめた稲穂の波」、「整然たる矩形に整えられた、あるいは棚田の緩やかな曲線を描く畦畔」などとして表現されていると述べた。この田園風景は、ひと昔前であれ、機械化の進んだ現在であれ、あまり変化はないと見える❼。ところが「そこで労働する人びと」をこの風景に描き込んでみると、そこにはかなり異なる風景が現われる。かつて人力や畜力によって田を起こし、多くの人びとが出揃って田植を行い、鎌を片手に人びとが共同しつつ稲刈りをしていた光景から、現在では大型の耕耘機に乗って田起こしを行い、田植機を操作して田植を行い、大型のハーベスターを運転しながら、収穫を行う光景に変わっている。なるほど機械は耕し、田植をし、収穫しているが、働いている人はハンドルを回したり、レバーを操作したり、スイッチを押しているに過ぎない。何のことはない、それは車を運転しているのであって、自然相手の農作業を行っているのではない。そこにはすでに、自然を相手にした労働主体も、労働の共同性も、そして労働の歴史性ももはや姿を消しつつある。

八、結びにかえて

環境問題や自然保護の問題がいろいろと取り沙汰されるとき、人びとの抱く関心は、専ら「自然の異変」であり、自然の異変がもたらす「人間社会へのさまざまな影響」にほぼ限られている。しかしこうした「自然の異変」がわれわれの社会の生産や生活のあり方の大きな変貌によって惹き起こされたものであるのなら、そうした生産や生活を営む人間存在もまた大きく変容を遂げたのではないかとの見通しの下に、時間論の立場から労働力商品の成立に人間存在の変容を見る内山氏の所説とその検討を通じ、その変容が問題にな

❼ 但し「変化がないように見える」のは、今なお人手の加えられている場所であって、すでに人手の加わらなくなった休耕田、耕作放棄の田畑、手入れの届かなくなった里山等の雑木林や竹林、間伐や枝打ちの殆ど行われていない杉や檜の一斉林としての人工林などでは、まったく別の風景が出現している。

る具体的な場面を、人間の労働が「自然の制約を超える労働力」によって代替される場面にあると見て、この代替が人間存在にとって何を意味するのかを検討してきた。

これによって、差し当たり確認できたのは、この代替によってわれわれから労働および技能や技術としての労働主体が喪失することは、自然との関係で見れば、とりもなおさず自然との交わりを取り結ぶ力の喪失に他ならないということであった。そしてこのことは、環境倫理学に、失われつつある「自然との交わりを如何にして作り上げ、またどのようなかたちで恢復するか」ということに留まらず、「人間と自然との基底的なかかわりとは如何なるものか」、換言すれば「自然は人間存在の契機として如何に捉えられなければならないか」をめぐる根本的な考察を迫っていると思われたのである。

翻って考えてみれば、われわれからの労働および技能や技術としての労働主体の喪失という、こうした問題を取り上げることによって、私が問題にしていたのは、実はわれわれの身体性の問題だったのではないかとも考えられる。われわれからの労働および技能や技術としての労働主体の喪失とは、われわれ人間存在の身体性の変容や希薄化を意味すると思われるのである。もとよりその場合の「身体」とは決して精神やこころなどと隔絶された身体を想定しているわけではない。身体は精神や思想がそこで作り上げられ、またそこで表現される場に他ならない。自然相手の労働は、まさにその自然を身体においてロゴス化することによって、技能や技術としての労働主体を作り上げ、自然をロゴス化した身体たる技能や技術としての労働主体が自然相手の労働の主体たりうるのである。とすれば、明らかに人間存在の身体性における希薄化は、単に身体性の問題のみならず、少なくとも自然との関係におけるわれわれ人間存在の全体に及ぶであろう。すなわち、われわれが自然を如何に捉え、如何なるものとして理解しているか、或いは自然はわれわれにとって如何なるものとして見えているのかということは、実はわれわれの身体において自然が如何にロゴス化しているかに懸かっているのである。換言すれば、自然はわれわれの身体のロゴス化を通じてしかわれわれに開示されないのである。そうであればこそ、われわれの労働が「自然の制約を超える労働力」によって代替され、それによってわれわれが自然との交わりを取り結ぶ力を喪失することは環境倫理の確立にとって大きな問題となるのではないか。

いずれにしても、これまでに確かめえたのは、環境倫理学は、その射程を「自然が人間存在にとって如何なる契機であるのか」というところまで収めなければならないのではないかということである。勿論それは未だ問題の端緒に過ぎない。自然が人間存在にとって如何なる契機であるか、直前にごく簡単に触れた、人間存在の身体性の問題をも含め、究明されなければならない多くの問題が残されている。

最後に、第三節で紹介した、時計の時間を基準とした商品の生産過程がさらに、農業、林業、漁業などの第一次産業へと浸透していくことによって、かつてのさまざまな労働・仕事の形態のもつ時間世界が壊されていく、この過程の描写の掉尾を飾っている内山氏の言葉❽を引用することによって、本論を締め括りとしたい。

「それ(多様な時空が重なり合う世界)が失われたとき、私たちは何者でもなくなった。共通の時空の中で、共通の時間価値の基準にしたがって、私たちは存在しつづける。固有の時空の喪失としての固有の存在の喪失、ここに現代人の物語がはじまることに、これまで私たちは気づかなかった」

＊本稿は科学研究費補助金〔研究課題:自然と人間社会との持続的関係性を基軸とした世代間倫理の基礎研究、課題番号:17520019、平成17〜19年度〕による研究成果の一部である。

❽ 内山節、前掲書の第9章「不均等な時間」(p.215)。なお、括弧内は筆者の補足である。

芭蕉の紀行文論―「心匠」と「自然」―

若木太一

一、はじめに―芭蕉の「心匠」―

芭蕉(1644～1694)は日本の江戸時代(元禄時代)の俳人で、かれの作品である俳諧(俳句)や紀行文は、現在も多くの人々に読み継がれ、愛唱されています。

多くの日本文学のなかで、なぜこのように慕われ、芭蕉の作品が読み継がれてきているのか、本日は『笈の小文』という紀行文を中心に、その理由を探索してみたいと思います。

貞享元年 8 月、芭蕉は「野ざらし紀行」の旅に出て、捨て子に出会い、古郷の母の形見白髪に涙します。俳諧という風雅にその生き方をゆだねようとする内面には、老荘的思想と禅的な求道観が漂っています。この旅の途中、あるいは翌年か、尾張の熱田の俳人東藤の守武・宗鑑・貞徳三翁の画像に賛を求められ、次のような前書きに句を添えています。

> 三翁は風雅の天工をうけ得て、心匠を万歳につたふ。此のかげに遊ばんもの、誰か俳言をあふがざらんや
>
> 月華の是やまことのあるじたち　　　　芭蕉翁
>
> (『熱田皺箱物語』元禄八年刊)

のちに芭蕉は、貞徳を外し宗祇に替えていますが、芭蕉の内面の変化を意味します。「心匠」とは心中の詩想をいいます。「笈の小文」の旅で貞享四年夏に須磨の浦にいたり、次のように記しています。

> かかる所の秋なりけりとかや。此浦の実は秋をむねとすべし。かなしさ、さびしさはいはむかたな

く、秋なりせば、いささか心のはしをもいひ出べき物をと思ふぞ、我が心匠の拙なきをしらぬに似たり。

ここには『源氏物語』須磨巻のよく知られた一節「須磨にはいとゞ心づくしの秋風に、海はすこし遠けれど、行平中納言の、関吹き越ゆるといひけむ浦波、夜々はげにいと近く聞えて、またなくあはれなるものは、かかるところの秋なりけり」がふまえられています。

場所はともかくとして季節をはずして、「心匠」が調わず「実」を表現しえなかった無念さを述懐しているのです。

さて、このような芭蕉の紀行文論について述べたいと思いますが、まず芭蕉の経歴をあげて生涯をたどり、作品を紹介していきたいと思います

二、芭蕉の略年譜

1644(寛永 21)　芭蕉は、伊賀上野(三重県上野市赤坂町)で松尾与左衛門の次男として誕生。幼名は金作、通称は甚七郎。藤堂家で台所用人を勤める。
名を宗房、のち俳号を桃青という。

1672(寛文 12)　29 歳、『貝おほひ』を編集、江戸へ出て出版。1674(延宝 2)に貞門俳人北村季吟から『俳諧埋木』の伝授を受け、俳諧宗匠として江戸日本橋で立机(免許を受けて独立)する。

1680(延宝 8)　37 歳、日本橋から江東の深川村へ移り、宗匠を引退、草庵生活を始める。杜甫の詩に因み、泊船堂という。翌 1681 年、門人から芭蕉の株を贈られ、繁茂したので芭蕉庵と名付ける。このころから談林俳諧の西山宗因と接し影響をうける。

1684(貞享元)　41 歳、8 月中旬『野ざらし紀行』の旅に出る。
「野ざらしを心に風のしむ身哉」
(旅先でのたれ死にし、野晒しになる覚悟で旅立ったのだが、なんと秋風が身にしむことよ)。「風のしむ身」(季語:秋)。
名古屋の連中と『冬の日』の歌仙をまき、「蕉風俳諧」を標榜。
12 月、亡き母の霊に参る。

1687(貞享 4)　44 歳、8 月、門人曽良と『鹿島詣』の旅に出て、常陸の国鹿島で月見をする。

10 月 25 日、江戸から名古屋・伊賀・伊勢・奈良・吉野方面へ『笈の小文』の旅に出て翌年秋まで旅の生活。

1688(貞享 5)　45 歳、8 月、門人越人と信濃国更科の月見に行く。『更科紀行』の旅。「俤(おもかげ)や姨(をば)ひとりなく月の友」

(昔この山に捨てられた老女のおもかげを偲んで、彼女たちが見て涙したであろう名月を見ています)。「月」(季語:秋)。

1689(元禄 2)　46 歳、3 月 27 日『おくのほそ道』の旅に出る。同行者は門人曽良、江戸から奥羽・北陸(日光・白河の関・松島・平泉・尾花沢・出羽三山・酒田・象潟・出雲崎・金沢・敦賀)を経て岐阜の大垣へ至り、9 月 6 日伊勢へ船出する。約 150 日間、2400 ㎞の旅。

この旅を経て「不易流行」論を唱える。

1690(元禄 3)　4 月、大津(滋賀県)の国分山に入り草庵生活。「幻住庵記」を書く。

1691(元禄 4)　48 歳、4 月、京都嵯峨野の落柿舎に滞在、『嵯峨日記』を書く。

1694(元禄 7)　51 歳、4 月、『おくのほそ道』清書本が成る。10 月 12 日、旅先の大坂で病死、大津(現、滋賀県大津市)の義仲寺に葬られる。

三、「造化にしたがひ、造化にかへれ」

『笈の小文』【本文】

百骸九竅(ひゃくがいきゅうきょう)の中に物有り。かりに名付けて風羅坊といふ。誠にうすものの風に破れやすからん事をいふにやあらむ。かれ狂句を好むこと久し。終に生涯のはかりごととなす。

ある時は倦(う)んで放擲(ほうてき)せん事をおもひ、ある時はすすむで人にかたむ事をほこり、是非胸中にたたかふて、是が為に身安からず。しばらく身を立てむことをねがへども、これが為にさへられ、暫く学んで愚を暁(さと)らん事をおもへども、是が為に破られ、つひに無能無藝にして只此一筋に繋がる。西行の和歌における、宗祇の連歌における、雪舟の繪における、利休の茶における、其の貫道する物は一なり。しかも風雅におけるもの、造化にしたがひて四時を友とす。

見る處花にあらずといふ事なし。おもふ所月にあらずといふ事なし。像(かたち)花にあらざる時は夷狄にひとし。心花にあらざる時は鳥獸に類す。夷狄を出、鳥獸を離れて、造化にしたがひ、造化にかへれとなり。

【現代語訳】

百の骨、九つの穴をもって形を成す人の身体、その中に、ある〈物〉が存在します。私は、それを仮に名付けて「風羅坊」と呼んでいます。それはまことに薄絹が風に吹かれて破れやすいことを言っているのでしょうか。かれ(芭蕉のこと)は狂句(俳諧)を長年好んで、ついには生涯たずさわる仕事となりました。それでもある時は嫌になって投げ捨てようと思い、ある時は進んで他の人に勝ることで誇りとしましたが、その善・悪をめぐって胸中で戦い悩み、そのために私の心身は不安定でした。また、しばらく立身出世を願ったりしましたが、この俳諧のためにそれも頓挫し、ついに「無能無藝」のまま、ただこの俳諧の道一筋に繋がってきました。

西行の和歌における、宗祇の連歌における、雪舟の繪における、利休の茶における、その貫道する藝道の精神は一つです。しかも風雅にたずさわるものは、天然自然の運行に従い四時(春夏秋冬)を友とします。自然の流れに従えば、見る處すべて花のように美しく見えます。想いめぐらすところはすべて月のように澄みきった風景となります。もしも見る像が花のように見えない時は夷狄に同じです。その心が、花の美しさを見い出す余裕がない時は鳥獸と同じです。ですから夷狄を出て、鳥獸を離れて、心身ともに「造化」(天地自然)にしたがひ、「造化」にかえれと言いたいのです。

さて、「身体」の中に、「ある〈物〉」とは何を言っているのでしょうか？西洋流に考えれば肉体に対する精神というような二元論的に理解されるかも知れません。が、ここでいう〈物〉とは、風に吹かれても破れそうな薄絹を仮に「風羅坊」と名付ける、と言っています。次のフレーズでは、それを「かれ」と称しています。

ここでいう「かれ」とは、芭蕉という人間、つまり自分を客観視した表現で、自分自身を指していることは言うまでもありませんが、この「かれ」にはもう一段階位相が上位の、傷つきやすい感性、さらに言い換えれば繊細で研ぎ澄ました感受性による文学精神と見ておくのが適切と考えます。

この〈もの〉という言葉は意味が幅広くやっかいです。たとえば後で引用する『おくのほそ道』の例があります。

春立る霞の空に、白川の関こえんと、そゞろ神の物につきて心をくるはせ、道祖神のまねきにあひて取るもの手につかず、～（後略）

この「物につきて」は「物に憑く」、すなわち「そゞろ神」という旅に誘う物の怪（モノノケ）が取り憑りついた状態と解してよいでしょう。「物（もの）」とは形有る物、形無い物の両様にはたらいて対象を抽象化し、存在を概念化する言葉といえます。「物が在る」「者が居る」あるいは「もの言ふ」「もの語り」「ものごころ付く」「もののあはれ」など多様な語彙を形成します。「そゞろ神」というのも芭蕉の造語と考えられます。「そぞろ（漫）」あるいは「そぞろ（坐）」の漢字をあて、わけもなく自然に、不意にある状態になることをいう形容動詞で「そぞろに」と副詞的に使われる場合があります。ここでは「そゞろ神」という「あるきがみ」のような、もの狂いさせる物の怪として名詞化されています。

さて、もとの文章にもどりますが、身体に「ある〈物〉」とは「俳諧というもの（文芸）」に取り憑かれた「こころ」ということになります。

そして自らが創りだす「狂句」すなわち俳諧も、西行が求めた和歌、宗祇の連歌、利休の茶に求めたものと同じく、芸道の精神に立ち並ぶものだと主張しています。ここには、戯れの言い捨て、慰みごとと見てきた俳諧を、言語芸術として高めよという強い主張が込められています。

そのとき、みずから対象への眼差しと想像力によって「花」や「月」に美を発見する姿勢が必要だと言います。感性を研ぎ澄まして、見るものへの愛情をそそぐことを勧めています。対象への想像力を高めなさいといっています。つまりこれは、対象の存在を冷静に理解するというのではなく、感性によって感じとりなさい、という芸術行為を表現した部分です。

道のべの木槿（むくげ）は馬にくはれけり　　　　芭蕉

この句は 1684（貞享元）年 8 月、『野ざらし紀行』の旅の途中、馬に乗って旅する芭蕉がとらえた眼前の写生句です。季語は「木槿」で秋、韓国の国花にもなっている美しい花です。

道野辺に清麗典雅に咲いている花を、パクリと駄馬が食ってしまった場面です。一瞬の馬の行為をみて「どうしようもないなあ、この馬さんは！」と芭蕉は微苦笑しているようです。この笑いが「俳諧（滑稽）」なのです。馬にとって木槿の花は美味しい食べ物でしかありません。「夷狄を出て、鳥獣を離れよ」とは、美を感じることのできる人間への言葉です。

古典の多くは当然ながら素材やスタイル、古めかしい言葉や表現、時代性に包まれています。そうした中で芭蕉の作品には、現在まで届く、というより未来にまで響くメッセージがこめられていると考えます。

その言葉の一つが、人は「造化にしたがひ、造化にかへれ」という言葉です。意味は「自然にしたがい、自然に帰れ」ということです。「松の事は松に習へ、竹の事は竹に習へ」（『三冊子』）とも教えます。作品に即して言えば、それは一つには俳人である芭蕉の文学観、美意識の表現法を述べたものであり、二つには、風土と人間は一体化してる存在するものだという東洋的自然観に抱かれた人間存在論の表明です。

さてこのような芭蕉の文学の思想的背景が「老荘」であることはすぐにお気付きと思います。芭蕉は 29 歳の春、故郷の伊賀上野（現在の三重県上野市）を出奔し、江戸に出てきました。仕えていた藤堂新七郎良精という二歳年上の主君が若くして亡くなり、庇護を失い武士としての出世の可能性が薄くなったからだったようです。江戸の日本橋近くで俳諧宗匠として門戸を開きます。しかし俳諧宗匠の生活を捨て、やがて隅田川のほとり、深川という辺鄙なところへ移り住みます。ここでは貧寒の生活を送りますが、そのなかで自分と向き合い文学の神髄を見出そうと生活を芸術のためだけの場としました。

そして「野ざらし紀行」の旅に出ます。時代は関ヶ原の戦いから 80 年余、まもなく元禄時代を目前にした平和な徳川時代の絶頂期です。朱子学的政治・道徳におおわれた中で、武士の身分も捨て隠者的生活に入った芭蕉は、自らの存在を「無用者」と位置づけています。『荘子』に心酔し、中国の文人的な生き方に共感したのです。世間のしがらみに煩わされないで自分らしく生きることができれば、こんな幸せなことはありません。その精神は、後の『おくのほそ道』にも貫かれています。

四、『おくのほそ道』

月日は百代の過客にしてゆきかふ年も又旅人也。舟の上に生涯をうかべ、馬の口とらえて老をむかふる者は、日々旅にして、旅を栖とす。古人も多く旅に死せるあり。予もいづれの年よりか、片雲の風にさそはれて、漂泊の思ひやまず、(後略)……

(『おくのほそ道』冒頭)

日月如百代過客、行年似匆々旅人。船夫終生舟楫、馬夫整日拉?、風餐露宿。古人亦多有終於旅途者。不知始於何時、吾為漂浮之孤雲所吸引、難捨漂泊之意、……

冒頭の「月日は百代の過客にして～」の書き出しは李白の「春夜宴桃李園序」の「夫天地者萬物之逆旅、光陰者百代之過客～」に拠っていることはすぐに気付かれたと思います。

「古人も多く旅に死せるあり」は、芭蕉が敬愛した詩人、文人、すなわち李白・杜甫、日本の西行(歌人)・宗祇(連歌師)たちのことです。

芭蕉は古人にあこがれ、古人たちの生き方に共感して生涯を一所不住、旅の生活をおくります。日本では人気の「フーテンの寅さん」という愛すべきキャラクターが登場するシリーズ映画があります。生活は似ていますが、芭蕉は参禅をしたりの禁欲的な生き方をした人で、内面がまったく違います。

『おくのほそ道』では、松島では、洞庭・西湖になぞらえ、象潟では西施の面影を描きます。平泉の戦場の跡に立って杜甫の「春望」の詩句を想起しています。もちろん鎖国時代ですから芭蕉は中国へ渡ったこともありません。室町時代に伝来した瀟湘八景・西湖十景の繪画や漢詩文の世界を思い浮かべているのです。もちろん日本の和歌や俳諧も引用していますが、圧倒的に漢詩文です。

芭蕉筆跡の「自然」と書いた書幅が伝存しています。とても端正な力強い筆跡です。当時は「じねん」とも読んでいます。芭蕉の時代の通俗辞書『合類節用集』(延宝八年版)には

自然[ジネン／ヲノヅカラ]

自然[シゼン]

の両様が出ています。[ジネン]は呉音読みで、『日葡辞書』には「Iinen.ジネン(自然)ひとりでに、あるいは、本来的に」とあり、Sominarai の項に「jinenni sominaro.(自然に染み

習ふ)」という用例が出ています。謡曲に「自然居士(じねんこじ)」があります。親の供養のために身を売った娘を助けようとするシテとして登場する遊芸の達者です。

芭蕉がどちらの読みをしたか確実な証拠をあげることはできにくいのですが、「天道のjinen ぢや」(天草本『イソポ物語』)、あるいは芭蕉が敬慕した古人宗祇の別称「自然斎(じねんさい)」などからすれば「じねん」と読んでいたかもしれません。

いずれにしても芭蕉は老荘思想に傾倒し、また禅の修行の経験もあります。芭蕉のいう「自然」とは山川草木、森羅万象、あらゆる存在の有り様を言った言葉です。ラテン語のnatura、英語の nature とは異なる部分もありますが、存在の背景としての自然、風土と人間は一体化して存在する思想を表明した物です。その意味がこめられた言葉であると考えます。『おくのほそ道』には時間と空間を意識した人間と自然の調和、共生の思想が述べられています。さらには「天道の自然」に身をゆだねて芸道の達者を志した人だと、私はそう考えています。

五、「黄奇蘇新」—芭蕉の紀行文論—

『笈の小文』【本文】

> 抑も、道の日記といふものは、紀氏・長明・阿佛の尼の、文をふるひ情を尽くしてより、余は皆俤似かよひて、其の糟粕を改むる事あたはず。まして浅智短才の筆に及ぶべくもあらず。其の日は雨降り、昼より晴れて、そこに松有り、かしこに何と云ふ川流れたりなどいふ事、たれたれもいふべく覚え侍れども、黄奇蘇新のたぐひにあらずば云事なかれ。

芭蕉は『笈の小文』のなかで「道の日記」の多くが紀氏・長明・阿仏尼らの「文をふるい情を尽くし」た作品に似かよっており、後世の紀行文は「皆俤似かよひて、其の糟粕を改る事あたはず」といい、「黄奇蘇新の類にあらずば云事なかれ」と強調しています。
これは弟子や後人への教えですが、とりわけ自分自身へ向けられた戒めでありましょう。

芭蕉は旅の途中、「其の所々の風景、心に残り、山館野亭のくるしき愁も、且ははなしの種となり、風雲の便りともおもいなして、わすれぬ所々跡や先やと書集侍るぞ、猶酔る者の孟語にひとしく」と前書きし、自らの紀行文のあり方を主張しています。

日本の紀行文は『土佐日記』(紀貫之)、『海道記』(鴨長明)、『十六夜日記』(阿仏尼)なの著名な作品があり、現在も盛んに作品が書かれています。中国の紀行文・旅行記や地誌などと比較してどうでしょうか。

ここでは、芭蕉の論点を箇条書きにしてみます。

(1)紀行文という文章のスタイルが日本文学史の一ジャンルとして平安時代の紀貫之『土佐日記』を初めとして存在していること(文章の型・旅の日記・表現)。

(2)その後の紀行文の多くは、紀貫之『土佐日記』、鴨長明『海道記』にその形やスタイルだけでなく文章の型・旅の日記・表現などがよく似ている。

(3)「黄奇蘇新」という作品の新しさ、オリジナリティがあるかどうかを問うている。

ここでは、故人の糟粕を舐めることなく、新しい発想と表現と求める精神を強調しています。俳諧においても等類(類型)を戒めています。『荘子』天道篇第十三に、聖人の書を読む桓侯にたいし輪扁という職人が「然則君之所讀者、古人之糟粕已夫」と言う話しがあります。芭蕉はこれをふまえています。

(4)紀行文の場合、芭蕉はその現場に立って本物を見てさわることをすべきと言います。

そして外国の作品を偏見無く受け入れ、新しい作品に注入しています。

六、「高悟帰俗」―俗を高める精神―

芭蕉は若い頃のストイックな生き方、表現における「重み」から、俗語を使って軽いけれども味わい深い「軽み」へと 180 度の転換をします。それをささえるのは「高悟帰俗(高く悟りて俗に帰るべし)」という精神です。隠者然とした生き方は精神のなかにあって、周りと同じ人間としてとして日常を生活しました。

日本の芭蕉の紀行文とその特徴を紹介してきました。とりわけ古典ですから言葉や表現が古語を使っているので解読が難しいのは当然です。けれども現代語、あるいは翻訳でも内容は理解できます。問題は、言葉や表現にこめられた「含蓄」と「表象」の部分です。

芭蕉の作品には、多くの中国や日本の古典が踏まえられています。

「含蓄」とは歴代の詩論で言われてきたところですが、詩句や文章に深い意味を豊富に含む表現をいいます。

「表象」(Volstellung)とは、知覚や記憶、あるいは想像によって喚起される「かたち」のことです。「表象」には、実際に見た風景や映像による記憶、つまり既視感を体験したり、作品を味読して感じる想像、あるいは象徴をいいます。それとともに、さらに想像や知覚を「かたち」に表現し、他者へ発信することをも含みます。

芭蕉の作品については、注釈を通して理解するか、講義を聴くことによって理解を深めることは可能です。たとえば、ここでとりあげた『笈の小文』の本文は岩波文庫本で約 20ページ、『野ざらし紀行』は 12 ページ、もっとも長い『おくのほそ道』は 60 数ページです。それにたいして多くの注釈書は 5 倍、10 倍のページです。いかに推敲を加え、削りに削って、内容を彫琢したものかを知ることができます。芭蕉の作品は、宝石を磨き上げるように、詩文の一句、言葉や表現を洗錬したものであるか、理解されます。いうまでもなく芭蕉は 5·7·5 という 31 文字の短詩型文学、俳句(俳諧)にうちこんだ詩人です。季語(季節を表す言葉)を使って時間を設定し、風景とその本情を表現する工夫をしてきた人です。その作品には、「含蓄」と「表象」のどちらも豊富にあり、珠玉のような幽遠な輝きと、不易(永遠)と流行(時好)という時代性が用意されています。現代人にとっても新しいのです。

七、芭蕉のメッセージ―「実」と「虚」―

芭蕉時代は「自然」はそのまま自己の存在する現実の環境を意味しました。自然と同化して生きる、その自然を眺め、美しさを発見し、新しく言葉で表現していく、すなわち感動をもたらす作品は現実の表象、あるいは想像の表象でした。ところが現在は、コンピュータが普及し、メディアという虚構の環境が果てしなく拡がり、私たちの精神は、半ばその世界に翻弄されつつあります。というより、テレビの衛星放送やインターネットによって世界の情報を存分に享受し、ニュースやドラマを見て世界の出来事、風俗·文化を理解し、知ることができる便利な社会に生きています。夜たまたまテレビを見ていましたら『流星花園』(2001 制作)という青春ドラマが放映されていました。日本の若者の恋愛ドラマです。もちろん登場人物は日本人で日本語を話します。ところが実は、台湾の俳優さんが演じた台湾制作のドラマで、吹き替えによる日本語放映、原作は神尾葉子作『花より男子』という日本の漫画であることを知りました。2003 年『冬のソナタ(冬的恋歌)』いらい韓流ドラマ、台流ドラマが放映されて人気を博しています。3, 40 年前、まだ白黒のテレビ時代が普及し始めたころ、カウボーイが日本語で話すのに驚いた時代もありました。今やそれを凌駕するコンピュータの時代です。

現在、私たち人間は「実」の環境と「虚」の環境の両方に足を突っ込み、行きつ戻りつしています。しかしそれは古代の人々が想像した霊界と現世を往き来したり、作品によって情熱を喚起させらるのではなく、まさに現実世界に機能している「虚」の環境があります。紙幣は虚構の価値を与えられて流通していますが、コンピュータのなかでは数字がその紙幣を通過して代行します。サイバーシステムの虚構を幾重にも重層化して経済活動が運用されています。最近日本では少年犯罪が増化の傾向にあります。これはテレビゲームなどの暴力や殺人シーンなどの影響ではないかという説も言われています。「実」の環境と同様に「虚」の環境の影響力の強さを認識しておくべきと考えます。

哲学的な言い方をするなら、「虚」の環境とは「在るのに無い、無いのに在る」環境と、言えるかも知れません。その影響については人類にとって未知のものです。

私たち現代人を取り巻く環境は、人工的に作り出された物がほとんどです。この現実を昔の自然に戻すことはできません。芭蕉が今生きていたならこういうでしょう、「「実」の環境と「虚」の環境も、同じく現代人を取り巻く環境です。それをよく認識して、移りゆく四時(季節)にしたがって、宇宙の森羅万象のはたらきに心身をゆだね、「生きとし生きるもの」への愛情と想像力をはたらかせること、それが文学であり芸術である」と。私は、文学に生涯をかけた芭蕉のメッセージをこのように受け止めています。

本日は、古くて新しい、日本の古典のもっとも良質のものとして芭蕉の作品の一端を紹介しました。

芭蕉のメッセージ「造化にしたがひ、造化にかへれ」は、天然自然のなかに身をゆだね、文学もまた「自然」の力から表現の美が喚起される、という意味に解せます。メディアという現代の表現媒体は強い影響力を発揮しています。「実」と「虚」が未分化なかたちで私たちを包み込んでいます。いま、温故知新という言葉に相応しい、芭蕉の唱える〈風雅の誠〉の文芸の精神が、こうしたメディアや言語環境の中でどれほどの根をおろしているのか、はなはだ心もとないのですが、その一端なりともお伝えできたとすれば幸いです。

【付記】

本稿は、2005 年 9 月 29 日木曜、台湾の中正大学、同じく 9 月 30 日金曜、雲林科技大學漢學資料整理研究所において講演したものである。原題は「芭蕉の紀行文の特徴—含蓄と表象—」。

*Possession*における女性作家の創作—クリスタベルによる童話と叙事詩『妖女メリュジーヌ』を中心に

松田雅子

一　はじめに

A. S. Byattによる*Possession: A Romance*（1990、日本語訳は『抱擁』）の主人公で英文学の若手研究者 Roland は London Library の蔵書の中からヴィクトリア朝の大詩人 Ash の手紙の草稿を見つける。アッシュが所蔵していたヴィーコの『新科学原理』という古びた、分厚い本のあいだに、"Dear Madam"で始まる二通の手紙の下書きが挟まれていた。この下書きは次の三箇所が棒線で消されていた。❶

1) ~~under the impression that you were indeed as much struck as I was by our quite extraordinary~~
2) ~~I cannot surely be alone in feeling~~
3) ~~that you must in some way share my eagerness that further conversation could be mutually profitable that we must meet. I cannot~~

❶　小論ではテキストとして、A. S. Byatt, Possession: A Romance (1990; London: Vintage, 1991) を使った。また引用にあたっては、栗原行雄訳、『抱擁 I･II』（新潮文庫 2002）の翻訳を使用し、ページ数は原典のものを記した。

ローランドはこの手紙の切迫した感情の表出に感動を受ける。それまで、アッシュの手紙は「つねに慎重で、礼儀正しく、大半は躍動感がまったく見られない」と感じていたからだ(8)。

下書きの手紙に垣間見られる 19 世紀の隠された現実はロラン・バルトがいう「もうひとつの表徴の顔」であった。棒線はいはば、彼が『表徴の帝国』❷で述べているところの「裂け目」にあたると考えられ、この裂け目の間から、ローランドと Maud が 19 世紀の人物たちの隠された人生へ入っていく探求の旅が始まっていく。彼らの探求には、ウンベルト・エーコの『薔薇の名前』(1980)において展開された、本をめぐる知的な探偵小説的手法が取り入れられ、埋もれてしまった 19 世紀の女性詩人 Christabel La Motte について、その存在、恋愛事件、文学的影響、出産と子どもの行方という謎が解き明かされる。そして失われていた歴史を掘り起こすことで、ヴィクトリア朝詩人たちの理想的な恋愛関係と、現代の女性英文学者モードのアイデンティティが明らかになるというテーマが盛り込まれている。

このようなプロットの展開を考えると、アッシュの下書きのなかで、棒線によってクロスアウトされたテキストは、エピローグで語られる「此の世には、ひとたび起こりながら、それらしい痕跡は何一つとどめず、言葉に語られる事も、記される事も無いような出来事がある。然し、そうだからと言って、それ以降の事態が、もともとそうした出来事など存在もしなかったかの様に、変わり無く進展したものと考えるのは大変な誤りである」(503)という語り手の主張を隠喩的に表現している点で、きわめて重要な視覚イメージとなっている。

分厚い本の間からこぼれ落ちた、こういった付箋や手紙の下書きに始まり、この小説にはさまざまな種類のテキストが引用される。日記、手紙、往復書簡、叙事詩、抒情詩、童話、伝説、神話、伝記、論文、注釈、口承文学、遺言書などが次々に現われ、さながらテキストの饗宴といった様子を呈している。これらの解読によって、読者は謎解きと同時に、テキストの快楽も味わうことができるという趣向である。

膨大なテキストの導入は、まず第一に、主人公たちがテキストを研究対象とする英文学者であるためだ。また、過去を再現するときの手がかりとして、書かれた文字は大きな役

❷ ロラン・バルト、『表徴の帝国』、宗左近訳(筑摩書房 1996)。

割を果たす。これまで、さまざまなジャンルの語りや物語が、それぞれの目的と意図に従って作り出されてきた。個人的なレベルから、共同体、民族、国家にいたるまで、コミュニケーション、記録、自己や世界の認識の手段として、あるいは文学や歴史を作り上げるために使われてきた。この作品のヴァラエティに富んだテキスト群はその多様性を、視覚的な面でも示している。

そのなかで、小論では女性作家の作品に注目したい。はじめに、歴史、フィクション、「作者の死」、伝記などについて考察し、次にクリスタベルの作品である童話と叙事詩、*The Fairy Melusine*、*The Drowned City of Is*とSabineの*Dahud La Bonne Sorcière*(『良き魔法使いダユー』)について考えてみたい。モードもアメリカ人の女性研究者のLeonora も共にフェミニストという設定で、彼らにとってクリスタベルは原型的な人物である。最終的にはクリスタベルはモードの先祖であったことが判明し、二人の間を結ぶ血縁的及び思想的つながりが強調されている。またサビーヌはクリスタベルのいとこの娘であるが。クリスタベルもサビーヌも女性の視点から、童話や叙事詩を書くという業績を残した。

なぜ女性の手によって叙事詩やおとぎ話が語り直される必要があるかを考えると、世界を説明し秩序を組み立てるシンボル操作は文明の重要なプロセスの一つであり、これによって女性が周縁的存在という定義づけから脱却しようとする意図を持たせたのではないかと思われる。前述の『薔薇の名前』のなかで、記号論の大家であるエーコは主人公の修道僧ウィリアムに「わたしは記号の真実性を疑ったことはないよ、アドソ。人間がこの世界で自分の位置を定めるための手掛かりは、これしかないのだから」(エーコ　下巻 371)と言わせている。自分の位置を定めるために、19 世紀の女性たちが創造したとされている記号的表象としての文学が、どのように表現され、受け止められているかを検討していきたい。

二　歴史、過去、ヤング・フォーギー

この作品の中で試みられている、19 世紀と 20 世紀のあいだを何度も往来し、異なる時間の出来事を同時進行的に描く手法は、シンクロニシティー(共時性)の技法と呼ばれている。バイアットは、Fowles のベストセラー*French Lieutenant's Woman* (1969)、とく

に現代とヴィクトリア朝のできごとを共時的に交錯させた、Pinter による同作品の映画脚本から深く影響を受けたということである❸。

イギリスでは 1980 年代に、「ヤング・フォーギー」(時代遅れの人)という言葉が流行語になり、反時代性やアナクロニズムをむしろ「今っぽい」と感ずるような感性がエリートの若者たちの間で、生まれてきた❹。『フランス軍中尉の女』のほかに富士川は、ヤング・フォーギー好みの小説として、A. N. Wilson の『英国の紳士たち』(1985)をとりあげている。小説の主人公はヴィクトリア朝の有名な動物学者フィリップ・ゴス、その妻はラスキン夫人だったエフィーになぞらえられて造形され、ダーウィン、ハクスリー、ワイルドなどが実名で登場し、本作品と共通点がある。

行き詰まりが感じられる同時の高度なテクノロジー文明から逃れて、過去の古きよき時代、特にヴィクトリア朝に憧れるというこのような流行現象は、日本での江戸ブームを思い起こさせる。日英両国における二つのブームの特徴として、富士川は(1) 遠い過去の時代を、異空間を覗き見するように面白がり楽しんでいる、(2) 過去を決してたんに遠い不動の世界としてではなく、それを拉致してきて現代の中にうまく並置しえたときに起きる新鮮な興奮を求めていると分析している。この作品のヴィクトリア朝の大詩人ブラウニングになぞらえた主人公の設定は、まさにヤング・フォーギー好みの路線を踏襲しているといえるだろう。

作品のプロットは、歴史の解明が主人公二人の人生に新しい意味をもたらすという設定である。歴史学者の Lerner は「歴史を書くことは、形式と意味を与える行為である」として、マイノリティー・グループが勃興していくときに歴史の見直しが行われ、神話的あるいは実在の英雄が再発見され、歴史の改訂が行われると主張している❺。このような改訂が行われるのは、歴史叙述は事実をもとにしながら、本来フィクションであるという面を持って

---

❸ John Sutherland, *Where Was Rebecca Shot?*『現代小説 38 の謎』、川口喬一訳(みすず書房 1999)210。

❹ 富士川義之、「過去は外国である」『きまぐれな読書—現代イギリス文学の魅力』(みすず書房 2003)216—25。

❺ Gerda Lerner, *Why History Matters: Life and Thought* (1997. New York: OUP, 1997) 117—18.

いるからである。歴史は消え去った出来事を想像力で再構成することによって成り立つからだ。

バイアットはエピグラムとして、ブラウニングの詩『霊媒・スレッジ氏』の、「嘘を役立たせずに、何が書けるというのか？おのれの身の証が立つことのみを記録にとどめ、他はすべからく無視する」(Robert Browning, from 'Mr Sludge, "The Medium"')という箇所を引用し、既存の歴史に対し批判的な見方を取っている。さらに、単なる懐古趣味にふけったり、古さを楽しむだけではなく、19 世紀の詩人たちの互いに啓発しあう恋愛関係の中に、フェミニズムの原点を求めるという視点が作品の中心にあって、歴史フィクションに新たなパースペクティブを切り開いているように思われる。

三 「作者の死」、伝記

この小説は一面ではキャンパスノベルと見ることもでき、イギリスとアメリカの英文学者たちの研究動向が対照的に描かれている。資金力に物を言わせて、海外から資料を華々しく買い集めるアメリカ、ロバート・デール・オーウェン大学の Cropper と、自国の文学資料の流失とアメリカの文化帝国主義的なやり方に眉をひそめながら、大英図書館の地下でアッシュ全集を編纂し続ける地味な Blackadder が対比されている。

また、フランス現代思想や文学批評理論の隆盛と、アメリカから始まったがすでに伝統的になってしまったテキスト中心の新批評の対立もあり、これは Fergus とローランドの研究姿勢に表われている。一方、女性たちも開放的で攻撃的なアメリカ人のフェミニスト研究者レオノーラには、現代思想に惹かれながら、あまりに先進的な研究態度には違和感をおぼえているモードが設定されている。このように研究姿勢が異なる、対照的な人物設定を行なって、バイアットは文学理論に関しても、ポストモダン的に戯れる。

『抱擁』における詩人の伝記的事実解明の努力には、バルトがいう「作者の死」とは反対に、作品に影響を及ぼす伝記的要因に対する強い関心が伺われる。モードは作家と伝記的資料について、次のように説明している。

> どんな作家の場合も、その書簡集を読んでみますと——伝記を読んでいますと——きまって、何かが抜けている、といった印象を受けるものですよね、伝記作家が入手できなかったも

> の、何か核心的な、決定的な資料、その詩人自身にとって本当に重要なものが。ひそかに処分された手紙のようなものが、必ずあるのです。(89)

作家とすれば、プライバシーとして死守しておきたい決定的な資料、しかし読者の側からすると、作品の解釈に大きな影響を与えるかもしれない事実が存在するはずであるとモードは考えている。

バイアットはジョージ・エリオットの伝記について日頃からそのように感じていたことを、小説のあとがき－「選択――『抱擁』の創作過程」において述べている❻。レオノーラの研究態度についても、「研究とは何が省略されているか調べることから始まる」(221)というコメントがあり、バイアットも資料がないところにこそ、小説家が登場してイマジネーションを働かせる場があると述べている。この作品では伝記的な疑問に対する解答をフィクションとして作り上げ、さらにフェミニズムの問題へとつなげていく。

作品ではまず、アッシュの『エンブラに捧げしアスクの歌』におけるモデル探しの問題が提示される。ベアトリス・ネストはロンドン大学に提出した卒業論文で、この詩について次のように分析している。

> 彼の『エンブラに捧げしアスクのうた』に収められた連作は、男女間の親密な交わりや対立、コミュニケーションの不成立など、考えられるあらゆる局面を提示しているが、詩の対象であるこの女性が、真の思考と真の感情を併せ持った存在であることを、終始変わらず読者に実感させずにはおかないのである(113)

この詩の背後に、詩人と対等な、思考と感情を有し表現する自立した女性の存在、および恋人たちの「洗練された知的な会話と、生々しい愛の激情の結合した姿」(114)が垣間見られ、このような関係は現代の女性たちの誰もが望みながら、いまだ持ちえていない理想的な恋愛関係だとベアトリスは考えている。

バルトのいう「作者の死」以来、オーソリティとしての作者および唯一の読みを促すとされてきた「作者の意図」を探るという批評は影響力を失い、読者はテキストを各自の価値

---

❻ 栗原行雄、『抱擁 II』589。

観にしたがって解釈し、その結果幾通りもの読みが可能となった。しかし、抒情詩の場合、どのような状況でその詩が作られたのかを知ることは、読者の想像力や共感する力を呼び起こし、読みの可能性を深めていく。詩がある強烈な感情の表出の場合、そのような感情を引き起こした要因、状況などの現実的な事柄の把握なしには、その感情への深い共感は難しいように思われるからだ。

主人公のローランドとモードの批評的スタンスはテキスト中心主義で、作家の個人生活を重視する、とくに現代のフェミニズムの傾向は苦々しく思っている。しかし、アッシュの場合、クリスタベルというシェイクスピアのダーク・レイディのような存在が発見されたことで、作品の解釈に全く違った視点が与えられ、そのことによってローランドは文学批評家としてのよりどころを失ってしまうことになる。

ライバルのファーガスはフランスの最新の文学批評理論に通じているが、ローランドは過激な理論に走ることなく、テキストを忠実に分析し "Line by line" という論文を書いていた。しかし、テキスト分析だけでは、作者の全体像を把握できないということが、モードへ階級的劣等感を感じていた彼の気持ちを、さらに萎縮させてしまうことになる。けれども、アッシュの詩を借りて、自分の心情を代弁してもらっていたローランドが、最終的には自分自身の言葉が次々にあふれてくるという体験をする。同じ頃、テキスト分析の地道な手法で書いた論文も認められ、少しずつ自信を取り戻していく。

文学研究者でもあるバイアットは、結論的には文学鑑賞は、テキスト批評がもとになるが、表現に至った人間的な事象の把握なしには、深く共感することは難しいのではないかという批評態度にたどり着いているようだ。また、詩があふれ出るということで言えば、作者のバイアットもこの作品を書く際に、あるときはアッシュに、またあるときはクリスタベルに成り代わって、それぞれの特徴ある詩をあたかもとりつかれた(ポゼッスト)ように、つむぎだしている。このような状況は最終場面のローランドと酷似している。詩人たちの人間像を作り上げる際に、文学者としての想像力/創造力を羽ばたかせながら、批評家と文学者の二面性を統合させている。

一方、クロッパーは現代人は伝記というものに精神的な飢えを感じていて、他の人たちがどう生きたかを知りたがり、伝記を生きるよすがとすると主張している。先が見えない時代なので、人々は理想となるロールモデルを探していると考えている。イギリスでは、伝記文学はときには小説よりも多くの読者を獲得してきた❼。そういった 20 世紀伝記文学の特徴は、「心理学、とくに精神分析の影響によってその人物の内面的または性的な生活にまでも深く入り込もうとすること」であった。しかし、この点に関しては、前述のように、賛否両論がある。あまりにも深くプライバシーに分け入ることを潔よしとしない感覚が、歴史とフィクションを融合した歴史小説がイギリスで次々と発表されている理由かもしれない。

また、徹底して実証的なアメリカの学者による伝記に比べて、イギリスの伝記は小説的なゆったりしたペースと描写の密度をもち、人物の実像に迫る探求の過程そのものを前面に出しているという。『抱擁』は探求の過程自体を楽しんでいるという点で、イギリスの伝記小説の伝統を生かした作品だといえるだろう。

四　童話、おとぎ話

クリスタベルの父イゼドーといとこのケルコズは、ブリュターニュ地方の神話や伝説に興味を持ち、その集大成を一生の仕事にしていた。イゼドーは 1832 年に『神話研究』を出版、論文「ブリュターニュと大ブリテン島の固有の神話について」および「フランスの神話」が収められている。民話と伝説を概説した大著で、ブリュターニュ人の起源と文化に関する研究である。この研究にはフランスからイギリスに移住したブリュターニュ人として、ナショナル・アイデンティティを確かめ、その文化を創造するという目的があった。娘のクリスタベルも、同じ傾向を受け継ぎ、叙事詩『妖女メリュジーヌ』および『水に沈みし都イス』、童話集 *Tales for Innocents* (“The Glass Coffin” を収録)などを書いている。

近年、童話やおとぎ話は女性作家の注目を引き Iris Murdoch、Angela Carter、Margaret Atwood などが、自作のおとぎ話を書いたり、小説のなかに取り入れたりして、印象的な作品を書いている。アトウッドの *Bluebeard's Egg* (1983)やカーターの *The Bloody Chamber and Other Stories* (1979)など、性と暴力を扱ったおとぎ話のなかで、現代人の心理的状況を象徴的、暗示的に語り、そのイメージは鮮烈である。

ドイツ文学者でグリム童話を研究した Tatar は、おとぎ話の特徴を(1) 心理の実相を、具体的なイメージや登場人物や出来事に転化する、(2) おとぎ話が伝えているのは、個

❼　海老根宏、「伝記文学」、上田和夫他編集、『20 世紀英語文学辞典』（研究社 2005）135－36。

人的な願望や恐怖ではなく、個人の経験を超え、時の流れに耐えた集合的な現実であり、真実であるとしている❽。しかし、おとぎ話の展開にはある一定のパターンはあるものの、プロットは固定したものではなく、「いつの時代でも語り手は、自分たちが受け継いできた物語に、その時代の現実や、文化的価値を加えて潤色してきたのだ」(タタール 174)という。

おとぎ話は、もともと大人のための民話が 19 世紀初頭に、グリム兄弟などによって子どものための童話として編集されたのであるが、現代ではもう一度大人の心性を表わすために使われていると考えられる。女性作家たちは、現代の文化的価値を加えて、心理の実相を表わすためにおとぎ話を利用しているのだろう。ここではクリスタベルが書いたとされる童話「ガラスの柩」と「ラピュンツェル」の詩について考えてみたい。

(一)「ガラスの柩」

童話集『子どものための物語』のなかの「ガラスの柩」の物語は、主人公の仕立て屋が冒険に出かけ、ガラスの柩のなかに閉じ込められている王女を解放し結婚するというストーリーである。彼が精巧なガラスの鍵によって柩を開け、とらわれの王女を解放するというプロットは伝統的なおとぎ話の筋で、男性と女性の性的な関係を表すと考えられる表象である。従来のおとぎ話では、高貴な男性が冒険に取り組み、その成功の報酬として王女と結婚するが、そのとき王女はあたかも賞品であるかのように王子の所有物(ポゼッション)となってしまう。

一方、「ガラスの柩」では、はじめから仕立て屋と王女には身分的な違いがある。それゆえ仕立て屋は、王女を解放したからといって結婚する理由は別にないと、いったん申し出を断わるが、結局その後結婚する。しかし、王女は毎日愛する双子の弟とそろって未開の森へと狩りにでかけ、狩りの趣味がない仕立て屋は家で楽しみのために服の仕立てに励み、三人で仲良く暮らす。

ここでハンティングは性的な関係あるいは自己実現のための仕事の追及をさしているようであるが、結婚相手とは別の方面で求められている。仕立て屋は仕立て屋で、職人と

❽ Maria Tatar, *The Hard Facts of Grimms' Fairy Tales*, 鈴木晶他訳、『グリム童話―その隠されたメッセージ』(1987; 新曜社 1990) 15。

してのアイデンティティを捨て去ることは出来ない。この物語で、王女のセクシャルな関係はむしろ、弟の方にあるのではないかと思える。王女は外で自己実現を追求しているようだが、身分関係を乗り越えた結婚というこの新しい童話では、女性が仕事やセクシュアリティと、結婚という制度の関係をどのように捉えるかモデルがなく、それは 20 世紀の男女関係のなかでも問題となってくる。

ガラスの柩に眠るプリンセスのイメージは、モード、アッシュ夫人の Ellen、あるいはクリスタベルに対しても付与されている。リンカーン大学、テニスン・タワー最上階のガラス張りのオフィスに暮らすモードはテニスンの「シャロット姫」や「ガラスの柩」の王女を思わせる。彼女は貴族階級の出身で、服装、車、住まいなど、高級な品物に囲まれて暮らしている。金髪で美貌の持ち主だが、フェミニスト仲間に対し金髪を恥じてスカーフで隠してしまい、冷たく無表情な様子は、自分のなかに引きこもっている、あるいは魔法にかけられているというイメージだ。ローランドは彼女を「あの近よりがたいガラスの丘のプリンセス」(424)と感じていた。

また、クリスタベルも同居人のブランチからプリンセスとよばれている。エレンも、おそらく夫が原因らしい女中のバーサの妊娠問題で頭痛がひどくなって、引きこもってしまい、ガラスの柩に眠る白雪姫のような気がすると書いている(232)。アッシュとエレンの関係は、体面を過度に重視したモラルのために、性と愛が分離してしまった悲劇的な夫婦関係で、ヴィクトリア朝の男女関係の象徴となっている。

この小説の中心的なテーマについて、英文学者の Fiander　は恋愛や結婚について、女性が所有されることなく、両性の自立した関係を作り上げることが問題になっているとしている❾。

> The title of the novel reflects a central theme: both men (Ash and Roland) are concerned with how they might love the women (LaMotte and Maud) in their lives without interfering with their independence, and both women strive to return their love without having to surrender their own

❾ L. Fiander, Fairy Tales and the Fiction of Iris Murdoch, Margaret Drabble, and A.S. Byatt (Peter Lang 2004) 140.

sense of self.（括弧内は筆者による）

アッシュとクリスタベルの往復書簡では、このような理想がある程度達成され、二人が創作のために切磋琢磨する様子が伺える。しかし、その後ガラスの柩を出て行ったクリスタベルには婚外の出産や育児という難しい問題が襲ってくる。そうなると、外界へ踏み出して行って危険な目に会うよりも、小さな世界に閉じこもっている方が、安全である。「ガラスの柩」に続いて、次に取り上げるクリスタベルの詩「ラピュンツェル」の主題も閉じこもる女性である。

(ニ)「ラピュンツェル」

「ラピュンツェル」はグリム童話に収録されている閉じ込められた美少女の話である。妖精にさらわれ 12 才になると高い塔へ閉じ込められたラピュンツェルに、妖精は髪の毛を窓からたらしてくれるように頼む。金を紡いだように美しいその髪の毛を伝って、妖精は塔に出入りする。通りかかった王子がこの光景を目撃、王子は塔に入り込みしばらくの間ラピュンツェルと楽しく暮らしたが、やがてラピュンツェルが妊娠したことが妖精に見つかってしまう。彼女は荒野へ追い出され、辛苦の末双子を産む。王子も塔から突き落とされ、両目が見えなくなる。放浪ののち二人はようやく再会し、王子は視力を取りもどし幸せに暮らすという物語である（タタール 299－303）。

この小説では第 4 章でクリスタベルがラピュンツェルについての詩を書いている。彼女がこの詩を書いたときは、塔に閉じ込められたラピュンツェルを、ベサニー・コテージで人目を避けてひっそりと暮らす自分の境遇になぞらえていたようである。クリスタベルがその後、コテージを出て行きアッシュとの恋愛へと走っていくいきさつは、ラピュンツュルの物語のなかですでに予言してあるといえよう。

自分の城を必死に守ろうとするクリスタベルの姿は、「フラットの壁やカーテンに囲まれて、明るい安全な箱の中で、たった一人で仕事をする」時だけ自分らしくなれると感じているモードの生き方を鏡に映し出すようで、モードを不安にさせている(136－37)。さらに、ラピュンツェルとモードはその美しい金髪にも類似点があり、両者のイメージを重ねることが出来る。

クリスタベルは、アッシュへの手紙のなかで、女性が引きこもることと個人としての自由を守ることについて、次のように書いている。

> あの石のお城、お城を取り巻くあの茨の藪……石の天守閣は、いかにも陰惨で恐ろしげに見えます。でも、それは私達の安全をしっかり守って呉れますし、その境界の内側にいれば、私達は或る意味で自由なのです。……信じて下さいませ。私の〈孤独〉は私の宝、それも、私の持っております最高の宝なのだと言う事を。(137)

アッシュの激しい求愛に対して、彼女とブランチとの生活が根底から覆されるような不安を感じるクリスタベルは、謎をかけて彼の申し出を断わる。彼に対する返事は卵ですという。卵によって、彼女自身の孤独のなかで自立した生き方を例えているのである。「完全な球形をした、生ける石。……その内部の命は果てしなくまどろみ続けます……自分にも羽ばたくべき〈翼〉が有るのだと気付くまで」(137)。そして割ったとしても、気味の悪いぬるぬるしたものが残るだけなので、これ以上は言い寄ってくれるなと説得している。

カナダの作家アトウッドの「青髭の卵」では、青髭が三人姉妹のそれぞれに鍵と卵を託すが、上の二人は入るのを禁じられた秘密の小部屋を開けて、バラバラにされた女たちの死体が血のなかに浮かんでいる盥を見て、思わずそのなかに卵を取り落とし、決して取れない血のあとが残ってしまう。主人公のサリーはこの話で、卵を女性のバージニティやセクシュアリティを表すと解釈するが、同時に夫婦関係を壊してしまう、何か怖しいものが卵から育って生まれてくるのではないかと恐れを抱く。

『抱擁』でも、卵はクリスタベルのセクシュアリティを表し、卵の中にこもることは、孤独と引きかえに得られた制限付きの自由の表象となっている。アッシュの呼びかけに応えて、卵を割って彼女の真に自由な自我が孵化したとしても、新しい生き方を許容する余地はその時代にはなく、「私はこの黄金の鳥籠の中で、どう歌えば良いのでしょう」と、アッシュに問いかけている。

一方、モードは「〈周辺的存在と境界領域の詩〉というタイトルで、ヴィクトリア朝の女性の、空間への想像力について論文を書いた。広場恐怖症と閉所恐怖症を取り上げ、さえぎるもののない空間へ、未開の荒野や広々とした大地へ出て行きたいと願いながら、同時に、いっそうきゅうくつで、堅牢な空間へ自分を閉じ込めたいと望む、相矛盾する願望を論じた」(54)。このようなアンビヴァレントな状況の象徴的表現が、「ガラスの柩」「ラピュンチェル」の表象の内容である。

19 世紀の女性として登場する主な人物たちクリスタベル、ブランチ、サビーヌは、叙事詩、物語、詩や絵画などを制作し、表現意欲にあふれた人々であるが、彼らにとって芸術は現実生活の限界を乗り越えるための道であった。エレンも詩にうたって欲しかったと述べる一方で、詩人にもなりたかったと記している。このように狭い場所から広々とした大地を憧れながら、閉じこもらざるを得なかった女性たちの姿が描かれている。

五 『妖女メリュジーヌ』

クリスタベルの一代の大作『妖女メリュジーヌ』は書き出しが第 14 章に、その序文が第 16 章に採録されている。小説のなかでは、叙事詩そのものよりも、詩が意味するものについての解説や批評が数多くなされている。クリスタベルが幼いころから父イゼドーは、フランス神話というものがもしあるとしたら、妖女メリュジーヌこそひときわ輝くスターであることは間違いないといって、その話を語ってくれた(173)。父の影響を受け長い間暖めてきた構想をもとに、さらにアッシュとの文通と助言によって磨かれ完成した作品である。

メリュジーヌは腰から下は魚あるいは蛇または竜の形をした妖精で、きわめて美しい容姿をしているが、罪深さゆえに救われる望みは絶たれていた。しかし、魂を得ようと人間の男であるレイモン伯爵をとりこにして結婚し、ルシグナン城を建てる。二人のあいだには、六人の息子が生まれる。人間と妖精の特徴を兼ね備え、普段は人間の姿をしているが、土曜日の入浴日には下半身が蛇にもどる。そこで、夫に土曜日には決して妻を見ないという約束をさせるが、入浴中をのぞかれ正体がばれてしまい、竜になって飛び去り、以来子どもたちを陰で見守りながら、領主の死期を予告するために現われるという筋である。

メリュジーヌの下半身が蛇や竜であるというイメージが、想像しにくいところがあるが、このような魔性の女はコールリッジの未完の詩『クリスタベル』(1816)のなかの邪悪の系譜をつぐ蛇女、ジェラルディンやキーツの『レイミア』(1820)などに、男性をとりこにするファム・ファタールとして登場する。メリュジーヌでも、騎士のレイモン伯が「渇きの泉」の前でまばゆいばかりの美しいレディーに出会い、その魔性の歌声に魅入られてしまう。フランス人のケルゴスは、こういった魔力をもつ危険な女性の物語について、「女性への恐怖を表す数多くの物語のひとつ。おそらく此処には、激情に意のままに引き回される事への、男性の恐怖——欲望や直感や想像力と言ったものに支配されて、〈理性を眠らせる事〉への恐怖が語られている」(354)と述べている。

このような性的な魅力のほかに、クリスタベルは、「メリュジーヌの手にかかると、どんな仕事も巧みに仕上げられた——彼女の築いた御城は端正そのもので、石は狂いひとつ無く積み上げられ、畠は一面、小麦がたわわに実った」と、彼女の実務的能力に驚いている。そして、メリュジーヌはフランス化された、大地母神、豊作の女神ケレスであるとされている(174)。

この叙事詩に対しては、作中いろいろな解説が行われる。怪物的なメリュジーヌの魚、あるいは蛇の尾が象徴しているものが問題となり、自由を意味する、あるいは女性の性的な欲望の表現であるなどと考えられている。たとえば、同じような尾を持つ人魚姫は自由の象徴である魚の下半身を失い人間の姿になるが、歩くたびに刃で突き刺されるほどの痛みを感じる。しかも、肝心の王子は決して彼女の苦しみを理解することはない。メリュジーヌと関連づけて人魚の話を語ったクリスタベルは、未婚のまま出産を迎えようとする自分の女性としての苦しみを語っていたのだとサビーヌは悟る。

クリスタベルと同時代の読者であるエレンは、その日記のなかで、この叙事詩は「真の意味でまさに独創的な作品である……此の作品に描かれている美徳は……弱き性に期待されるものと、およそ無縁だからである。……有るのは鮮烈なイマジネーションであり、力であり、精気である」(120)と、ヴィクトリア朝の女性観をはるかに凌駕する女性詩人の才能に、最大の賛辞を贈っている。

しかし、クリスタベルはこのような解説とは違い、二面性を持ったメリュジーヌを表現することの積極的な意味を強調する。

> 人間の魂が(歴史的事実の拘束に囚われることなく)自由に羽ばたける作品を書きたいと、彼女は言った。ロマンスは女性固有の表現形式であり……女性が本来の自分を自由に表現出来る国なのだと言う……例えばメリュジーヌが、自分に注がれる視線もなく、全く自由な瞬間は、果たしてどんな存在なのか、誰にわかるでしょう。……ロマンスにおいて、初めて女性の持つ二面性の融和が可能になる。(373)

ここでは、またしても作中人物の意図と、作者バイアットの試みが重なってくる。そして性的にも仕事の面でも、男性との関係においてその実存が規定されるメリュジーナではなく、みずから自立した存在が追求されている。モードは「女性を性の帰属から解放する存在としてイメージ化されたのがメリュジーヌである」と分析している(334)。

メリュジーヌのイメージはクリスタベルとモードの両者の描写に共通して使われ、伝説と19 世紀、20 世紀をむすぶ鍵となっている。サビーヌは「クリスタベルのスカートの下のぬめぬめした緑色の足にも、嫌悪感を感じる。まるで彼女が蛇であるかのように」と日記に書いた。クリスタベル自身も、30 年間わが子のそばで暮らしながら、母親と名乗れない自分について、私はメリュジーヌに他ならなかったとアッシュに書き送っている(501)。

また、詩人たちの書簡を見つけたシール・コートで、モードが入浴したあと羽織っているシルクの着物風バスローブの背中に中国の竜が描いてある。彼女は「中国風のドラゴンが長い体を揺らめかせ、淡い色の髪を冷たく耀かせながら」(148)歩いて行くと描写されるので、モードもメリュジーナの変容として描かれる。また、彼女が実家の小物入れのなかから見つけて、好んでつけていたジェットの人魚のブローチはメリュジーナを連想させる。これは、クリスタベルとアッシュがヨークへ擬似的な駆落ち旅行をしたときに、アッシュがプレゼントしたものであるらしい。このようにメリュジーナによって、女性たちのイメージがひとつにむすびつけられ、「ガラスの柩」のプリンセスからメリュジーナへとメタモルフォーゼをとげた彼らの姿が強調されている。メリュジーヌの一節で、クリスタベルの墓碑銘に採られている「我が築きし礎石は朽ちることなし」という言葉が実現しているのだといえよう。

六　『水に沈みし都イス』、『良き魔法使いダユー』

「水に沈んだ都―イス」はブルターニュの伝説に出てくる街で、堕落したために海中へ沈められてしまったとされている。その街の支配者はグラロンの娘、魔法使いのダユー女王で、彼女は〈海〉に寵愛されているが、目に余る驕りの故に、イスの都を同じ〈海〉によって飲み込まれ、沈められてしまう。このイスの街についてはクリスタベルが、ダユー女王についてはサビーヌが詩を書いている。

レオノーラが『水に沈みし都イス』に書いた前書きによると、この伝説にはタイプの異なる二つの文明の根深い異文化的葛藤が反映している。グラロンを長とするインド＝ヨーロッパ語族の父権社会(男性の支配するテクノロジー中心の産業社会)と、その娘ダユーが代表する、より現世的、本能的、土着的な非キリスト教的母系性社会(海底の都という女性の世界)の二つである。パリが、その罪業ゆえに海底へ没する時、引き換えにイスの都はみずから浮かび上がるという言い伝えがあるという設定である。クリスタベルの詩にはイスの都について「数多の屋根や岩が在る世界が　硝子の箱に閉じ込められたかの如く」(135)という箇所がある。『ガラスの柩』に閉じ込められたお城と同様のモチーフで、ここには、解放されるのを待っているという意味が付与されているようだ。

ケルゴスはイスは戦士や神官達が出現する以前の、女性支配の世界――ケルト神話に於ける、海に漂うアヴァロンの楽園や、ゲール族の死の国シド、と言った異種の世界の、いわば記憶の痕跡なのではないかと推理し、この伝説には、異教思想と、女性と、海に対する男性の恐怖と欲望が見られると分析している(349)。ケルゴスの娘サビーヌは、この伝説について「何故、女性の願望や、官能だけが、それ程怖れられねばならないのだろう。こうしたものは、男性にとって脅威だと語る作者は、そもそもいかなる人間なのか。彼は私達を魔女に仕立て上げているのだ」と反発を感じる(349)。そして、奔放なダユー王女を、自由と自立への願望の象徴として、描くことに成功する。

クリスタベルは、サビーヌの『良き魔法使いダユー』を賞賛したメモを残している。彼女は古くから残っている物語というものは総て、繰り返し語るのに耐えるが、作者独自のものが付け加えられるとき、さながら新しい物語となって甦るとコメントしている。同様にこの作品における叙事詩や古い物語は、女性の立場から語り直されることで広がりを持ちえたといえるだろう。

七　まとめ

上記に述べた伝説に基づいた叙事詩、おとぎ話を女性の視点から再創造し、小説のなかに導入することで、この作品は単に 19 世紀と 20 世紀という二つの時代の比較を超えた広がりを持ち、古代の母権制社会の探求という所まで踏み込んでいる。伝説、叙事詩、民話、神話の導入によって、リアリズム小説では難しい重層的な世界を創り出し、クリスタベルが滞在したブリュターニュでの「物語の季節」の雰囲気を取り込んで、独特な趣を作り出している。作者は歴史的な事実と虚構の歴史を交錯させながら、アッシュの作風に倣い

ventriloquist(腹話術師)として、過去の人物たちを代弁している。そして、現在の人間に必要なアイデンティティを過去の歴史の痕跡から組み立てることに、成功したといえるのではないだろうか。

クリスタベルは 19 世紀に生きた女性として、1) 困難な状況のもと、子どもを身近において育てた、2) 叙事詩、おとぎ話、詩などの創作によって、女性文化の伝統を継承しようとしたということなどがその特徴といえるだろう。アッシュとヨークシャー旅行を決行した彼女は、彼と別れてまもなく妊娠に気づき、フランスの親戚のもとに身を寄せる。秘密のうちに出産したので、生まれてきた子を殺してしまったのではないかと思われたが、結局、子どもメイは妹ソフィの実子として育ててもらい、その身近で「独身の叔母」としてひっそりとした生涯をおくった。

一方、アッシュとエレンの夫婦関係は表面的には 40 年間何事もなく、穏やかに過ぎていったが、水面下では、クリスタベルとバーサの二人を嬰児殺しをしかねないようなぎりぎりの瀬戸際まで追いつめてしまうという影の部分を持っていた。その代償として、詩人も子どもの存在から疎外され、臨終の時はむしろ同情されてしまう立場になってしまう。しかし、小説では巻末に白昼夢のような postscript が繰り広げられ、ファンタジックな世界でアッシュと子どもとの邂逅が暗示されて終わりになる。アッシュは娘が幸福に暮らしているのを知り、一度だけ会いに行った、そのときのことを臨終の時に思い出す。アッシュの "Summer fields ... I saw her. I should have – looked after her. ... In my watch. Her hair." (452)といううわごとは、最後の補遺の出来事とみごとに一致している。このようにファンタジーという形であるが、花々の咲き乱れる楽園のような背景の中で、メイが幸せな子ども時代を満喫している姿の中に、クリスタベルの苦闘にも大きな希望がみえているようである。本論では、女性の手による物語に焦点を絞って考察したけれども、『抱擁』にはまだ、アッシュによる膨大な作品群がある。これらの詩の分析をしたうえで、作品全体の総合的な読みが次の課題である。

参考文献

エーコ、ウンベルト、河島英昭訳、『薔薇の名前 上・下』、1982;東京創元社 1990。

Atwood, Margaret. *Bluebeard's Egg*. 1983; New York: Anchor Books, 1998.

Carter, Angela. *The Bloody Chamber and Other Stories*. 1979; London: Vintage 1995.

Fowles, John. *The French Lieutenant's Woman*. 1969; London: Vintage, 1996.

Wilson, A.N. *Gentlemen in England: A Vision*. 1985; London: Penguin, 1986.

長崎通詞の翻訳活動—『払郎察辞範』と『おらんだ語彙控』に注目して—

池田幸恵

一、はじめに

長崎大学附属図書館経済学部分館武藤文庫には『おらんだ語彙控』(706－M32)と題された,全 18 丁,収録語数 245 語の蘭日語彙集が所蔵されている。本資料については,前稿❶において,Pieter Marin の Nouvelle Methode Pour aprendre les Principes & l'Usage des Langues Françoise et Hollandoise(フランス語およびオランダ語の原理と用法を学ぶための新しい方法,以下 Nouvelle Methode と略称)を参考に作られている—収録語の約 4 分の 3 が Nouvelle Methode と重なり,また語の配列順も同書の項目順に一致している—こと,訳語には長崎方言や外来語が用いられていることなどを明らかにした。

本資料が基にした Nouvelle Methode は後述するように,長崎通詞本木正栄らの手により『払郎察辞範』『和仏蘭対訳語林』として翻訳されており,おそらく本資料も長崎通詞の手になるものと考えられる。しかし,同じ Nouvelle Methode に拠りながらも,『おらんだ語彙控』の訳語と『払郎察辞範』の訳語とは一致することが少なく,また『おらんだ語彙控』にしかない収録語も 50 語ほど存する。そのため,『払郎察辞範』と『おらんだ語彙控』の見出し語・訳語の比較検討を行うことにより,長崎通詞の言語環境・翻訳活動のあり方の一端が明らかになると考えている。

---

❶ 池田幸恵「『おらんだ語彙控』について」(『辞書遊歩—長崎で辞書を読む—』,九州大学出版会,2004)

二、『払郎察辞範』について

長崎歴史文化博物館には『払郎察辞範』(860−62),『和仏蘭対訳語林』(全 5 冊, 860−61)という二つの仏和辞書が所蔵されている❷。この二書は異なる書名を持っているものの,原典は同じ Nouvelle Methode であり,『払郎察辞範』がその前半部分(国会図書館本❸では p.1−p.49),『和仏蘭対訳語林』がその後半部分(同じく p.49−p.304)にあたる。これらは共に長崎通詞本木正栄とその協力者の手により翻訳されており,オランダ商館長ヘンドリック・ドゥーフの口授指導を受けたことが,『払郎察辞範』巻頭に記されている❹。

『払郎察辞範』は現在 1 冊本となっているが,本来は 4 冊本であり❺,第 1 冊は発音,第 2 冊は名詞・形容詞,動詞,副詞・前置詞などの解説,第 3 冊・第 4 冊は分野別の語彙集であり,原典の Van de Zelfstandige Naamen〔実詞を論す〕の第Ⅰ章から第Ⅵ章が第 3 冊に,第Ⅶ章から第Ⅸ章が第 4 冊に収められている。

『和仏蘭対訳語林』は 5 冊本であり,第 1 冊・第 2 冊が名詞・動詞・副詞などの品詞解説(文法篇),第 3 冊・第 4 冊・第 5 冊が言語集(会話篇)となっている。

『おらんだ語彙控』と重なるのは『払郎察辞範』(以下『辞範』と略称)の第 3 冊・第 4 冊の一部である。

三、『おらんだ語彙控』について

前稿で述べた通り,『おらんだ語彙控』(以下『語彙控』と略称)には門や部などの章立てや意味分類はなされていないが,収録語は衣服や家具などの意味ごとにまとめられている。語の配列はほぼ Nouvelle Methode の項目順に一致しており、『語彙控』が参考に

---

❷ 両書は長崎市立博物館旧蔵。2005 年 11 月の長崎歴史文化博物館の開館により移管。

❸ 『払郎察辞範』が拠った Nouvelle Methode は 1775 年版であることが明記されているが,現在国内ではその存在が確認されていないため,本稿では 1790 年版の国会図書館本を用いる。なお,国会図書館本と『払郎察辞範』とは単語の一部に異同があるのみであり,大部分の記述は一致している。

❹ 「新正拂郎察語例/暦数一千七百七十五年鏤版/西洋　大儒官　批得耳麻林(ビーテルマーリン)著/和蘭　加比旦　顕地力竭讀和桴(ヘンデイリキドーフ)口授/大日本　和蘭家譯　長崎　本木正榮等奉/命　謹譯」とある。

❺ 第 1 冊の扉に「一　草稿」とあり,以下第 4 冊まで「二　草稿/三　草稿/四　草稿」と記されている。

したのは, Nouvelle Methode の第Ⅲ章から第Ⅷ章までの一部であることが分かる。この部分のオランダ語の項目名と,『辞範』の日本語訳を〔　〕に入れて示すと以下のようになる。『語彙控』の収録語が含まれる項目名には○を付しておく。

Ⅲ. HOOFDSTUK. Van 's Lichaams Deelen en Toevallen.

〔第三身躰篇附身体所作〕

○ De Toevallen des Lichaams zyn:〔身躰の所作者〕

○ Ⅳ. HOOFDSTUK. Mans en Vrouwen Kleederen.〔第四男女衣服篇〕

○ De Juffers draagen:〔婦人服は〕

○ Ⅴ. HOOFDSTUK. Van 't Huis en 't geen 'er af hangt.〔家屋篇附居家諸器〕

○ Van 't Huisraad.〔器財者〕

○ Daar is in de Keuken:〔庖厨に有る者は〕

○ Daar is in de Kelder.〔窖窟に蔵する者は〕

○ Daar is in de Stal,〔厩に有る者は〕

○ Ⅵ. HOOFDSTUK. Van de Tafel en 't geen 'er op gebragt word.

〔食卓篇附諸食器〕

○ Van de Spyzen in 't algemeen.〔饌品は〕

○ Men kookt:〔煮烹は〕

○ Men braad:〔煎煮は〕

○ Zee-Vis.〔海魚は〕

○ Rivier-Vis.〔川魚は〕

○ Om de Spyzen toe te maken,gebruikt men:〔食物塩梅に用る者は〕

○ Tot Nagericht eet men:〔膳後に食する者は〕

Ⅶ. HOOFDSTUK. Van de Waereldlyke en Kerkelyke Waardigheden,en Beroepen.〔第七文官武官篇〕

Kerkelyke Waardigheden.〔寺官は〕

Van de Ampten en Ambachten.〔伎術者〕

Ⅷ. HOOFDSTUK. Van den Koophandel:〔第八互市篇〕

○ Koopmans Bedryven:〔商價の事は〕

Koopmans Benemingen:〔商價の用る語は〕

（以下略）

上記の項目部分に収録されている Nouvelle Methode,『辞範』,『語彙控』の語数を表に示すと以下の通りである。

<table>
<tr><th rowspan="2">項目名</th><th rowspan="2">N.M</th><th colspan="2">払郎察辞範</th><th>おらんだ</th><th colspan="2">N.Mと一致</th><th>N.Mと一</th><th>N.Mと一</th></tr>
<tr><th>収録語数</th><th>訳語数</th><th>語彙控</th><th>所属も一致</th><th>所属が異なる</th><th>部一致</th><th>致しない</th></tr>
<tr><td>身体の所作</td><td>54</td><td>54</td><td>53</td><td>35</td><td>21</td><td>0</td><td>2</td><td>12</td></tr>
<tr><td>男女衣服</td><td>47</td><td>47</td><td>47</td><td>30</td><td>22</td><td>0</td><td>2</td><td>6</td></tr>
<tr><td>婦人服</td><td>55</td><td>55</td><td>55</td><td>25</td><td>15</td><td>1</td><td>1</td><td>8</td></tr>
<tr><td>家屋</td><td>40</td><td>39</td><td>39</td><td>35</td><td>20</td><td>4</td><td>0</td><td>11</td></tr>
<tr><td>器財</td><td>38</td><td>38</td><td>38</td><td>30</td><td>21</td><td>1</td><td>0</td><td>8</td></tr>
<tr><td>庖厨に有る者</td><td>32</td><td>32</td><td>32</td><td>13</td><td>11</td><td>2</td><td>0</td><td>0</td></tr>
<tr><td>窖窟に蔵する者</td><td>18</td><td>18</td><td>18</td><td>1</td><td>0</td><td>0</td><td>1</td><td>0</td></tr>
<tr><td>厩に有る者</td><td>24</td><td>24</td><td>24</td><td>10</td><td>7</td><td>0</td><td>0</td><td>3</td></tr>
<tr><td>食卓</td><td>30</td><td>29</td><td>29</td><td>17</td><td>8</td><td>4</td><td>4</td><td>1</td></tr>
<tr><td>饌品</td><td>11</td><td>11</td><td>11</td><td>4</td><td>3</td><td>0</td><td>0</td><td>1</td></tr>
<tr><td>煮烹</td><td>22</td><td>22</td><td>22</td><td>7</td><td>3</td><td>1</td><td>2</td><td>1</td></tr>
<tr><td>煎煮</td><td>16</td><td>16</td><td>16</td><td>8</td><td>7</td><td>1</td><td>0</td><td>0</td></tr>
<tr><td>海魚</td><td>13</td><td>13</td><td>11</td><td>6</td><td>5</td><td>0</td><td>0</td><td>1</td></tr>
<tr><td>川魚</td><td>7</td><td>7</td><td>5</td><td>6</td><td>4</td><td>1</td><td>0</td><td>1</td></tr>
<tr><td>食物塩梅に用る者</td><td>14</td><td>14</td><td>14</td><td>7</td><td>7</td><td>0</td><td>0</td><td>0</td></tr>
<tr><td>膳後に食する者</td><td>26</td><td>26</td><td>21</td><td>3</td><td>3</td><td>0</td><td>0</td><td>0</td></tr>
<tr><td>文官武官</td><td>28</td><td>28</td><td>22</td><td>0</td><td>0</td><td>0</td><td>0</td><td>0</td></tr>
<tr><td>寺官</td><td>63</td><td>63</td><td>0</td><td>0</td><td>0</td><td>0</td><td>0</td><td>0</td></tr>
<tr><td>伎術者</td><td>56</td><td>55</td><td>55</td><td>0</td><td>0</td><td>0</td><td>0</td><td>0</td></tr>
<tr><td>互市</td><td>13</td><td>13</td><td>13</td><td>0</td><td>0</td><td>0</td><td>0</td><td>0</td></tr>
<tr><td>商價の事</td><td>52</td><td>52</td><td>52</td><td>8</td><td>6</td><td>0</td><td>2</td><td>0</td></tr>
<tr><td rowspan="2">合計</td><td rowspan="2">659</td><td rowspan="2">656</td><td rowspan="2">577</td><td rowspan="2">245</td><td>163</td><td>15</td><td>14</td><td rowspan="2">53</td></tr>
<tr><td colspan="3">192</td></tr>
</table>

上の表に示した通り,『語彙控』は Nouvelle Methode の第Ⅲ章から第Ⅷ章までに該

当するものの, Nouvelle Methode の第Ⅶ章の文官武官篇の全ての単語と, 第Ⅷ章の最初の互市篇に収録されている単語は, 全く取られていない。その理由としては, 文官武官の制度や, 寺官に含まれるキリスト教関係の語彙は, 『辞範』にも訳語の付されていない例が多く存するように❻, 日本に該当するものがなく翻訳しにくいことが考えられる。おそらく, 『語彙控』のような小さな語彙集には, 日常生活では使わないこれらの単語は不必要だと考え, 収録しなかったのであろう。また, 互市篇や商價の事に含まれる単語は, 商務官としての長崎通詞には必須のものである。これらの語をあまり重視していない点からは, 『語彙控』は, 通詞の単語帳ではなく, 日常語を集めたオランダ語語彙集を意図して編集されたものであると言えよう。

『語彙控』にのみ見え Nouvelle Methode に収録されていない語は 53 語存する。これらの語が他の辞書類に収録されているか否かを確認すると, 『訳鍵』(藤林普山編, 文化 7, 1810 年刊)と一致するのは 37 語, 『和蘭字彙』(桂川甫周編, 安政 2-5, 1855-1858 年刊)と一致するのは 47 語, 『改訂増補蛮語箋』(箕作阮甫編, 嘉永元, 1848 年, 以下『蛮語箋』と略称)と一致するのは 11 語であり, Nouvelle Methode に収録されていない単語でも特殊な語という訳ではない。

なお, 上記 3 辞書に見られない語は, laarsje, zakdoek, boezelaar, knipbeursjes, schifraam, benedenzaal の 6 語であるが, これらのうち zakdoek, knipbeursjes の 2 語を除いた 4 語は, Nouvelle Methode の編者である Pieter Marin の Groot Nederduitsch en Fransch Woordenboek(蘭仏辞典, 1730 年)に収録されている❼。『語彙控』の編集にあたっては, Nouvelle Methode 以外の蘭仏辞典をも参考にしたと思われ, 小さな語彙集でありながら, 長崎通詞の語学研究の一端を窺うことのできる, 貴重

---

❻ 訳語が付されていない理由について, 杉本つとむ氏は「H.ドゥーフからの口授がなかった故か, あるいはまったく正栄らには訳出することのできなかった内容の語か, あるいはまた書写段階で落ちが生じたものか, 疑問の残るところであろう」と疑問を呈した上で「書き忘れと考えてよかろう」と結論付けられている(『江戸時代蘭語学の成立と展開Ⅲ』p.402, 早稲田大学出版部, 1978)。また, 富田仁氏は「日本語にそれに相当する語彙がなかったためであろうか」としている(『長崎フランス物語』p.60, 白水社, 1987)。

❼ 当辞書でも schif-raam, beneden-zaal はそれぞれ schuif-trompet, zaal の下部項目として収録されているのみであり, この両語は一般的な単語ではなかったと言える。また zakdoek は収録されていないが zak-neusdoek の項目は存する。

な資料であると言える。

四、両書の比較一　男女衣服篇

『辞範』と『語彙控』を比較検討するために，ここでは男女衣服篇の単語を取り上げ考察することとする。また訳語についても次節で考察するため，併せて挙げておく。

(一)見出し語の検討

『辞範』の男女衣服篇に収録されている47語と『語彙控』の該当部分の30語を，冠詞を除き示すと次のようになる(番号は掲出順。私に付した)。

『辞範』男女衣服篇	『語彙控』
1.kleederen　衣服	1.kleederen　衣物
2.linnegded　棉布（モメンモノ）	
3.rok　表衣（ウワギ）	3.rok　うわぎ
4.kamizool　貼裡（シタギ）	
5.hemd　袙服（ハダギ）	2.hemd　褊衫
6.broek　袴	7.broek　股引
7.onderbroek　褌（フンドシ）	
8.mantel　外套（ハヲリ）	8.mantel　外套
9.reisrok　旅服	
10.overtreksel　覆衣（オゝヒ）	
11.mouwen　袖	4.moúwen　袖で
12.zakken　囊	5.zakken　たもと
	6.voering　うら
13.plooijen　襀（ヒダ）	
14.múts　帽子	9.múts　帽子
15.hoed　氈笠（カサ）	10.hoed　同
16.rand　縁（フチ）	
17.paruik　鬘（カツラ）	

18.das 風領（エリマキ）	11.das 首巻
19.koússen 莫大小（メリヤス）	12.koúsen 田易（メリヤス）
20.sokken 襪（タビ）	13.sokken 足袋
21.onder-koússen 襯莫大小（シタメリヤス）	
22.schoenen 履（クツ）	14.schoenen 鞋
	15.laarzen 長沓
	16.laarsjes 小形の長沓
23.gespen 鈕鈎（シメカネ）	17.gespen うわじめ
24.koussebanden 莫大小紐（メリヤスノヒモ）	18.koúsenbanden めりやすのひも
25.japonse rok, nachtrok 被（ネマキ） 夜服	30.japon 日本衣物
26.neusdoek 洟巾（ハナフキ）	
	19.zakdoek 手拭
27.múilen 履（クツ） 無踵者	
	20.pantoffels うわくつ之類
28.kant 縁縫（ハシヌイ）	21.kant 譯建縁縫 飾り
29.linten 紐	
30.knoopen 釦	22.knoopen ぼたん
31.knoopgaaten 釦孔（ボタンアナ）	
32.handschoenen 手囊（テヌキ）	23.handschoenen 手ぬき
33.mof 手袠（テヌキ）	24.mof 手ぬくめ
34.deegen 釼	25.degen 剣
35.portepee,draagband 佩刀帯（ケンカケノヒモ）	
36.kam 櫛（クシ）	
37.ring 戒指（ユビカネ）	
38.orlogie 自鳴鐘 時規	27.horlogie 袂時計
39.rotting 藤杖	26.rotting 杖
40.tandstooker 帚歯（ヨウジ）	
	28.tabaksdoos 烟草入

41.snúijftabaksdoos 鼻烟盒(ハナタハコイレ)　　29.snúifdoos 烟草入 草烟入

42.snúijf tabak 鼻烟(ハナタバコ)

43.memorie boekje 記識抄(テヲボエカキ)

44.schúijer 拂塵(ケハライ)

45.schoenborstel 拂塵(ケハライ) 屨用

以上のように,『語彙控』の見出し語は全 30 語中 22 語までが『辞範』男女衣服篇の単語と一致しており(koúsen と koússen, degen と deegen など,綴りに細かい差異があるものも含む), snúifdoos と snúijftabaksdoos, japon と japonse rok のように,綴りの一部が重なる例を含めると 24 語が一致している。

一方,『辞範』にのみ収録されている語が 23 語,『語彙控』にのみ収録されている語が 6 語ある。前者の 23 語について,他の辞書に収録されているか否かを確認すると,『訳鍵』には 17 語,『和蘭字彙』には 22 語,『蛮語箋』には 11 語が収められており,特殊な単語であるため『語彙控』に収録されていないという訳ではない。『語彙控』が収録していない plooijen(襀(ヒダ)), paruik(鬘(カツラ)), ring(戒指(ユビカネ))などは,当時の日本人の服飾においては無縁の存在であるため収録しなかったのであろう。この点からは,日常生活に必要な単語のみを収録しようという意図が窺える。

後者の『語彙控』にのみ見られる 6 語は,『辞範』と共通する schoenen(鞋)の後に, laarzen(長沓)・laarsjes(小形の長沓)など関連する単語を補ったものや,『辞範』の neusdoek(洟巾(ハナフキ))の代わりに zakdoek(手拭), múilen(屨 無踵者)の代わりに pantoffels(うわくつ之類)を収録したものであり,『語彙控』の編者なりの単語の取捨選択を行っていたことが分かる。

(二)訳語の検討

ここでは,オランダ語の見出し語に付された訳語の検討をする。前節に挙げた通り,『辞範』と『語彙控』の訳語は大きく異なっている。

『辞範』に付された訳語の性格については,杉本つとむ氏により,『雑字類篇』など唐話関係の辞書との類似点が指摘されている❽。氏の指摘の通り，男女衣服篇の訳語の中にも，「das 風領(エリマキ)」「gespen 鈕鉤(シメカネ)」など，『雑字類篇』の「風領(エリマキ)」(⑤31オ)「鈕鉤」(①27オ)と一致する例が見られる。

『語彙控』と『辞範』に見えるいくつかの訳語を『訳鍵』『和蘭字彙』『蛮語箋』の訳語・見出し語と比較すると次のようになっている。

辞範	語彙控	訳鍵	和蘭字彙	蛮語箋
袴	股引	袴	袴又股引	袴(モヽヒキ)
氈笠	帽子	氈笠	帽子	氈笠
風領	首巻	風領	首巻キ	風領(エリマキ)
莫大小	田易	田易	足袋ト共ニ續キタル脚絆	莫大小(メリヤス)
鈕鉤	うわじめ	骨秘❾	〆金	鈕鉤(シメカネ)
縁縫	飾り	縁縫	糸ニテ細カニ編ミ造リタルモノ	

『辞範』の訳語は，やはり唐話辞書との関連が指摘されている『蛮語箋』の見出し語と一致する場合が多いのに対し，『語彙控』は長崎の俗語・方言で訳した❿『和蘭字彙』の訳語と一致する場合が多い。なお，『和蘭字彙』の訳語が説明的なのに対し，短く簡潔に単語に訳しているという違いが見られる。『訳鍵』とは koúsen に対して「田易」という一致する訳語が見られたり，kant の訳語に「譯建 縁縫」という『訳鍵』からの引用が見られるなど，『語彙控』が『訳鍵』を参考した形跡が見られる。

『語彙控』の収録語は Nouvelle Methode(『辞範』)と多くの部分で重なり，語の配列も

---

❽ 杉本つとむ氏『江戸時代蘭語学の成立とその展開Ⅲ』p.403。

❾ 未詳。『訳鍵』が基にした『ハルマ和解』には「履ナドノ小ハゼ」とある。(『波留麻和解 第二巻』，ゆまに書房，1997)

❿ 『和蘭字彙』に凡例はないが，『和蘭字彙』の基となった『ドゥーフ・ハルマ』の凡例には「我輩皆無学にして雅語を以て訳詞を下す事能はす若強て雅語を埋ん事を欲せは却て蘭語の義理を失はん事を恐る故に他の笑ひを不厭直に鄙俚の俗語方言を以て訳す」(『道訳法児馬 第一巻』，ゆまに書房，1998)とあり，長崎の俗語・方言で訳したことが明記されている。

同書に従っているものの，訳語では Nouvelle Methode の翻訳書である『辞範』が唐話的であるに対し，『語彙控』の訳語は俗語的であるという差異が存した。『ドゥーフ・ハルマ』や馬場佐十郎の『蘭語訳撰』などの訳語においても唐話語学者の著述した辞書類との関連が指摘されている⓫ように，当時の翻訳には唐話の影響が大きく，『辞範』の翻訳態度はそれらの流れにそった伝統的な通詞の翻訳態度であったと言えよう。

また，両書で訳語が異なる例に，「japonse rok 被(ネマキ) 夜服」(『辞範』)と「japon 日本衣物」(『語彙控』)がある。他の辞書を見てみると，『訳鍵』『蛮語箋』には地名としての「japon 日本」が収録されているのみであるが，『和蘭字彙』には「japansche rok of nachttabbert 袖筒ニシタル日本風ノ着物」(J4 ゥ)と japansche rok の形で，『語彙控』に相当する「日本風ノ着物」の語が収録されている。『辞範』に見られる japonse rok は，nachtrok と同義で寝巻きの意であるが，『和蘭字彙』には「nagtrok z.m. japansch rok 寝衣」(N13 ゥ)ともあり，結局のところ，寝巻きに使う日本の着物ということで，『語彙控』と『辞範』は同じ物を指していることが分かる。

五、両書の比較二　食卓篇

(一)見出し語の検討

『辞範』の食卓篇に収録されている 29 語(末尾に他の部の収録語も含む)とこの部分に該当する『語彙控』の 17 語を挙げると以下のようになる。

『辞範』食卓篇	『語彙控』
1.tafellaken　覆案(ハンダイヲヽイ)	1.tafellaken　シツポクヲヽイ
2.servet　佩巾	
3.tafelbord　敷巾	2.bord　はち
4.lepel　匙(サジ)	3.lepel　さじ
5.vork　飯鍫(ホコ) 食物ヲ刺ス了(クマデ)ノ形ノ物	4.vork　鋒
6.mes　削刀(コカタナ)	12.mes　小刀

⓫ 杉本つとむ氏『江戸時代蘭語学の成立とその展開Ⅲ』p.403。

7.gerecht　饌食（リャウリモノ）	
8.schootel　盂（ハチ）	5.schotel　さら
9.tafelring　羹盂槃（シルハチスヱ）	
10.beeker　碗又酒鍾（サケノミチョク）	10.beker　さかづき之類
11.glas　硝子盞（ビイドロサカツキ）	11.glas　ふらすこ
12.zoútvat　鹽盒（シホイレ）	13.zoútvat　塩入
	14.peperbús　胡椒入
13.azijnkan　酢瓶	16.azijn　酢
14.olijpotje　油壷	15.olie　油
15.mostaardpot　芥子壷	
16.korrel zoút　塊鹽	
17.schootjen azijn　一滴酢	
18.droppel olij　一滴油	
19.dronk wijn　一吃酒（ヒトクチサケ）	17.wijn　酒
20.mond vol brood　満口蒸餅（パン）	
21.snee osse vleesch　一片牛肉	
22.tafel dekken　設食盤	
23.lepel vol sop　満匙羹	
24.tafel oppassen　護食盤	
25.tafel gaan　着食盤	
26.tafel opneemen　収盤（ハンダイヲカタツクル）	
27.gasten　客	
28.maaltijd　餔時（ショクジトキ）	
29.gastmaal　宴	

『辞範』窖窟に蔵する者

12.vles　瓶	6.flesch　瓶

『辞範』婦人服

44.kopje 碗 酒鍾(サケノミチョク)	7.kopje 茶碗
45.schoteltje 小盂(コバチ)	8.schoteltje 小さら
47.coffij kan 黒炒豆瓶(コウヒビン)	9.koffijkan コヲピイ入

『語彙控』の 17 語のうち,『辞範』の食卓篇の語と一致する語が tafellaken, lepel など 8 語, 一部一致する語が azijnkan と azijn など 4 語, 窖窟に蔵する者の収録語と一致する語が 1 語, 婦人服の収録語と一致する語が 3 語となっている。

『語彙控』は, 原則として Nouvelle Methode の項目順に従って語を配列しているものの, 上に挙げた通り, 一部には, Nouvelle Methode の項目とは異なる部分に語を収録する場合がある。kopje や schoteltje は, 意味の面から, 原典通りの婦人服の部より食卓篇に収録するのが相応しいと考え, 移動させたのであろう⓬。

『辞範』にのみ収録されている語は 17 語存するが, 一見して明らかなように,『辞範』に存する korrel zoút(塊鹽)や tafel dekken(設食盤)のような二単語以上からなる句については『語彙控』は収録しておらず, 単語集としての体裁を整えている。

(二)訳語の検討

第四章第二節ですでに述べたように, ここでも『辞範』の訳語は「飯盞 ホコ」「硝子 ビイドロ」など『雑字類篇』と一致するものがあり, 唐話的であると言える。一方の『語彙控』の訳語は仮名表記の語も多く, taffel にシッポクという長崎方言を当てるなど俗語的である。

『語彙控』の訳語で注目されるのは, glas の訳語に外来語(ポルトガル語)のフラスコを当て, flesch には瓶という訳語を当てている点である。『訳鍵』では「glas 硝子。硝盞。硝窻。砂漏」「fles 同(硝壜)」,『和蘭字彙』では「glas 硝子。コップ」「flasch フラスコ」となっており, glas には硝子を当てるのが一般的であり, 外来語を多用するという『語彙控』の訳語の特徴が見て取れる。

⓬ Nouvelle Methode(『辞範』)の「婦人服」の部には, kopje や schoteltje の他, blijspel(歓嬉(ウレシイアソビ)), treúrspel(悲嬉(カナシキアソビ))などの語彙が収録されている。これらの語について杉本つとむ氏は「ヨーロッパの女性の生活の一端が, 語彙として豊かに収録された」と述べられている(『江戸時代蘭語学の成立とその展開 I』p.759, 早稲田大学出版部, 1976)。

六、まとめ

ここまで述べてきたことをまとめると,以下のようになる。

1. 『辞範』と『語彙控』の見出し語を比べると,語数は『辞範』が圧倒的に多いものの『語彙控』にのみ収録された語もあり,『語彙控』においては,編者なりの収録語の取捨選択が行われている。
2. 『語彙控』にのみ収録されている単語には,『和蘭字彙』などの他の蘭日・日蘭辞書には見られない語もあり,『語彙控』の編集にあたっては,他の蘭仏辞典,例えば Pieter Marin の Groot Nederduitsch en Fransch Woordenboek などをも参考にしていると思われる。
3. 『語彙控』に収録されなかった語は,キリスト教関係の単語や Nouvelle Methode に句の形で収録されているものであり,『語彙控』は日常常用の単語語彙集を意図して編集されたものであると言える。
4. 『辞範』と『語彙控』の訳語を比較すると,『辞範』は唐話的,『語彙控』は俗語的であり,長崎通詞の翻訳活動・語学研究の姿勢には,伝統を引き継ぎ唐話的に翻訳するという姿勢と,方言や俗語を交えて翻訳するという異なる二つの姿勢が存したことが分かる。

宮崎駿『もののけ姫』を読む―人間と自然の仲介者としてのアシタカ―

正本　忍

はじめに

アニメーション映画の監督、宮崎駿は、『風の谷のナウシカ』(1984 年)以来、『天空の城ラピュタ』(1986 年)、『となりのトトロ』(1988 年)、『もののけ姫』(1997 年)、そして 2001 年の『千と千尋の神隠し』に至るまで環境に関連する作品を多く世に問い、ヒットさせている❶。これらの作品に通底するのは、人間と自然、文明と自然の対立、及び自然に対する畏敬の念である。なかでも『もののけ姫』は、『風の谷のナウシカ』同様、上述のテーマを正面から扱った作品である❷。大学の環境系学部に所属する私にとって、この作品は、多くの学生が子どもの頃に見ていることもあって、人間と自然の関係について学生に考えさせ、彼らと議論するための素材として、学部の入門的な科目の中でよく取り上げる作品である❸。

---

❶ 宮崎作品に関しては、映画評論家や漫画評論家、映像制作に直接携わる人たちのほか、文学、民俗学、日本思想、精神分析などの領域から様々に論じられている[例えば、『ユリイカ』、1997 など]。彼の作品は娯楽作品として優れているだけでなく、それだけ多岐にわたる論点を含んでいるということであろう。

❷ 映画のラストでアシタカはシシ神のことを生と死そのものというが、『もののけ姫』では生と死の循環も重要なテーマである。ナゴの神が恨みに身を任せて死を受け入れきれず祟り神と化した一方で、モロは恨みを心に抱きつつも死を受け入れ、祟り神にならなかった。生と死を司るシシ神は、生と死の循環から逸脱して祟り神となった乙事主に安らかな死を与えて、この循環の中に戻す。ミカドが不老不死の妙薬としてシシ神の首を求めることも同様にこの循環からの逸脱であり、生物としては不「自然」なのである。

❸ 私はこれまで「歴史環境論」、「環境科学基礎演習」などの講義で宮崎作品を取り上げてきた。

さて、人間は古来より生きる糧や飢えや病気、死などの災禍をもたらす自然界の様々な事物や現象に神々を姿を見、自然との関係を保ってきた。そのような神々を廃した時、人は自然とのコミュニケーションの回路を失ってしまったように見える。その回路を取り戻すためには自然と人間を繋ぐ存在＝仲介者が不可欠である。

『風の谷のナウシカ』ではナウシカが、『もののけ姫』ではアシタカが、世界滅亡の危機に瀕して自然と人間の仲介者として立ち現れる。ただし、前者の時代設定は高度に進んだ文明によって大部分の人間が滅んでしまった未来であり、後者のそれは文明による破滅を未だ経験していない室町と思われる時代である。人間と自然の関係を学生とともに考えるには、人間と自然の関係が一度崩壊してしまった後に再び迫り来る崩壊の危機を考えるよりは、関係崩壊の前の時代(勿論、両者の関係の崩壊は古代から世界中のあちらこちらで局地的に発生してはいるが)を舞台にした後者の方がより適切であろう。なぜなら、自然と人間の関係の最初の世界規模の崩壊をこそ我々は阻止しなければならないからである。

また、『もののけ姫』は神殺しの物語でもあるが、神なき時代、現代にあって自然環境問題の改善(「解決」という勇気は私にはない)を志向し、自然との共生を語るのであれば、日本史において神仏への信仰から現世的な利益へと人々の関心が大きく転換していく室町時代[網野、1993、242－243 頁;網野、2000、137－138 頁など]の物語の方がより興味深いであろう。

それゆえ、本稿では『もののけ姫』におけるアシタカの自然と人間の仲介者としての役割について考えてみたい❹。

まず、『もののけ姫』のあらすじを思い起こそう。

物語の舞台は室町時代末期と思われる日本。人間に撃たれすみかを逐われ、祟り神となった巨大なイノシシ(ナゴの神)から自分の村を救おうとして、主人公の青年アシタカ❺

---

❹ 私の専門はフランス近世社会史で、学部教育では主に環境史を担当しているが、すでに講義で何度か宮崎作品を取り上げげたことがあり、井上義彦教授が宮崎アニメのファンであられることも直接お聞きして、敢えて専門外のこのテーマで拙稿を書かせていただいた次第である。

❺ 宮崎駿はインタビューでサンを主人公と答えているものの[『ユリイカ』、1997、42 頁]、アシタカやエボシに比べてサンの印象は薄い。たたら場の者たちはサンを物の怪と見なしていたが、シシ神の森の動物たちからすれば、多くの人

はその祟りを受けてしまう。死に至らしめるこの祟りを消すべく、アシタカは西へ西へと向かう。ミカドの支配力の弱体化した戦乱の世で、民衆は戦、病、飢えに苦しんでいた。さらに西にあるシシ神の森と呼ばれる深い未踏の森の存在を聞かされたアシタカはそこを目指す。そして、森を切り開きながら鉄を生産するたたら場の住人とシシ神の森を守ろうとするヤマイヌ(モロ一族)との戦いに巻き込まれることになる。そのヤマイヌの中に、かつてヤマイヌの生贄にされた人間の子、もののけ姫(サン)がいた。

アシタカは自分が受けた祟りの原因がたたら場の女首領エボシ御前にあることを知り怒る。しかし、同時に彼は、戦乱の世の弱者たちのアジール(避難所)であるたたら場とそれを守るエボシ御前の実像を知り、ヤマイヌたち(森・自然)とたたら場(人間・文明)の間に立って、両者の間に共存の道がないか苦悩する。その答えをアシタカが得ないまま、不老不死の効果があるというシシ神の首を狙うミカドの手の者たち(ジコ坊たち)とそれを手助けするたたら場の者たちは、シシ神の森に総攻撃を仕掛け、鎮西(九州)から来たイノシシたち(その首領は乙事主)、ヤマイヌ・もののけ姫と全面的に対決する。この人間と動物の戦いのさなか、たたら場は彼らの鉄を狙う地元の有力武士(アサノ公方)の襲来を受けて危機に瀕していた。人間との戦いに敗れた乙事主は、止めようとするサンの努力も虚しく、祟り神に変貌しつつシシ神の泉に向かい、人間たちをシシ神のもとに導いてしまう。

アシタカはたたら場の危機をエボシに知らせ、動物たちとの戦いをやめるように説得しようとするが果たせず、エボシは夜の姿(ディダラボッチ)に変わろうとするシシ神の首を撃ち落としてしまう。巨大な怪物に姿を変えたシシ神は、ジコ坊たちに持ち去られた首を求めて地上を覆い、生命を吸い取ってどんどん巨大化していく。サンを助けたアシタカは危機に瀕しても希望を捨てず、彼女とともにジコ坊からシシ神の首を取り戻し、ディダラボッチに返す。首を取り戻したディダラボッチは朝日にあたって炸裂して四方に飛び散り、地表には草木が芽生えてくる。地表の再生とともに、エボシとアシタカはたたら場の再建を、サンは動物たちとともに森の再生を目指すことになる。

間を使って山の木々を切り倒し、「動物技」とは思えない石火矢を用いて自分たちをすみかから追い払うエボシこそヒトではなく「物の怪」に見えたであろう。つまり、この映画は二人の「もののけ姫」がそれぞれのアジールを守る戦いの物語であり[cf.網野、2000、139－141 頁]、二人の争いをアシタカが仲介する物語である。それゆえ、宮崎はこの映画のタイトルを『もののけ姫』としたのであろう。

以上、『もののけ姫』の筋を簡単に追ってみたが、物語には対立する二つのイメージが設定されている。いうまでもなく、自然と文明である。この二つは話の舞台や登場人物を通して示される。

まず、物語の舞台として東国と西国が設定される。主人公のアシタカが「蝦夷」の末裔であろうことはジコ坊(ミカド側で動く僧形の主要な登場人物)の台詞で示されるが、ここで重要なのは未開の東国と文明化された西国の対比である。祟り神と化した巨大イノシシの祟りを受けたアシタカは、西方からもたらされたこの災禍の原因と解決法を探るべく西へと向かう。自然を畏怖し、自然と共存する未開の東国。一方、自然を搾取し、自然を征服しようとする文明化の進む西国。両者の対比はそのままそれを代表するアシタカとエボシ御前の対立として描かれる。

より狭い領域の対比としてはシシ神の森とたたら場がある。下図に整理したように、二つの舞台はいろいろな面で対立の関係にある。物語の舞台と同様、登場人物もまた互いに対立の関係にあり、その和解、共存がこの映画の重要なテーマである。

シシ神の森		たたら場
シシ神の司る場所	⇔	人間の司る場所
未開	⇔	文明
生と死の根源	⇔	富の源泉
太古	⇔	近代
闇	⇔	光
木	⇔	火、鉄
カオス	⇔	秩序

以下、本稿ではまず初めに、主要な登場人物・動物の対立、すなわちエボシ御前とサン、ヤマイヌと乙事主・猩々という二つの対立の構図について検討する。次いで、それらの対立の構図に立ち現れる二人の仲介者、エボシとアシタカの役割について検討する。その上で、アシタカの仲介は成功したのかどうかについて考えてみたい。

一　対立する者たち

ここではエボシ御前対サンの対立とヤマイヌ対乙事主・猩々の対立について検討する。前者はいわば環境破壊の加害者と被害者の対立、後者は被害者内部の対立である。

(一)エボシ御前対サン

登場人物の中で対立の構図を最も鮮明に示すのは二人の女性、エボシ御前とサンである。シシ神の森とその近くにあるたたら場をすみかとしてこの二人の女性は互いに対して憎しみ、恨みを持ち、それぞれのすみかの利害を代表して争う。両者はいずれも美しく、強靱な肉体、精神を持つが、その性格は対照的に描かれる。エボシは理性的、知的、冷静である。他方、サンは野性的で、感情を表に出し、死をもいとわずシシ神の森を守ろうとする。エボシはより「人間」的、サンはより「動物」的ということもできるだろう。

対照的な性格の二人だが、いずれも守るべきものが何であるか、それがいかに大切なものかをはっきりとわかっている。両者はその防衛に必死で、相手の立場に思いを馳せて歩み寄ろうとする精神的な余裕がなく、ただただ対立してしまう。彼女らはそれぞれ、自分の世界についてはよく知っているが、互いに相手を敵としてしか見ず、相手を知ろうとも理解しようともしていない。これでは両者の接触は戦いの機会としてのみ働き、互いに憎悪を募らせるだけである。彼女らの間にコミュニケーションの回路は開かれない。

両者の対立はエボシがサンたちの居住地と生活の糧を一方的に奪い、破壊しようとしたことから生じた。動物たちの生活領域が人間によって、人間中心主義によって一方的に侵害される構図である。動物たちは本能で動くので、彼らは最初は生存のため生活領域を守ろうとするだろうが、侵略者である人間の方が圧倒的に強く、抵抗することで生命が脅かされることがわかれば、生存のために生活場所を放棄することになるだろう。ところが、『もののけ姫』に描かれている動物たちは、ある者は生活の場を死守するために誇り高く戦い抜くことを選び、またある者は種の存亡をかけて遠方から戦いの場に馳せ参ずる。ここにあるのは動物の姿を借りた人間そのものである。

強い生物が弱い生物を駆逐する。そこでは環境への適応力の差、あるいは弱肉強食、自然淘汰、進化など自然の摂理という説明が可能である。この構図をより狭く人間の世界に当てはめると、社会的強者が社会的弱者を駆逐する姿になる。これは古来より、人間の世界には広く見られる現象である。環境の視点から見ると、アフリカ、アジア、アメリカなどの植民地における西洋近代国家による環境の改変と破壊がある。先住民の人的資源を含め、耕地、地下資源などの資源は侵略者である西洋人によって奪われ、彼らの文化も破壊されたのである。植民地の下等な「野蛮人」に優秀な西洋文明の恩恵をもたらすという身勝手な価値観の強制(西洋中心主義、西洋文明至上主義)である。侵略者が自分たちの論理、価値観を一方的に押しつける「正義」の行為は現代に至ってもなお見ることができる。結局、他の生物との関係にあっても、人間の同士の関係にあっても、人は未だ強者と弱者の共生を実現できないままである。

エボシとサンの対立についてもう一ついえるのは、エボシたちの生活様式ではいずれは周囲の資源の枯渇を招き、その地での開発の持続、生活の持続が不可能という点である。古来、たたらで働く者たちは漂泊民であった。『もののけ姫』ではある土地の資源を使い尽くすと別の土地に移動する生活スタイルの者たちがそのような資源の利用法を保持しつつ大人数で定住しようとする際の困難が描かれているともいえる。有限の森林資源をその再生のスピードより速く利用してエボシたちは未踏のシシ神の森にまで至った。彼らがついに未踏の森に到達したということは、それ以前に多くの森を破壊し、多くの動物を逐ったことを暗示している。つまり、その地方の資源の枯渇直前に至って初めて、彼らは自らの行いを真剣に振り返る機会を持ったわけである。エボシたちだけではない。我々もまた、地球の資源が枯渇する前のどの時点で事態の深刻さに気づくのかという問いを投げかけられているのである。

(二)ヤマイヌ対乙事主・猩々

シシ神の森を守るヤマイヌは、シシ神の森に続く森を逐われた猩々たちと対立し、鎮西からシシ神の森を守り人間を殺すためにやってきたイノシシの長、乙事主とも対立する。

たたら場に近い森に住んでいた猩々たちはたたら場による開発のため、すみかを奪われる。彼らは夜になるとはげ山にされたかつてのすみかに木を植えて森を取り戻そうとするが、自分たちの活動に確信を持てないでいる。圧倒的な人間の力と直接に対峙し、すみかを逐われたばかりの彼らは、「森の賢者」であるにもかかわらず、人間を食べてその力を得ようとする絶望的な望みと恨みを持ち、また、人間と闘う同志であるはずのヤマイヌに対して強い不信感を抱き、動物たちにとって絶対的な存在であるはずのシシ神に対する疑念さえ芽生え始めている。

侵略者に対して被害者が被害の程度によって内部分裂するのは人間の世界でもよく見られることである。自然破壊あるいは開発の場合も同じで、侵略や破壊は一気には進まないのでその進捗状況に応じて抵抗勢力・反対勢力の被害の程度も変わり、彼らの態度も変わっていかざるを得ない。より統一された加害者側に対して次第に統一を失っていく被害者側という構図。これは戦争においても生活環境の防衛を巡る戦いの中でもしばしば見られるものである。また、被害者の間で被害の不平等、負担の不平等を作り出し、被害者の統一・連帯を内部から突き崩すのは加害者側の常套手段である。

ヤマイヌはまた、人間との闘争方針を巡ってイノシシたちとも対立する。同族の仇を討つため遠方より駆けつけたいわば部外者である乙事主率いるイノシシ軍団との対立である。イノシシたちが次第に小さくなり、馬鹿になり、人間たちからもはや神として敬われることなく、ただ「肉として狩られる」ことを怖れる乙事主の危機感と苦悩は、単なる仇討ちというレベルを超えて深い。『もののけ姫』はシシ神という神殺しの物語であるが、それとは別の神殺しがすでに大いに進行していたのである。「古い神がいなくなれば、物の怪たちもただのケモノになろう」とはエボシの台詞だが、そもそもその古い神を創造し、ケモノたちにも神を見たのは人間ではなかったか。

乙事主たちの行動を「それでは人間どもの思うつぼだ」と批判するヤマイヌのモロにも、シシ神の森を狙う人間たちの最前線にいるエボシを殺すという方法しか抵抗の手だてはない。勿論、敵の首領を倒すのは戦においてはさしあたっての最重要な課題ではある。しかし、生活の糧を生み出す唯一の手段が製鉄で、結果として森林破壊を伴うのであれば、エボシを排除したとしても第二、第三のエボシが現れ、人間と動物たちの対立の構図は変わることなく続き、動物たちはどんどん森を逐われることになるであろう。人間の欲望との先が見えない戦いは、動物側に立ってこの映画を見る者の気持ちを暗くさせる。

さて、ヤマイヌと猩々の対立にも、ヤマイヌと乙事主の対立にも、仲介者としてサンが立ち現れる。サンはヤマイヌとともにたたら場との戦いの最前線に立つが、人間にもなりきれず、ヤマイヌにもなりきれない、とモロが表現した彼女の立場は弱い。サンはヤマイヌとともにいて初めて動物の側に立てるという微妙な立場にある。まるで住民運動に参加したよそ者が現地の者よりもラディカルに動きながら折に触れてよそ者であることを思い知らされるように。アシタカもまた仲介者として現れるが、彼は自らその運動に身を投じたのであって、彼には逃げ場が、帰る場所がある。自分を死に至らしめる痣を消すべく積極的に関与していくとはいえ、アシタカは最終的には第三者的立場である。しかし、サンは違う。彼女は争いの当事者である。ヤマイヌを怖れた人間の人身御供であり、生まれた時から人間と動物の戦いのただ中にいる。彼女にとって自らの存在意義、アイデンティティを確認するためには、動物側でより献身的に働くしか、つまりより積極的に戦いの中に身を置くしかないのであり、実際、彼女はその態度を最後まで崩すことなく、エボシとの一時休戦の後もヤマイヌとして森で生きようとする。

それが対立であれ、友好であれ、他者との接触は自らのアイデンティティの確立を促す。人は自らに向かうベクトルと他者に向かうベクトルのバランスをとりながら社会に生きる。他者との接触が増え、その人にとっての社会が拡がれば、それに伴って社会におけるその人の位置づけも変わってくる。しかし、各人があまりに自らに偏ってアイデンティティを持ちすぎると各人が自分本位に行動してしまい、人と人との共存は難しくなってくる。

同じことは人間と自然の間にもいえる。他者としての動物や自然との接触の機会が増え、自然を含めた世界へと視野が拡がれば、それに伴ってその世界における人間の位置づけも変わってこよう。文明とは自然との乖離であり、自然との直接的な接触の減少が文明化の一つの指標である。文明化された人間が自然から目を背けるようになればなるほど、自然と人間を合わせて視野に入れられる仲介者が必要になるのである。

二　仲介者としてのエボシ御前、アシタカ

前章では設定された主要な二つの対立の構図について見てきたので、本章ではそれらの対立の中で奮闘するエボシとアシタカの仲介者としての役割について検討する。

(一)エボシ御前:弱者対強者の仲介者

エボシは第一にたたら場に住む男と女の仲介者である。女が製鉄に関わるというタブーを破っても❻、エボシのたたら場では炉の火を絶やさないために女たちの労働力、持久

❻　たたら製鉄には女のタブーとともに犬のタブーもある[和歌森、1976、181頁]。犬の禁忌はこの映画における敵役としてのヤマイヌの役割を想起させる。エボシのたたら場に犬の姿が見えないのは、宮崎が意図してのことであろうか。

力は不可欠である。生きる糧を得る作業において必要不可欠な部分を担っている彼女たちの自覚と責任感は強く、その分、権利意識も強い。牛飼いの男たちは、エボシが「女たちを甘やかしすぎる」とこぼす。女たちの役割の重要性に関する男女の共通認識があったとしても、たたら場の男女のバランスが何とか保たれるのは強力な女性リーダー、エボシの存在があってこそである。エボシはそのことを自覚しているのだろう。女たちに武器を持たせ、自衛の訓練までさせている。社会的弱者は、強者の慈悲や庇護に頼るのではなく、重要な社会的役割を果たしてこそ自立して生きていける。この確信がエボシにはある。

第二に、エボシはハンセン病者(ライ病者)❼と健常者との仲介者である。たたら場の一角に、彼女以外誰も近寄らない場所があり、そこにハンセン病者が住んでいる。エボシはそこで彼らに火縄銃に似た武器(石火矢)の開発・製造を任せる。呪われた病に冒され差別されながらも「生きたい」と願う彼らに、エボシはただ慈悲の心で接するのではなく、女たちに対するのと同様に、たたら場の存続に必要不可欠な役割、そして自立の機会を与えようとしている。

それにしても、売られた女たちや牛飼いといった社会的弱者❽のアジールであるたたら場でさらに差別される人がいるのは、社会の複層的な差別の構造を示していて、ハッとさせられる。映画のラストシーンではたたら場の存亡の危機に際してハンセン病者とたたら場の女たちが協力して戦うのは確かに楽観的に過ぎるかもしれない。しかし、それでもやはり、男たちではなく社会的に弱い立場にいる女たちであればこそハンセン病者との協力の可能性もより多く考えられるわけで、ここはこの映画の中の救いのシーンの一つでもある。

映画のラスト、ディダラボッチ(シシ神)の崩壊でハンセン病者たちは癒される。その病からの快復とともに彼らに対する差別、偏見という呪縛からの解放はあるのだろうか。彼らには名前もなく顔もなかったが、ラストでは白い包帯から顔が覗くシーンが挿入されていて、

---

❼ 網野善彦は彼らを非人と解釈している[網野、2000、140 頁]。

❽ 網野は、中世後期以降、牛馬を穢れた存在と見なし、それらを扱う馬借や牛飼いに対する社会的な差別、賤視が生まれてきたと考えている[網野、1994、204－205 頁]。

観客はかすかな希望を感じることができる。包帯を解くことは偏見や束縛を解くということに繋がっていくからである。

最後に、エボシはたたら場と外部の諸権力の間の仲介者でもある。エボシは鉄を奪おうとする地侍やアサノ公方と戦う。戦のプロである侍相手に侍でない者(たたら場には侍はゴンザ以外見られない)を率いてたたら場を自衛するのは容易ではない。地侍やヤマイヌに対抗するため、エボシは、不老不死の効能があるというシシ神の首をとることを条件に、プロの武装集団、石火矢衆をミカドから借り受ける。

勿論、エボシはミカドからの援助がシシ神の首を差し出すまでの一時的なものであることを知っている。それゆえ、自前の石火矢の製造を急ぐのであるが、石火矢の開発・製造をハンセン病者に委ね、石火矢の使い手を女に設定したのは、エボシの立場を明瞭に示していて興味深い。侍が主役の戦乱の世にあって、侍の武器である刀や弓矢でなく石火矢を、男ではなく女やハンセン病者に使わせている設定。乱れた世の中を改めて新しい世界を構築するには(「エボシ様はくに崩しをなさるおつもりじゃ」とハンセン病者のひとりはいう)、外に向かっては新しい武器、内に向かっては「新しい人」＝女・ハンセン病者が必要不可欠であったのだ。

弱者の立場に立って迫りくる強者との妥協点を探っていく。権力側とうまく交渉できるエボシのような者が弱者の側にいないと、つまり弱者と強者の間の仲介者がいないと、両者は直接衝突し、強者による徹底的な支配か弱者による際限のない抵抗かの関係になってしまうのだろう。

ところで、このように人間の世界にあっては弱者の立場に立っているにもかかわらず、人間に対して弱い立場にある動物たちにエボシがあれほど高圧的になれるのはなぜだろうか。まず、エボシが森を利用可能な資源、動物たちを資源の利用を妨害する敵としてしか見ていないことがある。また、戦乱や天災で農地が荒廃し、人口も激減しているこの映画の舞台では、人間世界が全体的に弱体化する一方で、自然や動物や森は現在我々が考える程には弱者ではなかったであろう。さらに、エボシが置かれている社会的状況が彼女にそうさせていることにも目を向ける必要がある。

戦乱によってもたらされるにせよ、天災によってもたらされるにせよ、社会の不安や歪みはまず社会的弱者(差別される者であれ、貧しい者であれ)を直撃する。社会的弱者を保護し、彼らに生きる糧と自立(自由)を与えるためには、エボシにはそれらをもたらす鉄が不可欠であった。製鉄には燃料、森が必要で、それを阻止する動物たちは彼女にとってどうしても除くべき障害でしかない。アシタカから「そなたの敵は他にいるはずだ」といわれても、このような生産様式、生活様式をとり続ける限り、自然や森は何よりもまず資源であり、動物は利害を別にする排除すべき存在でしかない。

自己の生存のために自然を搾取・破壊しながら、結局は自己の生存を維持できなくなる状況は、まさに袋小路である。エボシは大きな犠牲を払ってようやくそのことに気づかされるが、守るべき共同体があり、今そこに迫る危機に対処するリーダー、エボシに、他にどのような選択肢があっただろうか。社会的弱者を保護し、彼らに生きる糧と自由と時に生き甲斐とを与えたエボシはまさに弱者の救世主である。その彼女が弱者も強者も含めた人間を代表して世界滅亡への引き金を結果として引かされたところに、観客はやりきれない思いを抱くのである。

(二)アシタカ:動物・自然対人間の仲介者

蝦夷の末裔と思われるアシタカは、自然と対話しつつ共生してきた人間の象徴である。それは彼が馬、すなわち高度に文明化された家畜ではなく、大鹿に乗っていることにも示されているように思える。アシタカは自然、またそれを象徴する神に一方的に従うわけではない。自然・神に対して畏敬の念を常に抱きつつも、盲従するのではなく、それが「理不尽に」生を奪おうとすれば、「やむなく」抵抗することもある。自然・神を畏怖し対話しつつ生きるための共生の道を探る、というのがアシタカのスタンスである。このことは冒頭のシーン、村の若きリーダーであるアシタカが村を守るために祟り神を殺すシーンではっきりと示される。

自らもその村も自然と共生していたにもかかわらず、祟り神から自分の村を守るために、自然と対立する者が引き起こした自然のバランスの崩壊の犠牲となって、アシタカは祟りを負い、心ならずもその対立に関わっていくことになる。祟りを消す方法を見出すべく、アシタカは西へ西へと向かうが、これは文明世界へと進むことであり、人間と自然の対立が深まる方へと進んでいるのである。最初の文明との接触で、アシタカは戦乱の世の現実を目の当たりにする。人々が奪い合い、殺し合う場面に遭遇し、アシタカは再び、対立の奔流に巻き込まれてしまう。そして、人々の怒り、恨み、憎しみと自分の中にわき起こる怒りに反応して、彼の背負った祟りもまた拡がっていく。

アシタカは次にたたら場と森の動物たちとの対立に巻き込まれる。ヤマイヌによって谷底に落とされた牛飼いたちをたまたま助け、シシ神の森を通ることになる。森を通る時のアシタカと牛飼いの反応が対照的である。一方にはコダマ(木霊)に怯え、コダマが呼ぶというシシ神の存在に怯える牛飼いがおり、他方にはコダマを森の豊かさの証拠として、また巨木の子どもたちとして何の違和感もなしに受け入れるアシタカがいる。そのアシタカにコダマたちは優しく、ともに歩んでいく。自然と共生する者の姿がそこにある。牛飼いはコダマやシシ神を「怖れ」ているが、「畏れ」てはいない。一方、アシタカはコダマやシシ神を「畏れ」ているが、いたずらに「怖れ」ることはない。この違いは決して小さくはない。

負傷した牛飼いたちをたたら場に送り届けて、アシタカはエボシと出会う。彼女が自分が負わされた祟り、そして迫り来る死の張本人と知り、アシタカの心には怒りが宿る。彼の中に入り込んだ「祟り」も彼の怒りを煽る。しかし、「曇りなき眼」で物事を見定めようとする彼は、怒りに身を任すことなく、自分の間接的な加害者であるエボシが何者か、何をしているのか知ろうとする。

差別され、蔑まれても「生きたい」と願うハンセン病者たちの長から、エボシが唯一、彼らを人間として遇していることを知らされる。また、社会的な弱者である女性、売られた女性たちのアジールであるたたら場❾をエボシが必死で守り経営していることを知る。その一方で、アシタカはエボシと対立するヤマイヌ・サンの立場も理解しようとする。双方の言い分を聞かねば、判断できず、行動できないからである。「曇りなき眼」で、つまりできるだけ客観的にかつ包括的に事実を見、判断しようとするのである。サンのたたら場襲撃により、サンとエボシは刃を交わすが、アシタカはどちらにも与せず、怒りに身を任せる二人の間に割って入り、勝者のないこの戦いを命を賭してやめさせようとする❿。

生物の生と死を司るシシ神はたたら場で撃たれ死に瀕したアシタカの命を助けるが、

---

❾ たたら場には社会的弱者として女、牛飼い、ハンセン病者たちがいるが、同じく社会的な弱者である子どもの姿は全く見えない。いわば工場であるとはいえ、若い男女の居住空間でもあるたたら場に子どもの姿が全くないのは奇妙でもある。このことはたたら場に未来がないことを暗示しているようにも思える。

❿ この時、アシタカは二人のなかに潜む夜叉＝物の怪を可視化してみせたが、それもまた仲介者としてのアシタカの役割ゆえであろう。

痣＝祟りを消すことはない。このことは、その生物一代限りの命とは異なり、祟りが一代で消えるものではないことを象徴している。アシタカは痣が消えなかったことにショックをつけつつも、それを「呪いが我が身を喰い尽くすまで苦しみ生きろ」というシシ神のメッセージと受け止め、歩みを止めない。

蘇生したアシタカはシシ神の森で乙事主などイノシシたちと交流し、ヤマイヌとも交流する。もともとヤマトとの戦いに敗れ東に逐われた種族の出身であるアシタカはすみかを追われる立場にある動物たちに共感しているが、エボシ側の事情も知ったので、何とか両者の間を取り持とうと苦悩する。「森と人が争わずにすむ道はないのか」、「本当にもう止められないのか」と問うアシタカに対して「お前にできることは何もない」と突き放すモロ。それでもこのヤマイヌの首領は、困難な問いに真摯に立ち向かうアシタカに対して微かな望みを抱いている。いまわの際にサンの救済を彼に委ねたのだから。

人間にもなりきれず、ヤマイヌにもなりきれないというサンは、文明を否定して自然を盲目的に信ずる者の姿ともとれるが、ここではむしろ人間·文明と自然の間で引き裂かれる者の姿と見なすべきであろう。人間·文明と自然の間を仲介しようと苦悩するアシタカもまた、両者の間で引き裂かれた者のひとりである。シシ神の崩壊後再出発を誓うアシタカとサンの住む場所が違うように、彼らの立場は決して同じではないが、それでも人間·文明と自然の間で引き裂かれた若者二人が「ともに生きる」ことは人間·文明と自然の共生の可能性を大きくすると考えるのは甘すぎるだろうか。

おわりに　アシタカの仲介は成功したのか？

それでは、自然と人間の対立に臨んでアシタカの仲介は果たして成功したのであろうか。

映画のラストシーンは、シシ神の崩壊と自然の再生を描いている。夜の姿（ディダラボッチ）に変わろうとするシシ神がエボシによって首を撃ち落とされ、奪われた首を求めてあらゆる生命を飲み込みながら、地上を破壊し、荒廃させるシーンである。まさに、自然のバランスの崩壊であり、均衡を求めて荒れ狂う自然による災害である。この自然の怒りを前にして、人はただ逃げまどうばかりである。暴風雨や雷、あるいは地震といった人が通常経験する天災の形ではなく、アメーバのように生を飲み込むドロドロ（カオスとしての自然の象徴であろうか？）が迫りくるので、恐怖はいっそう増す。文明の終焉、世界の終わりが予見できるような状況に陥ってさえ、欲望を捨てきれずに首を持って逃げ回るジコ坊たちの姿が虚しく、痛々しい。このジコ坊に我々現代人の姿を見てぎくりとするのは私だけではないだろう。

ここで、アシタカは、人類滅亡、文明消滅、世界終焉の危機から脱すべく、サンとともにシシ神に首を返そうとする。この人間の側からの自然との共生の意思の表明は、「すでに自然と共生している」二人の若い男女によって行われる。アシタカ独りではなく、また長老などの年寄りでもない、二人の若い男女によるアピール。ここに、「再生」への希望、可能性が示される。

逆に、ジコ坊（知識と実行力を兼ね備えながら、その能力を権力者のためだけに用いて自らの行動の責任はとらないしとれない、権力者を支える官吏の典型でもある）は首の返還に参加しない。自然のバランスの崩壊と地上の荒廃を目の当たりにしてもなお、ジコ坊はそれを引き起こした行動を完遂しようと努力する。「天土の間にある全ての物を欲するは人の業」と諦観してそこから先を考えようとはしない。彼は、朝日が上がりさえすればディダラボッチは消えると主張するが、それはまるで環境破壊による自然災害の後で新たな自然のバランスが整いさえすれば、それで全てが戻ったかのように思う人間の錯覚にも似ている⓫。

アシタカとサンから首を戻されたディダラボッチは崩壊し、体内から無数のコダマを飛び散らせる。吸い込んだ生をコダマの形で吐き出すかのように。その結果、地上の再生が始まり、バランスを崩した自然が調和を取り戻していく。草木が生え、はげ山が緑に覆われる。ハンセン病者の病も治癒する⓬。たたら場の最大の危機に際してハンセン病者たちはたたら場の住民とともに闘い、ともに食べ、ともに逃げ、両者の共存の可能性がすでに示されていたが、ここにハンセン病者たちもまた新しい人間として再生するのである。

⓫ それは、現在の広島、長崎の街並みと住人たちを見て、過去のみならず現在にも続く原爆の災禍を見逃すようなものである。ジコ坊は、過去、記憶、歴史を持たず現在にのみ生きる者の象徴である。

⓬ このシーンは、スペクタクル巨編「ベン・ハー」（ウィリアム・ワイラー監督、1959年、アメリカ映画）でハンセン病に冒された主人公（ベン・ハー）の母親と妹がキリストの説教を聞いた直後に奇蹟の雨によって癒されるシーンを思い起こさせる。

このシーンは『風の谷のナウシカ』で描かれた腐海の木々による土の再生を思い起こさせる。地中の毒素を体内に取り込み、汚染された土を解毒する一方、自ら発する瘴気と蟲たちの力を借りて人間の介入を阻止する腐海の植物たち。本来、毒を生まない腐海の植物が毒を発するのは土を浄化・再生させるためだと知り、ナウシカは人が忌み嫌い怖れる蟲たちや腐海と共存しようとする。彼女は、アシタカと同様、辺境に住む部族の若きリーダーであり⓭、文明を否定するわけではなく、自然と共存できるレベルで文明も受け入れている。

自然の再生なしに人間社会の再生はあり得ない。しかし、映画の最後に見る森と人間の再生が今までのたたら場の復活を意味するのであれば、全く問題の解決にならない。ある土地の自然を破壊し、資源を枯渇させて、また生きるために別の土地を求める。この限りない破壊の連鎖を断ち切るためには自然と人間の関係の再構築、両者の共生が必要不可欠である。

再び最初の問いに戻ろう。アシタカの仲介は成功したのか。人間を滅亡の危機からひとまず救い、森とたたら場に共存の機会、その可能性をもたらしたという点では成功といえるだろう。しかし、たたら場にしてもシシ神の森にしてもその前途は決して無条件に明るいわけではない。再生の可能性はあるものの、周囲の山は荒れ果て、製鉄の燃料の面からも、たたら場の建築資材の面からも、この地でたたら場を再建するのは容易ではない。地侍たちとの争いは今後も続くであろう。一方、「人間を許すことはできない」というサンは、人間の世界に戻ることなく、シシ神の森に留まり、その再生に尽力することになる。しかし、かつてのような深い森はもはやなく、森が再生されるためには相当の年数がかかるであろう。しかも、「被害者」であるシシ神の森の動物たちはたたら場と交戦中にあってさえ、統一戦線を組むことができずにばらばらで、「抵抗運動」のリーダーだったモロもすでにない。そこに本来、人間であるサンが留まり、再建に努力するというのである。『風の谷のナウシカ』のラストシーンと同様に、人間は当面の危機を何とか免れ、再生へのチャンスを得たけ

⓭ 宮崎駿は、人間中心の世界において辺境＝周縁に追いやられてしまった自然・動物と共生しようとする人物を、人間世界の辺境に住む者にしか想定できなかったのであろう。人間嫌いを自認する宮崎の「中央」に対するある種の絶望が垣間見える。

れども、残された課題は少なくないのである。

シシ神が崩壊して癒しと再生を世界にまき散らしてもなお、アシタカの痣が消えなかった(シシ神に首を返す際につけられたサンの痣は消えたにもかかわらず)ことに留意しなければならない。シシ神はこの戦いの記憶を痣として改めてアシタカに刻んだのであり、これは一生消えることはないだろう。映画のラストは自然と人間が新たな関係を築くスタートにすぎない。シシ神は痣を遺すことによって、新しく生まれかわるたたら場とシシ神の森で自然と人間の新たな関係を築く使命をアシタカに委ねたのである。それゆえ、アシタカは自分の村にすぐには戻らず、たたら場に留まり、その再建に力を貸し、時々サンに会いに森へ行こうとするのである。

自然破壊に対する自然の逆襲のシーン、人類滅亡の危機は『風の谷のナウシカ』ではラストに、『もののけ姫』では冒頭とラストに描かれる。自然から奪わなければ生きられない、多く奪えば奪うほど自然との共生は難しくなる、自然と共生できなければ人間は滅亡する、という「定め」、あるいは人類全体に課せられた「祟り」⓮。その「定め」や祟りをただ受け入れるか、それに積極的に関わっていくかという時に、ナウシカもアシタカも決して諦めることなく、不屈の精神で危機を回避しようとする。換言すれば、彼らは現在と未来を繋ぐ努力をする。自然というカオスから文明という秩序に歩み出した時から、人間はこの「定め」を背負い続けて生きてきた。我々人間は古来より、自然との戦いで多くの不幸な歴史を重ねてきた。しかし、生物の中ではひとり人間のみが現在だけに生きるのではなく、記憶を持ち、過去を背負い、歴史を重ね、未来を作ることができる。たとえ、それが望ましい未来でないとしても。

ラストシーンでジコ坊が「馬鹿には勝てん」とつぶやくが、自然との共生を模索することによって過去と現在と未来を繋ごうとするのは、現在だけを見る者にとっては馬鹿げているかもしれない。しかし、たとえ明るい未来を約束されないとしても、現在と未来を繋ぐべく、「定め」と過去を背負いつつ今を精一杯生きる。それが映画『もののけ姫』の最大のテ

⓮ この祟りは神が人類全体に負わせた原罪とも解釈することができる。神の庇護の下に永遠の安楽のうちに楽園に「存在する」か、そのような楽園を出でて死と苦悩を背負いつつも自ら「生きる」か。この問いは現在では文明が神にとって代わり、文明の恩恵の下に快適に生きるか、自然のプラス、マイナスの両面を受け入れつつ自然とともに生きるかに変わっている。これはコミック版の『風の谷のナウシカ』の重要なテーマでもある。

ーマ、「生きろ」であり、コミック版『風の谷のナウシカ』のテーマでもあるのだ。

参考文献

網野善彦『中世の非人と遊女』明石書店、1994年。

網野善彦『異形の王権』平凡社、1993年。

網野善彦『歴史と出会う』洋泉社、2000年。

有岡利幸『里山　I』法政大学出版局、2004年。

飯島伸子『環境問題の社会史』有斐閣、2000年。

伊東俊太郎編集『環境倫理と環境教育』(『講座　文明と環境』第14巻)朝倉書店、1996年。

梅原猛編集『新たな文明の創造』(『講座　文明と環境』第15巻)朝倉書店、1996年。

叶精二「『もののけ姫』を読み解く」http://ghibli-fc.net/rabo/monoke_yo/yomitoku.html

河合雅雄・埴原和郎編集『動物と文明』(『講座　文明と環境』第8巻)朝倉書店、1995年。

川北稔「自然環境と歴史学―トータル・ヒストリーを求めて―」(『岩波講座　世界歴史1　世界史へのアプローチ』岩波書店、1988年所収、109－131頁)。

佐々木隆『「宮崎アニメ」秘められたメッセージ―『風の谷のナウシカ』から『ハウルの動く城』まで―』KKベストセラーズ、2005年。

鈴木秀夫『森林の思考・砂漠の思考』日本放送出版協会、1978年。

長崎大学文化環境研究会・環境政策研究会編『環境科学へのアプローチ』九州大学出版会、2001年。

船橋晴俊編『講座環境社会学　第2巻　禍害・被害と解決過程』有斐閣、2001年。

正木晃『はじめての宗教学―「風の谷のナウシカ」を読み解く―』春秋社、2001年。

宮崎駿『風の谷のナウシカ』徳間書房、1982－1994年、全7巻。

村瀬学『宮崎駿の「深み」へ』平凡社(平凡社新書)、2004年。

山折哲雄・中西進編集『宗教と文明』(『講座　文明と環境』第13巻)朝倉書店、1996

年。

山口昌男『文化と両義性』岩波書店(岩波現代文庫)、2000年。

養老孟司責任編集『ファイルメーカーズ6　宮崎駿』キネマ旬報社、1999年。

和歌森太郎編『日本民俗学講座1　経済伝承』朝倉書店、1976年。

『総特集　宮崎駿の世界』(『ユリイカ』第29巻第11号)、青土社、1997年。

わたくしといふ現象
—あるいは「システム/環境」関係の人間学—

葉柳和則

序

わたくしといふ現象は
仮定された有機交流電燈の
ひとつの青い照明です
(あらゆる透明な幽霊の複合体)
風景やみんなといつしよに
せはしくせはしく明滅しながら
いかにもたしかにともりつづける
因果交流電燈の
ひとつの青い照明です

(ひかりはたもち　その電燈は失はれ)(賢治 2: 5)

「わたくし」が「現象」であるとはどういうことなのか。「照明」が「わたくし」であるとすれば、「電燈」とは「わたくし」にとって何を意味しているのか。そして「電燈」が「有機交流」であり「因果交流」であるとはどういうことなのか。そもそも「わたくし」をこのような「電燈」の比喩の系へと変換することによって、賢治はどのような問題圏へと読み手を誘おうとしたのか。

宮沢賢治(1896-1933)の『春と修羅』の「序」(1924 年)の冒頭の一節を読む者は、このような果てしない問いの渦の中へと投げ込まれる。そして、この問いに答えようと試みるうちに、読み手はいつのまにか賢治の言葉が創り出した虚構空間の内部に立っている❶。

この空間はしかし、外部に閉ざされた閉鎖系としてあるのではない。ここには、近代日本の詩人の自我の軌跡を縦糸とし、自然科学者の知見と構想を横糸として、cultivate という言葉を語源的=人間学的意味において生きようとした賢治の実践とその蹉跌が編みこまれている。

『春と修羅』の「序」の第一詩節に、システム/環境関係をめぐる知の系列を織り重ねること。文学の言葉と科学の言葉の交点において、賢治の詩と思想を浮かび上がらせること。そこに開けたパースペクティヴから、人間と環境の在り方の基底を照らし出すこと。これが本稿の課題である。

一、「電燈」——システム/環境関係

「わたくしといふ現象は/仮定された有機交流電燈の/ひとつの青い照明です」と「序」は始まる。この一文は奇妙な屈折を見せている。というのも、「仮定された」という言葉は、「有機交流電燈」のみに係るとも、「照明です」まで全体に係っているとも読むことが可能だからである。この屈折は、「わたくしといふ現象」が生成する過程におけるねじれそのものであるかのように、ひとつの矛盾を表現している。さらにこの矛盾は「電燈」と「照明」という二つの名詞を結ぶ助詞「の」の用法における不自然さによって強調されている。

この屈折の意味するところを解き明かす前に、まずは、賢治が「わたくし」を「電燈」とその「照明」の比喩で表現しようとしたという点について考えてみたい。「電燈」とは、電流というエネルギーを内部に受け入れ、それを光と熱の形で外部へと放出する装置=システムである。とすれば、賢治の自我イメージは、20 世紀後半にひとつのパラダイムを成すシ

---

❶ 見田宗介は、『宮沢賢治——存在の祭りの中へ』の冒頭で、賢治のテクストの中に現れる「りんご」のモチーフを手がかりにして、「わたしたちは、内部にありながら同時に外部にあるという二重化された目の位置を、何の不自然さもないように詩人と共有してしまっている」という「内部と外部の反転」のメカニズムを解き明かしている(見田 1984: 4-7)。

ステム論のモデルを先取りしていると考えることができる。

システム論に依拠しつつ、ニクラス・ルーマン Niklas Luhmann は「システム」と「環境」を次のように定義している。

> 環境はシステムに相対した事態である。どのシステムもそれを取り巻く環境から己れだけを例外とする。従って個々のシステムを取り巻く環境はどれもさまざまである。かくして環境の統一性もまた、システムによって構成されることになる。環境というものはそもそも、システムのネガ的な相関項に過ぎないのだ。[……]環境とは端的に言って「システムにとっての他なるものすべて」なのである。(Luhmann 1988: 249＝1993: 287-288)❷

この定義からすれば、「システム」と「環境」とは同一事態の表裏である。さらにこの定義は「システム」と「環境」は同時的に生起するものである、と言い換えることもできる。

ルーマンの「システム/環境」論を受けて、大庭健は「システム」を「その内部で可能な諸関係が限定せられることにおいて、周囲と区別されるに到ったまとまり」と定義する(大庭 1989: 162)。とすれば、「システム/環境」関係を成立させる「限定」とは、ある可能的な関係が現実化しうるか否かという「境界」を引くことである。

このモデルに拠ることで、「宇宙進化から物質の生成、そして生命の発生・進化」といった自然のエコシステム(生態系)のレベルから、「人間の社会システムと自然環境」のレベル、そして「自我システムとその環境としての社会」のレベルまでを一貫した視野の下で論じることができる(大庭 1989:209)。

二、有機・因果交流——システムとしての人間

「システム/環境」関係を論ずるにあたって確認しておくべきことは、両者の間に引かれた「境界」は閉域としてのシステムを成立させるものではないということである。むしろ、「システムの外部との、物質・エネルギー・情報のやりとりに関して閉じていない」(大庭 1990: 204 傍点大庭。以下引用中の傍点は原著者による)ことこそが本質的な要件であ

---

❷ 原書と翻訳書双方のページを示している場合には、翻訳を参照しているものの、筆者の責任において訳語を検討している。他方、原書あるいは翻訳書のページのみを示している場合には、その版だけを参照している。

る。

こうした視点を、有機体システムの領域において提示したのが、ヤーコプ・フォン・ユクスキュル Jakob von Uexküll である。ユクスキュルの「環境世界(Umwelt)」論は、個々の生物の生きる環境は、その種固有の分節化がなされることによって成立するということを明らかにしている。それを踏まえてユクスキュルは次の指摘を行っている。

> 自分たち人間以外の主体とその環境世界の事物との関係が、わたしたち人間と人間世界の事物とを結びつけている関係と同じ空間、同じ時間に生じるという思い込み(Wahn)に、わたしたちはいとも簡単にとらわれてしまう。この思い込みは、世界はひとつしか存在せず、そこにあらゆる生物が詰め込まれている、という信念によって培われている。すべての生物には同じひとつの空間、ひとつの時間しかないはずだという広く抱かれている確信はここに由来するのだ。(Uexküll & Kriszat 1934→1970: 16=2005: 28-29)

語彙は違うものの、ここでは先のルーマンの引用と同じ事況が問題とされている。「環境はシステムに相対した事態である」というテーゼは、「環境世界の事物との関係」の成立が「主体」の成立でもあるという論理を内包しており、「世界」が単一ではなく複層かつ複相的であるということは、「システム/環境」の「境界」は絶対的なものではなく相対的なものであるということと基本的には同義である❸。

生物の世界においては、それぞれの種に固有の環境が「食物連鎖」を媒介にしてマクロなネットワークすなわち、「共存のエコシステム(生態系)」を作り上げる(河合 1979: 51,

---

❸ 混乱を避けるために注記しておけば、ルーマンの言う Umwelt とユクスキュルの Umwelt は大まかには同じ意味で使われている。その対概念は、それぞれ System と Subjekt である。そして System/Unwelt 関係の成立基盤となる不確定性=可能性の領域をルーマンは Welt と呼び、これは Sujekt/Umwelt 関係の「地」としての Umgebung に対応している。本稿では、Umwelt を「環境」、Welt を「世界」と訳すことを基本方針としているが、ユクスキュルの議論および用語に直接言及する場合には、既訳にしたがって、Umwelt=「環境世界」、Umgebung「環境」という訳を採用している。

井上義彦が哲学史の文脈で論じているように、ユクスキュルの「環境世界」論は、デカルト的な世界/主体観に根本的な転回を促すひとつのきっかけとなった(井上 2001:13-19)。ユクスキュルのテクストとルーマンのテクストとの「織り合わせ」が、「System=Subjekt とその Umwelt」という視角を生み出すことで、この転回は社会理論のパラダイム転換にまで拡がっていることが見えてくる。

浅田 1983: 29)。これとの比較において問題となるのは、人間という有機体システムとその環境との関係が、このような生物のエコシステムとどのような点において異なっているのかという点である。有機体が「物質代謝システム」でありかつ同時に「エネルギー代謝システム」である、という点において人間と他の生物との間に大きな違いはない。違いがあるとすればそれは、「情報代謝システム」とその環境という問題系である。すなわち、「せはしくせはしく明滅しながら」、絶えず環境との間で物質・エネルギー・情報の出入力を繰り返す人間システムのサブシステムである情報代謝システムこそが、人間固有の環境を生成させるのである。

だが人間の情報環境について考察する前に、「生物から見た世界」の情報環境について見ておく必要がある。たとえばイエダニという「主体＝システム」とその「環境世界」について、ユクスキュルは次のように記述している。

> 哺乳類の皮脂腺から漂い出る酪酸の匂いが、このダニにとっては見張り場から離れて下に向かって落下せよという信号(Signal)として働く。するとダニは、なにか暖かいものの上に落ちる。このことを伝えてくれるのは鋭敏な温度感覚器官である。(Uexküll & Kriszat 1934→1970: 7＝2005: 14)

「見張り場」、「信号」、「伝えてくれる」といった言葉から明らかなように、ここでは「物質・エネルギー代謝システム」の作動を支えているのは、「情報代謝システム」である。情報環境についての諸研究は多くの場合、テクノロジーが可能にした情報の生産、伝達、消費過程を前提としている。その結果、「物質・エネルギー代謝システム」を下部構造であると見なし、「情報代謝システム」を上部構造として措定するモデルが無批判に採用されている。だが、ユクスキュルの知見によれば、有機体システムが維持されるための下部構造として、「情報代謝システム」はあるのである。

「情報代謝システム/環境」を有機体システムの生成、維持、変容にとっての下部構造として理解すること、システムの作動一般を「情報過程」として描き直そうとする大庭の試みからすれば、むしろ自然である。

大庭は、エントロピー理論に依拠しながら、「情報」を in-form-ation すなわち「形＝フォルムを可能にするもの」として捉える(大庭 1989: 247)。つまり「情報」とはシステムの「境界」を生成させるものである。さらに大庭は、「ネゲントロピー」を「非平衡状態にあるシステムが、差し引き『どれだけマイナスのエントロピーを環境から受け取ることによって秩序を維持しているか』の指標」と定義した上で、「ネゲントロピー」の取得を「情報」の「受容・処理の過程」として描いている(大庭 1989: 246, 269)。このような見方からすれば、狭義の「情報代謝」の過程のみならず、「物質・エネルギー代謝」過程までもが、「かたちを可能にするもの」という意味での「情報」システムの生成と作動として捉えることができることになる。

「差異を作る差異」(a difference which makes a difference)として「情報」を定義するグレゴリー・ベイトソン Gregory Bateson も、大庭の情報過程論と発想を共有している(Bateson 1972＝1990: 602)。ここで言う、「差異を作る差異」とは、「世界」という実質的には無限の差異の集合において、別の「差異」を導き出すような「差異」、別の「差異」へと翻訳されていく「差異」のことである❹。

田中宏によれば、このような「情報」概念は、生態系全般に適用できるものである。たとえば「太陽から生態系に入射する光エネルギー量」は、「他の量とは異なる量」という意味での「差異」として捉えることができる。この差異が「光合成量」→「生体量」→「植食者の量」→「肉食者の量」→「植物の量」といったシステム内部での量の「差異」を作り出す。このような連鎖が生じているということは、ベイトソンの「情報」の定義からすれば、「情報の連鎖」として生態系を捉えることができるということである(田中 1998: 27-28)。そして、大庭の情報過程論の基礎にあるのが「ネゲントロピー」という差異であることを考えれば、両者の議論は相互に変換可能である。

後に見るように、人間を「情報代謝システム」として捉える場合の「情報」は、ここで考察した物理的＝身体的な量の差異のみに還元されるものではない。しかし、ディスプレイ上に文字を浮かび上がらせるプロセスにしろ、網膜に映った白と黒の分布の差異から「意味」を読み取るプロセスにしろ、そこにはエネルギーと物質代謝が必然的に伴っている。別の言い方をすれば、有機体システムを生成、維持、変容させる「物質・エネルギー・情報

---

❹ たとえば、キーボードを叩く指の運動の差異が、電気信号の差異を作り出し、それが CPU 内部で更なる差異に変換され、ディスプレイ上に白と黒の分布の差異として文字を浮かび上がらせる。

代謝」というサブシステムは、互いを互いの「メディア」としているのである❺。

生物の一種である以上、人間もまた「物質・エネルギー代謝システム」である。「有機交流電燈」とはその謂いである。だが、人間は「因果交流電燈」でもあると賢治は言う。「因果」を「原因と結果」という意味に取れば、「因果交流」とは、「有機交流」を時間的に記述することで、人間が「身体と歴史」を持つシステムであることを表現していると解釈できる。

しかし、「因果」を本来の意味に、すなわち仏教的な意味に取れば、「交流」は「前世」から「来世」にまで張り渡された時空における「原因と結果」の連鎖である。賢治の思想が『法華経』の強い影響を受けていることを考え合わせれば、「現世」を超えた時空に拡がる「因果」の網のひとつの結節点として「因果交流電燈」を解釈することができる。そして、「前世」や「来世」といった、有機体システムそれ自体によっては知覚不可能な時空間を、自らの「情報代謝システム」の「環境」として持つことこそが、人間と他の有機体との間にある「差異」なのである❻。

この「差異」は「現世」において、人間と他の有機体との間に「環境」の「差異」を創り出してもいる。すなわち、両者の生きる「情報環境」には、質的な「差異」が存する。「自然/文化」という対立によって示されるものがそれである。「文化」が成立するということは、「共存のエコシステム」の中に、差異線が引かれ、別様のシステムが生成するということなのである。

人間は文化という人工物＝不・自然の中でしか生きていけない。そしてアーノルト・ゲーレン Arnold Gehlen が定式化したように、「動物に関して環境を言うことができるとすれば、人間に関しては文化圏を言うことができる」(Gehlen 1961＝1999: 31)。人間にとっ

---

❺ このような意味での「根源的メディア」論を踏まえた上で、電子メディアまでを包括する「メディア環境論」が構想されねばならない。

❻ そして、直接的には知覚不可能なものを知覚可能なものにする「装置」こそが、「根源的なメディア」との対比における「狭義のメディア」である。音声言語や巫女の身体などがそれにあたる。ただし、「メディア・リテラシー」、「メディア・コミュニケーション」といった「メディア」概念の通常の用法では、音声言語ですら、その媒介性よりも直接性の方が強調されている。しかし、「メディア環境論」を、人間学的な原状況を踏まえて構想しようとするのであれば、通常の用法を括弧に入れるところから出発する必要がある。

ての自然とは文化であり、文化のフィルターに媒介されない原初的自然は、想定可能ではあっても、経験不可能である。

このことは、「文化」culture という言葉が「耕す」cultivate と語源を共有していることに端的に表れている。人間はまずは「共存のエコシステム」の中に生きており、しかる後に人工的システムとしての文化を創り出したのではない❼。「共存のエコシステム」を変容させるために原野を石や棒で掘り起こすことを思いついた有機体こそが人間と呼ばれるのである。

肥料設計の専門家であった賢治にとって、「共存のエコシステム」に介入し、システムが生みだしていた以上の農産物を生産することは「仕事＝作品」(Werk)そのものである❽。それは技術的人間(homo faber)として自然の改変を企てることである。もちろん、工学者ではなく、農学者であるがゆえに、文化システムと環境との「共生」は、賢治にとって日々の実践的課題としてあった。

そして賢治は農学者であると同時に、作家でもある。すなわちホモ・ロクエンス(homo loquens)としての賢治が創り出すテクストもまた「仕事＝作品」(Werk)であった。だがこのことは、賢治が技術者であり同時に詩人であったということではない。「羅須地人協会」での実践に典型的に見られるように、ふたつの「仕事」はひとつのものとして生きられている。見田宗介はこの二重性について、「技術とは彼が固有に詩人であるあり方に他ならなかった。彼が推敲を重ねたはずの幾千枚かの肥料設計もまた彼の「作品」であった」と説明している(見田 1984: 234)。

ホモ・ファーバーとホモ・ロクエンス、賢治が生きようとしたこの二つの存在様式は、その自我-身体システムと環境との相互作用の中で、相克し合い、また同時に交響する。それが賢治の「仕事＝作品」のダイナミズムを生み出し、またその蹉跌をも用意する。「物質・エ

---

❼ 「自然と共存する文化」という考え方もある。しかし、そこには理想は自然であって、文化はその理想に対するノイズであるという含意がある。こうした見方は、人間には自然が環境として存在することはいつも・すでにありえないのだという、人間学的事実を忘却している。自然と文化との弁証法的関係を抜きにしたところで捉えられる自然とは、自らの理想 Idea(これが人工物でなくて何であろう)を外界に投影したものにすぎない。

❽ 賢治の盛岡高等農林学校の得業（ママ）論文のタイトルは「腐植質中ノ無機成分ノ植物ニ対スル価値」である。(14-490)

ネルギー・情報代謝システム」が相互にメディアとして機能することで、自らを生成し、維持し、変容させるシステムとして人間存在を把握し、そこから「システム/環境」関係の人間学を構想するための、「事例＝症例」(Fall)として賢治を読むことの意味は、その「仕事」が内包する洞察と思考が把握した例外的なまでに透徹した人間学的事況にこそあるのである。

三、透明な幽霊――非在の現前

「わたくしといふ現象」は、括弧を用いて挿入された一行の中で「あらゆる透明な幽霊の複合体」と言い換えられる。この「透明な幽霊」とは何を意味しているのだろうか。

前節で見たように、「情報代謝システム」としての人間の環境は、直接知覚可能な時空間の外部へと大きく拡がっている。人間以外の生物も「情報代謝システム」であり、たとえば敵の接近を知らせるために音声や身振りを信号としてコミュニケートする。しかし、この情報代謝はあくまでも、物理的＝身体的に存在する対象を記号が一義的に指示する場合に限定されている。こうした単なる代理表象としての記号＝信号の交換と人間の情報代謝過程とを隔てているのは言語である。丸山圭三郎は言語の機能について次のように述べている。

> ホモ・ロクエンスのもつ象徴化能力としてのランガージュは、可換的行動形態に達した狭義の動物がもつ信号としての言葉とは異なる潜在的な存在喚起力であり、ランガージュの所有が〈非在の現前〉という人間文化を可能にせしめた。(丸山　1991: 220)

言語が持つ非在の現前化作用によって、情報代謝システムとしての人間は、空間的にも、時間的にも、直接的な生活世界の外部にコミュニケーションの通路を開くことができる。それは、情報代謝過程における媒介性の度合いが高まることを意味しているが、同時に体験の領域が直接性を喪失することでもある。

言語に基づく情報代謝過程においては、指示するものと指示されるものとの関係、ないしは人間とその環境の関係は決して一義的ではない❾。両者の関係は、直接的コミュニケ

---

❾　毒蛇は確かに有機体としての人間にとって、場合によっては死をもたらす存在だが、人間はそれを食しようと意図し、

ーションの領域において既に、多義的かつ多元的である。ただし、もっぱら「声の文化」(Ong 1982＝1991: 5-9)によってコミュニケーションがなされるときには、コンテクストが共有されているために、言語の持つ、多義性や過剰さは縮減される。だが「文字の文化」においては、情報が物質的なメディアを介して代謝されるようになり、コミュニケーションの時空間が「声の届く範囲」を離れる。このときコミュニケーションがコンテクストから解き放たれることで、言語の非在の現前化作用はいっそう強く作用し、意味作用の多義性と過剰さが拡大再生産されていく。

「毒蛇」に「聖なるもの」という意味付与が為されることは、既に情報代謝過程が物理的＝身体的な存在の領域を超え出ていること、すなわち、非在の次元へと拡大したことを意味している。だが、「毒蛇」が現に存在し、知覚されるという事態は、その聖性を問題にする場合にも前提とされている。ところが、言語による非在の現前化作用は、このような意味での現在(＝現に在るもの/こと)を否定し、環境の別様の在り方を現前化することをその本質とする。話法で言えば、接続法・仮定法や反実仮想などがこの機能を担っている❿。

こうした話法は、可能ではあったのだが、いま-ここにおいては現実化されていない可能性が、仮に現実化された場合に生じるリアリティの別様の在り方についてコミュニケートすることを可能にする。これは同時に、ある時点においては単なる一可能性であったもの

さらには「技術」を通じてそれを有機体システムの維持にとって有益なものへと改変することもできる。あるいはそれを禁忌の対象にすることも、それどころか崇拝の対象にすることもできる。このとき「マムシだ！」という叫び声は、コンテクストに応じて、多様かつ多次元の意味作用に開かれている。

❿ 大庭は、言語がもたらすもうひとつの「非-在の次元」として、「ココにはない心のできごと」すなわち他者において生じている心的現象を理解することを挙げ、それを「社会性」の次元と名づけている(大庭 1997: 235-236)。これは「わたくしといふ現象」から出発する環境人間学が、「社会という現象」を包含する理論を展開するためには欠くことのできない論点である。「社会」が「私」にとっての「環境」を成すというのは、社会環境論の前提であるが、この「環境」をひとつのシステムとして捉えるならば、「社会」もまた、物質・エネルギー・情報を代謝することで生成するシステムであり、それゆえ「社会」のレベルにおける「システム/環境」関係を、「人間環境」と同じ枠組みの中で扱うことができる。たとえば、単なる個人の集合には存在しない、創発特性(emergent property)を持つことによって生成する社会レベルにおいて初めて、公害問題や資源問題といったマクロな(しかし狭義の)環境問題がいかにしてシステムの周縁部分に発生するかを議論の俎上に載せることが可能になる(見田 1996:38-40, 61-65)。だが、紙数の関係で本稿では詳論せず、「社会」の創発につながる間主観性の次元を示唆するにとどめざるをえない。

が、時間の中で選択され、現実化されることによって、同時に別様の可能性が非-現実として抑圧され、排除されていることが間主観的に前景化していく過程でもある。

このように、言語というメディア装置を持つことによって、人間の情報代謝は、他の有機体システムが自らの生成、維持、変容のために必要とする情報代謝——これを「情報基礎代謝」と呼ぶことができよう——を、量的にも、次元的にも大幅に凌いでいる。つまり、人間という有機体にとって情報環境はいつも既に過剰としてあり、その環境との間で「基礎代謝」を超えた「情報」の入出力が行われているのである。人間は不安を感じ、空想を豊かにふくらませ、葛藤に宙づりになり、いずれ訪れる自らの有機体システムの解体＝死を知りながら、その死の意味を限りなく変奏する。人間にとっての環境は有機体としての直接経験の地平を超えて、非在の領域にまで広がっている。

「幽霊」は日常のいま-ここという時空間においては「非在」のものである。それはいま-ことは異なる時空間の在り方においてのみ存在しうる。それがいま-ここの外部にある限り、それは物理的＝身体的な知覚においては捉えられない。「透明な」という限定は、物質的な存在としては知覚不可能であることの謂いである。それが「透明」という言葉で表現されるのは、視覚的に認識可能であることが、在ることの承認のための優先的な条件とされる社会の中で、いま-ここに在るということをすり抜けるものの存在様態を指しているからである。そのような「幽霊」の存在を人間以外の動物が記号化して、他の個体に伝達することはない。その意味で「幽霊」はすぐれて人間的な、とはつまり言語的な存在である。

四、青い照明——意味の光源の喪失

「わたくし」(Ich)が「現象」であるということは、一人称単数による発話の主体が、「実体のないひとつの現象である」ということである(見田 1984: 61)。そこでは知覚や思考の原点としての自我(Ich)の存在は確かなことではなく、環境に向けた働きかけの主体(Subjekt)も疑いえないものとしてあるのではない。むしろ、主体の存在がもはや自明なものではなくなったという意識こそがそこにはある。

この意識は、近代(Moderne)社会におけるドミナントな世界観が、19 世紀末から 20 世紀初頭において、その信憑性を喪失したことと表裏一体の関係にある。社会の存立構造の自明性が失われれば、それを「環境」として生きている「わたくし」の存立もまた危機に陥る。そしてこの危機は、社会の側へとフィードバックされていく。システム論の立場から言うと、「わたくし」ないし「個人」システムは、自然環境と同様に、社会システムの「環境」を成している(大庭 1997: 26-27)。これら二つのシステムが、相互に情報代謝を繰り返すことで、互いの存立についての反省的問いが生じてくる。つまり、デカルト的な、身体から切り離されかつ閉じられた自我モデルの限界は、学問の世界で析出され、生の経験の中で感受されているのである。

「もはや確かなものではなくなった「わたくし」とその経験を、「わたくし」はいかにして表現へともたらすのか」という反省的問いは、20 世紀における表象の理論と実践にとって避けて通れないものであった。賢治が亡くなった 1933 年に文筆活動を開始したスイスの作家マックス・フリッシュ Max Frisch(1911-1991)は、一人称の語りの方法的可能性を探求することで、この問いに答えようとした。フリッシュの語りの理論と実践が持っ本質的な特徴は、「主体の消滅」が思想のフロンティアにおいて問題にされようとも⓫、出来事は相変わらず「わたくし」という一人称によって体験されている、という前提を決に手放すことがないという点にある。

> 今は一人称の物語(Ich-Geschichten)の時代ではない。しかし、人間の生は個々の「わたくし」において生起し、あるいは過ちを犯すのだ。そこ以外のどこでもない。(Frisch 5: 68)

とはいうものの、「これまでの言語では把握することのできない新しい現実の前に立たされた人間」である「わたくし」の生を、「一般的に人生と呼び習わされている」ものによって把握することはできない(Frisch 5: 328)。それゆえ、賢治も、フリッシュも、もはや自明なものではなくなった「わたくし」なるものが、なお経験の主体として現象するという事態から出発するよりほかない。したがって彼らの問いは、「わたくし」というものを確固とした実体として前提するのではなく、「わたくし」という代名詞によって自己指示を行う「主体」が現象す

⓫ フリッシュが「わたくし」の経験を自らの美学思想の核心に据えたことの背景には、もう一つ、私的なテーマではなく、公的なテーマこそが芸術の課題であるとするアンガージュマンの文学に対する方法的批判がある。紙数の関係でこの点については詳論しない。

ることの偶有性の方に向けられていた。

「わたくし」は、「物質・エネルギー代謝システム」としての「有機交流電燈」それ自体ではなく、この有機体システムの作動によって「現象」する「青い照明」であると賢治は言う。「わたくし」が光であること、しかも、自然光ではなく、人工的な「青い照明」に喩えられていることは、「神の死」という言葉で端的に表現される、近代社会と人間の置かれた状況と密接に関わっている。

> 〈意味の光源〉としての神それ自体を失い、あるいはそれを自己自身の内に吸収してしまった近代の理性にとっては、〈自我〉あるいは〈人類〉という孤独な光源、一切の意味の源泉が、遍在する宇宙の無意味のただ中につかのま存在し、やがてかくじつ(ママ)に虚無の中に没してゆくのだという、荒涼たる世界感覚だけが残される。(見田 1984: 168)

意味の根拠によって照らし出され、分節化された「環境」という図式は、「主」であれ、「主体」であれ、意味の絶対的根拠を措定する限りにおいて、「システム/環境」関係を囲繞する外部を闇ないし無意味として排除し、抑圧する。啓蒙(Aufklärung, enlightenment=明るく照らすこと)という言葉はこうした世界観の端的な表れである。近代とは——事実のレベルにおいても、比喩のレベルにおいても——電燈によって明るく照らし出される領域を極限まで拡大するプロジェクトとしてあったのである。

だが、「電燈」によって照らされた世界は、自然光を浴びて浮かび上がる色彩とは異なって、「青」く染められている。その青さは、詩編『春と修羅』の中で、「おれはひとりの修羅なのだ」と繰り返し自認する「わたくし」が、「唾し(つばき)　はぎしりゆききする」とき、「はぎしり燃えてゆききする」とき身に帯びていた「いかりのにがさまた青さ」でもある(賢治 2: 20-21)。とすれば、「電燈」の光の「青」という色は、「わたくし」とその周囲を規定している疎外の関係を表していると解釈できる。賢治にとって「わたくしといふ現象」は、青ざめた疎外態を顕わにする光としてあったのである。

五、風景やみんなといっしょに——淡い主体

「わたくしは」から「照明です」に至る言葉の連なりの不自然な屈折は、賢治が自己というシステムを一義的な規定に回収しきれない、根源的な矛盾を孕んだものとして感受し

ていたことの証左であった。とすれば、「わたくしといふ現象」が近代社会において作り出す自然や他者との関係を、賢治が一面において疎外態として捉えていたとしても、そのような疎外態からの出口をもまた、詩句の中に予感させているはずである。

「わたくし」は、「風景やみんなといつしよに」、「明滅しながら」、「ともりつづけ」ている。「風景やみんな」は、いま-ここの「わたくし」にとっての自然環境と社会環境である。それに対して、「透明な幽霊」は現在の知覚では直接捉えることのできない存在、ただ言語によってのみ現前させられる非-存在である。これら存在論的位相を異にする事物が、実は同じ「わたくしといふ現象」を存立させているということを、この二行の詩句は表現している。

見田は、他なるものの「複合体」としての自我のモデルを、短編『インドラの網』における、網の結び目にある宝珠のひとつひとつが他のすべての珠を映し出し、映されたすべての珠もまた、他のすべての珠とそれに映し出された珠を映している様に見いだしている。

> それは[……]主体のかたちとしては、それぞれの〈私〉がすべての他者たちを、相互に包摂し映発し合う、そのような世界のあり方の模型でもある。(見田 1984: 33)

このモデルにおいて、「わたくし」はいくつもの織り糸の結節点として在る。そしてそれぞれの「わたくし」の中に他のすべての「わたくし」が織り込まれている。つまり、「わたくし」とはここではひとつのテクストであり、また同時に大きなテクストとしての世界ないし環境を構成する「フォルム」(form)でもある。

「わたくし」の中に書き込まれているのは、ひとつには「わたくし」の現在の環境としての「風景やみんな」である。さらには、「あらゆる透明な幽霊」たち、物理的=身体的実体をもたない、時間と空間を超えた非在のものたちもまた「わたくし」というテクストを形作って(in-form)いる。すなわち、デカルト的な閉じられた個体としてではなく、非在のものたちも含めた多様な存在の声が交差し、他なるものの痕跡が幾重にも書き込まれた場所として「わたくし」という主体が現出するということである。

織り糸の結節点である以上、「わたくし」は一面において物理的=身体的存在である。だが「電燈」と「照明」の屈折した結合に見られるように、「身体」と「わたくし」とはその存在のあり方を異にしている。

「システム/環境」関係は、熱力学におけるエネルギーの入出力をモデルにして議論されることが多いために、両者の境界は空間的に明確に区切られたものとしてイメージされる傾向がある。だが、「照明」である「わたくし」は環境へと拡がり、相映と反転のメカニズムによって、物理的身体性を超え出た「現象」でもある。いま-ここの時空間を超えて拡がる多様な声と事物の複合体としての「わたくし」にとって、身体の境界、ないしは「ココ」と「ソコ」の区別は(大庭 1997: 第三章)、自己(Selbst)の生成にとっての物理的条件ではあっても、「わたくし」の境界そのものではないのである⑫。

これは同時に、「環境」もまたシステムにとっての空間的な外部として捉えるだけでは不十分であるということをも意味している。空間と環境とはかつては実質的には重なり合ったものであったかもしれない。しかしその場合でも、ホモ・ロクエンスである人間にとっての環境は既に非在の側へ向けて、すなわち、物理的=身体的空間の外部へと向けて開かれていた。そして、「文字の文化」の誕生とともに、環境は空間を大きく越えて拡がっていったのである。

田中宏は、「鮮やかな主体」と「淡い主体」という言葉によって、主体モデルの転換を説明している。「鮮やかな主体とそれを取り囲む環境とは」、「無地の暗い背景からくっきりと浮かび上がり、明るく照明された自画像」のように、「存在と無の二項として対立している」(田中 2005: 8)。このモデルにおいては「システム/環境」の境界は物理的=身体的に明瞭な輪郭を成している。

> これに対して、淡い主体は、環境との明確な境界線を持たず、地である環境と図である自己とが容易に反転を起こしてしまうような存在である。(田中 2005: 8)⑬

このような視点に立つならば、賢治の詩の中に現れた内部と外部の転換は、「淡い主体」に見られる図と地との反転を、テクストの形式(form)によって表現したものであると見ることができる。先に、「序」の第一詩節の言葉の連接が、ホモ・ロクエンスの可能性を探究する詩人の言葉としては不自然な屈折を内包していることを指摘した。明治から昭和と

---

⑫ 見田は、父親の金持ち趣味に対して賢治が抱く耐え難い羞恥の念を手がかりにして、身体の境界を越えて拡がる自我について説明している(見田 1984: 89)。

⑬ 田中は、「淡い主体」モデル社会的実践の思想的基盤として共有されている例として「ディープ・エコロジー運動」を挙げている(田中 2005: 9-10)。

いう近代化の時代を岩手の農村において生きた賢治の「わたくし」が、矛盾を孕む「複合体」として存立しており、「鮮やかな主体」というドミナントな近代的「わたくし」の屈折箇所に生じた亀裂から、「淡い主体」としての「わたくし」が立ち現れる場としてこの屈折した一文はあったのである。

六、ひかりはたもち——エコソフィアへ

「わたくしといふ現象」が決して自明なものでも、自己の唯一の在り方でもないことは、「有機交流電燈」が「仮定された」ものであり、「因果交流電燈」が「いかにもたしかにともりつづける」という表現、さらにはそれが「ひとつの」照明であるという限定によって周到に示されている。そして「わたくし」の相関項としての「環境」もまた、仮定を異にすれば別様の形でもありうるということが、「序」の後半部分に書かれている。

> 記録や歴史　あるいは地史といふものも
> それのいろいろの論料(データ)といつしよに
> (因果の時空的制約のもとに)
> われわれがかんじてゐるのに過ぎません(賢治　2: 7)

そして、「それ相当のちがつた地質学が流用され」るならば、ひとは「白堊紀砂岩の層面に/透明な人類の巨大な足跡を/発見するかもしれ」ない(賢治　2: 7-8)。それはすなわち、「システム/環境」の差異線が引き直される可能性、さらには「わたくし」が別様の形で現象する可能性でもある。

だが、「鮮やかな主体」から「淡い主体」への変容の過程は、決して一面的に「鮮やかな」ものではない。なぜなら、「その電燈は失はれ」と賢治が書いているように、「わたくし」という現象を支えている有機体＝身体システムは、環境からの入力によって解体するリスクに常に晒されているからである。賢治が「固有に詩人であるあり方」を現実化しようとした「羅須地人協会」での実践は、肺浸潤という形で、すなわち環境からの入力が有機体システムを解体することによって終止符が打たれたのだった。だからこそ賢治の「手帖」の1931 年 11 月 3 日の記述はまさしく「雨ニモマケズ」と書き始められねばならなかったのである(賢治 12 上: 44)。

これはひとつの挫折である。「雨ニモマケズ」の詩ならぬ詩は、「その電燈が失はれ」ることによって、詩と大地を交響的に融合させようとする実践を永久に中断せねばならなかったという苦い思いに満たされている。「わたくし」が「わたくし」のフォルムを喪失することは、ここでは否定的な事態としてある。しかし、『農民芸術概論綱要』の中で「まづもろともにかがやく宇宙の微塵となりて無方の空にちらばらう」(賢治 2 上: 15)と書いた賢治にとって、実践の途次で倒れ、自らの有機体システムが、そして、それと共に自らの情報代謝システムが解体することは願望ですらあったはずである。そして「宇宙の微塵となりて[……]ちらば」るとはまさに、「わたくし」というものの在りさまが「淡い主体」へと移行することである。

とすれば、自らの有機体システムの崩壊がひたすら「おまへにくらくおそろしく」(賢治 2: 166)あるのは、「鮮やかな主体」としての「わたくし」のゲシュタルトを前景化させている限りにおいてであって、「電燈」の喪失とそれに伴う自己システムの崩壊は、「わたくし」を織り成していた関係性の糸が解け、環境へと四散することによって、「わたくし」が「淡い主体」として生まれ直すことに他ならない。だからこそそれは「まことはたのしくあかるい」ものでもあるとも言いうるのである⓮。

賢治のテクストで繰り返される自己犠牲(ex. グスコーブドリ)や自己抹消(ex. よだか)のモチーフは、ある種の倫理的な息苦しさを読む者に抱かせる。この息苦しさは「鮮やかな主体」がまだそのゲシュタルトを失っていないということを示すと同時に、それが脅かされてもいるということを表す症候でもある。

「鮮やかな主体」から「淡い主体」へと変容することは、「共存のエコシステム」の観点から見れば、ひとつの有機体システムが解体して、その身体を構成していた物質とエネルギーが、他の有機体システムの代謝過程の中に取り込まれるということである。「鮮やかな主体」から見れば、それは絶対的な自己疎外(Selbst-ent-fremd-ung = 自らを-よそよそしいものに-する-こと)である。

⓮ この矛盾は妹とし子の死に際しての賢治の思いと同型を描いている。とし子への愛は、ひとつの有機体システムとそれが現象させる主体への愛である。『青森挽歌』の中でこの有機体システムの解体していく先が「すべてがあるがごとくにあり/かがやくごとくにかがやく」)世界であると書き付けながら、賢治は「意識のある蛋白質の砕けるときにあげる声」を聴く瞬間を「くらくおそろしい」ものであると恐れていたのである(賢治 2: 163-166)。

だが見田が指摘するように、「〈生命連鎖〉という事実そのものは、生命界の〈殺し合い〉という位相から見ることもできると同時に、生命たちの〈生かし合い〉という位相から見ることもできる」(見田 1984: 149)。この〈生かし合い〉の中で、「わたくし」もまた、別の在り方へと生かし直される。いま･ここに「鮮やかな」仕方で在るのとは違う「わたくし」、とはつまり「透明な幽霊」のように在る「わたくし」が誕生するのである。このとき「わたくし」はよそよそしい(fremd)なものではなく、他なる(anders)在り方をしている。

井上義彦は「『よだかの星』の彼方へ」と題された小論の中で、食物連鎖の問題を哲学･倫理学的に考えるためには、このような「複眼的視座が必要であろう」と述べている(井上 2001: 27)。近代的自我(Ich = ego)のモデルに依拠し続ける限り、エゴイズム(Ego-ismus)によってシステムとシステムの間に相剋的な関係性が作り出されずにはおかない。しかし他方で、〈生かし合い〉という観念は、それ自体では、単なる宗教的な理念にとどまるか、解放のための疎外という逆説へと転化するかのどちらかである。二つの矛盾する視座を同時に引き受けることによってにしか「『よだかの星』の彼方」は見えてこないのである。

「雨ニモマケズ」の手帖は、見田が指摘するように、「自己の身体＝存在の再構築」のための「装備目録」である(見田 1984: 245)。ここに書き付けられた「丈夫ナカラダヲモチ」とは、「わたくし」の有機体システムの解体に対する抵抗への意志の表現である(賢治 10: 50)。遠からぬ未来において自らの身体が〈生かし合い〉の連鎖の中へと解体していくことを知りながら、なお、その解体に抵抗し、システムとその外部との間に差異線を引き続けること。晩年の賢治が引き受けた課題とはこのような矛盾を生きることであった。このことは、「雨ニモマケズ」の「装備目録」が「ワタシハ/ナリタイ」のあと、ページを改めることもなく、「南無無辺行菩薩[……]」という祈りの言葉へと移行していくことからもうかがえる(賢治 12 上: 47)。この祈りの言葉は、解体していく「わたくし」に捧げられる哀悼の役割を果たしつつ、生まれくる「わたくし」に向けた言祝ぎの役割をも果たしている。

冒頭で挙げた『春と修羅』の「序」の第一詩節の最終行にある、「ひかりはたもち　その電燈は失はれ」という言葉は、光源である有機体としての身体は解体しても、それが放った光は残されるという一見矛盾したヴィジョンを示している。このヴィジョンは、先に述べた「多様な存在の声が交差し、他なるものの痕跡が幾重にも書き込まれた場所」としての「わたくし」という主体モデルの転換を前提にしたときに初めて意味を持つ。すなわち、「わたくし」という「ひかり」が浮き彫りにした差異線は、それを映し出す他の「わたくし」に書き込まれ、そこで新しい「ひかり」を放つのである。よだかが星となって「いつまでもいつまでも燃えつゞけ」(7-89)、『銀河鉄道の夜』の蠍の火が「よるのやみを照らしてゐる」(10-163)ように、賢治というテクストの非在の「ひかり」が、時間と空間を越えて、情報環境の差異線を照らし出しているのである。

「わたくしといふ現象」のもう一人の探求者フリッシュの小説『ホモ・ファーバー』*Homo faber* において、近代科学の信奉者である主人公ヴァルター・ファーバーは、自らの身体システムの解体を目前にして、手元に残された「手帖」に次のように書き付けている⓯。

> 世界にあるとは、光の中にあるということ。どこかで[……]ロバを駆ること、これが我々の仕事だ！——しかし何にもまして、光に耐えること、[……]エニシダや、アスファルトや、海の上に投げ掛けられた光の中に自分が消えてゆく、ということを知りながら、喜びに堪えることだ。時間に、ないしは瞬間の中の永遠に堪えること。永遠にあるということ、存在したということ。(Frisch 4:199)

賢治のテクストとフリッシュのテクストを併せ読むとき、非在の空間を照らし出す光の中に、人間とその環境の原イメージち現れる。そしてこのイメージは、今福龍太の言う「詩神(ミューズ)を宿すエコロジー」ないしは「生態学的叡智(エコソフィア)」へと読む者を導いていく(今福 2001: 155)。人間という有機体システムが存在することとその環境が存続することとが「同一事態の表裏」であることの認識から生まれた「エコロジー」という名の思想は、いま-ここ、すなわち資本制システムの内部においては、プラグマティズムとテクノクラシーによって消費し尽くされようとしている。だが、「エコロジー的叡智」は本来、「言語」への関心を「本質的に胚胎していた」(今福 2001: 153)。「わたくし」とその「環境」の生成と変容の可能性を精密なリズ

⓯ ファーバーは、熱力学の専門家であり、ユネスコの職員として水力発電のタービンの組み立ての指揮を仕事としている。タービンが生みだす電力ネットワークによって、地上のあらゆる夜が「電燈」によって明るく照らし出されることがファーバーにとってのあるべき世界の姿だった。マンフレート・レーバーManfred Leber は、この小説が 1948 年に発表されたウィーナーの「サイバネティクス」とシャノンの「情報理論」をめぐるシステム工学上の議論を背景にしていることを論証している(Leber: 1990: Kapitel 1-2)。

ムとフォルムによって表象したテクストに、システム/環境関係をめぐる知の系列を織り重ねたところに「人間/環境」関係のヴィジョンを見いだすことは、「人間/環境の詩学」の放つ「ひかり」を受け取ることとしてあるのである。

参考文献

浅田彰　1983　『構造と力――記号論を超えて』　勁草書房

Bateson, Gregory, 1972: *Steps to an ecology of mind*. New York：Ballantine.(＝1990　佐藤良明訳『精神の生態学』思索社。)

Frisch, Max, 1976: *Gesammelte Werke in zeitlicher Folge*. Frankfurt a. M.: Suhrkamp.

※ここからの引用に際しては巻とページを記す。

Gehlen, Arnorld, 1961: *Anthropologische Forschungen*. Reinbek bei Hamburg: Rowhlt. (1999　亀井裕·滝浦静雄訳　『人間学の探究』　紀伊國屋書店。)

今福龍太　2001　『ここではない場所　イマージュの回廊へ』　岩波書店。

井上義彦　2001　「環境哲学と環境倫理学」　長崎大学文化環境/環境政策研究会編『環境科学へのアプローチ』　九州大学出版会　13-26。

――――　2001　「『よだかの星』の彼方へ」　同書　27。

河合雅雄　1979　『森林がサルを生んだ：原罪の自然誌』　平凡社。

Leber, Manfred 1990: *Vom modernen Roman zur antiken Tragödie: Interpretation von Max Frischs Homo faber*. Berlin: de Gruyter.

Luhmann, Niklas, 1988: *Soziale Systeme: Grundriss einer allgemeinen Theorie*. Frankfurt a. M.: Suhrkamp.(1993/1995　佐藤勉監訳　『社会システム理論』　恒星社厚生閣。)

丸山圭三郎　1991『カオスモスの運動』　講談社。

見田宗介　1984　『宮沢賢治――存在の祭りの中へ』　岩波書店。

――――　1996　『現代社会の理論―情報化·消費化社会の現在と未来』　岩波書店。

宮沢賢治　1973/1977　『校本宮沢賢治全集』　筑摩書房。

※ここからの引用に際しては巻とページを記す。

大庭健　1989　『他者とは誰のことか　自己組織システムの倫理学』　勁草書房。

――――　1990　「訳者解説 I」　ニクラス・ルーマン著　大庭健・正村俊之訳　『信頼　社会的な複雑性の縮減メカニズム』　勁草書房　201-223。

――――　1997　『自分であるとはどんなことか　完・自己組織システムの倫理学』　勁草書房。

Ong, Walter J., 1982: *Orality and Literacy. The Technologizing of the Word.* London & New York: Methuen.（1991　桜井直文 他訳　『声の文化と文字の文化』　藤原書店。）

田中宏　1989　『社会と環境の理論　社会・環境関係の構造と動態』　新曜社。

von Uexküll, Jakob & Kriszat, Georg, 1934→1970: *Streifzüge durch die Umwelten von Tieren und Menschen.* Frankfurt a. M.: Fischer.(2005　日高敏隆・羽田節子訳　『生物から見た世界』　岩波書店。)

意味で満たされた空間:
環境人類学の布置をめぐる素描

増田　研

一　新しい分野、環境人類学

この小論には二つの目的がある。第一の目的は文化人類学という学問、あるいは文化人類学者を名乗る研究者たちのカバーする広大な領域の中に、環境人類学という新興分野の適切な位置づけを見いだすこと。第二の目的は、おなじく広大な環境学のなかに人類学の居場所を見いだすことである。

だがこの二つの目的を同時に達成し、ふかく掘り下げることは現時点では不可能である。そのためには、文化人類学および環境学というともに複合的で学際的な研究領域の根源に触れることが不可避だからだ。したがってここで私は、環境人類学があつかう「環境」の内包と外延を素描することで、その目的にアプローチしようと考えている。

環境人類学の守備領域とアプローチの方法は、その中に含まれる「環境」の語をどこまで拡大するかにかかっている。少なくとも現時点で環境学、あるいは環境科学における「環境」は非常に狭い意味での環境でしかないために、環境人類学もまたその範囲を著しく限定しているといえる。

環境人類学(Environmental Anthropology)という名称は、比較的新しく作られたものである❶。後に述べるように、この分野は従来の生態人類学や認識人類学、および開発人類学といった各種応用人類学の境界領域に位置するものであり、そうした既存の専門

---

❶　現在、日本語で入手できる環境人類学の概説書としてタウンゼンドに教科書(タウンゼンド 2004)および池谷らによるものがある(池谷:2003)。

分野が環境問題の研究に手を伸ばしたと受け取れば、これは文化人類学の商圏の拡大ともいえよう。当然ながらその際には、隣接分野を、暫定的にではあれ措定し、冒頭に述べたようなこの分野自体のアイデンティティをとりあえず決めておく必要があるのだ。

たとえば、2005 年時点の長崎大学環境科学部のカリキュラム編成においては、環境人類学という科目は環境社会学、環境民俗学、環境史の隣接科目となっている。これは従来のオーソドックスな文化人類学が、社会学や民俗学、歴史学と近接していたという事情を反映していると言える。だが、文化人類学では対象へのアプローチにおいて、必要に応じて政治学と関わりを持ったり(政治人類学)、経済学と関わりを持ったり(経済人類学)することができる柔軟性が備わっている。そのうえ個々の地域研究のなかに位置づけることも可能であり(たとえば私は北東アフリカを専門とするので「アフリカ地域研究」の一画に参与している)、その柔軟性と機動性は群を抜いていると言えよう。いずれにせよ、環境人類学は単に環境社会学や環境民俗学の隣接分野であるだけではなく、多様な領域との接合・融合の可能性を持っている。

二　役にたつ人類学？

「環境人類学」という名を冠した組織はすでに複数存在する。ここではさしあたり、アメリカの応用人類学会❷における環境人類学部会のウェブサイトを閲覧することにしよう。ここにある「環境人類学とはなにか」というページ❸では、環境人類学がおおよそ以下のように規定されている。

文化人類学はこれまで特定の地域における、人間の社会的・文化的行動に注意を払ってきたが、そうした研究を通じて文化の多様性(cultural diversity)の理解にも貢献してきた。こうした研究はまた保健医療や教育、開発そして環境といった局面においては、利害関係者のコミュニティに深く分け入り、社会・文化のダイナミクスを把握することができるという意味で、政策決定に寄与することができる。これがおおよその内容である。

---

❷ The society for applied anthropology、1941 年設立。

❸ "What is Environmental Anthropology?" http://www.sfaa.net/eap/ea.html（2005 年 12 月 20 日閲覧）

ここには環境人類学のアイデンティティを規定するものは、じつはなにも含まれていない。にも関わらず人類学者が従来からの参与観察に代表されるフィールドワークによって得た知見を、直接政策に反映させることができるという、きわめて実践的・実務的な色彩を帯びていることは明らかだ。これはこの部会の母体である応用人類学会自体が、医療人類学、教育人類学、開発人類学といった、「人類学的知見の応用」を目的としていることと大いに関係がある(応用人類学についての簡単な文献紹介)。

米国応用人類学会の設立が第二次世界戦争中であったことからも、こうした傾向、つまり人類学の実務への応用はけっして歴史の新しいことではない❹。すくなくとも近代人類学のエポックメイキングとされるのが通例では1922年❺とされていることを思えば、文化人類学はそのきわめて初期から調査・研究の先に「応用」を見据えていたことがわかる。

世界銀行が社会学者や人類学者を雇用するになったのは1970年代からであるが、その数を急激に増やしたのがリオデジャネイロの地球サミット(1992年)以降であることから、先住民権や文化の多様性、そしてなによりも地球環境問題への国際的な関心の高まりが、人類学の「応用」を促進したことは間違いない。

三　政治の環境問題化

その一方で実務的であることを全面に出さず、むしろ環境研究のなかに文化人類学の学際性を明確に打ち出した教育プログラムが、主としてアメリカにおいて多くみられるのも特徴的である。米国人類学協会(American Anthropological Association)の「人類学と環境」部会によればアメリカ各地の大学に「世界規模の環境変動に関する人類学的トレーニングと研究センター」(インディアナ大学)、「環境の認識研究プログラム」(ノースウェスターン大学)、「熱帯地域の保全と開発プログラム」(フロリダ大学)、「ジェンダーと正義、環境変動」(ミシガン州立大学)といった大学院教育プログラムが開設されている。それらの多くは、従来の人類学に備わっていた学際性をさらに拡張させ、環境問題への人類学的アプ

---

❹ ルース・ベネディクトの古典的名著『菊と刀』が、太平洋戦争の戦略策定のために調査・執筆されたことを思い起こせば、この名著もまた応用人類学の一部であるということになる。

❺ 1922年はラドクリフ＝ブラウンの『アンダマン島民』とマリノフスキーの『西太平洋の遠洋航海者』が出版された年である。

ローチを教育するという特徴を前面に出しているのである。明らかに、環境問題への世界的な関心の高まりという思潮のあり方が、文化人類学のあり方に影響を与えているのだ。

「環境」あるいは「環境問題」が文化人類学において市民権を得るようになったのにはおおよそ二つの理由が考えられる。そのひとつは「環境」というタームの持つ外延と内包の幅広さであり、もう一つはそれまでの人類学の諸領域を統合するキーワードとして「環境」が浮上してきたということが挙げられる。前者については後に詳述するので、ここでは後者についてだけ触れておこう。

文化人類学（および社会人類学）はもはや、かつて言われたような「未開社会を研究する学問」ではないが、その一方で多くの研究者がグローバルな地政学的布置において「周辺的」と認定されるような地域・社会を好んで研究対象に選んでいる。とくにサイードの『オリエンタリズム』以降、西洋による植民地支配と近代世界システムへの取り込み、ネーションビルディングといったテーマ（これらは少なくとも 1960 年代までは人類学のテーマとしては前面に出てこなかったものだ）が、次第に重要なものとして認識されてきた。そのため文化人類学の学問としてのアイデンティティのなかに先住民問題や文化の多様性、そして開発といったテーマが定着していった。文化人類学はもはや伝統をすくい上げて過去の残像を探す学問ではなくなったのである。

そうした新しいテーマは文化と政治権力の関わりという切り口を持つ。そして環境問題はこれらの新領域を統合するだけの幅広さを持っている。たとえばアマゾンの場合を見てみよう。

ブラジルのインディオ政策に関しては、ハイウェイ建設やダム建設にともなうインディオの強制移住と先住民権運動、植民地政府（ブラジル政府）よる先住民への人権蹂躙、アマゾンにおける森林伐採と牧草地化、それによるアグリビジネスとプランテーション開発の進行といった、主として先住民権や先住権原にかかわる政治的事象が問題として取り上げられてきた（デーヴィス 1985、プライス 1991）。だが、こうした問題はまた、広大なアマゾンの熱帯雨林を保護しようとする環境保護言説と絡み合うかたちで、統合的な問題領域の一角に位置づけられるようになった。政治の環境問題化、あるいは環境問題の政治化は、問題の本質を見極める上では重要な点である。

この点に関して興味深い事例が、アマゾンの先住民カヤポによるダム建設反対運動である。

シングー川に巨大ダムを建設する計画が持ち上がったとき、カヤポが中心となって開催された反対集会(アルタミラ集会)の映像は全世界に配信され、これが世界銀行からの融資を凍結させるという結果をもたらした。アルタミラ集会の模様は、英国グラナダ・テレビが制作した"The Kayapo: Out of the Forest"(1989)に詳しく描かれているが、カヤポで調査を続けてきたターナーによればこのドキュメンタリー映像の制作そのものはカヤポの発案によるものであったという(Turner 1991)。

カヤポは植民地化されたアマゾンにおいて、すでに「伝統」的なものを失いかけていた人々であり、1962 年にターナーが初めて訪れた際には、外部から「野蛮」とレッテルを貼られるような文化要素を捨てていた。当時のカヤポ人のなかには、髪を都会風に短く切りそろえ、ボディペイントを止めてシャツとズボンを身につける者がいたという。ところがアルタミラ集会におけるカヤポは、部外者のエキゾティズムを満足させるかのような羽根飾りを身につけ、伝統的な戦闘装束をまとって集結していたのである。かつては「野蛮」として切り捨てられた要素が、彼らの政治的主体性を取り戻す武器となって再び見いだされたのである。

この集会に集まったのはカヤポだけではない。そこには彼ら以外の周辺先住民集団(それらの中には、かつてカヤポと敵対関係にあった人々も含まれるという)や開発主体であるブラジルの電力公社職員、ジャーナリスト、先住民権活動や環境保護活動に携わる活動家、そしてゲストとして招かれた著名ミュージシャンなど多彩な顔ぶれが見られた。そうした様子のひとつひとつが世界規模のメディアネットワークを通じて伝えられたのである。これらはカヤポ自身によるメディア戦略であった(古谷)。

カヤポ人がビデオ映像とマスメディアの力を認識したのは 1980 年代であり、そのきっかけは 1982 年と 1987 年に英国のドキュメンタリー番組によって取材を受けたことであった。以降、カヤポ自身がビデオカメラを構えて撮影・編集して自らの政治的・文化的アイデンティティを操作するようになったという(Turner 2002)。アルタミラ集会の記録映像"The Kayapo: Out of the Forest"から読み取れることは、アマゾンにおける先住民権運動(それはカヤポにとっては土地権回復運動の形をとった)が、環境保護運動と見事に連携されたということである。集会においては先住民の代表者が演壇に立ち、彼らがいかに森の産物に依存して生きているか(自然との共存)を、薬草を提示してみせる場面があり、また多様な外見のインディオたちが一堂に会することで「文化の多様性」を強調してもいるのだ。

こうした「政治の環境問題化」、あるいは「環境問題の政治化」は、すべて環境人類学の守備範囲に入るのであろうか。ここにはいわゆる地域と地球に関わる環境問題や、植民地支配と先住民に関わる政治的問題領域のみならず、メディア環境におけるイメージ・ポリティクスの問題、グローバリゼーションと文化の多様性をめぐる問題、そして当然ながら現地民の生存基盤をめぐる諸問題が渾然一体となって横たわっている。これらが従来の生態人類学や認識人類学、そして開発人類学を組み合わせただけの「応用としての環境人類学」ではとらえきれないことは確かである。また「環境問題に人類学的にアプローチする」という看板だけでは、むしろ個別の問題を矮小化することになりかねず、また、環境保護言説自体に対する問いを封印することにもつながってしまう。

人類学が扱ってきたある種の政治的事象が環境問題の形を取っているという現実は、環境人類学が従来型の応用人類学と同じではならないということを意味しているといえないだろうか。そのことを考えるにあたっては、まず人類学的に焦点化しうる「環境」の概念そのものを問い直さなくてはいけない。

四　曖昧な概念群に基づく科学

環境人類学に限ったことではないが、環境学における基本的な概念群には定義の曖昧なものが多く、そのことが環境学への文系的アプローチのアイデンティティを不確定なものにしている。たとえば環境、たとえば文化、たとえば自然、たとえば資源。人類学にとって「環境」というタームの確定が必要なのはもちろんだが、それ以前に「文化」という概念自体が確定されているわけでも、万人が納得する定義が存在しないことはこれまでも指摘されてきた。

たとえばタイラーが 19 世紀末に提示した文化の定義は、現在まで引用されることが多い。「文化とは、広い民族誌的観点からいえば、知識、信仰、芸術、道徳、法、習俗、その他人間が社会の一員として獲得した全ての能力と習性を含む一つの複雑な全体のことである」(タイラー1962)という定義は、モノと行動に依拠した具体的な定義であるが、今日我々が「文化」というタームに依拠して何かを語る際にはむしろ、その具体的なモノや行動、出来事の背後にある抽象的次元を指すことのほうが多いだろう。たとえばこの点でよく引用されるギアツの定義、文化とは象徴と意味の体系であり「人間は自分自身が張り巡らした意味の網のなかにかかっている動物である」(ギアツ 1987:6)は、文化それ自体を、抽象的な次元で人間に制限を加える「環境」的なるものとしてとらえたものだといえる。だがこう書いても、「環境」概念そのものの外延が揺らいでいる以上、ギアツの定義を環境人類学に適合的なものとして推奨できるわけではない。

文化人類学のカバーする領域がひろいこと、そして学際性が強いことを考えると、その一分野である環境人類学における「環境」概念もまたぼんやりした外延をもち、恣意的な内包を投入できることは想像に難くない。そのことは逆に、環境人類学が従来からの環境学(あるいは環境科学)にうまく適合できない可能性をも示しているのだ。

たとえば『地球環境キーワード事典』(2003)がターゲットとして取り出す「環境」はあくまでも生態環境であり、通例「環境破壊」や「環境保護」というときの環境概念も主として自然環境=生態系を指していると考えられる。「地球に優しいエコ商品」というときの「エコ」はもちろん「エコロジカル(生態学的)」の流用であるが、「地球に優しい」の部分は「エンヴァイロンメンタル」な部分で意識であるという意味であるから、ここでも「環境」の外延が「生態」に狭められているといえるのである。

「環境」の語は、社会環境や文化環境、あるいは職場環境や学習環境といった使われ方をされることからも分かるように、「ある主体をとりまく周囲の事物・状態一般」を指す汎用性の高いタームである。そして「環境」の前にどのような限定詞を冠するにせよ、主体ごとに「環境」の具体的内容は異なってくる。つまり主体に措定するかに応じて、環境概念の外延も内包も可変的なのである。それが「環境」という一言で、「自然環境」あるいは「生態系」を示すようになってしまったのは、ある意味では、いわゆる「環境問題」における主体の固定化が無言の内に済まされてしまったことを意味する。これをとりあえず、環境概念の自然化・本質化であると仮定しておこう。

同様のことが環境人類学においても見られることはすでに述べたが、隣接分野である環境社会学においても状況は似ているといえよう。たとえば飯島伸子は、環境社会学における環境とは「自然環境」(物理的・科学的環境)のことをいうと述べた上で、環境社会学の問題構成においては自然環境としての「環境」の、社会的・文化的環境との関わりが重要だと述べる(飯島 1993:3)。この問題構成がややこしいのは、飯島のいう「環境＝自然環境」と文化環境・社会環境というときの「環境」が異なるからである。もちろん前者の外延は狭く具体的で、後者のそれは広く抽象的である。

五　外部としての自然

文化人類学における主体が「ヒト」に設定され、広い意味での環境概念が「主体を取りまく事物・状態」である以上、環境人類学における研究対象は自然環境に限定されない。だが実際にこの分野を構成するのは従来の生態人類学、認識人類学、そして開発人類学であり、それらの領域と関わるのはやはり主として自然環境に限定された環境概念なのである。

環境人類学のなかで中心的な位置を占めているのは従来の生態人類学の成果であるが、それは生態人類学の主たる関心が個々の土地における生態環境と生業経済の相互関係にあり、いわゆる狭い意味での環境概念と親和的であったからである。土着の知識体系(主として認識と分類に関する研究)に力を注いできた認識人類学やエスノサイエンスもまた、「文化の多様性」研究を支える環境人類学の柱となりやすい。

生業経済の詳細な記述と分析は、生態環境に対する人間のアプローチ(ヒューマン・インパクト)の多様性を明らかにしつつ、ローカルな分析をリージョナル、グローバルな政治経済の変化との対応関係にまで視野を広げた動態研究へと広がりを持つ。

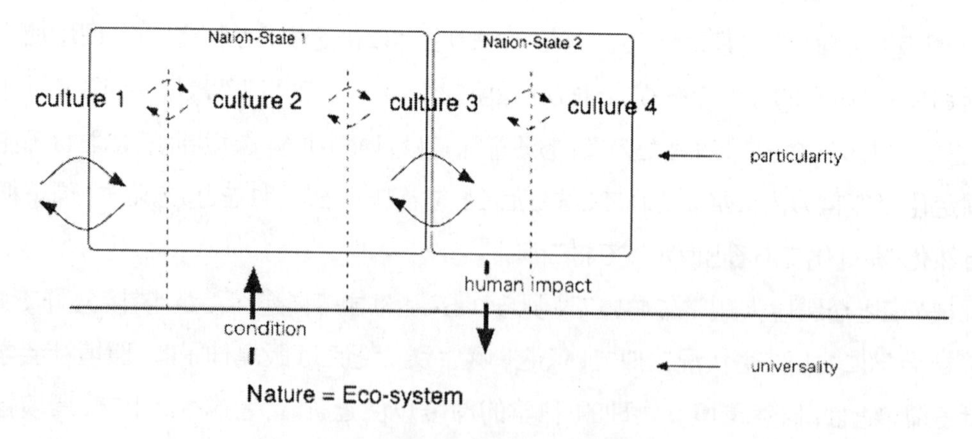

図1　自然と文化をめぐる水準

図1が示しているのは、一般的な(と思われる)生態系と文化の関係モデルである。それぞれの個別文化、あるいは国家とのあいだでかわされる矢印は、相互の影響関係を示している。「自然=生態系」を下に、「文化」を上に配置したのはいわゆる上部構造・下部構造のイメージに沿ったためである。下部構造としての自然=生態系からは文化の資源に対して制約(条件)がかかり、文化の次元からは生態系に対してヒューマンインパクトという圧力がかかるという図式になっている。この図では自然=生態系は、普遍的なもの、すなわち地球上のどこでも通用するものとして描いている。

それに対して、いわゆる地域環境と個別文化の関係という変数を書き加えたのが図2である。自然=生態系もまた地域ごとに異なる様相を呈するもの、すなわち地域独自の生態系が地域独自の文化に対応するという点において、図2は個別文化の環境決定論のようなモデルになっているのだが、その一方でそれぞれの地域生態系もまた普遍生態系の上に成り立っており、また個別文化もまたグローバルレベルの政治経済とのあいだに相互連関している。

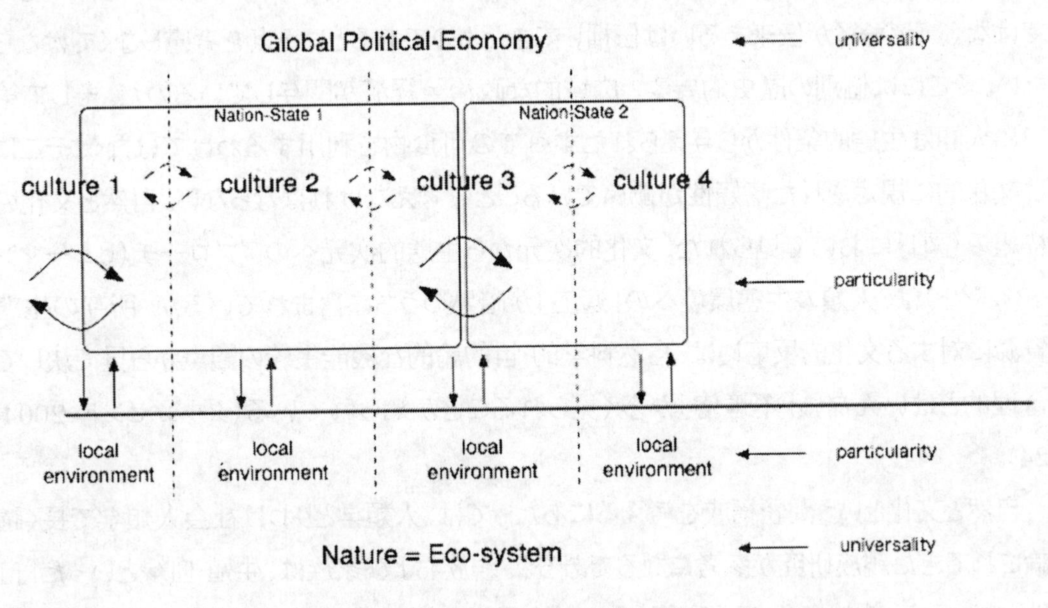

図2　環境研究における普遍と個別

広い意味での環境概念を用いると、上部構造の部分もまた環境である。いや、むしろ、このモデルにおける下部構造もまた個別文化モデルのなかで位置取りを得たものであるのだから、この部分、つまり文化的位相こそが人間を主体と設定した際の環境のあり方を決定するのだ。もちろんここでも、主体の設定に応じて「地域生態系」や「個別文化」の枠が伸縮することを確認しておこう。

こうした議論は、ややもすれば「環境」を焦点化する位相をすべて文化的次元に限定してしまうという視野狭窄をもたらす。たとえば地域的に偏差の大きい「環境観」や「自然観」はあきらかに文化的次元に属するが、そうしたコスモロジーを成立させる要件のすべてが文化の内部に見いだされるわけではないからである。食文化を例にとろう。現代日本のように都市生活者の食糧がほぼ 100% 流通に依存する場合を除けば、地域ごとの食文化はその土地の生態環境に強く依存する。家畜にせよ栽培植物にせよ、その土地の生態条件(気候、土壌、海抜など)に適合しなければ生業を維持できないからだ。このレベルの話は下部構造が上部構造を決定・制限するという生態決定論で片がつく。ところが人間を主体として措定した環境研究の枠組みにおいては、少なくとも二つの点で文化的次元を考慮に入れなければならなくなる。第一に家畜や栽培植物はそのすべてが在来のものではなく、その多くが伝来あるいは伝播してきたものであるという点を考慮しなくてはならない。そこには個別の歴史的要素と広域的な政治＝経済が関与しているのだ。そして第二に人間は生態的条件から与えられたすべての可食物を利用するわけではなく、そこには文化的に規定された嗜好性が働いていることを考えなければならない。自然と文化の枠組み(図1)において見られた、文化的次元から生態的次元へのアプローチ(ヒューマンインパクト)は、人類の生態環境への「適応」が暗黙のうちに含まれているが、所与の生態資源に対する文化的反応には、自然科学的・目的論的な機能主義の観点から見て決して合理的とはいえない「不適応」が多く見られることが知られている(タウンゼンド 2004: 24)。

自然と文化という問題構成を考えるにあたっては、人類学とりわけ社会人類学で長く議論されてきた親族研究が参考になるであろう。親族および家族は、生殖・血縁といった「自然」の次元と、親族名称・義務と権利の交錯・系譜といった「文化」の次元の交わる場所に位置するからである。

清水昭俊(1989)によれば、従来の自然−文化関係は本源的自然を客観的公準とし、それに対置される文化の中に、個別文化における自然観としての「自然」と、自己表象としての「文化」を含ませるものだった。ここでは、系譜的観念を持たない生物における生殖や生物学的レベルでのヒトの生殖は本源的自然によって規定され、これは生物学や医学といった近代西欧科学によって明らかにされる真実とされ、文化的解釈の外部に位置する血縁・遺伝子レベルでのつながりを示す。個別文化における親族のあり方はそうした生物的親族から解放された「社会的親族」として括られ、これこそが社会学や人類学が扱う領域とされた。生物的親族と社会的親族を媒介するのは、個々の文化に蓄積された性と生殖に関する知識であり、「科学的」見地からは相手にされない在来知識としての民族生殖論であった。

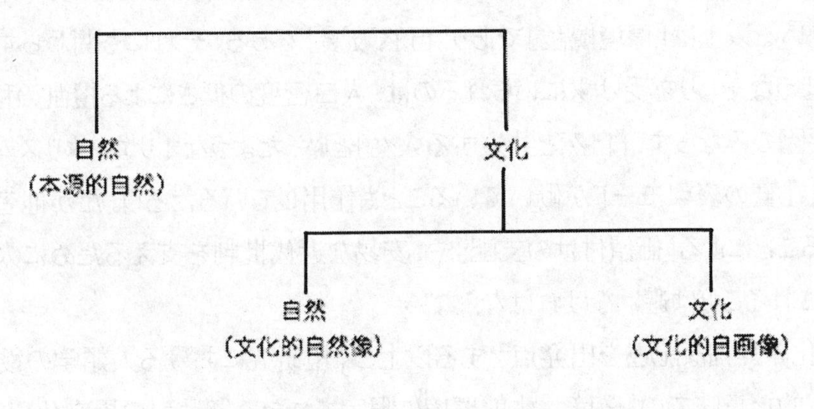

図3　「自然」と「文化」の諸概念
(清水1989:22)より

こうした枠組みのなかで在来知識は、いわゆる「自然」そのものの姿ではなく、文化的枠組みにしたがって認識し構築された相対的な自然観として位置づけられる。これらの土着の自然観を比較可能な形とするための公準として必要とされたのは、「科学的」真実としての本源的自然だったのである。あるいはその真実性が保証されていなくとも、比較の対象としての外部性が担保されていればよいという理由で、やはり本源的自然としての「自然」が必要とされた。

こうした概念化は認識上の制約を浮き彫りにする。自然科学が明らかにする本源的自然を公準として採用するにしても、そこに(絶対性ではなく)普遍性を見いだすには、自然科学そのものを相対化するメタレベルが必要なのである。実際、本源的自然もあくまでも概念的な仮設にすぎない。自然科学そのものを西洋という空間、近代という時間に固有の認識態度として相対化する試みは広く行われており、その点では「科学的」知識を基準にして、同じく文化的な仮設である個別文化の自然像を判定することは適切とは言えない(清水 1989:29)。

六　意味で満たされた空間としての環境

たとえば狩猟採集民が多様な自然認識(これは前節でとりあげた文化的自然像に相当する)をもち、生態環境を攪乱することなく節度を守って生きていることを賞賛することはたやすい。だがこうした人々の生業経済すらも、「本源的自然」から資源を取り出すことで成り立っている以上は「環境攪乱」であり「自然破壊」である。それにも関わらず狩猟採集民がそのようなそしりを受けずにいられるのは、人口密度の低さによる攪乱の程度の低さといった要因のみならず、「自然と共生する人々」といったようなオリエンタリズム的共生礼賛・未開人礼賛の表象モードが働いていることも作用しているだろう。だが他者の共生を持ちあげることによる「価値付けの支配」や、安易な近代批判を支えるために人類学的知見が利用されることは避けなければならない。

個別文化の詳細な記述を出発点とする以上、環境研究における人類学の役割は、さしあたり抽象的な意味での「環境」、生態環境に限定されない「環境」の異文化研究といったあたりを核とするだろう。拡大された「環境」概念は「意味で満たされた空間」とでも呼ぶべきものである。意味で満たされた空間は従来の「世界観(コスモロジー)」に近いが、世界観概念が観念的位相に偏るのに対して、より具体的である。そこに生きる人間にとって認識される外部、記号操作によって意味づけられた空間・時間・物質などを包括的に扱えるようにするために、生態環境に限定されない用語として、ここではひとまず「空間」を採用する。

「意味で満たされた空間」は対面的な生活空間だけに限定されない。現代世界においては、個別文化の理解のためにグローバル界との接続のあり方を考慮に入れることは必須の要件であり、この点でアパデュライがグローバルな文化経済の乖離的秩序を理解するための枠組みとして提唱した五つの「スケープ」が参考になる。その五つのスケープ、すなわちエスノスケープ(民族の地景)、メディアスケープ(メディアの地景)、テクノスケープ(技術の地景)、ファイナンスケープ(資本の地景)、イデオスケープ(観念の地景)は、それぞれ流動的な不規則な形状をしており、また景色と同様にそれを見る主体の位置取りによってまったく異なる見え方をするという特徴を持つ(アパデュライ 2004:69)。

人々が特定の生態環境のうえで、特定の文化的規制をかけられながら生きる生活空間は、いわばローカルな生態環境とローカルな文化環境の狭間に存在する。だが同時にそうした生活空間はグローバルな広がりを持つそれは五つのスケープが独特な重なり方をするある特定の地点に位置づけられている。生きる人々にとっての見え方(解釈)と、それを外部から眺めるものにとっても見え方(解釈)が異なるということを意味するのだ。

環境を「意味で満たされた空間」として見直すということは、環境研究における環境概念の不断の相対化を促すことになる。「文化的自然像」の比較をとおして、文化の外部として措定された個別の環境観を明らかにすることはその第一歩である。そこに満たされている「意味」を腑分けし、ローカルレベルでの空間の多層性を描き出す。その上でそうした多重に意味づけされたローカル空間を、たとえば国家空間の中に、あるいはグローバル空間の中に置きなおすことで環境問題を巡る仮設された本源的自然(あるいは環境の絶対性)を相対化することができるだろう。

環境人類学は、狭い意味では生態系=自然環境と人間との関わりを具体的に記述・分析することにある。だが、たとえば先住民をめぐる政治問題が環境問題へと転化していったように、環境人類学の守備範囲もまた拡大していくと考えられる。その領域を文化でも社会でもなく「環境」としてカテゴライズするためには、自然と文化をめぐる一般的な議論をより深めていく必要があるだろう。この小論はそうした議論の足がかりを得るための一つの試みである。

参照文献

池谷和信(編)　2003　『地球環境問題の人類学:自然資源へのヒューマンインパクト』世界思想社

ギアツ、クリフォード　1987　『文化の解釈学　1』吉田禎吾ほか訳、岩波書店

清水昭俊　1989「序説:家族の自然と文化」清水(編)『家族の自然と文化』弘文堂、pp.9-60

タイラー、エドワード　1962　『原始文化』比屋根安定訳、誠信書房

タウンゼンド、パトリシア　2004　『環境人類学を学ぶ人のために』岸上伸啓ほか訳、世界思想社

地球環境研究会編　2005『地球環境キーワード事典』第4版、中央法規

デーヴィス、シェルトン　1985　『奇跡の犠牲者たち:ブラジルの開発とインディオ』関西ラテンアメリカ研究会訳、現代企画室

プライス、デイヴィッド　1991『ブルドーザーが来る前に:世界銀行とナンビクワラ・インディオ』斉藤正美訳、三一書房

Turner, Terence 1991 "Representing, Resisting, Rethinking: Historical Transformation of Kayapo Culture and Anthropological Consciousness." In G.W. Stocking (ed.) *Colonial Situations: Essays on the Contextualization of Ethnographic Knowledge*. pp. 285-313. The University of Wisconsin Press.

Turner, Terence 2002 "Representation, Politics, and Cultural Imagination in Indigenous Video: General Points and Kayapo Examples." In Ginsburg, F.D., Abu-Lughod, L. and B. Larkin (eds.) *Media Worlds: Anthropology on New Terrain*. pp. 75-89. University of California Press.

中国古代の環境哲学
—中庸と再生をめぐって

連　清吉

問題提起

現代の環境問題は西洋で爛熟した近代科学技術·産業社会の歴史的帰結として指摘された。そこに、地球的規模で深刻な現状を打開する新たな思想的原理が渇望される中で、東洋思想の意義に注目する環境思想論が提起されている。一般に、西洋思想を人間と自然の対立と特徴づけ、東洋の伝統思想を人間と自然の調和と特徴づける傾向が非常に根強い。しかし、このような傾向の問題点は多く存在している。まず、人間と自然が対立する西洋思想対人間と自然が合一する東洋思想伝統思想という単純図式が不充分であるし❶、西洋哲学では天人分離であり、東洋哲学では天人一体であるという観念が示しているのは、東洋思想の優越性ではなく、西洋に対する単なる劣等意識に過ぎずと思われる❷。したがって、東洋思想が二十一世紀における環境思想の有効な思想的原理と見出される場合、東洋の伝統思想は如何なる意味で環境思想に意義を持ちうるかが問われるのである。とくに、東洋の伝統思想の是非や評価をする前に、その思想が登場した時代の背景において、その思想内容を精確に捉える「内在的理解」が前提である。そして、伝統思想の言葉だけに注目し、そこに現代的理解を恣意的に移入せず、むしろその思考

❶　亀山純生「環境思想における伝統的東洋思想の意義」—国際シンポジウム「東洋の伝統的環境思想の現代的意義」の問題提起(農文協編『東洋的環境思想の現代的意義』,農文協,1993年3月),頁14。

❷　加藤尚武「熊沢蕃山の自然保護論」(農文協編『東洋的環境思想の現代的意義』,農文協,1993 年 3 月),頁 168—169。

方法からみて、現代の環境思想に「啓発的意義」を持つという現代的再解釈の発掘が重要な課題である。つまり、伝統思想の具体的内容がそのまま現代環境思想に直接的教訓を与えるのでなく、伝統思想の思想的枠組みや発想の転換が現代の文脈から環境思想を新たに構築する際の手がかりを与えることこそ、伝統思想の内在的内容とは別次元の新しい現代的思想だと言えるであろう。

中国思想の特色としてよく言われることは、先ず「中国人は現実的にものを見、考える民族だ」ということである。確かに中国人は理論的抽象的に学問をするのは、余り得意ではない。しかし、現実的日常的な生活の問題となれば、実に敏感に反応するのである。紀元前 480 年から前 222 年までの二百数十年、いわゆる戦国時代の中国は、諸子百家が栄え、哲学の黄金時代であった。最も早く出た儒家は、倫理と政治の哲学として、その正統の権威は君主制度とともに長く衰えることなく、継続した。儒家の思想は保守的であったが、積極性を持ち、知識人の心に強固なよりどころを与えた。これに反し、『老子』と『荘子』を中心とする道家の学派は、一見非常に消極的で、人を励ますようには見えない。しかし、『荘子』は国家と家族の調和と秩序を力説する儒家などと全く別な角度から、人を絶望から救い、慰めをもたらした。表現の仕方は異なるが、『老子』もまた、人間の理想の世界が武力と競争の中にあるではないことを教えた。

『老子』と『荘子』にはもともと人間の営むとして生み出された文明文化を果たしてそれは人間に幸せをもたらすものなのかどうかと懐疑し、それを批判し、時には文化を否定するというような極端な発言がある。それは『老子』のことばで言うと、無為自然ということで総括できる思想である。

ただ、『老子』と『荘子』は、「自然」は運命の必然とし、それに人が随順すべきだと教えるところは極めて少なく、人おのおのが自己の「自然」に安住せよ、というよりはむしろ他人の「自然」をおかさないようにせよ、と説くことに重点があると考えられる。その意味で、『老子』と『荘子』では、やはり人の社会生活に大きな関心があって、生活における人と人の調和を第一とするもののようである。つまり自然とは、自然世界(nature)と自ら然かる(natural)の二つ意味があるが、しかし natural は自然世界の nature と別物でなく、natural なあり方のモデル、その理想的なあり方として存在しているのが自然世界の nature である。つまり天地自然の世界というものは自ずからなあり方をしているので、それを人間の模範にしていこうとする。人間も自然物であることは間違いないから、自然物の側に人間をおいて、そこから人間をとらえる。

『論語』の中では自然世界のことばは殆ど出てこないのに対して、『老子』『荘子』では自然世界についての関心が非常に強い。人間を一度広い世界へ送り出して、そこから人間を見よう、そこにあるがままの人間を見よう、というように考えるのである。自然世界まで人間をひろげて、そこから自らに然かるありかたを学んできて、それを人間の生き方にしていこうというとらえかたです。

孔子の教えに始まっている儒教は「修己治人」という政治と道徳の学問が最も日常的な現実的な問題をテーマにしている。そして、それと対立したと見られる老荘思想は、観念論的な「道」を主張してかなり違った様相をみせているが、やはり人生問題を第一に据えた思想であることに変わりはない。要するに、人間はいかに生きるべきかという現実的な問題こそが、中国の思想家たちにとって最大の関心事であると言えよう。

要するに、古代中国の環境哲学を考える場合、自然環境の探求よりも社会環境の考察に重点を置かなければならない。それは、社会的存在である人間が、中国の思想家たちの最大の関心事であるからのである。つまり「自然」と言う言葉を、「社会」と置き換える発想の転換ことこそが、古代中国の環境哲学であると言えよう。

一、発想転換❸としての中庸思想

『論語』の中では「中庸」という言葉は「中庸の徳たるや、其れ至れるかな、民鮮きこと久し」(雍也篇)の一条があるだけである。道徳としての中庸の在り方を最高だという。いったい「中庸」とは何か。『論語』では、

> 「中行を得てこれに与せずんば、必ずや狂狷か。狂者は進み取り、狷者は為さざる所あり」(子路篇)

---

❸ 「発想転換」によって、中国環境思想を探究する発想は、井上義彦「環境学の基礎としての環境哲学—文理融合と複眼的思想法の形成」(長崎大学環境科学部編『環境と人間』,九州大学出版会,2004 年 3 月,頁 12－17)から得られるのである。

中行の行は行為の意味で、実は道と同じ意味で、中行とは中道のことである。中道の人を得てそれを交わるのが理想だが、狂者は積極的で進んで求めるが、狷者の方は消極的で控えめだというのである。これで、中道というのは積極的な狂者と消極的な狷者との中間の道であって、それが理想的なのである。

『論語』と同じようなことは、『中庸』にもある。

「道の行われざるや、我れこれを知れり。知者はこれに過ぎ、愚者は及ばざるなり。…賢者はこれに過ぎ、不肖者は及ばざるなり。」

朱子は「中庸の中とは偏よらないで過不及の無いことだ」と注釈している。過ぎた状態と及ばない状態とを両端とすると、両端の中ということになるが、これは中庸の意味として一番分かりやすい意味と思う。

『中庸』では、また「隠を索め怪を行えば…後世述ぶること有らんも、吾れはこれを為さず。…君子は中庸に依る。世を遯れて知られざるも悔いざるは、唯だ聖者のみこれを能くす。」隠し事を暴き出したり怪しげなことを行ったりというのは積極的な行動派であるが、世間から身を隠して何の未練も持たないというのはその反対で哲人の行動とされる存在である。それぞれに意味のあることを認めながら、しかし理想的な規準は中庸だというわけである。これも両端の中の意味がはっきりしているのである。

中庸はそうした異常を離れた日常的な平凡の中でこそ得られるという考えがあるわけである。つまり中庸とは、ほど良い中ほどということである。ほどの良さというのが、中庸の平常性から来ているのである。朱子の注釈では、確かに「中とは過不及のないこと、庸とは平常なり」といって、意味の重点は中にあって、過不及のない両端の中がそのまま平常でもある。つまりほど良い中ほどということで、穏やかな日常性という意味である。

なお、『中庸』のなかには「時中」という言葉がある。その時その時にぴったりとあてはまる中である。現実の世界は絶えず動いて状況はいろいろと変化するが、その中で自分の置かれている立場を自覚して、そこで中を守るという主体性を貫くのである。「時に中する」ためには、その時の全体の状況を的確に把握する必要がある。要するに、そこで、両端の中ということも、両端の右と左とがあって、その右と左の真ん中ということであるが、それを固定的に動きのとれない形で考えてはまずいということになる。そもそも、その両端の極端そのものが動いているという観点も必要である。事態は絶えず動いていて、決して静止的ではない。そうだとすると、今、中だと思っている立場もいつの間にか変わってくる、真ん中が真ん中でなくなって、すっかり偏った立場にもなりかねないということになる。固定的でない融通性のある柔軟なおおよそその中、ほどよい中ほどが、そこで必要になるわけである。

以上は「右でもない左でもない」という両端の中ということを軸にして考えてきたが、中庸の内容をさらに詳しく探るためには、ここで一つの発想の転換をしなければならない。『中庸』のなかで、舜の政治のあり方を頌えて、「其の両端を執りて、其の中を民に用いた」といっている。ここで、「両端を執る」とは、舜はたくさんの意見を聞いたうえで、その中の極端な意見を捨て去るのではなく、むしろその両端をしっかり把握して、そしてその中ほどを民衆の上に用いていったというのである。つまり「右でもない左でもない」といった両端の中は、実は「右でもあり左でもある」という形への転換するのである。そしてそうなると、右と左とを包み込んだ頂点の中というように、三角形あるいは円錐形の立体的構造で考えられることになるのである。

そこで、こうした中庸の包含的な意味、あるいは統合性というものは、直線的であるよりは構造的に考えた方がよいということになる。つまり「右でもなく左でもない」という両端の中であると、たとえば一本の紐がずっと延びてことらの端とあちらの端とがある、その両端を区別した中間というように、直線で考えることができる。しかし中庸は「右でもなく左でもない」というのが、実は「右でもあり左でもある」ということになるので、右と左とが均等に中央に歩み寄ってきて、そこで質的な高まりを見せる、いわば頂点を形成するといった円錐形的な構造で考えるのが適切である。円錐形の全体がその足場から動いているので、真ん中が固定してはひっくり返す。融通性を持ったほどよい中ほどということで、いつも円の中心にいるように自在に柔軟に動いてゆくというわけである。この中では、全体を中央に集結したという意味あいがはっきりする。全体を総合して統括する中心である。右と左とは、そのどちらにも偏らないで、しかも両方が接収されて生かされている、そして全体としての高次の統合的な調和がとれているという「両端を執りて」用いる中である。そして、中庸のこの包含性、統合性を考えると、中庸と調和との関係を考える必要が出てくることになる。

中と和との密接な関係は、中国では古くから伝統的に両者は結合する観念であった。後漢時代の『説文解字』では「中とは和なり」といい、六朝ごろの注釈で、「中庸」につて「中とは中和なり」といい(『論語義疏』)、『中庸』にも「中和を致して、天地位し、万物育す」という言葉がある。中と和との親近性はもっと古くから考えられていたに違いない。孔子の時代から儀礼と音楽の実践が尊重されていたが、その礼楽についての論説が荀子のころから盛んになった。とりわけ礼が中と関係し、楽と和と関係して説かれていて、しかも両者が助け合って相通ずるとされていることである。『荀子』の「楽論篇」では、

> 楽なる者は天下の大斉(整)なり、中和の紀なり。…楽なる者は和の変ずるべからざる者なり。礼なる者は理の易うるべからざる者なり。楽は合同し、礼は別異し、礼楽の統は人の心を管(理)す。

音楽と儀礼とは並んで行われ、互いに助け合うものとされるが、その場合に礼と楽との役割分担が考えられている。楽の働きが和同であるのに対して、礼の働きは別異であるというのである。それを考えることは、中庸についての理解をさらに深め行くことになる。中と別異とは、確かにその働きの方向が逆になる観念である。中は過ぎもせず及ばないこともないということで、真ん中によりあって一つになる方向であるが、別異は区別をはっきりさせて分けてゆく方向である。まるで違っているように思える。実はそこに、分けることによって逆に一つになる、別異によって調和が得られるという考えがあって、それで別異も実は中と一致するということになるのである。『論語』のなかでは「礼の用は和を貴しと為す」(学而篇)と明言されている。礼は分けることによって全体の調和をはかり、中を標準とするその形によって調和を実現するのである。こうした礼のあり方は、中庸の包含性·統合性のあり方と共通したものがある。両端の中として分かれた両端を中に接収することによって、統合的な調和がもたらされるということである。

分けるというのは、全体をばらばらにして個別化することである。調和というのは、それに対して全体が一つになって合同することである。そうだとすると、分けることによって調和が得られるというのは、個別が個別として生かされることによって、全体が生きてくるという形になる。そして、そのように個別がどんな物でも抹殺されないで生かされることによって全体も生きてくる、その生き生きした全体のあり方が調和なのである。言い換えれば、

中庸とは、その発想方法からいえば、「直線的思考」から「円錐形の立体的構造」へと転換であり、そして真の調和とは、「別異・唯一」から「統合・包含」へと転換を意味するのである。『荘子』では、

> 狙公、芋を賦ちて朝に三にして暮に四つにせんと曰うに、衆狙みな怒れり。然らば則ち朝に四にして暮に三にせんと曰うに、衆狙みな悦べり。名実未だ虧けずぢて喜怒用を為す。亦だ是れに因らんのみ。是を以て聖人これを和するに是非を以てして天鈞に休う。是れを両行と謂う。(斉物論)

「両行」とは、世俗の立場では是非可不可の分別を立ててその一方によろうとするが、絶対の道である「因是」、「天鈞」の立場では、そうした対立を本質的とは見ないでそれに執着しないから、そのいずれもが等しく行われることになるのである。つまり猿飼いの親方が表現も実質も変わりはないのに、猿どもはみなそれで喜びや怒りの感情が働くことになった。それは、ただひたすら自然に身をまかせていくのである。そこで、聖人は善し悪しの分別知を調和させて、自然の平衡いわゆる万物斉同の道理に休息する。そうした境地を両行」、すなわち対立したもののいずれもがスムーズに流れる立場というのである。中庸の中も、確かに対立する両端があってこその中である。そして、その両端を切り捨てるのではなくて、それぞれの立場を生かしながら包容的に中ほどに接収することによって、調和的な構造を持った中が完成するのである。❹

二、価値観再考としての再生思想

一般にヨーロッパ人の思考は分析的である点において、また抽象的能力に富み、論理的法則的である点において、すぐれた特徴をもつと言われる。一方、中国人の思考は分析的であるよりも全一的、抽象的であるよりも具体的、論理的法則的であるよりも直感的体験的である。とくに生きた人間に関する把握、人間生活の実際に関する体験的な叡智は、中国人の思考を特徴づける最も大きな長所である。もしもこれからの人類の文化に最も多く寄与しうる中国人の叡智を求めるとすれば、中国人の体験的な人間学こそその第

❹ 中庸思想の論述は、金谷治『中国思想を考える』(中公新書,1993年3月)に負うところが多い。

一義であると考えられる。

『荘子』は人生を一つの渾沌として把握する。自己を他者から、人間を自然から、価値を反価値から、現在を過去と未来から生を死から、有限を無限から区別して、果てしない細分化の中で人生の全一性を見失うのではなくして、それらの一切が本来一つであるところから自己と世界を把握してゆくのである。『荘子』の哲学はこのような根源的な「一」を問題とするところにその特色がある。差別性ではなくして同一性を、対立の世界ではなくして調和の世界を、局部ではなくして全体を見ようとするところに『荘子』の哲学の特徴がある。その思考は分析的であるよりも全一的であり、抽象的であるよりも具体的、論理的法則的であるよりも直観的体験的である。齧欠と王倪との問答が、このことを最もよく示している。

> 齧欠、王倪に問いて曰く、子は物の同じく是とする所を知るかと。曰く、吾れ悪くんぞこれを知らんと。子は子の知らざる所を知るか。曰く、吾れ悪くんぞこを知らんと。然らば則ち物は知ること無きか。曰く、吾れ悪くんぞこを知らんと。然りと雖も嘗試みにこれを言わん、庸詎ぞ吾れの謂う所の知の不知に非ざることを知らん。庸詎ぞ吾れの謂う所の不知の知に非ざることを知らん。且つ吾れ嘗試みに女に問わん。民は湿に寝ぬれば則ち腰疾して偏死するも、鰌は然らんや。木に処れば則ち惴慄恂懼するも、猿猴は然らんや。三者孰れか正処を知る。民は芻豢を食らい、麋鹿は薦を食らい、蝍且は帯を甘しとし、鴟鴉は鼠を耆む。四者孰れか正味を知る。猿は猵狙以て雌と為し、麋は鹿と交わり、鰌は魚と遊ぶ。毛嫱・麗姫は人の美とする所なるも、魚はこれを見れば深く入り、鳥はこれを見れば高く飛び、麋鹿はこれを見れば決して驟る。四者孰れか天下の正色を知らん。我れよりこれを観れば、仁義の端、是非の途は、樊然として殽乱す。吾れ悪くんぞ能く其の弁を知らん。(斉物論)

ここで『荘子』の反俗的な傾向が象徴的に示されていると思われる。世俗的に価値ありとされるものに対する批判は、単に現実の生活の現象面にとどまるものではない。それはまた、世俗的な価値観に対する批判に基づくものと思われる。すなわち現実生活面に現れたかかる批判的態度は、より一般的普遍的な思想面での批判的精神の活動と密接に関連すると考えられる。そして、この批判的精神の活動とは、一般の世俗的価値観を相対化するとともに、その相対化を通して世俗的価値観の絶対性に疑問を投げかけ、その絶対化を否定することである。この日常世界の固定観念に対して、西施や毛嬙と並んで美人の代表とされる麗姫を使って虚構の説話を作り、常識的に不動と思われる価値評価が、必ずしも不動ではないことを明らかにしようとするのである。つまり、人間の判断など決して絶対的なものではなく、絶対的だと考えるのは、人間の自己中心的な偏見であることを示されるであろう。「毛嬙・麗姫は人の美とする所なるも、魚はこれを見れば深く入り、鳥はこれを見れば高く飛ぶ」とは、人の判断がいかに当てにならない相対的なものであるか、独善と偏見とを放下して常識的な価値観の桎梏から解放され万物斉同の立場へと誘うことを物語っている。人間は己れを鳥獣と区別し、草木と区別するだけではない。人間はまた自己自身に関して、あるいはまた他人との関わりにおいて、様々な区別を設け、たとえば、彼と是、自と他、然と不然、是と非、賢と愚、美と醜、大と小、長と短など、いろいろな対立を作り出す。しかし、道すなわち万物が斉同調和の真実在の世界においては、もとより彼是の区別もなければ自他の対立もない。然と不然、是と非の区別もなければ賢愚、美醜などの対立もないのである。それらの区別や対立はいずれも人間の独断の所産であり、人間が便宜上に設けたものにほかならない。つまり、日常的立場では絶対的だと思われていたことに疑問を投げかけることによって、その絶対性を揺るがせ相対的なものであるかもしれないことが開示されたのであるが、こうした世俗的日常的価値観の絶対性への懐疑と絶対性の相対化の思考は、単に価値観の問題にとどまらない。人間中心の日常的価値観の動揺は、人間存在の宇宙全体の中での位置づけの領域にまで及ぶこととなる。『荘子』は、この境地と悟達とを、次のような論説を思い出す。

> 物は彼に非ざるは無く、物は是れに非ざるは無し。自ら彼とすることは則ち見えず、自ら知ることは則ちこれを知る。故に曰く、彼は是れより出で、是れも亦た彼に因ると。彼と是れと方に生ずるの説なり。然りと雖も方に生ずれば方に死し、方に死すれば方に生ず。方に可なれば方に不可、方に不可なれば方に可なり。是に因りて非により、非に因りて是に因る。是を以て聖人は因らずしてこれを天に照らす。亦だ是れに因るのみ。是れも亦た彼なり、彼も亦た是れなり。彼と是れと其の偶を得るなき、これを道枢と謂う。(同上)

人間は現実の世界において「彼」と「是」とを区別し、己を「是」とし他を「彼」とする。しかし、「彼」と「是」とは相対的な概念であるから、「是」があって「彼」があるのであり、「彼」があって「是」があるのである。「彼」と「是」とは相い因って成立する相対的な概念であり、「彼」あっての「是」、「是」あっての「彼」である。言い換えれば、一切存在は「是」であるとともに「彼」であり、「彼」であるとともに「是」でもあるから、「是」は同時に「彼」であり、「彼」は同時に「是」である。そして、このように考えるとき、「彼」と「是」の対立などどこにも存在しなくなるであろう。存在するのはただ、「彼」でもなく、「是」でもなく、しかも「彼」でもあり「是」でもある「道枢」、すなわちそれら対立と差別を超えた絶対の境地である。

「彼」と「是」との対立について言えることは、「然」と「不然」の対立についても言えるであろう。

> 物はこれを謂いて然り。悪くにか然りとせん、然るを然りとす。悪にか然らずとせん、然らざるを然らずとす。悪くにか可とせん、可を可とす。悪にか不可とせん、不可を不可とす。物には固より然る所きあり、物には固より可とす所きあり。物として然らざるなく、物として可ならざるなし。故に是れが為に…厲と西施を挙ぐれば、恢詭譎怪なるも、道は通じて一たり。(同上)

世間の人間は万物を「然」と「不然」とに分かち、その然りを「然」そのしからずを「不然」として固執する。しかし差別と対立をもたない本来一つである万物は、「然」でもなく「不然」でもなく、また「然」とする立場から見れば、「然」でもあり「不然」でもある。つまり、物それ自体に「然」と「不然」の限定があるのではなく、それを「然」とし「不然」とする人間の角度や立場に限定があるのである。

さらに「然」と「不然」について言えることは、賢と愚、美と醜などの対立についても言えるであろう。われわれの日常的な世界では、ある種の人々は「賢」と呼ばれ、ある種の人々は「愚」と呼ばれる。もしくは、ある種の人々は「美」と呼ばれ、ある種の人々は「醜」と呼ばれる。しかし、愚とされるある種の人々それ自身は、賢愚と美醜の価値づけを超えたそれ自体として存在する。それを愚と呼び醜と呼ぶのは、特定の限定された立場の上に立ってのことである。賢いや美しいを価値あるもの、愚かや醜いを価値無くものとして差別し対立させるのは、人間の愛憎好悪の主観的な判断にほかならない。道は通じて一となし、万物は道において斉しい。言い換えれば道、すなわち真実在の世界において見れば、賢愚美醜、可不可、然不然の対立を超えて、一切存在はあるがままの姿において本来みな斉しいのである。善し悪しの分別知を調和させて、個人の独善的な判断を働かせないで、平常すなわちありきたりの自然さにまかせることによって、一切存在が自得すなわち自己の本分をとげて自己の生を楽しむことができる。

これは再生と言えるであろう。

もともと、人間社会の価値体系は一つの限定された立場に立つ。対象的存在である物それ自体は本来無限定であるのに、人間社会の価値体系はその無限を有限によって断ち切ることによって成立するからである。しかし、限定によって成立した一つの価値体系もまた、その限定性の故に他の異なった価値体系に変移する可能性を十分に内包する。『荘子』は

> 其の分かるるるは成るなり。其の成るは毀るるなり。凡そ物は成ると毀るるとなく復た通じて一たり。(同上)

といっている。そこでは貴と賎、貧と富、得と失等の差別や対立がもはや絶対不動のものでありえないばかりではない。人間社会の価値体系そのものがまた絶対不変ではありえないのである。「成」は「毀」、「存」は「亡」ときびしく対立する。両者は相容れないというのが固定し静止した世界の鉄則である。しかし、それらを動くもの、変化するものとして、無始から無終に至る大いなる変化の流れの全体において捉える立場では、生はもはや死と対立するものでなく、同様にして、成は毀と、存と亡と対立するものではない。そこでは、万物は、「方に生ずれば方に死し、方に死すれば方に生ず」(同上)るのであり、生きることはそのまま死ぬことである。成ることは同時に毀われることであり、存えることはそのまま亡びることである。いわゆる「死生存亡の一体」がこれである。人は死生存亡の一体をなし、本来、生もなく死もないところから今生きている己の生を見つめるとき、今生きている己の生を今生きている己の生それ自体として受け取るとらわれなき境地に立つことができる。ここで「とらわれなき」というのは、生と死を対立的に考え、生によって死を、死によって生を根據づけようとする因果的な思考から解放されているという意味である。そこではもはや、人間の固執するあらゆる差別と対立は本来の一に帰し、人間が執着する一切の価値的偏見は存在の余地を失う。何ものにも囚われることのない自由な人生がそこに成立するであろう。そして、すべての人間が、このような道、すなわち真実在の世界についての自覚を持ち、このような自由でとらわれない人生に目覚めるとき、そのときこそはじめて、人

間社会は真の意味での美と調和と安らぎに満ちた世界となるであろう。❺

結び

中国の伝統思想に対する現代文化というものは、いうまでもなくヨーロッパから受けている文化である。自由とか平等とか、基本的人権といったものを中心にした民主主義が現代文化の支えになっているが、これはみなヨーロッパからきた概念である。そして、自由とか平等とかいうことをはっきり意識して、これこそが人間が生きていく上で大事なことと教えられたのは、ヨーロッパから教えられたのである。

ところが、人間の生活にとって最も重要と思われる自由平等の自由の概念については、将来に向かって大きな問題がある。そこで、発想法転換の「中庸思想」や価値観再考としての「再生思想」というものの有効性が考えられる。

人間の周囲には対立した問題がたくさんある。人間は日常的にそれについて実践的な解決を迫られるのであるが、中庸思想が問題解決のための思考の方式として大いに役立つことになるであろう。中庸とは、両端を接収することによってより質的に高い中を得るのである。両端というのは、全体を構成する個別の代表として対立しあっているものであるが、それが消えないで生かされると、その個別が全体的に生かされることができるであろう。この個別は、右であろうが左であろうが、基本的には平等である。個別が対立しあうというのはそれぞれに自己の存在の主体的に貫いていくからである。そこでは同時に他者の立場に対する配慮がある。つまり一方的な自己主張だけに終わるのではなくて、対立する相手の立場を理解し容認する態度を持っているのである。もちろん個別者がそれぞれに全体としての中庸の調和を目指しているからのことであるが、この調和の理想は個別の意見の統合として生まれてくるものである。言い換えれば中庸とは、個人を取り上げるときに全体を考え、全体を取り上げるときに個人を考えといった関係である。そして、行き過ぎたものは減らし足りないものは増して、釣り合いを取ると言うことになるであろう。したがって、中庸の思考方式が現代社会の緊張関係の現実的な解決にとって最も有効であると

❺　再生思想の論述は、福永光司『『荘子』　古代中国の実存主義』(中公新書,1964年4月44判)に負うところが多い。

言えよう。

一般では社会的に有用なものや有能なものに価値があるとみなされるが、『荘子』の立場からすれば、社会的に無用なものや無能なものにこそ価値があるとする考え基づく生き方や在り方である。世に処するには、社会的に有用や有能であるよりは、無用や無能であることが好ましいという考えは、先にみた相対主義による絶対とされているものに対する懐疑を通しての、従来の一般社会の価値観の否定と転換に連なるものであると言えよう。「人間世篇」は、処世観についての説話を集めたものだとされる。そこには無用なものや無能なものの有用性を説く、いわゆる「無用の用」の再生思想を主題とする説話について考察してみよう。

> 匠石、斉に之く。曲轅に至りて櫟社の樹を見たり。其の大いさ牛を蔽い、之を絜るに百囲えあり。其の高さこと山を臨おろし、十仞にして後枝有り。其の以て舟を為るべきもの、旁らに十数あり。観むる者市の如そ。匠石顧みず。遂に行きて輟まらず。弟子厭きら之を観め、走りて匠石に及きて曰く、「吾れ斧と斤を執ちて以て夫子のあとに随いしより、未だ嘗て材の此くの如く其れ美なるものを見ざるなり。しかるを先生肯て視ず、行きて輟らざるは何ぞや」と。曰く、「已めよ。之を言うこと勿れ。散ためぬ木なり。以て舟を為れば則ち沈み、以て棺槨を為れば則ち速に腐り、以て器を為れば則ち速に毀れ、以て門户を為れば則ち液を満きだし、以て柱を為れば則ち蠹まる。是れ材いみちなき木なり。用うべき所なし。故に能く是くの若く寿し」と。

石という大工の名人が、ある時、斉の国を旅行して曲轅という所にやって来て、土地の神を祀った場所に幹の大きさを量ってみると百かかえもあり、舟材に使えるほどの大きな枝がきく十幾つもあたりに広がっているという世にも珍しい櫟の大木がある。その珍しい巨木を見物しようとする人だかりが、市場のような雑踏である。弟子たちもその大木に見とれていたが、棟梁の石は見むきもせずに通り過ぎてしまう。後から棟梁に追いついた弟子が、これまで見たこともないほど見事な大木なのに、なぜ見むきもせずに通り過ぎたのかと咎めると、棟梁はこの木は何を作っても役に立たない「散木」、人であれば才能のない、木であれば材料として役に立たない「不材」の木であって、使いようのない「用うべき所なし」といったものであるから、このように長寿を保ち大木になれたのだと説明する。

一般の目から見て無価値「無用」なものこそかえって価値があるのだ、という考えを明確簡潔に表明したのが、「人間世篇」末の、

> 山の木は自ずから寇うなり、膏火は自ずから煎くなり。桂は食うべきが故に之を伐り、漆は用うべきが故に之を割く。人は皆有用の用を知りて無用の用を知ること莫きなり。

という「無用の用」の主張である。「有用」なものは役立つが故に、自らに災いを招くことになるということに人々は気がつかない。世俗的な視点から見れば、「有用」なものはその有用性の故に尊重されるが、「有用」なもの自体にとっては、その有用性は果たして役に立つ「有用」なものであろうか。視点を換えれば、その有用性はかえって自己にとって有害なものとなる。逆に「無用」なものの世俗にとっての無用生が、自己にとって極めて「有用」なものとなる。

この「不材」の有用性と「無用の用」の主張は、一般に無価値とされるものの有価値性と、一般に有価値性とされるものの無価値性を主張するもので、その意味では一般社会の価値観の転換にほかならないと言える。現実の文化や価値観や生き方をややもすれば絶対化して、そうした価値評価や生き方に縛られ、それから外された場合に孤立感に襲われ無気力になり、果ては生き甲斐を失いがちである。しかしいま少し視野を広げて、自分の現に生きている社会や文化と異なる社会や文化に目を向けることによって、価値評価や生き方は決してこれ以外にはありえないという固定観念から抜け出すことができるであろう。『荘子』は、その意味では人間の社会や文化を超えたところにまで視野を広げ、現実の社会での固定観念にとりつかれて、それを拠りどころとして争う人々に冷や水を浴びせたと言うことができる。❻

---

❻　『荘子』の処世観の論述は、澤田多喜男『荘子のこころ』（有斐閣新書，1983年5月）に負うところが多い。

『井上義彦教授退官記念論集—東西文化會通』執筆者一覧

氏　名	所　属
齋藤　寛	長崎大學學長
池田紘一	長崎外國語大學學長
菅　豊彦	九州大學名譽教授
円谷裕二	九州大學大學院人文科學研究院教授
牧野英二	法政大學文學部教授
高　柏園	淡江大學副校長
呂　正惠	淡江大學中國文學系教授
周　志文	台灣大學中國文學系教授
周　彥文	淡江大學中國文學系教授
陳　仕華	淡江大學漢語文化暨文獻資源所副教授
胡　衍南	台灣師範大學國文系副教授
金　培懿	中正大學中國文學系助理教授
藤井倫明	雲林科技大學漢學資料整理研究所助理教授
生野正剛	長崎大學環境科學部教授
小野隆弘	長崎大學環境科學部教授
谷村賢治	長崎大學環境科學部教授
早瀬隆司	長崎大學環境科學部教授
姫野順一	長崎大學環境科學部教授
奥　真美	長崎大學環境科學部助教授
戸田　清	長崎大學環境科學部助教授

井上義彥　長崎大學環境科學部教授
高實康稔　長崎大學名譽教授
佐久間正　長崎大學環境科學部教授
園田尚弘　長崎大學環境科學部教授
福島邦夫　長崎大學環境科學部教授
吉田雅章　長崎大學環境科學部教授
若木太一　長崎大學環境科學部教授
松田雅子　長崎大學環境科學部助教授
池田幸恵　長崎大學環境科學部助教授
正本　忍　長崎大學環境科學部助教授
葉柳和則　長崎大學環境科學部助教授
增田　研　長崎大學環境科學部助教授
連　清吉　長崎大學環境科學部助教授

編後記

井上義彦教授のご退官にさいし、ここに謹んで『井上義彦教授退官記念論集　東西文化會通』を編み、お祝い申し上げることになりました。先生と交誼をもつ同学の者、台湾・日本の研究者併せて33名が寄稿するはこびとなり慶賀にたえません。

先生はカント研究の専門家であり、日本における西洋哲学に造詣深く、とりわけ近年は生命論、時間論さらに景観論など環境哲学の新領域を開拓され、多くの著書、ご論文を発表されています。自然と人間との調和を論じ、情熱のこもった、身体全体をふりしぼっての講義は迫力があり、聴講する者を圧倒し、奮い立たせる力に充ちみちておりました。

また、ご存知のように教養部時代は長期にわたり部長を務められ、文理融合という新しい理念に基づく長崎大学環境科学部の設立に情熱を注がれました。初代の環境科学部部長として、さらに大学院環境科学研究科、そして生産科学研究科博士課程の設置にいたるご功績は永く記憶されるところでありましょう。

その間、日本と台湾とりわけ淡江大学との間で東西哲学、歴史・文化を視野に入れた、広い意味での環境科学を基調とするする学術交流を進められ、これまで「21 世紀東アジア社会環境学会」の開催などに尽力されてきました。

なお、この企画につきましては、台湾の淡江大学副学長高柏園先生から記念論文集を出そうではないかという有りがたいお話をたまわり、連清吉先生を通して台湾の研究者、日本の研究者が一書に集う記念論文集の発起を致した次第です。

末筆になりましたが、この企画に賛同され、ご寄稿くださった皆さま、出版を快諾された台湾学生書局にたいし衷心からの御礼を申し上げます。

二〇〇六年三月吉日

若木太一

井上義彥教授退官記念論集 東西文化會通

編　　　者：井上義彥教授退官記念論集編輯委員會
出　版　者：臺灣學生書局有限公司
發　行　人：盧保宏
發　行　所：臺灣學生書局有限公司
臺北市和平東路一段一九八號
郵政劃撥帳號：00024668
電話：(02)23634156
傳真：(02)23636334
E-mail：student.book@msa.hinet.net
http：//www.studentbooks.com.tw
本書局登記證字號：行政院新聞局局版北市業字第玖捌壹號
印　刷　所：長欣彩色印刷公司
中和市永和路三六三巷四二號
電話：(02)22268853

定價：精裝新臺幣一〇〇〇元

西元二〇〇六年二月初版

07812

ISBN 957-15-1299-0(精裝)